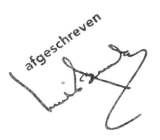

◉ Geheimen van Saramyr ◉

Van Chris Wooding zijn verschenen:

De vloek van Alaizabel Cray
Gif
De Heksenmeesters van Saramyr
Geheimen van Saramyr

Chris Wooding

⊚ Geheimen van Saramyr ⊚

Boek 2 van de trilogie
Wevers van Saramyr

LUITINGH FANTASY

© 2004 Chris Wooding
All rights reserved
© 2005 Nederlandse vertaling
Uitgeverij Luitingh ~ Sijthoff B.V., Amsterdam
Alle rechten voorbehouden
Oorspronkelijke titel: *The Skein of Lament*
Vertaling: Sandra van de Ven
Omslagontwerp: Rudy Vrooman
Omslagillustratie: Larry Rostant
Copyright kaart: © 2003 Dave Senior

ISBN 90 245 4614 1 / 9789024546145
NUR 334

www.boekenwereld.com

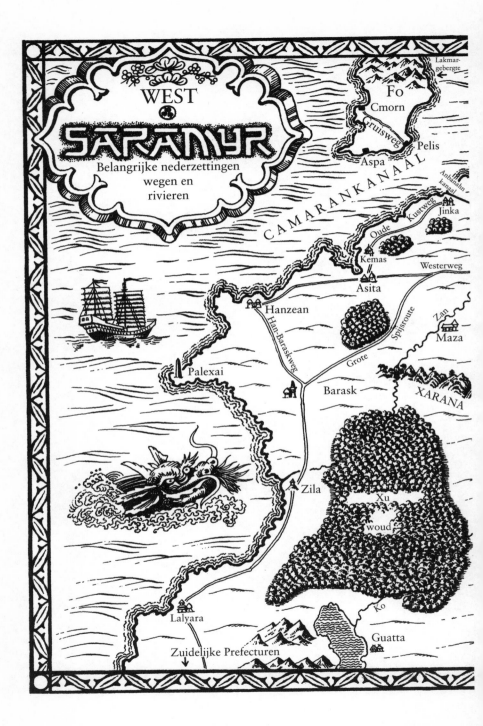

◎ 1 ◎

De lucht in het hete oerwoud was stroperig en klam en het wemelde van de insecten.

Saran Ycthys Marul lag roerloos op een platte, stoffige steen, die door de uitstekende takken van een chapapaboom werd beschermd tegen de meedogenloze zon. In zijn handen lag een lang, smal jachtgeweer en hij tuurde door het vizier. Zo lag hij nu al een hele tijd. Vóór hem strekte zich een smalle vallei uit, een kloof als een messnede met een oneffen bodem van witte stenen, een overblijfsel van een rivier waarvan de loop intussen alweer was veranderd door een van de catastrofale aardbevingen die van tijd tot tijd het reusachtige, wilde continent Okhamba teisterden. Aan weerszijden van de kloof rees het land steil omhoog. Daar waren loodrechte wanden van prehistorische steen, waarvan de bovenste randen schuilgingen onder een ondoordringbare wirwar van klimplanten, struiken en bomen die zich met moeite vastklampten aan de weinige spleten en richels die ze konden vinden.

Hij lag aan de hoogste rand van de vallei, aan de kant waar de rivier ooit omlaag was gestroomd. Het monster dat hen al weken opjoeg kon maar één pad kiezen als het hen wilde blijven achtervolgen. Het landschap was gewoonweg te vijandig en het bood geen andere mogelijkheden. Vroeg of laat zou het hier langskomen. En of dat nu was of over een week, maakte niet uit. Saran zou hier hoe dan ook liggen wachten.

Het was nu veertien dagen geleden dat het de eerste ontdekkingsreiziger had gedood, een spoorzoeker uit Saramyr die ze in een kolonie in Quraal hadden ingehuurd. Ze namen tenminste aan dat hij dood was, want ze hadden zijn lichaam nooit gevonden, en ook geen spoor van geweld. De spoorzoeker had zijn hele volwassen leven in het oerwoud doorgebracht, zo had hij beweerd. Zelfs hij was echter niet voorbereid geweest op wat ze in de duisternis in het hart van Okhamba hadden aangetroffen.

Na hem waren twee inboorlingen verdwenen, Kpeth-mannen, betrouwbare gidsen die tevens dienstdeden als pakezels. De Kpeths waren albino's, want ze leefden al duizenden jaren in het bijna ondoordringbare hart van het oerwoud, waar de zon zelden door het bladerdak heen drong. Op een gegeven moment waren ze uit hun territorium verdreven en naar de kust getrokken, waar ze waren gedwongen tot een nachtelijk bestaan, ver van de verzengende hitte van de dag. Ze waren de oude gebruiken echter niet vergeten, en in de schemering diep in het oerwoud was hun kennis onbetaalbaar. Ze waren bereid hun diensten aan te bieden in ruil voor Quralees geld. Daarmee konden ze een relatief gemakkelijk en gerieflijk leven leiden in de met hand en tand verdedigde strook land aan de noordwestelijke rand van het continent die het eigendom van de Theocratie was.

Saran betreurde hun verlies niet. Hij was toch niet zo op hen gesteld geweest. Ze hadden de idealen van hun volk te grabbel gegooid door geld aan te nemen voor hun diensten en een geloof van duizenden jaren oud met voeten getreden. Saran had hen met hun ingewanden verwijderd boven op elkaar aangetroffen, terwijl hun bloed wegzakte in de donkere aarde van hun thuisland.

De andere twee Kpeths waren bevangen door doodsangst gedeserteerd. Het wezen had hen later als lokaas voor een valstrik gebruikt. De onfortuinlijke martelaren waren met gebroken benen op het pad van de ontdekkingsreizigers achtergelaten, kokend in de hitte van de dag en smekend om hulp. Met hun kreten moesten ze de anderen lokken. Saran had zich echter niet voor de gek laten houden. Hij had hen aan hun lot overgelaten en was met een grote boog om de plek waar ze lagen heen getrokken. Hij had de anderen niet horen klagen.

Intussen waren er nog vier gedood, allemaal mannen uit Quraal die niets konden beginnen tegen de wreedheid van het oerwoudcontinent. Twee waren ten prooi gevallen aan het wezen dat hen achtervolgde. Eén was bij de oversteek van een diepe kloof te pletter gevallen. De laatste hadden ze verloren toen zijn *ktaptha* was omgeslagen. Hij was door koorts verzwakt geweest, waardoor hij de platte rieten boot niet onder controle kon houden, en toen die zich weer oprichtte, zat hij er niet meer in.

Negen doden in twee weken tijd. Drie waren er nog over, hijzelf meegerekend. Er moest nu een eind aan komen. Ze waren er weliswaar in geslaagd uit het verschrikkelijke hart van Centraal-Okhamba te ontsnappen. Ze waren echter nog steeds vele dagreizen van het verzamelpunt verwijderd – en het was nog maar de vraag of daar iemand zou zijn – en ze waren er slecht aan toe. Weita, de laatste Saramyriër, vocht nog steeds tegen dezelfde koorts die het leven van de man uit Quraal had geëist. Hij was uitgeput en wankelde op het randje van de waanzin. Tsata had een schouderwond opgelopen die waarschijnlijk zou gaan zweren, tenzij hij de kans kreeg de noodzakelijke geneeskrachtige kruiden te verzamelen. Alleen Saran was gezond. Geen enkele ziekte had vat op hem gekregen en hij was onvermoeibaar. Zelfs hij begon echter te geloven dat ze het verzamelpunt niet levend zouden bereiken, en dan zouden de gevolgen verschrikkelijk zijn. Daarbij zou zijn eigen dood volkomen in het niet vallen.

Tsata en Weita bevonden zich ergens in de drooggevallen rivierbedding in de vallei, waar ze zich hadden verscholen in de doolhof van bemoste steenzoutrotsen. Ze wachtten af, net als hij. Nog verder weg en al even onzichtbaar lagen Tsata's valstrikken.

Tsata was geboren in Okhamba, maar hij kwam uit het oostelijke deel, waar de handelaren van Saramyr aanmeerden. Hij was een Tki-urathi, een volkomen ander ras dan de Kpeths, het nachtelijke albinovolk. Hij was het enige overgebleven lid van de expeditie dat hen uit het oerwoud kon leiden. De afgelopen drie uur hadden ze onder zijn leiding strikken van ijzerdraad, dichtklappende vallen, diepe putten, giftige staken en hun laatste explosieven aangebracht. Het was nu vrijwel onmogelijk om via de kloof naar boven te komen zonder iets in werking te zetten.

Desondanks was Saran niet gerustgesteld. Hij bleef doodstil liggen en wachtte met eindeloos geduld.

Hij was een opvallend knappe man, zelfs in zijn huidige toestand, nu zijn huid onder de vuile vegen en het zweet zat en zijn zwarte haar, dat tot aan zijn kin kwam, in doorweekte lokken slap omlaag hing en aan zijn nek en wangen bleef kleven. Hij had de gelaatstrekken die kenmerkend waren voor de Quralese aristocratie, en er sprak een zekere arrogantie uit de welving van zijn lippen, zijn donkerbruine ogen en de agressieve kromming van zijn neus. Zijn gewoonlijk bleke huid was bruin geworden na al die maanden in de niet-aflatende hitte van het oerwoud, maar zijn gelaat vertoonde geen enkel teken van de beproevingen die hij had moeten doorstaan. Hoe ongemakkelijk de strakke, sobere kleren uit zijn thuisland ook zaten, ijdelheid en gewoonte weerhielden hem ervan ze te verruilen voor kleren die beter op de omstandigheden waren toegerust. Hij droeg een zwarte gesteven jas die inmiddels helemaal verkreukeld was. De rand van de hoge kraag was versierd met zilverdraad, dat bij de halsgesp overging in een strook met een verfijnd ajourmotief, die langs de rand van het voorpand van schouder tot heup omlaag liep. In zijn bijpassende broek was het ingewikkelde zilvermotief doorgevoerd, en de pijpen waren weggestopt in geoliede leren laarzen die strak om zijn kuiten zaten en bij het lopen vreselijk schaafden. Aan zijn linkerpols – van de hand waarmee hij de loop van zijn geweer ondersteunde – hing een platina hangertje, een spiraal met een driehoekig schild, het symbool van de Quralese god Ycthys, aan wie zijn tweede naam was ontleend.

In gedachten, zonder zijn blik af te wenden van de groef van zijn vizier, overzag hij de situatie. Het punt waar de kloof op zijn smalst was, was bezaaid met valstrikken, en aan weerszijden liepen de wanden loodrecht omhoog. De stapels rotsblokken die daar lagen, overblijfselen van steenlawines, waren minstens acht voet hoog en vormden een smalle doolhof waar de onbekende achtervolger zich een weg doorheen zou moeten banen. Tenzij het wezen verkoos eroverheen te klimmen, en in dat geval zou Saran het doodschieten.

Hoger op de helling, dicht bij hem, werd de rivierbedding breder en groeiden er opeens bomen, een kluwen van verschillende soorten die elkaar vlak langs de drooggevallen bedding verdrongen in hun strijd om ruimte en licht. De bomen werden geflankeerd door nog meer rotswanden, van donkergrijze steen dooraderd met wit. Sarans belangrijkste taak was zijn prooi in de watervoor te houden. Als het erin slaagde de bomen te bereiken...

Aan het uiterste randje van zijn blikveld ving Saran een vluchtige beweging op. Hoewel hij al een hele tijd roerloos op zijn plek had gelegen, reageerde hij onmiddellijk. Hij richtte en schoot.

Er jankte iets, met een geluid dat het midden hield tussen een krijs en een brul. Het was afkomstig van een punt onder aan de helling. Met één soepele beweging zette Saran het geweer weer op scherp door de haan naar achteren te trekken en te vergrendelen. Hij had het buskruit in de kruitpan net vervangen, en hij rekende erop dat hij daar onder gewone omstandigheden zeven schoten mee kon afvuren, maar nu door het vocht misschien maar vijf. Buskruit was zo verdomd onbetrouwbaar.

Het was stil geworden in het woud rondom hem, dat was opgeschrokken door de onnatuurlijke knal van het geweer. Saran lette goed op of hij nog meer beweging zag. Niets. Geleidelijk begon het tussen de bomen weer te zoemen en gonzen en vermengden dierlijke kreten en vogelgekwetter zich tot een krankzinnige kakofonie van welig tierend leven.

'Heb je het monster geraakt?' vroeg iemand vlak achter hem. Het was Tsata en hij sprak in het Saramyrees, de enige taal die de overlevenden alledrie beheersten.

'Misschien,' antwoordde Saran, zonder zijn blik van het vizier af te wenden.

'Het weet dat we er zijn,' zei Tsata, hoewel niet duidelijk was of hij bedoelde dat dat kwam doordat Saran op het wezen had geschoten. Hij sprak meerdere talen vloeiend, maar was niet genoeg geoefend in de ingewikkelde nuances van het Saramyrees, die ondoorgrondelijk waren voor iemand die er niet was geboren.

'Dat wist het toch al,' prevelde Saran ter verduidelijking. Hun achtervolger had tot dusver bewezen een griezelig vooruitziende blik te hebben. Hij was er immers meerdere keren in geslaagd hen in te halen, leek te weten welke weg ze zouden nemen en had zich niet laten misleiden door hun afleidingsmanoeuvres en de valse sporen die ze hadden achtergelaten. Tsata was de enige die het wezen ooit had gezien, en dat was twee dagen geleden, toen het achter hen aan de kloof inging. Tsata en Saran hadden niet de illusie dat het zich door hun valstrikken zou laten verrassen. Ze konden slechts hopen dat het niet in staat zou blijken ze te vermijden.

'Waar is Weita?' vroeg Saran, want opeens vroeg hij zich af waarom Tsata hier was en niet beneden tussen de rotsen, waar hij hoorde te zijn. Soms wenste hij dat de Okhambanen net zoveel discipline hadden als de Saramyriërs en de Quralezen, maar door hun opstandige inborst waren ze altijd onvoorspelbaar.

'Rechts van ons,' antwoordde Tsata. 'In de schaduw van de bomen.' Saran keek niet. Hij stond op het punt nog een vraag te stellen, toen er een doffe klap door de kloof galmde die de bomen deed trillen en de rotsen deed beven. Uit het midden van de rivierbedding steeg langzaam een dichte, witte stofwolk op.

De echo's van de klap stierven langzaam weg, en opnieuw was het stil in het oerwoud. Het ontbreken van dierengeluiden was griezelig. Ze waren nu al vele maanden op reis en het lawaai was altijd op de achtergrond te horen geweest. De stilte was als een schrijnende leegte.

Een hele poos durfden ze geen van beiden te bewegen of adem te halen. Eindelijk werd de spanning verbroken toen Tsata zijn voet verschoof op een steen. Saran waagde een snelle blik over zijn schouder naar de Tkiurathi. Die zat op één knie naast hem en viel nauwelijks op tegen de gladde bast van de chapapaboom die hen allebei beschutte.

Ze zeiden geen woord. Dat was niet nodig. Ze wachtten gewoon af totdat de stofwolk was opgetrokken en bleven waakzaam.

Onwillekeurig voelde Saran zich iets beter op zijn gemak nu hij zijn metgezel aan zijn zijde had. Hij zag er een beetje vreemd uit en zijn houding was nog ongewoner. Saran vertrouwde hem echter, terwijl hij toch niet licht van vertrouwen was.

Tkiurathi's waren feitelijk halfbloeden, die meer dan duizend jaar geleden waren ontstaan uit relaties tussen de overlevenden van de oorspronkelijke uittocht vanuit Quraal en de inboorlingen die ze aan de oostkant van het continent hadden aangetroffen. Tsata had de melkachtig gouden huidskleur geërfd die daarvan het gevolg was. Daardoor zag hij er meestal gezond en gebruind uit, maar afhankelijk van de lichtval leek het soms ook alsof hij bleek was en aan geelzucht leed. Zijn vuile roodblonde haar was achterovergekamd en werd met hars op zijn plaats gehouden. Hij droeg een mouwloos buis van eenvoudige grauwe jute en een broek van dezelfde stof, maar op de plaatsen waar zijn huid onbedekt was waren delen zichtbaar van de reusachtige tatoeage die bijna zijn hele lichaam bedekte.

Het was een ingewikkeld, wervelend patroon van groene inkt die scherp afstak tegen zijn bleekgele huid. Het begon op zijn onderrug, en van daaruit slingerden ranken over zijn schouders, langs zijn ribben, over zijn kuiten en om zijn enkels heen. Ze splitsten zich her en der en liepen in een star symmetrisch patroon ten opzichte van de lengteas van zijn lichaam in punten uit. Kleinere ranken liepen langs zijn hals en onder zijn haar omhoog, en over zijn wang om zijn oogkassen heen. Twee smalle loten liepen onder zijn kin door en van daaruit omhoog tot aan zijn lippen. Vanachter het masker van tatoeages dat zijn gezicht leek te omvatten zocht hij de kloof in de diepte af, met ogen die dezelfde kleur hadden als de tekens op zijn huid.

Een hele poos later voegde Weita zich bij hen. Hij zag er ziekelijk bleek uit, zijn korte donkere haar was dof en zijn ogen schitterden iets te fel.

'Wat doen jullie?' fluisterde hij.

'Wachten,' antwoordde Saran.

'Wachten? Waarop?'

'Totdàt het wezen zich weer beweegt.'

Weita vloekte binnensmonds. 'Hebben jullie het dan niet gezien? De explosieven! Als die hem niet gedood hebben, dan heeft een andere val daar vast wel voor gezorgd.'

'We kunnen het risico niet nemen,' zei Saran onverstoorbaar. 'Misschien is het alleen maar gewond. Misschien heeft het de valstrik met opzet in werking gezet.'

'Hoe lang blijven we hier dan zitten?' wilde Weita weten.

'Zolang als nodig is,' zei Saran.

'Totdat het donker wordt,' zei Tsata.

Saran aanvaardde zijn tegenspraak zonder wrok. Heimelijk was hij bang dat het wezen onder dekking van de rotsblokken al door de kloof omhoog was geslopen en de bomen had bereikt, hoewel hij het onwaarschijnlijk achtte dat het daarin zou zijn geslaagd zonder dat hij er een glimp van had opgevangen. Na zonsondergang zou het monster de duisternis in zijn voordeel kunnen gebruiken, en dan zou zelfs Tsata met zijn uitstekende nachtzicht er moeite mee hebben om het op zo'n grote afstand te zien aankomen.

'Totdat het donker wordt,' verbeterde Saran zichzelf.

Ze werden voortdurend door insecten gebeten en de lucht werd zo vochtig dat ademhalen aanzienlijk moeilijker werd, maar hun waakzaamheid werd niet beloond. Ze zagen geen enkel teken meer van hun achtervolger.

Weita's tegenwerpingen waren aan dovemansoren gericht. Saran kon wachten zolang als nodig was, en Tsata wilde graag zo voorzichtig mogelijk zijn. Hij maakte zich zoals altijd zorgen om het welzijn van de hele groep en hij wist dat het geen goed idee was om hun achtervolger te onderschatten. Weita zeurde en klaagde echter aan één stuk door. Hij wilde het liefst meteen naar de rotsblokken afdalen om het lijk van hun vijand te bekijken, zozeer was hij erop gebrand zijn angst te overwinnen voor het wezen dat alleen Tsata tot op dat moment had gezien, de onzichtbare wreker die in Weita's fantasie tot een soort demon was uitgegroeid.

Kort voor zonsondergang kwam Tsata, die tegen de stam van de chapapa leunde, in beweging en prevelde: 'We kunnen maar beter gaan.'

'Eindelijk!' riep Weita.

Saran stond op van de plek waar hij bijna de hele dag op zijn buik had gelegen. Aan het begin van de expeditie had Weita zich verwonderd over het uithoudingsvermogen van de Quralese man, maar nu ergerde hij zich er alleen maar aan. Saran hoorde nu eigenlijk overal pijn te hebben, maar hij bewoog nog heel soepel, alsof hij net een wandelingetje had gemaakt.

'Weita, jij en ik verspreiden ons tussen de rotsblokken en gaan er van weerszijden op af. Je weet waar de valstrikken zijn, dus wees voorzichtig. Het kan zijn dat ze niet allemaal door de ontploffing in werking zijn gesteld.' Weita knikte, maar hij luisterde maar half. 'Tsata, blijf zo hoog mogelijk. Loop over de rotsblokken heen. Als het wezen probeert iets naar je te gooien of schieten, laat je je vallen en kom je hier zo snel mogelijk weer terug.'

'Nee,' zei Tsata. 'Misschien zit het al tussen de bomen. Dan ben ik een gemakkelijk doelwit.'

'Als het uit de kloof is ontsnapt, zijn we allemaal een gemakkelijk doelwit,' antwoordde Saran. 'En we hebben iemand nodig die alles van bovenaf in de gaten houdt.'

Tsata dacht even na. 'Ik begrijp het,' zei hij. Saran maakte daaruit op dat hij met het plan instemde.

'Wees op je hoede,' raadde Saran zijn metgezellen aan. 'We moeten ervan uitgaan dat het wezen nog leeft en gevaarlijk is.'

Tsata controleerde zijn geweer, vulde de kruitpan bij en spande de haan. Saran en Weita verborgen hun wapens in het kreupelhout. Hun geweren zouden hen alleen maar hinderen in de krappe doorgangen tussen de rotsblokken van de rivierbedding. In plaats daarvan trokken ze hun steekwapens: Weita een smal, gekromd zwaard en Saran een lange dolk. Toen verlieten ze hun schuilplaats en begaven zich tussen de rotsblokken.

In de smalle doorgangen tussen de rotsblokken was de lucht nog drukkender. De benauwdheid kon geen kant op nu er geen wind stond om de zware lucht in beweging te brengen. Schuine lichtstralen beschenen de gezichten van de ontdekkingsreizigers, die keer op keer de scherp getekende grenzen tussen fel zonlicht en warme schaduw overstaken. De grond was bezaaid met puin, hoewel het overgrote deel van het fijnere gruis was weggespoeld door de regenbuien die de rivier soms een paar weken achtereen in een schim van haar oude glorie herstelden. Wat achterbleef was te groot om door de stroming te worden meegevoerd: logge blokken vuilwitte steen, gebarsten door de zon en gepolijst door het water.

Saran sloop van rots naar rots, van de ene blinde hoek naar de andere, en vertrouwde erop dat zijn richtingsgevoel hem op de juiste koers zou houden. Ergens boven hen, aan het zicht onttrokken door de rotsblokken, bewoog Tsata zich over de hoger gelegen grond. Met zijn geweer in de aanslag sprong hij over de nauwe spleten, lettend op elke beweging. Hij kon duidelijk horen waar Weita liep, afgaand op zijn schuifelende voetstappen. De man uit Saramyr was niet in staat zich geluidloos voort te bewegen. De benodigde gratie ontbrak hem.

'Jullie komen in de buurt van de valstrikken,' zei Tsata boven hen. Saran vertraagde zijn pas en zocht naar de tekens die ze in het steenzout hadden gekrast, gecodeerde waarschuwingen die aangaven waar de strikken en valkuilen zich bevonden. Hij zag er een, keek omlaag en stapte over het ragfijne draadje dat een paar centimeter boven de grond hing.

'Zie je het al?' riep Weita. Saran voelde een steek van ergernis. Weita was gewoon niet in staat zich stil te houden.

'Nog niet,' klonk Tsata's stem in de verte. Waar hij liep was hij toch al duidelijk zichtbaar, dus het gevaar kon voor hem nauwelijks groter worden als hij praatte.

De rotsblokken stonden hier iets minder dicht op elkaar, en Saran ving een glimp op van zijn Tkiurathische metgezel, die zich een eind verderop heel zorgvuldig voortbewoog.

'Welke kant moet ik op?' riep Weita weer.

'Zie je dat rotsblok aan je rechterkant? Dat ene dat doormidden is gebroken?' vroeg Tsata.

Saran sloop net voetje voor voetje langs een verborgen valkuil toen hij besefte dat Weita geen antwoord gaf. Hij verstijfde.

'Weita?' vroeg Tsata.

Stilte.

Saran voelde dat zijn hart sneller ging kloppen. Hij liep door totdat hij de kuil veilig achter zich had gelaten en klemde zijn hand stevig om het heft van zijn dolk.

'Saran,' zei Tsata. 'Volgens mij is het wezen vlakbij.'

Tsata verwachtte geen antwoord. Hij wist wel beter. Saran zag hem uit het zicht verdwijnen en hoorde een bons. De Tkiurathi was op de grond gesprongen om tussen de rotsblokken dekking te zoeken. Saran was alleen.

Hij streek bezorgd het vochtige haar uit zijn gezicht en spitste zijn oren. Hij hoopte op een geluidje, al was het maar een voetstap, dat zou verraden waar het wezen zich ophield. Weita was dood, daarvan was hij overtuigd. Zelfs hij zou niet zo dom zijn om op zo'n moment een grapje met hen uit te halen. Wat hem vooral dwarszat, was de geruisloze manier waarop hij was gestorven.

Hij kon maar beter niet blijven stilstaan. Als hij in beweging bleef, zou hij het wezen wellicht kunnen verrassen. Geluidloos liep hij verder door de doolhof van steenzout en perste zich door een spleet tussen twee rotsblokken die tegen elkaar waren gerold. Dat vervloekte monster had gewoon gewacht totdat ze in beweging zouden komen. Het had hen hiernaartoe gelokt. Ontsnappen was nu niet meer mogelijk. Ze maakten geen enkele kans.

Door zijn groeiende angst zag hij bijna een merkteken over het hoofd, maar hij merkte het nog net op tijd op om te voorkomen dat hij een val in werking zou zetten. Hij keek op en zag boven zijn hoofd de stutten die een rotsblok tegenhielden. Hij dook onder de draad door, die op borsthoogte hing, en stapte over de tweede, die vlak daarachter over de grond liep.

Nu had hij de buitenste rand bereikt van het gebied waar het puin van de ontploffing was terechtgekomen. Hij verbaasde zich erover dat de val die hij zojuist was gepasseerd intact was gebleven. Op de grond lagen kleine steentjes en stof. Voorzichtig liep hij verder. De stilte was angstaanjagend. Hoewel de geluiden van het oerwoud luid schalden in de wereld buiten de schemerige, onregelmatige doorgangen vol licht en schaduw waar hij doorheen sloop, was het in de vallei muisstil. Zweetdruppels drupten van zijn kaak. Leefde Tsata nog wel, of had het monster hem ook al te pakken gekregen? Ergens viel een steentje.

Saran reageerde snel. Het wezen was net iets sneller en hij had niet eens tijd om het goed te bekijken voordat hij instinctief zijn hoofd naar achteren en opzij trok. De klauwen bewogen als in een waas en trokken twee ondiepe voren in de zijkant van zijn hals. De pijn was nog niet eens tot hem doorgedrongen toen de tweede klap kwam, maar deze keer wist Saran zijn mes te heffen, en het monster sprong met een schrille kreet achteruit. Met zijn gewicht gelijk verdeeld kwam het neer en het leek even in het nauw gedreven.

Twee vingers met klauwen vielen tussen de strijdende partijen op de grond. Er steeg een wit stofwolkje op.

Saran stond ineengedoken klaar, met het mes verborgen achter zijn arm, zodat het wezen niet kon zien vanuit welke hoek hij de volgende keer zou toeslaan. De wond in zijn hals begon te branden. Gif.

Hij liet zijn blik over zijn tegenstander glijden. Die had ruwweg de bouw van een mens, maar niet helemaal. Het leek of een krankzinnige pottenbakker een beeld van klei in de vorm van een man had genomen en er iets monsterlijks van had gemaakt. Zijn gezicht zag eruit alsof het over zijn langwerpige schedel naar achteren was getrokken: zijn gelaatstrekken waren langgerekt, zijn zwarte haaienogen waren gevat in scheefstaande kassen en zijn neus was plat. Zijn met bloed bedekte tanden waren volmaakt rechte naalden zo dun als de punt van een ganzenveer, en stonden in een regelmatige dubbele rij in een onmogelijk brede mond. Zijn slanke ledematen waren pezig en gespierd en bedekt met een gladde grijze huid, en over zijn onderarmen, dijen en de gekrulde, aapachtige grijpstaart die aan zijn stuitbeen was ontsproten liepen rudimentaire huidfranjes die op vinnen leken.

In Saramyr had Saran afwijkenden gezien die er veel enger uitzagen, maar dat waren foutjes van de natuur. Dit monster was zo gemaakt. Al in de baarmoeder was dit afschrikwekkende uiterlijk uit vlees geboetseerd en waren de lichamelijke kenmerken van het wezen aangepast met slechts één doel: het scheppen van de volmaakte jager. Het had nu een mes in zijn hand, een gemeen uitziend kapmes waarvan de punt uitliep in een haak, maar het maakte nog geen aanstalten om aan te vallen. Het wist dat het zijn tegenstander een slag had toegebracht en wachtte totdat het gif uit zijn klauwen zou gaan werken.

Saran deed wankel een pas achteruit en liet zijn schouders hangen. Zijn ogen vielen dicht. Het wezen sprong op hem af met de bedoeling Saran de keel door te snijden. Sarans keel bevond zich echter niet meer op de plek waar het mes naartoe bewoog. Hij was al opzij gesprongen en haalde nu met zijn dolk uit naar de smalle borstkas van het wezen. Saran was bij lange na niet zo verzwakt als hij deed voorkomen. Het monster liet zich verrassen en dook pas op het laatste moment opzij. De punt van Sarans mes liet een lange snee op zijn ribben achter.

Hij kreeg geen respijt. Het wezen viel opnieuw aan, sneller deze keer, want het was niet meer zo overtuigd van de zwakte van zijn slachtoffer. Metaal sloeg galmend tegen metaal toen Saran de aanval afweerde, en hij haalde met zijn vuist uit naar de nek van het monster. Zijn tegenstander ontweek hem echter watervlug, dus Saran raakte niets, maar leunde wel gevaarlijk ver naar voren. Het wezen nam zijn pols in een ijzeren greep en slingerde hem over zijn schouder. Een misselijkmakend moment lang zweefde hij door de lucht, maar toen viel hij met een klap op de harde grond. Zijn mes vloog uit zijn hand en schoof kletterend over de stenen. Niet in staat zijn vaart te remmen rolde hij om zijn as, en hij voelde dat hij ergens achter bleef hangen toen hij tot stilstand kwam.

Strikdraden.

Hij zette zich met zijn voeten af en maakte een koprol achterover, een fractie voordat een rotsblok met een dreun neerkwam op de plek waar zijn hoofd had gelegen. In dezelfde vloeiende beweging kwam hij overeind, maar zijn meedogenloze tegenstander sprong nog voordat het stof was opgetrokken al over de resten van de valstrik heen. Saran had nauwelijks de tijd om tot zich te laten doordringen dat hij zijn dolk kwijt was. Hij hief zijn blote hand en slaagde erin met de binnenkant van zijn pols de neerwaartse zwaai te blokkeren waarmee het mes van het wezen op hem afkwam, maar uit het niets kwam opeens nog een mes, zijn eigen mes, op zijn gezicht af. Hij trok zich razendsnel terug en de scherpe rand miste de brug van zijn neus op een haar, maar hij bleef met zijn enkel ergens achter haken, verloor zijn evenwicht en viel achterover. Tijdens zijn val hoorde hij een zacht gefluit, toen iets in een waas zó snel door zijn blikveld schoot dat hij de luchtverplaatsing door zijn haar voelde strijken. Toen klonk er een doffe, vochtig klinkende klap, en een fractie later viel hij plat op zijn rug op de grond, nauwelijks in staat zich te verdedigen tegen de dodelijke aanval van zijn tegenstander.

Die aanval kwam echter niet. Hij keek op.

Het wezen stond levenloos voor hem. Zijn lichaam hing slap aan de rij gemene houten staken die in zijn borst waren gedrongen. Saran was gestruikeld over een strikdraad, en de omgebogen tak die was losgeschoten was toen hij achterover viel rakelings voor zijn gezicht langs geschoten, waardoor de val niet hem, maar het monster had geraakt. Hij bleef een tijdje ongelovig liggen, maar begon toen krampachtig te lachen. Het monster hing erbij als een marionet waarvan de draden waren doorgeknipt. Het hoofd hing slap en de zwarte ogen staarden in het niets.

Tsata trof een nog steeds lachende Saran aan die het stof van zijn kleren klopte. De Quralees was door alle opwinding een beetje licht in het hoofd. De Tkiurathi nam het tafereel met een verward gezicht in ogenschouw.

'Ben je gewond?' vroeg hij.

'Een beetje gif,' antwoordde Saran. 'Maar niet genoeg. Ik denk dat ik een tijdje ziek zal zijn, maar het was niet genoeg. Dat monster rekende erop dat het mijn dood zou worden.' Hij begon weer te lachen.

Tsata, die wist hoe sterk Sarans gestel was, vroeg niet door. Hij bestudeerde het wezen dat in de stakenval was gelopen.

'Waarom sta je te lachen?' vroeg hij.

'Goden, wat was dat monster snel, Tsata!' Hij grijnsde. 'Als je het tegen zoiets moet opnemen en je wint nog ook... Dat is heel... stimulerend.'

'Daar ben ik blij om,' zei Tsata. 'Maar het is nog te vroeg voor een feestje.'

Sarans lach ging over in een onzeker gegrinnik. 'Hoe bedoel je?' vroeg hij. 'Het monster is dood. Daar heb je onze jager.'

Tsata keek met een grimmige blik in zijn lichtgroene ogen naar hem op. 'Daar heb je één van onze jagers,' verbeterde hij hem. 'Dit is niet het wezen dat ik twee dagen geleden heb gezien.'

Saran kreeg het opeens ijskoud.

'Er is er nog een,' zei Tsata.

◉ 2 ◉

De gebarsten maan Iridima hing nog steeds laag in het noorden toen de dageraad de oostelijke hemel in een vuurstorm veroverde. Het begon als een dofrode koepel, die steeds breder en feller werd naarmate hij boven de einder uitrees. Daaronder lichtte de zee, die 's nachts door de gloed van Iridima en het reusachtige, gevlekte gelaat van haar zuster Aurus een somber aanzien had gehad, op als een koor dat voorzichtig begint mee te zingen met een melodie. In de verte verschenen her en der verspreid speldenpuntjes van licht die op het ritme van de golven mee flakkerden. Ze infecteerden de aangrenzende golven, die een contrapunt toevoegden aan de compositie: door de onderstromen en de herinnering aan de chaotische, tegengestelde aantrekkingskracht van de twee manen klotsten ze in een tegengesteld ritme. De zwarte hemel kleurde diep, fluweelachtig blauw en de sterren doofden langzaam maar zeker uit.

De laatste stadia volgden elkaar in rap tempo op. Het kalme, geleidelijke proces verviel in wanorde naarmate het aanzwol tot een crescendo en de bovenste rand van Nuki's oog boven de horizon uit piepte als een felle, witte boog die de oceaan over de hele breedte in vuur en vlam zette. Het licht reikte over de zee heen, over de piepkleine stipjes van de Saramyrese jonken die naar de kust in het westen laveerden, en verspreidde zich over het vasteland daarachter: een uitgestrekte zwade van groen die net zo allesomvattend en schier eindeloos was als de zee die zich op de kustgebieden stortte. Okhamba. De havenstad Kisanth lag in de beschermende armen van een lagune, die van de zee werd gescheiden door een torenhoge muur van oeroude steen. Die dreigende, zwarte massa beschutte de wateren van de lagune tegen de verwoestende stormen die in deze tijd van het jaar de oostelijke kust teisterden, maar tegelijkertijd zorgde een veelheid aan ondergrondse kanalen voor een overvloed aan vis uit de open wateren. Na ontelbare eeuwen van erosie was een van die kanalen zo ver uitgesleten dat hij de rotsen erboven had ondermijnd. Een deel ervan was dan ook ingestort. Daardoor was een hoge tunnel ontstaan die zelfs voor grote handelsschepen breed genoeg was om doorheen te varen.

De *Hart van Assantua* gleed met zijn waaierachtige zeilen dichtgevouwen die rotsspleet binnen. Vanuit de hitte van de ochtendzon voer ze de kille, klamme schaduw in, waar water van het rotsdak drupte en alle geluiden weerkaatst werden, waar lantaarns in de duisternis slechts een zwakke gloed wierpen en waar langs de wanden paden liepen die met touwen waren afgezet. De binnenkant van de tunnel was nog net zo ruw en oneffen als toen hij was ontstaan, lang voordat de kolonisten voor de snelgroeiende Theocratie in Quraal waren gevlucht en zich hier hadden gevestigd, lang voordat ze beseften in wat voor primitieve nachtmerrie ze zich hadden gestort.

Scherpe ogen leidden het schip langzaam door het griezelige schemerland. Het roer werd steeds zorgvuldig een piepklein beetje bijgestuurd op basis van de bevelen die vanaf de boeg werden geschreeuwd. Tientallen mannen stonden met lange palen op het dek klaar om met hun volle gewicht de koers van de kolossale jonk te wijzigen, mocht die te dicht bij de zijwanden komen. Het leek een eeuwigheid te duren, die reis door de vreemde, afgebakende wereld die de haven met de oceaan verbond, maar toen gleed de buitenste rand van de tunnel boven hun hoofd voorbij en zagen ze weer blauwe hemel. Ze waren erdoor. De lagune lag nog voor twee derde deel in de schaduw van de rotswand, maar het westelijke deel baadde in het licht, en daar lag Kisanth. Het eind van een lange reis was in zicht.

De bontgekleurde havenstad lag langs de rand van de lagune en tegen de steile helling van het bosrijke bekken dat eromheen lag. Het was een duizelingwekkende verzameling houten aanlegsteigers, loopplanken, in felle kleuren geschilderde hutten, loodsen waar de verf van afbladderde, burelen en bordelen. Zandpaden waren bedekt met houten planken en werden geflankeerd door herbergen en bouwvallige kroegen. In kraampjes werden evenveel Saramyrese als Okhambaanse etenswaren aangeboden. Kleine jonken en ktaptha's voeren uit vanaf de stranden aan de noordzijde en baanden zich een weg door de boeggolven van de grote vaartuigen, die log in de richting van de fragiel ogende aanlegsteigers langs de kade ploegden. Schepenbouwers hamerden op scheepshuiden die op het zand lagen. Alles in Kisanth was geschilderd in oogverblindende kleuren, en alles was verbleekt door de schroeiende stralen van de zon en de hevige stormen. Het was een levendige wereld vol kromgetrokken planken en afbladderende borden, waar men het immer voortschrijdende verval met vrolijke kleuren trachtte te maskeren.

De *Hart van Assantua* spreidde haar kleinere zeilen voor de laatste, ongehaaste etappe over de lagune, zocht een onbezette aanlegsteiger op en vlijde zich er voorzichtig tegenaan. De palen waren inmiddels opgeborgen en dikke lijnen werden neergelaten naar de wachtende dokwerkers, die ze vastmaakten aan stevige meerpalen. De jonk kwam tot stilstand en reefde de zeilen als een pauw die zijn staart samenvouwt.

De formaliteiten rond de ontscheping namen het grootste deel van de ochtend in beslag. Omdat Kisanth een Saramyrese kolonie was, moesten er strenge inspecties worden uitgevoerd. Beambten in lange gewaden en klerken noteerden de lading in een logboek, vergeleken de namen van de schepelingen met die op de lijst, noteerden de namen van degenen die tijdens de reis waren gestorven of vermist waren geraakt, vroegen wat de reizigers naar Kisanth bracht, waar ze zouden verblijven en waar ze naartoe wilden. Hoe routinematig de vragen ook waren, de beambten straalden een vurige geestdrift uit, want ze beschouwden zichzelf als de bewaarders van de orde in dat ontembare land, als bolwerken tegen de pure waanzin die buiten de grenzen van hun stad heerste. Toen alles naar hun tevredenheid was verantwoord, keerden ze terug naar de havenmeester, die de lijst nogmaals zou controleren en vervolgens aan een wever zou overhandigen. Aan het eind van de week zou de wever de gegevens aan zijn tegenhanger in Saramyr doorbrieven door de zeeboezem tussen de twee werelddelen met één gedachte te overbruggen. De wever aan de andere kant zou dan de havenmeester ter plaatse op de hoogte stellen van de veilige aankomst van de schepen van de plaatselijke handelaren. Het was een zeer gestructureerd en doeltreffend systeem, en typisch Saramyrees.

Niet dat twee van de schepelingen, die met valse papieren onder een valse naam reisden, zich daar iets van aantrokken. Ze kwamen zonder enig wantrouwen te wekken door de eindeloze inspecties heen. Kaiku tu Makaima en Mishani tu Koli liepen omringd door een massa andere schepelingen naar het eind van de aanlegsteiger, waar ze groeten en loze beloften contact te houden uitwisselden met hun medereizigers, om vervolgens de met hout bedekte straten te betreden. Na een maand aan boord van het schip stonden ze wankel op hun benen, maar was de stemming uitgelaten. Tijdens de reis vanuit Jinka aan de noordwestkust van Saramyr was hun wereld tot hun luxueuze jonk beperkt gebleven. Over het algemeen werden de schepelingen door de hardwerkende zeelui aan hun lot overgelaten, en aangezien er verder weinig te doen was, hadden ze elkaar goed leren kennen. Kooplieden, emigranten, ballingen, diplomaten: allemaal hadden ze tijdens de reis wel iets ontdekt wat ze gemeen hadden, en na een tijdje hadden ze een kwetsbare gemeenschap gevormd waar op dat moment hechte banden waren ontstaan. Die waren echter meteen begonnen te verbrokkelen zodra hun horizon zich weer verbreedde en de mensen zich herinnerden waarom ze eigenlijk hadden besloten de oversteek te maken. Nu moesten ze zich allemaal weer aan hun eigen zaken wijden, zaken die zo belangrijk waren dat ze de reis van een maand de moeite waard maakten. Nu begon de herinnering aan haastig gesloten vriendschappen en onverstandige liefdesaffaires dan ook al te vervagen.

'Je bent veel te sentimenteel, Kaiku,' zei Mishani tegen haar metgezel toen ze wegliepen bij de aanlegsteiger.

Kaiku lachte. 'Ik had kunnen weten dat je zoiets tegen me zou zeggen. Jij ziet hen allemaal zeker liever gaan dan komen.'

Mishani wierp een blik op Kaiku, die ettelijke duimen langer was dan zij. 'We hebben hen de hele reis voorgelogen,' zei ze droog. 'Over ons leven, onze jeugd, ons beroep. Hoop je nu werkelijk een van hen ooit terug te zien?'

Kaiku haalde ietwat vaag haar ene schouder op. Het was een merkwaardig jongensachtig gebaar voor een sierlijke, aantrekkelijke vrouw die haar zesentwintigste oogst naderde.

'En trouwens, als alles goed gaat, zijn we hier binnen een week weer weg,' ging Mishani verder. 'Gebruik die tijd goed.'

'Een week...' Kaiku zuchtte, want ze zag nu alweer op tegen het vooruitzicht op een schip te stappen en weer een maand op de oceaan door te brengen. 'Ik hoop dat die spion alle moeite waard is, Mishani.'

'Dat mag ik ook hopen,' zei Mishani met een felheid die Kaiku niet van haar gewend was.

Kaiku nam gefascineerd de geluiden en taferelen van Kisanth in zich op terwijl ze over trappen en looppaden liepen en opgingen in het hart van de stad. Hun eerste stappen op een vreemd werelddeel. Alles om hen heen voelde subtiel anders en ondefinieerbaar nieuw aan. De lucht was vochtiger, frisser en rauwer dan die van de droge zomer die ze thuis achter zich hadden gelaten. De insectengeluiden waren anders, loom en mistroostig in vergelijking met het geratel van de chikkikii waaraan ze gewend was. De hemel was dieper en rijker blauw.

De stad leek bovendien in niets op de plaatsen die ze tot nu toe had bezocht: hij was duidelijk Saramyrees, maar tegelijkertijd onmiskenbaar buitenlands. De warme straten kraakten en piepten toen de eerste zonnestralen de houten planken onder hun voeten verwarmden. Deze planken waren er neergelegd om de paden begaanbaar te houden als de regen de flanken van het bekken in een modderstroom veranderde. Het rook er naar zout, verf, vochtige, opwarmende aarde en specerijen waaraan Kaiku niet eens een naam kon verbinden. Ze bleven staan bij een kraampje aan de kant van de weg en kochten van het verweerde oude vrouwtje dat erachter stond *pnthe*, een Okhambaans gerecht van weekdieren zonder schelp, suikerrijst en groenten, gewikkeld in een eetbaar blad. Een eindje verderop gingen ze op een brede trap zitten – het was hun opgevallen dat anderen dat ook deden – en aten de pnthe uit de hand, waarbij ze zich erover verbaasden hoe vreemd deze ervaring was. Ze voelden zich weer kind.

Ze vormden een merkwaardig koppel. Kaiku straalde levenslust uit en haar gelaat was immer in beweging. Mishani's gezicht was altijd uitdrukkingsloos, altijd beheerst, en toonde geen enkele emotie, behalve wanneer ze dat wilde. Kaiku was van nature aantrekkelijk met haar kleine neus en haar ondeugende bruine ogen, en ze droeg haar geelbruine haar in een modieuze dracht, met een haarlok die speels voor haar ene oog hing. Mishani was klein, bleek, mager en niet bijzonder mooi, en had een weelderige bos zwart haar die tot op haar enkels hing en zorgvuldig was verdeeld in dikke vlechten waarin met repen rood leer versieringen waren verwerkt. Het was een zeer onpraktische haardracht, tenzij je van adel was, maar het verleende haar wel een zekere plechtstatigheid. Kaiku's kledij was weinig vrouwelijk en eenvoudig, terwijl die van Mishani elegant en zichtbaar duur was.

Toen ze klaar waren met eten, gingen ze weg. Later vonden ze een herberg en zonden er dragers op uit om hun bagage bij het schip op te halen. Ze zouden nog maar even samen in Kisanth́ blijven. De volgende ochtend zou Kaiku de wildernis in trekken, terwijl Mishani zou achterblijven om hun terugkeer naar Saramyr te regelen. Kaiku spoorde een gids op en trof voorbereidingen voor haar vertrek. Ze sliepen.

Het bericht dat acht weken eerder bij de Gemeenschap was bezorgd, was strikt geheim geweest en had de hoogste prioriteit gehad. Kaiku noch Mishani was zich er zelfs maar bewust van geweest, totdat ze waren ontboden door Zaelis tu Unterlyn, de leider van de Libera Dramach.

Bij Zaelis was ook Cailin tu Moritat, een zuster van de Rode Orde en degene die Kaiku onderwees in hun gebruiken. Ze was lang, had een kille uitstraling en was gekleed in de gewaden van de Orde: een lange zwarte jurk die aan haar rondingen kleefde met een kraag van ravenveren die op haar schouders rustte. Haar gezicht was beschilderd ten teken van haar trouw: afwisselend rode en zwarte driehoekjes liepen langs haar lippen, en vanaf haar voorhoofd strekten twee lichtrode halvemanen zich over haar oogleden en wangen uit. Haar zwarte haar hing in twee dikke paardenstaarten op haar rug en werd geaccentueerd door een zilveren diadeem op haar hoofd. Als het licht op haar haar viel, kreeg het een blauwe glans.

Samen hadden ze Kaiku en Mishani op de hoogte gesteld van het bericht. Het was een gecodeerde reeks opdrachten, die via vele handen van de noordwestelijke punt van Okhamba over de zee naar Saramyr was gereisd, en van daaruit naar de Xaranabreuk en de Gemeenschap.

'Het is afkomstig van een van onze beste spionnen,' zei Cailin met een stem als een mes gehuld in fluweel. 'Diegene heeft onze hulp nodig.'

'Wat kunnen we doen?' had Mishani gevraagd.

'We moeten deze persoon weghalen uit Okhamba.'

Kaiku had een vragend gezicht getrokken. 'Waarom kan hij dat zelf niet?'

'Het handelsverkeer tussen Saramyr en Okhamba is bijna volledig opgedroogd door de rampzalige uitvoerbelasting die de keizer heeft opgelegd,' legde Mishani uit. 'Toen de belasting werd ingevoerd, heeft het Koloniale Koopvaardijconsortium meteen besloten een embargo te leggen op alle goederen die in Saramyr binnenkomen.'

Kaiku maakte een nietszeggend geluidje. Ze had weinig interesse in politiek, en dit was nieuw voor haar.

'De kern van het probleem is dat onze spion niet terug kan naar Saramyr,' legde Cailin uit. 'Er worden nog wel goederen verscheept van Saramyr naar Okhamba – Saramyrese goederen zijn inmiddels erg schaars, waardoor de prijzen dusdanig omhoog zijn gedreven dat er nog een kleine, levendige markt voor is – maar er gaan bijna geen schepen de andere kant op. De koopvaarders reizen vanuit Okhamba meestal door naar Quraal of Yttryx. Ze wachten in het buitenland, waar het geld nog vrijelijk stroomt, af totdat de storm is uitgeraasd.'

Mishani, die altijd het vlugst van begrip was geweest, had hun bedoelingen inmiddels doorgrond. 'Jullie kunnen wel in Okhamba komen,' zei ze, 'maar de overtocht terug kunnen jullie niet regelen.

Daarvoor hebben jullie mij nodig.'

'Inderdaad,' zei Cailin, die Mishani scherp in de gaten hield om haar reactie te peilen, maar daar jammerlijk in faalde.

Kaiku keek van de een naar de ander en richtte toen haar blik op Zaelis, die bedachtzaam met zijn knokkels over zijn korte, witte baard streek. 'Houdt dat in dat ze naar de kust moet? Dat ze haar gezicht moet tonen in een van de havens?' vroeg ze bezorgd.

'Zo eenvoudig is het niet,' zei Mishani met een mat glimlachje. 'Het is zo goed als onmogelijk om het hiervandaan te regelen. Daarvoor moet ik naar Okhamba.'

'Nee!' zei Kaiku werktuiglijk met een boze blik op Cailin. 'Hartbloed! Ze is een dochter uit een van de bekendste scheepvaartfamilies in Saramyr! Iemand anders moet het maar doen.'

'Dat is nu precies de reden dat zíj moet gaan,' zei Cailin. 'De naam Bloed Koli telt heel zwaar in de handelswereld. En ze heeft nog altijd veel contacten.'

'Dat is nu precies de reden dat ze níét mag gaan,' wierp Kaiku tegen. 'Ze zou meteen worden herkend.' Ze wendde zich tot haar vriendin. 'En je vader dan, Mishani?'

'Ik heb hem al vijf jaar weten te ontwijken, Kaiku,' antwoordde Mishani. 'Ik ben bereid het risico te nemen.'

'Ik kan niet genoeg benadrukken hoe belangrijk deze persoon is,' zei Zaelis rustig. Hij rechtte zijn schouders. 'En hoe belangrijk de informatie is waarover diegene beschikt. Laten we het erop houden dat het feit dat deze persoon ons om hulp heeft gevraagd betekent dat er echt geen andere mogelijkheid meer is.'

'Geen andere mogelijkheid?' riep Kaiku uit. 'Als die spion zo goed is als jullie blijkbaar denken, waarom kan hij dan niet op eigen gelegenheid terugkomen? Er moeten toch een páár schepen varen, al is het maar om mensen te vervoeren. En waarom reist hij niet via Quraal? Dat duurt wel een paar maanden langer, maar...'

'Dat weten we niet,' onderbrak Zaelis haar met opgeheven hand. 'We kunnen slechts afgaan op de boodschap. De spion heeft onze hulp nodig.'

Mishani legde haar hand op Kaiku's arm. 'Ik ben de enige die dit voor elkaar kan krijgen,' zei ze zachtjes.

Kaiku wierp strijdlustig haar haar naar achteren en keek Cailin boos aan. 'Dan ga ik mee.'

De lange vrouw vertrok nauwelijks merkbaar haar lippen in een glimlach. 'Ik had niet anders verwacht.'

☺ 3 ☺

Op Okhamba was de tijd van schemering die aan de dageraad voorafging een kalme periode, een rustmoment in het ritme van het oerwoud waarop nachtdieren zwegen en zich terugtrokken in hun schuilplaatsen om te schuilen voor de steeds feller wordende zon. Het was bloedheet en er stond geen zuchtje wind. Nevel belemmerde het zicht, kroop traag over de grond en kronkelde lenig tussen de met ranken behangen boomstammen door. Wilde kamperfoelie, of maanbloemen, die 's nachts hun kopjes hadden gericht op het heldere schijnsel van Iridima, vouwden zich nu weer samen om hun gevoelige cellen te beschermen tegen het felle licht van Nuki's oog. Het oorverdovende kabaal van de nachtelijke uren stierf weg, en de stilte deed bijna pijn aan je oren. Op dat moment sluimerde het land en hield het in afwachting van een nieuwe dag vol spanning zijn adem in.

Gedurende dat moment van onnatuurlijke rust ging Kaiku achter haar gids aan weg uit Kisanth. De haven werd omringd door een reusachtige muur van palen die langs de rand van het bekken stond waarin de lagune lag, met één poort met contragewicht om reizigers door te laten. Daarachter lag een grote open plek, waar de bomen waren gekapt om het zicht te verbeteren. Een zandweg kroop langs de kust naar het noorden, en naar het noordwesten liep een smaller pad. Beide wegen werden aan weerszijden belaagd door oprukkend groen. Midden op de open plek stond een gebedspoort voor Zanya, de Saramyrese godin van reizigers en bedelaars. De poort bestond uit twee palen zonder dwarsbalk, met daarop in houtsnijwerk afbeeldingen van Zanya's vele daden in het Gouden Rijk en in Saramyr. Kaiku herkende de meeste taferelen in één oogopslag: de vriendelijke man die zijn laatste broodkorst aan een andere bedelaar gaf om vervolgens tot de ontdekking te komen dat het de godin in vermomming was, die hem rijkelijk beloonde; Zanya terwijl ze de slechte handelaren strafte die de zwervers geselden die naar de markt waren gekomen; de schepen van de Voorvaderen die uit Quraal wegvoeren met in het voorste schip Zanya, die met haar lantaarn de weg wees. De poort was te zeer verweerd om eventuele details te kunnen onderscheiden, maar Kaiku was goed bekend met de iconografie.

Ze zei een korte mantra op aan de godin, waarbij ze werktuiglijk de vrouwelijke houding voor het staande gebed aannam: het hoofd gebogen, de gekromde handen voor zich uit, de linkerhand met de palm omlaag gekeerd boven de rechter, waarvan de palm naar boven was gekeerd, alsof ze een onzichtbare bal vasthield. De gids – een oude, verweerde Tkiurathische vrouw – keek van een afstandje ongeïnteresseerd toe. Toen Kaiku klaar was en door de poort was gelopen, trokken ze het oerwoud in.

De wandeling naar het verzamelpunt zou slechts een dag in beslag nemen. Kaiku vermoedde dat die plek was gekozen omdat hij op ongeveer gelijke afstand van drie steden lag: de eerste was Kisanth, en de andere twee lagen aan een rivier die een klein stukje verderop in een andere zeehaven uitkwam. De spion had deze plek uitgekozen omdat op die manier niet duidelijk zou zijn via welke weg ze zouden vertrekken, voor het geval iemand erin zou slagen een deel van of het hele bericht te ontcijferen dat naar de Gemeenschap was gestuurd. Kaiku betrapte zichzelf erop dat ze nieuwsgierig was naar de persoon die ze moest opvangen. Ze wist geen naam. Ze wist niet eens of die persoon een man of een vrouw was, en of hij of zij uit Saramyr kwam. Toen ze bezwaar had gemaakt tegen het feit dat Zaelis en Cailin haar zo in het ongewisse lieten, hadden ze gezegd dat ze 'zo hun redenen' hadden en geweigerd er verder op in te gaan. Ze was er niet aan gewend dat haar nieuwsgierigheid niet bevredigd werd. Haar interesse werd er alleen maar door geprikkeld.

Zodra ze de bewoonde wereld verlaten hadden, werd het landschap wild. Alle wegen – die leidden naar andere nederzettingen en naar de uitgestrekte velden vol gewassen op de bergflanken – liepen in een andere richting dan Kaiku wilde nemen, dus waren ze gedwongen te voet door de dichte begroeiing te trekken. Het was zwaar en er waren geen noemenswaardige paden. Ze moesten oppassen waar ze hun voeten neerzetten, want door de vele regen van de laatste tijd was de grond vochtig. Kaiku's geweer bleef tot haar grote ergernis regelmatig achter een liaan hangen en ze begon er spijt van te krijgen dat ze het had meegenomen. Ze waren gedwongen langs modderige oevers te ploeteren, omhoog te klauteren over rotsachtige hellingen waarlangs het water in stroompjes omlaag sijpelde, en zich door muren van verstrengelde klimplanten een weg te hakken met een *knaga*, een Okhambaans mes dat leek op een sikkel en speciaal bestemd was voor reizen door het oerwoud. Ondanks al die ongemakken vond Kaiku het oerwoud in die serene stilte voor het aanbreken van de dageraad adembenemend mooi. Ze voelde zich dan ook een indringer, zoals ze zich al stampend en hakkend een weg baande door de griezelige onderwereld van takken en kreupelhout. Het land om hen heen begon op te warmen terwijl ze voort ploeterden, en de warmte bracht een aanzwellend koor van dierengeluiden met zich mee. Wezens riepen naar elkaar vanuit het baldakijn van verstrengelde boomtoppen ver boven hun hoofd. Ongeziene vogels, zowel mooi kwinkelerend als lachwekkend lelijk krassend, begonnen te kwetteren. Kikkers kwaakten en brulden, er klonk geritsel in het kreupelhout en snelle schimmen schoten tussen de boomstammen heen en weer, soms zelfs dwars over het pad dat de reizigers namen. Kaiku betrapte zichzelf erop dat ze onwillekeurig treuzelde om de vele indrukken op zich te laten inwerken, maar toen siste de gids haar in het Okhambaans scherp iets toe en haastte ze zich om haar in te halen.

In eerste instantie had Kaiku haar twijfels gehad over de gids die ze had ingehuurd, maar de oude vrouw bleek veel sterker te zijn dan ze eruitzag. Kaiku's spieren brandden al van het sjokken over de wrede hellingen en het hakken naar de alomtegenwoordige lianen die tussen de bomen hingen, maar de Tkiurathi liep onverdroten door. Ze was taai, hoewel Kaiku vermoedde dat ze haar vijftigste oogst al gepasseerd was. Okhambanen telden de jaren niet en hielden hun leeftijd niet bij.

Gesprekken waren beperkt tot gegrom en gebaren. De vrouw sprak maar een heel klein beetje Saramyrees, net genoeg om 'ja' te kunnen zeggen toen Kaiku haar vroeg haar naar haar bestemming te brengen, en Kaiku sprak vrijwel geen Okhambaans, want op zee had ze slechts een paar woorden en zinnetjes geleerd. Vergeleken met het ongelooflijk ingewikkelde Saramyrees was het Okhambaans heel eenvoudig, want het kende maar één fonetisch alfabet en één spreektrant, en geen werkwoordstijden of andere grammaticale verfijningen. Helaas was het juist die eenvoud waar Kaiku over struikelde. Eén woord kon afhankelijk van de context wel zes of zeven verschillende betekenissen hebben. Bovendien ontbraken specifieke aanspreekvormen als 'ik', 'jij' en 'mij', wat het vreselijk moeilijk maakte voor iemand die was opgegroeid met een taal waarin je altijd precies kon zeggen wat je bedoelde. Okhambanen konden zich vanuit hun eigen traditie niets voorstellen bij het begrip 'eigendom', en hun individualiteit was altijd ondergeschikt aan de *pasj*, een woord dat ruwweg kon worden vertaald als 'de groep', maar waarvan de betekenis vrijwel ongrijpbaar was. Ze verwezen ermee naar hun volk, hun familie, hun vrienden, degenen die op dat moment aanwezig waren, degenen tegen wie ze praatten, geliefden, partners, en tientallen andere groepen met uiteenlopende grenzen.

Het werd steeds warmer, en de muggen en andere bijtende insecten kwamen tevoorschijn. Kaiku baadde in het zweet. Haar duurzame en weinig flatteuze kleren – een wijde beige broek en een bijpassend shirt met lange mouwen en een rijgkoord bij de hals – prikten op haar huid en werden onaangenaam zwaar. Ze stopten even om te rusten, en de gids stond erop dat Kaiku veel water dronk. Ze haalde een in bladeren gewikkeld bundeltje tevoorschijn met daarin iets wat leek op koude krab met een pittige zeewierachtige groente, en deelde dat met Kaiku zonder dat die erom had gevraagd. Kaiku pakte haar eigen proviand en deelde dat met de gids. Ze aten met hun handen.

Onder het kauwen wierp Kaiku steelse blikken op de vrouw en liet haar blik dwalen over de lichtgroene tatoeages die over haar gezicht kronkelden en boven de kraag van haar hemd uitstaken. Ze vroeg zich af waar ze aan dacht. Ze had geen betaling verlangd voor haar diensten als gids. Sterker nog, ze zou zich beledigd hebben gevoeld als haar geld zou zijn geboden. Mishani had uitgelegd dat de gids de stad Kisanth, waar ze woonde, tot op zekere hoogte beschouwde als haar pasj, dat ze daarom bereidwillig haar diensten zou aanbieden aan iedereen in die stad die daar behoefte aan had en dat ze van anderen hetzelfde verwachtte. Ze had Kaiku gewaarschuwd dat ze erg moest oppassen met wat ze van een Okhambaan vroeg. Ze zouden vrijwel zonder uitzondering doen wat van hen werd verlangd, maar wrokkig worden als ze het gevoel kregen dat er misbruik van hen werd gemaakt. Okhambanen vroegen altijd alleen maar ergens om als ze het zelf echt niet konden. Kaiku begreep helemaal niets van hun gewoonten, maar ze vond het een vreemd beschaafde en onzelfzuchtige levensstijl voor een volk dat in Saramyr over het algemeen als primitief werd beschouwd.

De avondschemering was net overgegaan in volledige duisternis toen ze aankwamen bij de Aith Pthakath. Ze liepen langs de bedding van een smal beekje omhoog, totdat de bomen abrupt ophielden en de lage heuveltop werd onthuld die in het omringende oerwoud verborgen lag. Op de heuvel groeiden geen bomen. In plaats daarvan stonden er de monumenten van het oeroude Okhamba, die lang voor het begin van de geschiedschrijving waren opgetrokken door een uitgestorven stam.

Kaiku's adem stokte in haar keel. Voor de derde nacht op rij deelden Aurus en Iridima de hemel en hulden ze het landschap in een bleekwit licht. Aurus, de reusachtige, bleke maan met hier en daar plekken in donkerdere tinten, doemde op aan de noordelijke hemel. Iridima, de kleinere en veel helderdere maan met een huid die was doorgroefd met blauwe barsten, had postgevat in het westen, boven en achter de monumenten.

Alles bij elkaar waren het er zes, zes omvangrijke schaduwen die afstaken tegen de hemel, en de rondingen van hun gelaat glansden in het licht van de manen. De grootste was dertig voet hoog en de kleinste iets meer dan vijftien voet. Ze waren gehouwen uit een zwarte, glanzende steensoort die op obsidiaan leek, en ze stonden met het gelaat naar buiten gericht in een ruwe kring om de top van de heuvel. De grootste zat ineengedoken in het midden en leek over Kaiku's hoofd heen naar het oosten te kijken.

De gids gromde en gebaarde naar Kaiku dat ze moest doorlopen, dus stapte ze tussen de bomen vandaan de open plek op en liep naar het dichtstbijzijnde monument. Het rumoer van het oerwoud was niet minder luid dan voorheen, maar opeens voelde ze zich moederziel alleen nu ze de aanwezigheid voelde van de overweldigende oudheid van deze plek die, lang voordat alles wat ze kende was ontstaan, door een uitgestorven volk was geheiligd. Het beeld waar ze op afliep was een gehurkte gestalte die uit een reusachtige pilaar was gehouwen, met sterk overdreven gelaatstrekken, een vooruitstekende mond, grote, half geloken ogen en handen die op zijn knieën rustten. Hoewel het beeld eeuwenlang door de regen was gegeseld en de lijnen ervan zozeer waren verzacht dat ze nauwelijks te onderscheiden waren, en hoewel één hand afgebroken aan zijn voeten lag, verkeerde het nog in verbazingwekkend goede staat, en de uitdrukkingsloze, kille blik ervan had niets aan kracht ingeboet. Kaiku voelde zich onder de blik van die vergeten god piepklein.

De andere beelden waren al even indrukwekkend. Ze zaten of hurkten en hadden opgezwollen buiken en vreemde gezichten: soms van dieren die Kaiku nog nooit had gezien, soms verontrustende karikaturen van menselijke gelaatstrekken. Ze bewaakten de heuvel en keken met een vreemde en enigszins beangstigende doelmatigheid dreigend uit over de bomen.

Kaiku aarzelde even, maar legde toen haar hand op de knie van een van de afgodsbeelden. Het steen voelde koel en dreigend aan. De macht die ooit van deze plek was uitgegaan was nog niet helemaal weggestorven. Er hing nog steeds een gewijde sfeer, als de echo van een verre herinnering. Hier groeiden geen bomen en er hadden geen dieren in de hoeken en gaten van de beelden genesteld. Ze vroeg zich af of hier geesten huisden, net als in de diepe wouden en de vergeten oorden in haar thuisland. De Tkiurathi's schenen helemaal niet godvruchtig te zijn, als je afging op de verhalen van de reizigers met wie ze op de *Hart van Assantua* had gepraat. Toch was hier het bewijs dat er in dit land ooit goden waren vereerd. Het gewicht van vervlogen tijden vlijde zich als een lijkwade om haar schouders.

Ze werd zich ervan bewust dat de gids bij haar was komen staan en haalde haar hand van het beeld. Ze was even vergeten waarom ze hier was. Toen ze om zich heen keek, werd haar al snel duidelijk dat de spion er nog niet was. Ach ja, ze was dan ook aan de vroege kant. Ze hadden om middernacht op deze dag afgesproken. Het had niet veel gescheeld of ze waren tijdens de overtocht gevaarlijk ver op het schema achter geraakt. Door een fout van een onbekwame navigator bij het berekenen van de omlooptijden van de manen hadden ze door het ongunstige maangetij vertraging opgelopen. Maar goed, ze was er nu in elk geval.

'Misschien moeten we even aan de andere kant van de heuvel gaan kijken,' opperde ze, meer tegen zichzelf dan tegen de gids, die haar toch niet verstond. Ze maakte een armgebaar om haar bedoeling duidelijk te maken en de gids hief haar kin in de Okhambaanse versie van een hoofdknik.

Op dat moment boorde een dikke pijl zich in de ontblote keel van de gids, waardoor ze in een fontein van bloed om haar as tolde en met een klap op de grond viel.

Voor haar gevoel een eeuwigheid lang bleef Kaiku met openhangende mond staan, niet in staat zich te bewegen. Ze besefte nauwelijks wat er net was gebeurd. Trillende bloeddruppeltjes lagen op haar wang en schouder.

De tweede pijl doorbrak haar verlamming. Ze voelde hem aankomen, voelde hem ergens rechts van haar vanuit de bomen door de lucht suizen. Hij kwam recht op haar borst af.

In haar binnenste vlamde haar kana op. De wereld veranderde in een massa van glanzende gouden draden, een diorama van contouren die allemaal met elkaar waren verbonden en waarin elke liaan en elk blad een borduurwerk van oogverblindend garen was. De pulserende kluwens waaruit de standbeelden van Aith Pthakath bestonden, hielden haar met duistere en machteloze aandacht in de gaten. Ze waren bewust, ze lééfden in de wereld van het weefsel.

Ze bracht snel haar hand omhoog en de lucht vóór haar verdichtte zich onzichtbaar tot een knoop. De pijl spatte twee voet voor haar hart uiteen.

Eindelijk won haar verstand het van haar instinct en reflexen, en gespannen liet ze haar ingehouden adem los. Adrenaline stroomde door haar aderen. Ze bedacht nog net op tijd dat ze haar kana moest intomen voordat die zich helemaal vrijvocht. Als het een geweer was geweest in plaats van een pijl, en als zij als eerste onder schot was genomen in plaats van de gids, zou ze dan snel genoeg zijn geweest om de aanval af te slaan?

Ze rende weg. Er kwam weer een pijl uit de bomen, maar ze voelde dat die haar ruimschoots miste. Ze struikelde toen haar schoen weggleed in de modder en een vuile veeg achterliet op haar broekspijp. Vloekend krabbelde ze weer overeind, terwijl ze in gedachten het pad van de pijl volgde naar de bron. Haar irissen waren niet langer bruin, maar een troebel rood toen ze in het weefsel de draaikolkjes in de draden volgde die door de luchtverplaatsing van de tollende, gevederde pijl waren ontstaan. Toen ze ongeveer had vastgesteld waar haar aanvaller zich bevond, zocht ze snel weer dekking. Ze glipte net weg achter een van de afgodsbeelden toen er een derde pijl op haar afkwam, die afketste van de huid van obsidiaan. Golven van stille verontwaardiging over die heiligschennis sloegen van de standbeelden af.

Zorg dat je hem vindt. Zorg dat je hem vindt, hield ze zichzelf voor. Ze wilde het liefst ineenkrimpen onder de drukkende, starende blik van het afgodsbeeld, onder zijn oeroude en kwaadaardige interesse nu ze het weefsel in beweging had gebracht, maar ze dwong zichzelf er niet op te letten. De beelden waren oud, en boos omdat ze door hun aanbidders in de steek waren gelaten en uiteindelijk waren gedegradeerd tot toeschouwers die een inmiddels ondoorgrondelijk doel en betekenis hadden. Ze konden haar niets doen.

Ze zond razendsnel haar gedachten uit langs de strengen van het weefsel en verspreidde ze tussen de bomen op de plek waar haar aanvaller zich ophield. Ze zocht naar het geruis van ademhaling, de knopen van spieren, het zware gedreun van een polsslag. De vijand was onderweg, maakte een omtrekkende beweging. Ze kon de luchtverplaatsing voelen die hij in het voorbijgaan in de lucht veroorzaakte, en die verstoring volgde ze.

Daar was hij! Maar eigenlijk ook weer niet. Ze had de bron van de pijlen gevonden, maar de kenmerken ervan in het weefsel waren vaag en betekenisloos: een verwrongen, vaag kluwen van draden. Als ze vat kon krijgen op haar aanvaller, kon ze hem schade toebrengen, maar iets dwarsboomde haar, een soort bescherming die ze nog nooit was tegengekomen. Ze raakte in paniek. Ze was geen krijger. Als ze haar kana niet kon gebruiken, was ze niet opgewassen tegen iemand die zo doelgericht met pijl en boog kon schieten. Ze schudde haar geweer van haar schouder en zette het gehaast op scherp, terwijl ze met een half oog de bewegingen van de aanvaller in de gaten hield, die zonder het minste gerucht door het kreupelhout rende.

Maak dat je wegkomt, zei ze tegen zichzelf. Verberg je tussen de bomen.

Dat durfde ze echter niet. Alleen in de open ruimte waarin ze zich nu bevond zou ze de tekenen van een nieuwe aanval op tijd opmerken. In het dichte oerwoud zou ze niet in staat zijn tegelijkertijd te vluchten, in dekking te blijven en haar vijand in de gaten te houden. Wat is het voor iets, dacht ze.

Ze schouderde haar geweer en leunde om het afgodsbeeld heen, richtend op de plek waarvan ze vermoedde dat haar aanvaller daar was. Het geweer knalde en de kogel vloog ruisend tussen de bomen door. Takken versplinterden en bladeren werden uiteengereten.

Opnieuw vloog er een pijl door de duisternis. Haar aanvaller had haar nu al in het vizier. Ze trok zich in een reflex terug, en de pijlpunt sloeg vlak bij haar gezicht tegen het beeld. Struikelend deinsde ze achteruit. De volgende pijl, die met ongelooflijke snelheid was opgezet en afgeschoten, merkte ze pas een fractie voordat hij tegen haar ribben sloeg op.

Door de klap tolden er vonkjes door haar blikveld, en bijna verloor ze het bewustzijn. Ze verloor de beheersing, haar kana welde op in haar binnenste, en alle lessen die Cailin haar had bijgebracht waren in haar doodsangst vergeten. De kracht reet via haar buik dwars door haar heen, schoot naar buiten en vloog langs de draden van het weefsel op haar ongeziene aanvaller af. De bescherming die hij droeg maakte het haar onmogelijk precies vast te stellen waar hij was, maar precisie was ook niet geboden. Er was niets subtiels aan de manier waarop ze terugsloeg. Wild en wanhopig haalde ze uit, en de kracht in haar binnenste reageerde op haar aanwijzingen.

Een deel van het oerwoud ontplofte, werd aan splinters geblazen, werd door een allesvernietigende kracht verscheurd. Een felle vuurgloed lichtte op in de duisternis. De kracht van de ontploffing roeide een brede strook land uit. Klompen aarde werden als rokende meteorieten in de lucht gesmeten. Aangrenzende bomen gingen in vlammen op toen bladeren, bast en lianen ontbrandden, stenen spleten en water kookte.

Binnen de kortste keren was het voorbij, en was haar kana uitgeput.

Aan de randen van de verwoesting steunde en knapte het oerwoud. In de lucht hingen zaagsel en rook, en de vage geur van het verkoolde vlees van de vogels en andere dieren die samen met hun leefomgeving waren verbrand. In het omringende oerwoud heerste een verbijsterde stilte. De beangstigende aanwezigheid van de afgodsbeelden drukte nog zwaarder op haar schouders, en ze kon hun haat voelen.

Ze wankelde even en stak haar hand uit naar haar zij. Toen liet ze zich op één knie op de grond zakken. Haar geweer hing slap in haar andere hand. Haar ogen waren nu duivels rood, een neveneffect van haar talent dat pas na een hele poos zou vervagen. In het verleden, toen ze de afschrikwekkende energie in haar binnenste voor het eerst had ontdekt, was ze helemaal niet in staat geweest die te beteugelen, en telkens als ze er gebruik van had gemaakt was ze zo zwak geweest als een pasgeboren zuigeling, nauwelijks in staat te lopen. Dankzij Cailins training kon Kaiku nu de stroom indammen voordat die haar zo ver uitputte. Toch zou het wel even duren voordat haar kana zich dusdanig had hersteld dat ze het weefsel weer kon bespelen. Ze had hem al jaren niet meer zo roekeloos de vrije loop gelaten, maar het was dan ook alweer jaren geleden dat ze zo ernstig in gevaar was geweest.

Hijgend keek Kaiku zittend op haar knieën om zich heen naar de verwoesting, op zoek naar tekenen van beweging. Er was niets, behalve de traag bewegende wolk van poederachtig stof in de lucht. Wie het ook was die haar had beschoten, hij had er middenin gezeten. Ze durfde te wedden dat er niet veel meer van hem over was.

Beweging, heuvelafwaarts bij de boomgrens. Ze sprong overeind, draaide zich razendsnel om, greep haar geweer en spande de haan terwijl ze het vizier voor haar oog bracht. Twee gestalten renden vanuit het zuiden de open plek op. Ze richtte en vuurde.

'Nee!' riep een van hen uit, terwijl hij snel wegdook. Kennelijk had ze gemist. Zonder acht te slaan op de pijn en de groeiende natte plek in haar zij, spande ze opnieuw de haan.

'Nee! Libera Dramach! Niet schieten!'

Kaiku bleef stilstaan met haar geweer gericht op degene die had gesproken.

'Wacht op de komst van de slaapster!' riep hij uit. Dat was de zin waaraan ze de spion kon herkennen.

'Wie is de slaapster?' vroeg Kaiku, zoals afgesproken.

'Voormalig erfkeizerin Lucia tu Erinima,' luidde het antwoord. 'Die jij zelf hebt gered uit de keizerlijke vesting, Kaiku.'

Ze aarzelde nog even, meer uit verrassing omdat de man haar kennelijk had herkend dan om iets anders, en liet toen haar geweer zakken. De twee gestalten liepen tegen de heuvel op naar haar toe.

'Hoe weet je wie ik ben?' vroeg ze, maar de woorden kwamen vreemd genoeg heel zwak over haar lippen. Ze voelde zich licht in het hoofd, en er schoten nog steeds vonken door haar blikveld.

'Ik zou geen beste spion zijn als ik dat niet wist,' zei degene die eerder ook al had gesproken terwijl hij haastig op haar afliep. De andere man kwam achter hem aan terwijl hij de bomen afspeurde: een Tkiurathi-man met dezelfde vreemde tatoeages als haar gids, maar dan met een ander patroon.

'Je bent gewond,' zei de spion onbewogen.

'Wie ben je?' vroeg ze.

'Saran Ycthys Marul,' luidde het antwoord. 'En dit is Tsata.' Hij speurde snel de boomgrens af voordat hij zijn aandacht weer op Kaiku richtte. 'Die vertoning van je heeft hoogstwaarschijnlijk de aandacht getrokken van iedereen binnen een straal van twintig mijl die op ons jaagt. We moeten gaan. Kun je lopen?'

'Ik kan wel lopen,' zei ze, maar ze was er niet zo zeker van. De pijl had haar hemd doorboord en ze wist zeker dat ze bloedde, maar hij was niet in haar lichaam blijven steken en ze kon nog goed ademen, dus hij had haar longen niet geraakt. Ze wilde de wond liefst meteen, ter plekke verbinden, want ze was doodsbang voor de natte plek die zich uitspreidde over de stof onder haar arm, maar de gebiedende toon in Sarans stem dwong haar in beweging te komen. Met zijn drieën haastten ze zich het bos in, waar ze werden opgeslokt door de schaduwen. De grimmige wachtposten van de Aith Pthakath, het lichaam van Kaiku's gids en de knappende, smeulende bomen lieten ze achter zich.

'Wat was dat?' vroeg Kaiku. 'Wat was dat voor iets?'

'Stilzitten,' beval Saran, die op zijn hurken naast haar in de gloed van het vuur zat. Hij had één mouw van haar hemd uitgetrokken om de wond in haar zij te kunnen zien. Onder de bezwete, besmeurde band van haar ondergoed waren haar ribben een vochtige, zwartrode massa. Onwillekeurig had ze de andere helft van haar hemd voor haar borst geklemd. De meeste Saramyriërs maakten zich niet druk om naaktheid, maar er was iets aan deze man waardoor ze zich bedreigd voelde.

Ze siste en kromp ineen van pijn toen hij haar wond depte met een stuk stof dat in warm water was gedoopt.

'Zit nou stil!' zei hij geërgerd.

Ze klemde haar tanden op elkaar en verdroeg zijn hulp.

'Is het ernstig?' dwong ze zichzelf te vragen. Het bleef even stil, en angst bekroop haar terwijl ze wachtte op zijn antwoord.

'Nee,' zei hij uiteindelijk. Kaiku zuchtte beverig. 'De pijl is vrij diep doorgedrongen, maar hij is alleen langs je zij geschampt. Het ziet er erger uit dan het is.'

Hun gedempte stemmen echoden zachtjes door de smalle grot. Tsata was nergens te bekennen. Hij was op eigen houtje iets aan het doen. De Tkiurathi had deze schuilplaats voor hen gevonden: een krappe tunnel die door een oeroude waterstroom uit de voet van een indrukwekkende rotspunt was uitgesleten en die door bomen aan het zicht werd onttrokken. Er zat een bocht in die net scherp genoeg was om een vuur te kunnen maken zonder dat ze bang hoefden te zijn dat het vanbuiten zichtbaar zou zijn. Het was geen gerieflijke plek en het steen was klam, maar het was een veilige plek om te rusten, al was het maar voor even.

Saran maakte een kompres van geplette bladeren, een opgevouwen reep stof en het water dat in een ijzeren ketel hing te koken. Kaiku trok haar hemd strak om zich heen en keek zwijgend naar hem. Haar blik gleed over de gelijkmatige vlakken van zijn gezicht. Opeens beantwoordde hij haar blik, en ze wendde zich af en keek in het vuur.

'Het was een *maghkriin*,' zei Saran met zachte, vaste stem. 'Dat wezen dat jou probeerde te doden. Je mag van geluk spreken dat je nog leeft.'

'Maghkriin?' vroeg Kaiku om het onbekende woord uit te proberen.

'Gemaakt door de vleesbeeldhouwers uit het duistere hart van Okhamba. Je kunt je niet voorstellen hoe de wereld er daar uitziet, Kaiku. Een oord waar de zon nooit schijnt, een oord waar jouw volk noch het mijne het waagt in groten getale te komen. In de meer dan duizend jaar sinds de eerste kolonisten hier zijn aangekomen, hebben we in dit land alleen aan de kust hier en daar vaste voet aan de grond gekregen, omdat de natuur daar niet zo wild is. Maar voordat wij kwamen, waren zij er al. Stammen die zó oud zijn, dat ze misschien al vóór de geboorte van Quraal zijn ontstaan. Verborgen in het ondoordringbare hart van dit werelddeel, vele duizenden vierkante mijlen waar het landschap zo vijandig is dat een beschaafde samenleving zoals de onze er niet eens kan bestaan.'

'Komen jullie daarvandaan?' vroeg Kaiku. Zijn beheersing van het Saramyrees was werkelijk uitstekend voor iemand die er niet was geboren, hoewel hij af en toe verviel in de minder vloeiende stembuigingen van het Quralees.

Saran glimlachte scheef in het flakkerende licht van het vuur. 'Ja,' zei hij. 'Maar het had niet veel gescheeld of we hadden het niet gehaald. Met zijn twaalven zijn we op weg gegaan. Wij tweeën zijn de enigen die zijn teruggekeerd, en ik zal me pas veilig voelen als we dit werelddeel helemaal hebben verlaten.' Hij keek op van zijn werk – het tot pap vermalen van bladeren – en keek haar aan. 'Is het geregeld?'

'Als alles goed gaat,' zei Kaiku neutraal. 'Mijn vriendin is in Kisanth. Zij verwacht dat ze de terugtocht naar Saramyr geregeld kan hebben tegen de tijd dat wij aankomen.'

'Mooi,' prevelde Saran. 'We mogen niet langer in een stad blijven dan strikt noodzakelijk is. Daar kunnen ze ons te gemakkelijk vinden.'

'De maghkriin?' vroeg Kaiku.

'Ja, of degenen die hen erop uit hebben gestuurd. Daarom had ik iemand nodig die snel de reis vanuit Okhamba kon regelen. Ik wist van tevoren dat ik niet kon meenemen wat ik heb meegenomen zonder achtervolgd te worden.'

Wat heb je dan meegenomen, dacht Kaiku, maar ze hield de vraag voor zich.

Hij voegde wat water toe aan de bladerenpasta en boog zich toen weer naar Kaiku toe om voorzichtig haar doorweekte hemd van de wond los te trekken. 'Dit zal pijn doen,' waarschuwde hij haar. 'Ik heb dit van Tsata geleerd, en in Okhamba zijn er maar weinig milde geneesmiddelen.' Hij drukte het kompres tegen de wond. 'Houd vast.'

Dat deed ze. Het jeuken en branden begon bijna meteen, nam snel in hevigheid toe en verspreidde zich over haar ribben. Ze klemde haar kiezen op elkaar. Na een tijdje leek het erop dat de pijn niet meer erger werd en net op de grens van het draaglijke bleef.

'Het werkt snel,' zei Saran. 'Je hoeft het er maar een uur tegenaan te houden. Als je het weghaalt, zal de pijn snel wegtrekken.'

Kaiku knikte. Het zweet prikte op haar hoofdhuid, zoveel moeite kostte het haar om het ongerief te verdragen. 'Vertel me meer over de vleesbeeldhouwers,' zei ze. 'Ik heb iets nodig om mijn aandacht hiervan af te leiden.'

Saran ging op zijn hurken zitten en nam haar met zijn donkere ogen schattend op. Terwijl ze naar hem zat te kijken, herinnerde ze zich opeens dat haar eigen ogen nog rood waren. In Saramyr kenmerkte dat haar als een afwijkende, en de meeste mensen zouden met haat en afschuw reageren. Saran noch Tsata leek zich er echter zorgen om te maken. Misschien hadden ze al van tevoren geweten wat voor iemand ze was. Het had er in elk geval wel op geleken dat Saran haar had herkend. Het feit dat ze onderricht kreeg van de Rode Orde –

en dus een afwijkende was – was echter niet algemeen bekend. Zelfs in de Gemeenschap, waar afwijkenden welkom waren, was het verstandig om niet met dat feit te koop te lopen.

'Ik kan er niet naar gissen wat voor wezens er in de diepste duisternis van Okhamba leven,' zei Saran. 'Ze hebben daar mannen en vrouwen die ambachten beheersen die ons volkomen vreemd zijn. De gewoonten van jouw volk en het mijne zijn heel verschillend, Kaiku, maar deze mensen zijn ronduit vreemd. De vleesbeeldhouwers kunnen een baby in de moederschoot boetseren en hem elke gewenste vorm geven. Ze nemen aanstaande moeders van vijandelijke stammen gevangen en veranderen de ongeboren kinderen in monsters die hen moeten dienen.'

'Net als de afwijkenden,' prevelde Kaiku. 'Net als de wevers,' voegde ze er met een giftige klank in haar stem aan toe.

'Nee,' zei Saran met verrassend veel overtuiging. 'Niet net als de wevers.'

Kaiku fronste haar wenkbrauwen. 'Je verdedigt hen,' merkte ze op.

'Nee,' zei hij. 'Hoe bizar hun methoden ook zijn, het ambacht van de vleesbeeldhouwers is in de natuur geworteld. Kruidenleer, bezweringen, geestenkunst... Natuurlijke zaken. Ze bezoedelen het land niet, zoals de wevers.'

'De maghkriin... Ik kon hem... ik kon hem niet vinden,' zei Kaiku uiteindelijk, nadat ze dat had verwerkt. 'Mijn kana leek erop af te ketsen.' Ze bestudeerde Saran zorgvuldig. De ervaring had haar geleerd dat ze moest oppassen met wie en wanneer ze over haar afwijkende talent praatte, maar ze wilde hem peilen.

'Ze hebben talismannen, zegels,' zei Saran. 'Duistere kunsten die ze in vormen en patronen vatten. Ik durf me niet eens voor te stellen wat voor kunstgrepen ze allemaal gebruiken, en ik weet ook niet wat de vleesbeeldhouwers verder nog kunnen. Ik weet echter wel dat ze hun krijgers bescherming meegeven. Bescherming die kennelijk zelfs tegen jou werkt.'

Hij streek een lok vuil zwart haar van zijn voorhoofd en porde met een stok in het vuur. Kaiku keek naar hem. Haar blik werd telkens naar zijn gezicht getrokken, of ze wilde of niet.

'Ben je moe?' vroeg hij. Hij keek niet op, maar ze had het gevoel dat hij wist dat ze naar hem zat te staren. Ze wendde met moeite haar blik af, om vervolgens tot de ontdekking te komen dat die binnen een paar tellen weer naar hem afgleed.

'Een beetje,' loog Kaiku. Ze was uitgeput.

'We moeten gaan.'

'Gaan?' herhaalde ze. 'Nu?'

'Denk je dat je hem hebt gedood? Het wezen dat jou heeft aange-
vallen?' vroeg hij, terwijl hij plotseling overeind kwam.
'Jazeker,' antwoordde ze.
'Daar zou ik maar niet op rekenen,' raadde hij haar aan. 'Je hebt
geen idee waar je mee te maken hebt. En misschien zijn er nog meer.
Als we stevig doorreizen, kunnen we halverwege de middag in Ki-
santh zijn. Als we hier blijven rusten, zullen ze ons vinden.'
Kaiku liet het hoofd hangen.
'Ben je sterk genoeg?' vroeg Saran.
'Zo sterk als nodig is,' zei Kaiku. Ze kwam overeind. 'Ga jij maar
voorop.'

⊚ 4 ⊚

'Mevrouw Mishani tu Koli,' zei de koopman ter begroeting, en meteen wist Mishani dat er iets niet klopte.

Het kwam niet alleen door zijn toon, hoewel die al genoeg zou zijn geweest. Het was de korte aarzeling toen hij haar zag, de nauwelijks merkbare schaduw die over zijn gezicht gleed voordat hij ferm een vriendelijk masker opzette, die hem verried. Anders dan haar eigen onbewogen gelaat deed vermoeden, wantrouwde ze deze man nu al, maar ze moest hem wel vertrouwen. Ze had geen keus, want het leek erop dat hij haar enige hoop was.

De Saramyrese bediende trok zich terug uit de kamer en trok het kamerscherm in de deuropening achter zich dicht. Mishani wachtte geduldig.

De koopman, die een kort moment verdwaasd en in gedachten verzonken had geleken, kwam weer tot zichzelf. 'Neemt u me niet kwalijk,' zei hij. 'Ik heb me nog niet eens voorgesteld. Ik ben Chien os Mumaka. Deze kant op, alstublieft.' Hij gebaarde naar de andere kant van de werkkamer, waaraan een breed balkon grensde met uitzicht op de lagune.

Mishani liep met hem mee naar buiten. Op de grond lagen exotische matten van dikke, zachte, geweven Okhambaanse stof, en er stond een laag tafeltje met wijn en fruit. Mishani nam plaats en Chien kwam tegenover haar zitten. Het huis van de koopman, een robuust houten gebouw dat deels op eiken palen was gebouwd die het voorste gedeelte omhooghielden, stond hoog op de helling van het bekken dat Kisanth omringde. Het uitzicht was schitterend, met aan de linkerkant de hoge, zwarte rotswand die de kust flankeerde en aan de rechterkant Kisanth, dat in een halve cirkel aan het turquoise water lag. Schepen voeren langzaam van de kade naar de smalle scheur

42

in de wand die toegang bood tot de open zee, en kleinere vaartuigen werden ertussendoor gepunterd of geroeid. Het hele tafereel baadde in oogverblindend fel zonlicht, waardoor de lagune één grote witte schittering leek.

Ze nam haar tegenstander schattend op terwijl ze de gebruikelijke begroetingen uitwisselden: gemeenplaatsen en vragen over elkaars gezondheid, een noodzakelijke inleiding tot de kern van het gesprek. Hij was klein, met een kaalgeschoren hoofd en brede, hoekige gelaatstrekken die pasten bij zijn even brede, hoekige lichaamsbouw. Zijn kleding was duidelijk duur, maar niet opzichtig. Zijn enige tegemoetkoming aan ijdelheid bestond uit een dunne, geborduurde mantel, een erg Quralees vertoon voor een Saramyrese man, en waarschijnlijk bedoeld om te laten zien dat hij een man van de wereld was.

Zijn uiterlijk deed er echter niets toe. Mishani was bekend met zijn reputatie. Het woordje 'os' in zijn achternaam gaf aan dat hij geadopteerd was. Het zou tot aan de tweede generatie aan zijn eigen kinderen verbonden blijven, zodat ook zij nog onder het stigma gebukt zouden gaan. De derde generatie mocht dan uiteindelijk overstappen op het meer gangbare 'tu'. 'Os' betekende letterlijk 'grootgebracht door', maar 'tu' gaf aan dat de drager was opgenomen in de familie, wat voor 'os' niet gold.

Dat leek echter geen enkele belemmering te hebben gevormd voor Chien os Mumaka, die een grote bijdrage had geleverd aan de razendsnelle opkomst van zijn familie in de koopvaardij. In de afgelopen tien jaar had bloed Mumaka een voorheen klein scheepvaartconsortium doen uitgroeien tot een van de twee belangrijkste uitbaters van de handelsroute tussen Saramyr en Okhamba. Dat was voor een groot deel te danken aan Chiens lef: hij stond erom bekend dat hij grote risico's nam, die echter meestal goed uitpakten. Zijn manieren waren niet erg gepolijst en hij had ook geen bijzonder goede opleiding genoten, maar hij was zonder enige twijfel een koopman om rekening mee te houden.

'Het is mij een grote eer de dochter van zo'n vooraanstaand edel bloed in Kisanth te mogen verwelkomen,' zei Chien. Zijn spraakpatronen waren minder formeel dan die van Mishani en Kaiku. Mishani vermoedde dat hij afkomstig was uit een van de Zuidelijke Prefecturen. Hij had duidelijk nooit onderricht genoten in de redekunst, terwijl dat voor veel kinderen uit hooggeplaatste families de gewoonste zaak van de wereld was. Misschien was hij gepasseerd omdat hij geadopteerd was, of omdat zijn familie op dat moment te arm was geweest.

'Mijn vader laat u groeten,' loog ze. Chien leek vergenoegd.

'Brengt u hem mijn beste wensen over, alstublieft,' antwoordde hij. 'We hebben veel aan uw familie te danken, mevrouw Mishani. Wist u dat mijn moeder vissersvrouw was in de vloot van uw vader in de Mataxabaai?'

'Is dat zo?' vroeg Mishani beleefd, hoewel ze heel goed wist dat dat inderdaad klopte. Ze was eerlijk gezegd verbaasd dat hij erover begon. 'Ik dacht dat het slechts een gerucht was.'

'Het is waar,' zei Chien. 'Op een dag ging een jonge zoon uit bloed Mumaka bij uw vader in de baai op bezoek, en of Shintu er nu de hand in heeft gehad of Rieka, hij kwam de vissersvrouw tegen, en het was liefde op het eerste gezicht. Wat een verhaal, hè?'

'Prachtig,' zei Mishani, maar ze dacht precies het tegenovergestelde. 'Het lijkt wel iets uit een gedicht of toneelstuk.' Het latere huwelijk van de vrouw uit de boerenstand met iemand van bloed Mumaka en vervolgens de weigering van de familie om hun schandelijke zoon te verstoten had hen in politiek opzicht lamgeslagen. Pas na vele jaren was hun geloofwaardigheid enigszins hersteld en dat was grotendeels te danken aan hun succes in de koopvaardij. Dat Chien erover was begonnen, was een beetje onbeschoft. Chiens moeder was ontslagen van haar eed aan bloed Koli en uitgehuwelijkt aan de dolverliefde jonge edelman, in ruil voor politieke concessies waarvoor bloed Mumaka nog steeds moest boeten. Dat ene dwaze huwelijk was toegestaan in ruil voor een uiterst riant aandeel in de opbrengst van bestaande en toekomstige handelsroutes van bloed Mumaka. Dat was een sluwe zet gebleken. Nu ze belangrijke handelaren waren, waren ze door de toentertijd gedane beloften nog altijd met handen en voeten aan bloed Koli gebonden, en Koli maakte dankzij hen veel winst. Mishani kon zich nauwelijks voorstellen hoezeer dat schrijnde. Waarschijnlijk kwam het uitsluitend door de bedragen die ze aan haar familie moesten afdragen dat bloed Mumaka de handelsroute niet volledig domineerde.

'Houdt u van poëzie?' vroeg Chien, die haar verstrooide opmerking gebruikte om het gesprek in een andere richting te sturen.

'Ik vind vooral Xalis erg goed,' antwoordde ze.

'O, ja? Ik zou nooit hebben gedacht dat zijn gewelddadige teksten een elegante dame als u zo zouden aanspreken.' Dat was een poging tot vleierij, maar geen erg goede.

'Het hof in Axekami is minstens zo gewelddadig als de slagvelden waarover Xalis schreef,' antwoordde Mishani. 'Alleen zijn de wonden die daar worden toegebracht subtieler, en ze zweren langer.'

Chien glimlachte scheef en pakte een partje fruit van de tafel. Mishani maakte gebruik van de stilte om het initiatief te nemen.

'Ik heb me laten vertellen dat u mogelijk in de positie verkeert om mij van dienst te zijn,' zei ze.

Chien kauwde langzaam op het stukje fruit en slikte het door, terwijl zij wachtte. Een warm briesje streek langs haar rokken. 'Ga verder,' zei hij.

'Ik heb een schip nodig dat me terugbrengt naar Saramyr,' zei ze.

'Wanneer?'

'Zo snel mogelijk.'

'Maar mevrouw Mishani, u bent er nog maar net. Bent u dan zo teleurgesteld over Kisanth?'

Ze was niet verrast. Hij had de scheepslogboeken erop nageslagen. Dat was voor iemand als hij, met al zijn connecties, niet moeilijk, en het betekende in elk geval dat hij enige moeite had gedaan en haar serieus nam. Ze kon alleen maar hopen dat zijn connecties aan de andere kant van de oceaan minder goed waren.

'Kisanth is een opmerkelijke stad,' antwoordde ze, zonder op de bedoeling achter de vraag in te gaan. 'Zeer levendig.'

Chien keek haar een hele tijd aandachtig aan. Het zou onbeleefd zijn om door te vragen naar de reden dat ze nu al terug wilde. Mishani hield haar gezicht in de plooi en de lange stilte werd ongemakkelijk. Hij probeerde haar te doorgronden, dat kon ze wel raden, maar wist hij dat ze zich achter een valse façade verborg?

Haar banden met bloed Koli waren op zijn zachtst gezegd zwak. Hoewel ze officieel nog steeds deel van de familie uitmaakte – als bekend zou worden wat een eigenzinnige dochter ze was, zou de schande hun belangen immers ernstig schaden – werd ze nu gemeden. Haar verraad was zorgvuldig verdoezeld, en hoewel het niet te vermijden was dat er geruchten de ronde deden, waren er maar weinig mensen die wisten hoe de vork echt in de steel zat.

Het verhaal ging dat Mishani aan de andere kant van de bergen in het oosten van Saramyr op rondreis was om daar de belangen van bloed Koli te behartigen. In werkelijkheid maakte haar vader al sinds de dag dat ze hem had verlaten meedogenloos jacht op haar. Ze twijfelde niet aan wat er zou gebeuren als hij haar te pakken kreeg. Ze zou een gevangene worden op haar eigen landgoed en worden gedwongen de schijn van solidariteit binnen bloed Koli op te houden. Ze zou zich moeten voegen naar de leugen die ze hadden bedacht om de schande verborgen te houden die ze ze hun had aangedaan. En dan zou ze misschien stilletjes worden vermoord.

Haar edele voorkomen was nep, pure bluf, en ze vermoedde dat Chien dat wist. Ze had gehoopt dat de koopman niet aan de informatie zou kunnen komen die haar kon verraden, maar er was iets vreemds aan zijn gedrag en ze vertrouwde hem voor geen cent. Haar vader was een machtige potentiële bondgenoot en zou de man die hem zijn dochter kon bezorgen zeer erkentelijk zijn.

'Hoe snel moet u weg?' vroeg Chien uiteindelijk.

'Morgen,' antwoordde ze. In werkelijkheid wist ze niet of ze echt zo snel weg moesten, maar ze kon maar beter zeker lijken van haar zaak nu het tijd was om te onderhandelen.

'Morgen,' herhaalde hij onbewogen.

'Is dat mogelijk?' vroeg ze.

'Misschien,' zei Chien. Hij probeerde tijd te winnen, zodat hij kon nadenken. Hij keek uit over de lagune en de zon wierp schaduwen in de holtes van zijn brede gezicht terwijl hij nadacht over wat er allemaal bij kwam kijken. 'Dat zou me veel geld kosten,' zei hij uiteindelijk. 'Dan zou een te groot deel van de laadruimte leeg blijven. Nee. Drie dagen, eerder kunnen we absoluut niet klaar zijn om uit te varen.'

'Goed genoeg,' zei ze. 'U zult schadeloos worden gesteld. En ik zal u vanuit de grond van mijn hart dankbaar zijn.' Wat was het toch mooi meegenomen dat een dergelijke uitspraak, die impliceerde dat een machtige zeevaartfamilie bij hem in het krijt zou staan, alleen in letterlijke zin waar was. Ze had wel geld – de Libera Dramach zou kosten noch moeite sparen om de spion veilig thuis te krijgen – maar wat gunsten betrof had ze een man als Chien niet veel te bieden.

'Ik heb een ander voorstel,' zei hij. 'Uw aanbod van een schadeloosstelling is erg vriendelijk, maar ik moet toegeven dat ik in ons vaderland toch het een en ander moet regelen, en het gaat in dezen niet echt om geld. Ik wil liever niet dat een vooraanstaande familie als die van u mij iets schuldig is. In plaats daarvan heb ik een enigszins aanmatigend verzoek aan u.'

Mishani wachtte af, en terwijl ze luisterde zonk de moed haar in de schoenen. Ze wist dat ze niet kon weigeren en dat ze hem noodgedwongen precies in de kaart zou spelen.

Later begon het te regenen.

De lucht was verrassend snel betrokken, de luchtvochtigheid schoot omhoog en vroeg in de middag kwam de regen met bakken uit de hemel. In het oerwoud beefden de zware bladeren heftig onder de dikke regendruppels waardoor ze werden gegeseld. De modder vormde beekjes die kronkelend tussen de boomwortels wegstroomden. De regen gutste van het bladerdak en vormde smalle watervallen die takken en rotsblokken kletsnat maakten. Het luide geraas van de wolkbreuk overstemde het geluid van dieren in de buurt, die vanuit hun schuilplaatsen naar elkaar riepen.

Saran, Tsata en Kaiku sjokten tot op de draad doorweekt door het kreupelhout. Ineengedoken liepen ze onder *gwattha*, poncho's met kappen van een plaatselijk gefabriceerd weefsel dat enige bescherming bood tegen lichte regen, maar hen onder dergelijke extreme omstandigheden niet droog kon houden. Kaiku had er een gekregen van haar gids voordat ze op weg waren gegaan en had hem opgerold aan haar kleine rugzak vastgebonden. De twee anderen hadden er zelf een. Het was dwaasheid om zonder zo'n poncho het oerwoud in te trekken.

De regen vertraagde hun toch al lage tempo nog meer. Kaiku strompelde voort en had nauwelijks genoeg kracht om haar voeten op te tillen. Ze hadden geen van allen geslapen, maar hadden de hele nacht doorgelopen. Onder gewone omstandigheden zou Kaiku daar niet zoveel moeite mee hebben gehad. Door de lange maand nietsdoen aan boord van de *Hart van Assantua*, de wond in haar zij en de nadelige gevolgen van het gebruik van haar kana was haar uithoudingsvermogen echter ernstig aangetast. Rusten was echter uitgesloten en ze was te trots om te klagen. De anderen hadden hun pas een beetje ingehouden, maar niet veel. Ellendig als ze zich voelde, deed ze haar best hen bij te houden, en ze liet het aan Saran en Tsata over om uit te kijken naar eventuele achtervolgers. Omdat ze niet had geslapen, had haar kana zich niet hersteld en waren haar zintuigen afgestompt. Ze hield zichzelf voor dat haar metgezellen waakzaam genoeg waren voor drie.

Tijdens de terugreis naar Kisanth piekerde ze over het lot van haar gids. Het deed haar verdriet dat de Tkiurathische vrouw haar nooit had verteld hoe ze heette. Volgens de Saramyrese riten moesten de namen van overledenen worden verteld aan Noctu, de vrouw van Omecha. Zij kon hen dan optekenen in haar boek en haar man op de hoogte stellen van de grootse daden die ze hadden verricht – of juist niet – als ze bij hem kwamen in de hoop te worden toegelaten tot het Gouden Rijk. Hoewel de vrouw hoogstwaarschijnlijk niet eens gelovig was geweest, knaagde het aan Kaiku.

Saran en Tsata overlegden vaak zachtjes met elkaar terwijl ze met hun geweren in de aanslag het oerwoud afspeurden. De wapens waren in dikke stof en repen leer gewikkeld om de kruitkamer droog te houden. De wolkbreuk – die eventuele achtervolgers zou dwarsbomen door hun sporen uit te wissen – had hun kennelijk niet in het minst verlost van hun angst. Ondanks Sarans twijfels was Kaiku ervan overtuigd dat ze de sluipmoordenaar bij de Aith Pthakath had verbrand. En als er inderdaad nog steeds een maghkriin op hen jaagde, was Saran er kennelijk van overtuigd dat die beschikte over een welhaast bovennatuurlijk vermogen om sporen te volgen.

Ze betrapte zichzelf erop dat ze zich afvroeg wat er zo belangrijk was aan deze man, wat hij wist, waarom hij het waard was om haar leven op het spel te zetten. Het ergerde haar dat haar nieuwsgierigheid nog niet was bevredigd. Natuurlijk was hij een spion en ze had kunnen weten dat hij zijn geheimen niet gemakkelijk zou prijsgeven. Toch maakte het haar nijdig dat ze dit allemaal moest doormaken zonder te weten waarom.

Kaiku had die ochtend een paar keer geprobeerd een gesprek met Saran aan te knopen. Dat was echter onmogelijk gebleken, want hij werd telkens afgeleid. Hij was te zeer gericht op eventuele vijanden en roofdieren, die zelfs in de buurt van de kust, waar het land iets beschaafder was, dodelijk konden zijn. Hij luisterde nauwelijks naar haar. Ze merkte dat dat haar ongelooflijk ergerde.

Tegen de tijd dat ze halt hielden was ze door de uitputting en de regen in een fatalistische stemming geraakt. Laat die maghkriin maar komen als hij er is, dacht ze. Ze konden er toch niets aan doen.

Ze waren echter niet gestopt om te rusten, zoals Kaiku had gehoopt. Tsata zag het als eerste, een eindje verderop op de helling die zich links van hen verhief en van waaruit het pad dat ze hadden gekozen duidelijk zichtbaar was. Razendsnel deed hij een paar passen achteruit, en hij wees tussen de bomen door. Kaiku tuurde tussen haar met druppels bedekte wimpers door. Tussen het steeds verschuivende gordijn van regen zag ze echter alleen maar grauwe schaduwen.

'Wie is dat?' vroeg Tsata aan haar. Binnen de kortste keren stond Saran naast hen.

'Dat kan ik niet zien,' zei ze. De onuitgesproken vraag: hoe moest zíj dat weten? Ze probeerde een beweging op te vangen, maar zag niets.

Saran en Tsata wisselden een blik. 'Hier blijven,' zei Saran tegen haar.

'Waar ga je naartoe?'

'Blijf nu maar hier,' zei hij, en zacht spetterend in de modder verdween hij tussen het kreupelhout. Ze ving af en toe een glimp van hem op toen hij langs de helling omhoogliep naar de plek die Tsata had aangewezen, en toen werd hij opgeslokt.

Ze streek haar doornatte haar uit haar gezicht en zette haar kap af, want opeens voelde ze zich erdoor belemmerd. De warme regen spetterde gretig op haar haar en drong door tot op de hoofdhuid.

Toen ze omkeek, zag ze dat Tsata weg was.

48

De schrik schudde haar wakker uit haar apathie. Haar fatalisme was meteen verdwenen. Ze ademde in met de bedoeling haar metgezellen te roepen, maar de woorden bleven steken in haar keel. Schreeuwen zou alleen maar dwaas zijn.

Haastig haalde ze haar geweer van haar rug en pakte het vast. Het slechte zicht beangstigde haar, want ze zou niet genoeg tijd hebben om te reageren als er een aanval kwam. Zelfs op die open plek bij de Aith Pthakath had ze het maar ternauwernood overleefd, en nu kon ze zich niet eens met haar kana beschermen. Ze was te uitgeput om het weefsel te betreden.

Het geroffel van de regen en het voortdurende, onsamenhangende geluid van stromend en druppend water overstemde alles, behalve de allerhardste geluiden. Ze knipperde met haar ogen en veegde ze af met haar hand terwijl ze angstig om zich heen keek.

Ze zouden zo wel terugkomen. Ze konden elk moment terugkomen, en dan zou ze boos op hen worden omdat ze haar zonder haar behoorlijk te waarschuwen in de steek hadden gelaten. Achter haar viel een tak en geschrokken draaide ze zich met een ruk om. Het scheelde geen haar of haar geweer was achter een liaan blijven hangen. Ze tuurde gespannen in de regenmist en probeerde een beweging op te vangen.

Vanwege de beperkte bewegingsruimte zou haar zwaard handiger zijn geweest, maar ze was nooit zo'n goede zwaardvechter geweest. Het grootste deel van het onderricht dat ze had gevolgd was gericht op het ontwikkelen van haar aangeboren talenten, die naar boven waren gekomen tijdens de eindeloze concurrentiestrijd met haar oudere broer in het Yunawoud, waar ze hadden gewoond. Ze waren altijd verwikkeld in een eeuwige strijd om de beste te worden in paardrijden, schieten en worstelen – ze was altijd een wildebras geweest – maar ze hadden geen van beiden veel interesse gehad in zwaardsport, en zwaarden waren bovendien te gevaarlijk om elkaar mee te bevechten. Het geweer mocht in deze omstandigheden onpraktisch zijn, ze had er wel steun aan. Ze verschoof de hand waarmee ze het wapen ondersteunde en speurde de bomen af.

De tijd verstreek traag. Ze kwamen niet terug. Kaiku voelde een kille angst die zich vastzette in haar botten. Het ingespannen wachten, zo open en bloot, werd haar te veel. Ze moest weten wat er gaande was.

Haar blik viel op de grijze schaduw die Tsata had aangewezen. Die bevond zich nog op precies dezelfde plek. Ze moest denken aan wat hij had gevraagd. 'Wie is dat?' Wat had hij daarmee bedoeld?

Alles was beter dan als een bang konijntje in de regen blijven zitten, al zou ze maar de kleine afstand overbruggen naar het punt waar ze dicht genoeg bij de half verscholen grijze vlek zou zijn om te kunnen zien wat het was. Ze keek nog één keer om zich heen en sjokte toen vermoeid tegen de helling op. Haar laarzen zonken weg in de modder en water stroomde van alle kanten toe om de gaten te vullen die ze achterliet.

Het leer dat om de kruitkamer van haar geweer was gewikkeld was aan de buitenkant drijfnat. Ze hoopte dat het water niet door de lagen stof heen was gedrongen en het kruit vochtig had gemaakt, anders zou haar geweer slechts een dure knuppel zijn. Ze veegde het haar uit haar gezicht en vloekte toen het meteen weer voor haar ogen viel. Haar hart klopte zó hevig dat ze haar borstbeen bij elke slag voelde trillen.

Opeens was de grijze schaduw eventjes duidelijk zichtbaar, doordat een windvlaag de regen opzij blies alsof het een gordijn was dat met een theatraal gebaar open werd getrokken. Het duurde niet lang, maar die fractie was genoeg om het beeld op Kaiku's netvlies te branden. Nu begreep ze het.

'Wie is dat?'

Het was de gids, die met lianen was omwikkeld alsof ze door een spin in een cocon was gehuld. Ze hing aan de stevige onderste takken van een reusachtige chapapaboom. Haar hoofd hing slap naar voren, haar ogen staarden niets ziend naar de grond en de pijl stak nog uit haar keel. Haar armen en benen waren stevig vastgebonden en af en toe wiegde ze door de kracht van de slagregens heen en weer.

Kaiku voelde de scherpe klauwen van hernieuwde paniek. De maghkriin had de gids daar als een soort boodschap achtergelaten. Dat niet alleen, hij had bovendien precies voorspeld welke route zijn prooi zou nemen en had daar postgevat. Struikelend deinsde ze terug voor het gruwelijke beeld, en ze gleed een eindje weg in de modder. Haar instinct schreeuwde het uit.

Er was een maghkriin in de buurt. Op dit moment.

Hij viel van links aan en overbrugde de afstand tussen hen in de tijd die het haar kostte om haar hoofd te draaien. De wereld om haar heen leek te vertragen, de regendruppels verloren snelheid, haar hartslag verdiepte zich tot een reeks zware ontploffingen. Ze probeerde uit alle macht haar geweer te schouderen, maar nog voordat ze daarmee begon wist ze al dat ze er nooit in zou slagen de loop tussen zichzelf en het wezen te krijgen. Ze ving slechts een korte, glasheldere glimp op van rode en zwartgeblakerde huid, een blind oog en zwiepende haarlokken. Toen zag ze een mes met een haak aan het

eind, dat met een boog op haar afkwam om haar keel door te snijden, en ze had niet genoeg tijd om er ook maar iets aan te doen.
Bloed sloeg haar in het gezicht toen ze de maghkriin tegen zich aan
voelde botsen en ze in een witte flits van pijn en schrik tegen de grond
sloeg. Ze kreeg geen adem, geen adem
– dreigde te verdrinken, net als toen, net als in het riool, toen een
smerige, rottende hand haar onder water had gedrukt –
want de lucht kon haar longen niet bereiken, en ze proefde haar eigen bloed in haar mond, voelde bloed in haar ogen dat haar verblindde, overal bloed
– geesten, ze kreeg geen adem, geen adem omdat haar keel was doorgesneden, gefileerd als een vis, haar keel! –
Toen was er opeens overal om haar heen beweging. Saran en Tsata
trokken het gewicht van haar borst, sleurden het slappe lijk van haar
aanvaller van haar af. Ze snakte naar adem en zoete, zalige lucht
stroomde in haar longen. Haar hand ging naar haar keel, en die bleek
onder het bloed te zitten, maar onbeschadigd te zijn. Ze werd ruw
uit de modder omhooggetrokken en de regen spoelde het bloed al
van haar huid en in haar kleren.
'Ben je gewond?' riep Saran angstig. 'Ben je gewond?'
Kaiku stak een bevende hand op om aan te geven dat hij moest wachten. Ze moest even op adem komen. Haar blik dwaalde af naar het
gespierde monster dat half weggezonken in de natte aarde op zijn
buik op de grond lag.
'Kijk naar me!' snauwde Saran. Hij greep haar bij haar onderkaak
en draaide ruw haar gezicht naar zich toe. 'Ben je gewond?' vroeg
hij opnieuw angstig.
Ze sloeg zijn arm weg, want opeens was ze boos omdat hij haar zo
ruw behandelde. Ze kon nog steeds niet genoeg lucht krijgen om
woorden te vormen. Met haar hand tegen haar borst gedrukt bukte ze en ze wachtte totdat de lucht weer gewoon door haar longen
stroomde.
'Ze is niet gewond,' zei Tsata, maar of dat beschuldigend, opgelucht
of zakelijk bedoeld was, werd niet duidelijk omdat hij weinig ervaring had met de taal.
'Ik ben... niet gewond,' zei Kaiku moeizaam en met een boze blik
op Saran. Hij aarzelde even en trok zich toen terug. Zo te zien was
hij van zichzelf geschrokken.
Tsata stak zijn hand in de modder en draaide de maghkriin moeizaam op zijn rug. Deze zag er menselijker uit dan de vorige. Van zijn
kleding waren alleen nog wat verbrande vodden over, zodat zijn soepele lijf met de strakke spieren onder de rode, taaie huid zichtbaar

was. Alleen het gelaat – of wat ervan over was, want de ene kant was verkoold en zat onder de brandblaren, en de andere kant was door een geweerkogel tot een bloederige massa verpulverd – was dat van een beest. Tussen de beschadigde stukken zaten scheve, gele tanden en een platte neus, en wat haar zou moeten zijn, was een verzameling dunne, vlezige tentakels die slap aan de hoofdhuid hingen. Kaiku wendde haar blik af.

'Het is die ene die jij hebt verbrand,' zei Tsata. 'Geen wonder dat hij zo traag was.'

'Heb jij hem doodgeschoten?' vroeg Kaiku verdoofd terwijl ze probeerde te begrijpen wat hij had gezegd. Had hij nu echt gezegd dat dat monster traag was? De geselende regen had het bloed inmiddels van haar gezicht gespoeld, maar er kwamen nog steeds roze stroompjes uit haar doorweekte haar. Er kleefde modder aan haar rug, armen en benen. Ze merkte het niet.

Tsata hief zijn kin. Het duurde even voordat Kaiku zich herinnerde dat dat een hoofdknikje moest voorstellen.

'Jullie hebben me alleen gelaten,' zei ze opeens terwijl ze van de een naar de ander keek. 'Jullie hebben me allebei alleen gelaten, en dat terwijl jullie wisten dat dat monster hier rondsloop!'

'Ik heb je bij Tsata achtergelaten!' wierp Saran tegen met een boze blik op de Tkiurathi, die met zijn groene ogen koel terugkeek. Het getatoeëerde gezicht onder de kap stond kalm.

'Het was alleen maar logisch,' zei Tsata. 'De maghkriin zou achter jou aan zijn gegaan, Saran, omdat je alleen wegging. Maar als we allemaal alleen waren, zou hij eerst kiezen voor de gevaarlijkste of de meest weerloze prooi. Dat was zij, in beide gevallen.'

'Dus je hebt me als lokaas gebruikt?' riep Kaiku verontwaardigd uit.

'Ik had me verstopt en hield je in de gaten. De maghkriin verwachtte niet dat we een van ons moedwillig in gevaar zouden brengen.'

'Voor hetzelfde geld had je misgeschoten!' schreeuwde Kaiku. 'Voor hetzelfde geld had hij me gedood!'

'Maar dat is niet gebeurd,' zei Tsata, die kennelijk niet kon begrijpen waarom ze zo boos was.

Kaiku keek Tsata kwaad en ongelovig aan, en richtte toen haar blik op Saran. Die stak zijn handen op ten teken dat hij er niets mee te maken had gehad.

'Is dat soms een soort rare Okhambaanse logica?' snauwde ze met rood aangelopen gezicht. Ze kon maar niet geloven dat iemand zo nonchalant haar leven in de waagschaal zou stellen. 'Een of andere geestenvervloekte kwestie van pasj? Het individu opofferen ten behoeve van de groep?'

Tsata keek verrast. 'Precies,' zei hij. 'Je leert onze gewoonten snel.' 'O, ja, jullie godenvervloekte gewoonten!' snauwde ze. Ze trok haar kap over haar hoofd. 'Het kan niet ver meer zijn naar Kisanth. We kunnen maar beter gaan.'

De rest van de reis werd in stilte afgelegd. Hoewel Saran en Tsata nog minstens zo waakzaam waren als voorheen, leek het gevaar nu te zijn geweken, in elk geval in de ogen van Kaiku, die de hele weg naar Kisanth haar woede koesterde. Toen ze het oerwoud verlieten, kwamen ze uit bij de gebedspoort van Zanya. Bij aanblik van de pilaren werd Kaiku overspoeld door een golf van opluchting en vermoeidheid. Langzaam liep ze eropaf om een dankgebed op te zeggen voor haar veilige terugkeer, zoals door het ritueel werd voorgeschreven. Toen ze klaar was, zag ze dat Saran hetzelfde deed.

'Ik dacht dat jullie in Quraal niet in onze heidense goden geloofden,' zei ze.

'We kunnen nu alle goden gebruiken die we kunnen krijgen,' antwoordde hij duister, en Kaiku vroeg zich af of hij het meende of de draak met haar stak. Ze stapte door de poort en liep met grote passen naar de muur van palen rond Kisanth. Hij kwam achter haar aan.

◎ 5 ◎

Axekami, kloppend hart van het keizerrijk, koesterde zich in de nazomerse hitte.

De grote stad waaierde naar alle kanten uit vanuit het punt waar twee rivieren samenkwamen in een derde. Het was een knooppunt waar het overgrote deel van het handelsverkeer in Noordwest-Saramyr overheen kwam. De Jabaza en de Kerryn kronkelden vanuit respectievelijk het noorden en het oosten door de uitgestrekte geelgroene vlakten en deelden de uitgedijde, ommuurde stad op in duidelijk afgebakende districten. In het hart van Axekami kwamen ze samen in de Raas, waar ze kolkten rond een zeskantig platform dat door middel van drie sierlijke, gebogen bruggen van gelijke lengte met de oevers was verbonden. Middenin stond een kolossaal standbeeld van Isisya, de keizerin der goden en de godin van vrede, schoonheid en wijsheid. In Saramyr was het traditie godheden indirect te verbeelden, als votieve voorwerpen of in hun dierengedaante. Men vond het enigszins arrogant te proberen goddelijke wezens in hun ware gedaante vast te leggen. In dit geval was echter aan die traditie voorbijgegaan, en uit de donkerblauwe steen was een beeld gehouwen van Isisya als een vrouw van vijftig voet lang, uitgedost in kostbare gewaden en met een uitgebreide verzameling siervoorwerpen in haar ongelooflijk ingewikkelde haardracht. Ze staarde met serene blik en gevouwen handen die in haar lange, brede mouwen schuilgingen naar de keizerlijke vesting in het noordoosten. Aan haar voeten, in de Raas, vermengden de wateren van de Jabaza en de Kerryn zich en vormden de Zan, een immens brede rivier die zich een weg baande door de stad en als een sprankelend lint naar het zuidwesten stroomde.

In Axekami, het politieke en economische middelpunt van Saramyr, was het altijd een drukte van belang. Aan de oevers van de rivier stonden kades en loodsen en het wemelde er van de nomaden, kooplui, zeelieden en arbeiders. De zuidoever van de Kerryn was een kleurrijke mengelmoes van rookhuizen, bordelen, winkels en cafés die zich op de eilandengroep van het Kanaaldistrict verdrongen. Daar kwamen bizar geklede feestgangers om zich uit te leven. In het noorden, waar het land langzaam omhoogliep naar de keizerlijke vesting, stonden opzichtige tempels vlak naast sobere bibliotheken met koepels. Op de openbare pleinen van het Marktdistrict krioelde het van de mensen. Sprekers en volksmenners gaven lucht aan hun overtuigingen, paarden stapten zijdelings tussen de krakende wagens en moeizaam voortsjokkende manxthwa's door over de overvolle straten en kooplui verhandelden onder vrolijk gekleurde luifels alle goederen die in de Nabije Wereld te krijgen waren. Als je wilde ontsnappen aan de zweterige, stoffige wegen, kon je uitwijken naar een van de vele openbare parken, genieten van een heerlijk stoombad of een van de vele beeldentuinen bezoeken, waarvan er enkele nog dateerden uit de tijd van Torus tu Vinaxis, de tweede bloedkeizer van Saramyr.

Ten noorden van het Marktdistrict lag het Keizerlijke Kwartier aan de voet van de steile rotswand die boven op de heuvel stond. Boven aan die rotswand lag de keizerlijke vesting. Het Kwartier was een kleine stad op zich. Daar woonden de hooggeplaatste families, de onafhankelijke rijken en de mecenassen, ver van de drukte en het gewoel van de rest van de stad. Daar werden de brede straten, die keurig schoon werden gehouden, geflankeerd door exotische bomen. Daar stonden ruime huizen op ommuurde terreinen, omringd door pleinen vol mozaïeken en schaduwrijke kloostergangen. Zorgvuldig onderhouden watertuinen en lommerrijke prieeltjes boden eindeloos veel geheime plekjes waar de intriges van het hof zich afspeelden.

Dan was er nog de vesting zelf. Die stond boven aan de rotswand, en de met brons en goud bedekte muren zonden stralen weerkaatst zonlicht uit over de stad. De vesting had de vorm van een piramide zonder top en midden op het platte dak verhief zich de enorme koepel van de keizerlijke tempel van Ocha, die symboliseerde dat geen enkel mens, zelfs niet de keizer, boven de goden stond. De vier schuine wanden van de vesting bestonden uit een duizelingwekkend ingewikkeld patroon van boogramen, balkons en beelden, een waar meesterwerk waarin beeldhouwwerk en architectuur elkaar aanvulden, het mooiste in heel Axekami. Geesten en demonen achtervolgden elkaar rond pilaren en gingen op in legendarische taferelen, die werden bevolkt door goden en godinnen uit het Saramyrese pantheon. Op elke hoek van de vesting stond een hoge, smalle toren. Het indrukwekkende bouwwerk werd aan alle kanten omringd door een muur van massief steen, die al even rijk was versierd, maar ook voorzien was van tal van verdedigingswerken. Hij werd slechts onderbroken door één reusachtige poort, met daarboven een hoge boog van goud waarin oeroude zegeningen waren gegraveerd.

In de vesting stond Mos tu Batik, bloedkeizer van Saramyr, boos in een staande spiegel van gesmeed zilver naar zijn spiegelbeeld te kijken. Hij was een gedrongen man, die enkele duimen kleiner was dan je op grond van zijn brede gestalte zou verwachten. Daardoor zag hij eruit als een onverwoestbare kleerkast. Zijn kaak, die schuilging onder een met grijze haren doorspekte, borstelige baard, was verstrakt van frustratie. Met korte, boze bewegingen trok hij zijn ceremoniële gewaden recht: hij gaf een rukje aan zijn manchetten en verschikte zijn riem. De schuine stralen van de middagzon schenen door twee booramen naar binnen en doorkliefden als twee strakke, felle banen de kamer achter hem. Er dansten stofdeeltjes in het licht. Normaal gesproken vond hij al dat licht prettig, maar vandaag leek de rest van de kamer in vergelijking met het verlichte deel vooral schemerig, en gevuld met benauwende schaduwen.

'Je moet je beheersen,' zei iemand met krakende stem vanuit het achterste deel van het vertrek. 'Je bent zichtbaar geagiteerd.'

'Geesten, Kakre, natuurlijk ben ik geagiteerd!' snauwde Mos, terwijl hij zijn blik richtte op het deel van de spiegel waar de ineengedoken gestalte te zien was, die langzaam vanuit de duisternis in de hoek van de kamer in het licht trad. Hij droeg een voddenmantel van leer en andere, minder gemakkelijk te identificeren stoffen, die lukraak en zonder een herkenbaar patroon aan elkaar waren genaaid, met naden die als littekens kriskras over de vouwen liepen. De zon verlichtte slechts het onderste deel van een benige kaak, die niet bewoog als de man die onder de gerafelde kap schuilging sprak. Hij was de persoonlijke wever van de keizer, de weefheer.

'Het is niet verstandig je aangetrouwde broer in deze gemoedstoestand te verwelkomen,' ging Kakre verder. 'Daarmee beledig je hem.'

Mos lachte blaffend, bitter. 'Reki? Het kan me niets schelen wat dat boekenwurmpje van me vindt.' Hij keerde zich met een ruk af van de spiegel en keek de weefheer aan. 'Ik neem aan dat je op de hoogte bent van de berichten die ik heb ontvangen?'

Kakre hief zijn hoofd en de gloed van Nuki's oog viel op het gezicht onder de kap. Het ware masker van Weefheer Kakre zag eruit als een gapend, gemummificeerd lijk. Het was een holwangig gelaat van bleke, gedroogde huid die zich strak over de gelaatstrekken spande. Mos had zijn voorganger al bijzonder onaangenaam gevonden, maar Kakre was nog erger. Hij zou nooit leren de weefheer aan te kijken zonder vol afkeer ineen te krimpen.

'Ik ben op de hoogte van de berichten,' zei Kakre. Zijn stem klonk droog en rasperig.

'Ja, dat vermoedde ik al,' zei Mos giftig. 'Er gebeurt in deze vesting maar weinig zonder dat jij het te weten komt, Kakre, zelfs als het je niets aangaat.'

'Alles gaat mij aan,' pareerde Kakre.

'O, ja? Waarom probeer je dan niet te ontdekken waarom mijn oogst elk jaar weer mislukt? Waarom onderneem je niets tegen de ziekte die zich in mijn keizerrijk door de grond verspreidt, die ervoor zorgt dat overal afwijkende kinderen worden geboren, dat de bomen vervormd raken en dat het voor mijn mannen te gevaarlijk is om zich in de buurt van de bergen te begeven, omdat alleen de goden weten wat voor monsters zich daar tegenwoordig schuilhouden?' Mos liep stampvoetend naar een tafel waar een karaf wijn op stond en schonk een groot glas voor zichzelf in. 'De Zomerweek begint bijna! En tenzij de godin Enyu persoonlijk ingrijpt en ons een handje helpt, wordt dit jaar nog erger dan vorig jaar. Er dreigt hongersnood, Kakre! Er zijn afgelegen gewesten waar men de boeren al te lang op rantsoen heeft moeten houden! Ik had deze oogst hard nodig om stand te kunnen houden tegen het vervloekte handelsconsortium van Okhamba!'

'Het volk lijdt honger door jóúw toedoen, Mos,' antwoordde Kakre fel. 'Geef de wevers niet de schuld van je eigen fouten. Jij hebt deze handelsoorlog zelf in gang gezet door de uitvoerbelasting te verhogen.'

'Wat had je dan gewild?' riep Mos uit. 'Dat ik zou toestaan dat onze economie instortte?'

'Het kan me weinig schelen hoe je het rechtvaardigt,' zei Kakre. 'Feit blijft dat het jouw schuld is.'

Mos leegde zijn glas en keek de weefheer dreigend aan. 'We hebben samen de troon veroverd,' grauwde hij. 'Het heeft me mijn enige zoon gekost, maar we hebben hem veroverd. Ik heb me aan de afspraak gehouden. Ik heb jullie een rol gegeven in het keizerrijk. Ik heb jullie land geschonken, ik heb jullie rechten gegeven! Dat was mijn helft van de overeenkomst. Hoe zit het met die van jullie?'

'Wij hebben je op de troon weten te houden!' antwoordde Kakre boos en met stemverheffing. 'Als wij er niet waren geweest, zou je die inmiddels door je eigen onbekwaamheid weer hebben verspeeld.

Of ben je soms vergeten hoe vaak ik je heb gewaarschuwd voor een opstand, hoeveel samenzweringen en moordaanslagen ik voor je heb weten te verijdelen? Vijf jaar vol mislukte oogsten, afbrokkelende markten, politieke wanorde – de hooggeplaatste families tolereren het niet langer.' Kakre liet zijn stem dalen tot een zacht gemompel. 'Ze willen van ons af, Mos. Van jou en van mij.'

'Al die ellende komt juist door de mislukte oogsten!' riep Mos uit. Hij stikte bijna van frustratie. 'Het komt door die geestenvervloekte ziekte! Wat is de bron ervan? Wat is de oorzaak? Waarom weten jullie dat niet?'

'De wevers zijn niet almachtig, mijn keizer,' kraste Kakre zachtjes terwijl hij zich afwendde. 'Als dat zo was, zouden we jou niet nodig hebben.'

'Daar is hij!' zei keizerin Laranya breeduit lachend. Ze ontweek haar betuttelende kameniersters en rende door het kleine vertrek naar Mos toe, die net was binnengekomen. Ze vloog de keizer in de armen en kuste hem speels, maar trok zich toen terug en veegde het haar uit zijn ogen terwijl ze hem onderzoekend aankeek.

'Je kijkt boos,' zei ze. 'Is er iets?' Ze glimlachte plotseling. 'Iets waar ik niets aan kan doen, bedoel ik?'

In de armen van zijn geliefde voelde Mos zijn slechte bui in rook opgaan, en hij bukte zich om haar weer te kussen, deze keer met meer gevoel. 'Er is niets wat jij niet kunt doen verdwijnen met die glimlach van je,' prevelde hij.

'Vleier!' zei ze beschuldigend terwijl ze zich met een verleidelijke beweging uit zijn armen losmaakte. 'Je bent te laat. En je hebt mijn japon gekreukt met die onhandige klauwen van je. Nu moeten mijn kameniersters het weer oplossen. Alles moet op tijd in gereedheid zijn, zodat we mijn broer kunnen ontvangen.'

'Mijn excuses, mijn keizerin,' zei hij gemaakt ernstig en met een diepe buiging. 'Ik besefte niet dat dit zo'n belangrijke dag voor u was.' Ze snakte zogenaamd ongelovig naar adem. 'Wat zijn mannen toch dom.'

'Nou, als je me zo gaat beledigen, ga ik wel weer terug naar mijn vertrekken, dan heb je geen last meer van me,' zei Mos plagerig.

'Jij blijft hier en bereidt je samen met mij voor!' zei ze ferm. 'Als je morgen tenminste ook nog een keizerin wilt hebben.'

Mos gaf hoffelijk toe. Hij nam plaats naast zijn vrouw en liet zijn eigen kameniersters de laatste hand leggen aan zijn verschijning. Ze besproeiden hem met geparfumeerde olie en bevestigden de attributen die hij als keizer traditiegetrouw behoorde te dragen. Hij verdroeg het allemaal met een minder bezwaard gemoed dan eerst. Het vertoon en de formaliteiten die gepaard gingen met de titel van bloedkeizer stelden zijn geduld altijd op de proef. Hij was een bot man zonder gevoel voor subtiliteiten, en hij had niet veel op met rituelen en eeuwenoude tradities. Het verwelkomen van een belangrijke gast die lange tijd zou blijven was een ingewikkelde gebeurtenis die met vele beleefdheden en formaliteiten gepaard ging. De precieze aard van die beleefdheden en formaliteiten was afhankelijk van de status van de gast ten opzichte van de keizerlijke familie. Te weinig voorbereiding en de gast zou zich beledigd voelen, te veel bombarie en hij zou zich beschaamd voelen. Mos was zo verstandig dergelijke zaken over te laten aan zijn adviseurs, en recentelijk aan zijn nieuwe echtgenote.

In het vertrek wemelde het van de vazallen in hun mooiste gewaden, gardeofficieren in wit met blauwe harnassen, bedienden met wimpels, en bevallige courtisanes die hun instrumenten stemden. Kameniersters renden af en aan en Mos' cultureel adviseur stuurde bodes alle kanten op om belangrijke dingen te halen die hij was vergeten, en om snel nog het een en ander te veranderen. De pracht en praal hier in de hal bij de poort was nog maar het begin van de hele toestand. Daarna volgden toneel, poëzie, muziek en nog veel meer vormen van vermaak waar in de ogen van een man met zulke eenvoudige voorkeuren als Mos geen eind aan zou komen. Alleen het banket waarmee de ceremonie zou worden afgesloten interesseerde hem. Maar wat hij zelf ook van hun bezoeker mocht vinden, het was Laranya's broer en ze was erg op hem gesteld. En wat haar gelukkig maakte, maakte hem gelukkig. Hij wapende zich en nam zich voor zijn uiterste best te doen.

Terwijl de laatste hand werd gelegd aan zijn kleding, wierp hij stiekeme blikken op Laranya, die deed alsof ze het niet zag. De goden waren werkelijk ondoorgrondelijk, dat ze hem op zijn leeftijd – hij naderde zijn vijfenvijftigste oogst – nog zo'n prachtig wezen hadden geschonken. Dat móést je wel opvatten als goddelijke bevestiging van zijn rol als bloedkeizer. Of, zo bedacht hij terwijl zijn duistere stemming weer even de kop opstak, het was gewoon een soort kosmische compensatie voor het feit dat ze hem zijn zoon Durun hadden afgenomen.

Het was begonnen als een eenvoudige politieke kwestie. Nu zijn enige erfgenaam dood was en bloed Batik de regerende familie was, moest Mos een kind krijgen. Zijn eerste vrouw, Ononi, was haar vruchtbare jaren al gepasseerd, dus had Mos zijn huwelijk met haar ontbonden en was hij op zoek gegaan naar een jongere bruid. Er was aan beide kanten geen sprake van enige verbittering, want er was ook nooit sprake geweest van enige hartstocht. Zoals zoveel verbintenissen tussen de vooraanstaande families van Saramyr was het een gearrangeerd huwelijk geweest waarbij beide families baat hadden gehad. Ononi bleef op het landgoed van bloed Batik in het noorden om daar toezicht te houden en Mos verhuisde naar de hoofdstad en ging op zoek naar huwelijkskandidates.

Hij had er een gevonden in Laranya tu Tanatsua, de dochter van barak Goren uit Jospa, een stad in de Tchom Rinwoestijn. Banden smeden met de oostelijke helft van Saramyr was een verstandige zet, zeker nu de oversteek over de bergen die het land verdeelden steeds verraderlijker werd en er eigenlijk nog maar één manier was om de communicatie tussen oost en west in stand te houden, namelijk via de wevers. Laranya was een zeer geschikte kandidate, en ze was nog mooi ook met haar zwarte haar, donkere huid, ronde vormen en vurige temperament. Mos voelde zich meteen tot haar aangetrokken, veel sterker dan tot de slanke, ingetogen en onderdanige vrouwen die hij tot op dat moment had ontmoet. In haar ongelooflijke brutaliteit had Laranya hem gedwongen naar háár toe te komen, helemaal naar Jospa te reizen om te bepalen of zij een geschikte huwelijkskandidate zou zijn. En toen hij dat had gedaan, omdat hij geïntrigeerd was door haar lef en schaamteloosheid, had ze het tot grote ergernis van haar vader doen voorkomen alsof zij Mos accepteerde in plaats van andersom.

Misschien had ze toen al zijn hart gestolen. Ze had in elk geval wél zijn aandacht getrokken. Hij had haar mee teruggenomen naar Axekami, waar ze feestelijk en met veel ceremonieel in de echt werden verbonden. Dat was drie jaar geleden, en in de tussentijd was hij verliefd op haar geworden, en zij op hem. Het was ongebruikelijk, maar niet ongekend. Dat ze meer dan twintig oogsten jonger was dan hij deed er niet toe. Ze waren allebei koppig, hartstochtelijk en gewend hun zin te krijgen. Ze vonden in elkaar hun gelijke. Hoewel hun hevige ruzies inmiddels legendarisch waren onder de bedienden van de vesting, was hun genegenheid voor elkaar onmetelijk en overduidelijk. Ondanks het feit dat hij vanaf zijn eerste dag als bloedkeizer was achtervolgd door rampspoed, voelde hij zich gezegend met haar. De afgelopen jaren had er slechts één schaduw over hun huwelijk gelegen, en die lag aan het hart van het merendeel van hun ruzies. Hoewel er tussen hen een sterke lichamelijke aantrekkingskracht bestond die aanleiding gaf tot veel en energiek gerommel in bed, was daar tot op heden geen kind uit voortgekomen. Laranya wilde niets liever dan hem een zoon schenken, maar ze raakte maar niet in verwachting, en na verloop van tijd werden hun woorden steeds meer gekleurd door verbittering en frustratie. In tegenstelling tot zijn zoon Durun – die hetzelfde had moeten doormaken met zijn vrouw, de vermoorde voormalige bloedkeizerin Anais tu Erinima – wist Mos dat hij niet onvruchtbaar was. Hij wist echter ook dat hij een erfgenaam moest hebben, en dat Laranya in tegenstelling tot Ononi niet hoffelijk een stap opzij zou doen om hem de gelegenheid te bieden te hertrouwen, als hij dat al zou willen.

Toen was het als door een wonder toch gebeurd. Twee weken geleden had ze hem het goede nieuws verteld. Ze was in verwachting. Hij kon het al zien aan haar houding, aan de nieuwe blos op haar wangen, aan de heimelijke glimlachjes die over haar gezicht gleden als ze dacht dat hij niet keek. Haar zintuigen waren naar binnen gekeerd, naar het kind in haar schoot. Ze bracht Mos tegelijkertijd in verwarring en in vervoering. Zelfs nu, terwijl er nog niets van haar zwangerschap was te zien, zag hij dat ze onwillekeurig met een afwezige blik in haar ogen haar hand op haar buik legde, terwijl haar kameniersters zich kwebbelend met haar bezighielden. Zijn kind. Bij die gedachte verscheen er opeens een trotse grijns op zijn gezicht.

Hij rechtte zijn schouders toen er buiten de vesting hoorngeschal klonk, en de kameniersters vertrokken. De keizer en keizerin bleven achter op een laag podium boven aan een trap met drie treden. Ze keken neer op een pad dat werd geflankeerd door onberispelijk geklede gardeofficieren en vazallen. Overal in de zaal klonk het geruis van schuifelende voeten terwijl mensen hun plaats innamen. De rood met zilveren wimpels van bloed Batik wapperden zachtjes in het warme briesje dat door de boogramen boven de met goud ingelegde dubbele deur naar binnen kwam. Reki was gearriveerd.

Laranya pakte even Mos' hand vast en glimlachte naar hem. Toen liet ze hem los en nam de gepaste houding aan. Het gebaar warmde het hart van de bloedkeizer, zozeer dat het wel een smeltoven leek. Hij dacht aan de slopende dag die in het verschiet lag, en toen aan het groeiende leven in de schoot van zijn vrouw.

Hij werd weer vader, dacht hij toen de dubbele deur openzwaaide en het felle zonlicht naar binnen viel, zodat hij slechts het silhouet kon zien van Laranya's kleine, tengere broer die voor zijn gevolg uit liep. Daarvoor was hij bereid alles te verdragen.

De gloeiende kooltjes in de vuurkuil in het midden van Kakres vilkamer hulden het vertrek in een bloedrode gloed. Overal werden duistere, bedrieglijke schaduwen geworpen. Op bevel van de weefheer waren de muren tot op de kale steen weggehakt, en was het zwarte, zacht reflecterende laxsteen van de vloer gebeiteld totdat de uitgeholde, ruwe bakstenen eronder zichtbaar werden. Het plafond van de achthoekige kamer bestond uit een vlechtwerk van houten balken, waarvan de hoogste punten in duisternis waren gehuld. Daar hingen kettingen en haken, die tevoorschijn kwamen uit de hoge schaduwen en tot vlak boven de grond reikten, waar ze in de opstijgende warmte zachtjes rinkelend heen en weer wiegden.

Tussen de balken bungelden vreemde vormen, half zichtbare dingen die langzaam en stilletjes om hun as draaiden. Sommige hingen zo dicht bij het vuur dat er in het dreigende, rode licht details te onderscheiden waren. Vliegers van dieren- en mensenhuiden die op afschuwelijk ingenieuze raamwerken van wilgentenen waren gespannen. Meestal waren het gelukkig onherkenbare, eenvoudige geometrische vormen waarvan moeilijk kon worden vastgesteld wie of wat het materiaal had geleverd dat eromheen zat. Andere waren groteske kunstwerken. Zo was er een grote vogel, samengesteld uit stukken huid van een vrouw: haar afgrijselijk vervormde, lege gelaatstrekken waren nog zichtbaar in de kop en de snavel, haar holle borsten waren strak getrokken tussen de gespreide vleugels, haar zwarte haar hing nog aan de hoofdhuid. Iets wat ooit een man was geweest hing in een roofdierachtige houding, met op zijn rug gespreide, vleermuisachtige vleugels van menselijke huid en met een gezicht van aan elkaar genaaide repen slangenleer. Naast hem tolde langzaam een mobiel van kleine dieren, die allemaal linksvoor en rechtsachter vaardig waren gevild. Wat overbleef was een kunstwerk van veelkleurig bont en glinsterende spieren.

Dichterbij hingen als trofeeën aan de wand stukken die nog niet af waren en stukken waar Kakre bijzonder op gesteld was. Zwarte gaten in huid die ooit om oogkassen had gezeten staarden nu vanuit schedels van wilgentenen niets ziend naar de kamer. Hoe anders de wezens er nu ook uitzagen, het was onmogelijk te vergeten waar die droge, uitgerekte bekleding was geroofd, en elke verschrikking werd nog eens versterkt door de herinnering. Bij de vuurkuil stond een ijzeren rek. Het was een duivels, kunstig vervaardigd apparaat dat aan lichamen in alle vormen en maten kon worden aangepast. De stenen die eronder lagen waren diep roestbruin.

Kakre zat in kleermakerszit als een hoopje vodden met een dood gezicht erboven bij de vuurkuil en weefde.

Hij was een rog, een plat, gevleugeld wezen dat oneindig klein leek in een golvende, zwarte wereld. Hij hing in de duisternis en deinde zachtjes mee met de stroming. Af en toe moest hij een klein beetje bijsturen om op zijn plek te kunnen blijven terwijl hij de stromingen aftastte op zoek naar het juiste pad. Boven, onder en aan weerszijden van hem waren er draaikolken, wervelingen, getijdestromen, kanalen, stromingen die hij kon voelen, maar niet kon zien, een woeste, dodelijke maalstroom die hem kon grijpen en verpletteren. Hij voelde de aanwezigheid van de reusachtige, walvisachtige wezens in de verte, de onkenbare inwoners van het weefsel die aan de randen van zijn waarnemingsvermogen eeuwig aanwezig waren.

Hij was blind, hier in dit oord waar niets te zien was, maar het water stroomde om en door hem heen, over zijn koude huid en in zijn mond, om via zijn kieuwen weer naar buiten te sijpelen of via zijn maag te worden opgenomen in zijn bloed. Voor zijn geestesoog zag hij hoe de stromingen bewogen in bochten, spiralen en curven die voor wind en water eigenlijk onmogelijk waren, en hij volgde ze een voor een tot aan het punt waar ze in de chaotische leegte een andere kruisten.

In een oogwenk had hij een onvoorstelbaar ingewikkeld pad uitgestippeld, een driedimensionale tunnel van stromingen die de juiste kant op bewogen en hem in de kortst mogelijke tijd en met de minst mogelijke inspanning naar zijn bestemming zouden brengen. Niet dat er in het weefsel meetbare afstanden bestonden, maar het was mensen eigen dat ze orde probeerden te scheppen in ordeloosheid, en dit was Kakres manier om een onbegrijpelijk proces begrijpelijk te maken.

Het weefsel in zijn pure vorm was meer dan een man kon bevatten zonder gek te worden. Het was te verleidelijk, te onweerstaanbaar. Elk jaar raakten de wevers een deel van hun leerlingen kwijt aan de angstaanjagende extase die hen overspoelde als ze toegang kregen tot het heldere weefsel van de schepping, als ze de pure, overweldigende schoonheid ervan ervoeren. Het was een verdovend middel dat vele malen sterker was dan alles wat de stoffelijke wereld te bieden had. In die eerste golf van verrukking waren dan ook alleen de allersterksten veerkrachtig genoeg om te voorkomen dat ze werden meegesleept, dat ze werden opgeslokt door het weefsel, waar ze als gedachteloze geesten volmaakt gelukkig over het borduursel van de wereld wandelden terwijl het lichaam dat ze hadden achtergelaten langzaam stierf. Vanaf het allereerste begin werd de wevers geleerd dat ze een beeld van het weefsel moesten creëren dat ze konden bevatten. Sommigen zagen het als een eindeloze reeks spinnenwebben, anderen als een kloppende massa vertakkingen, weer anderen als een onvoorstelbaar groot gebouw waarin elke deur naar een andere deur kon leiden, en sommigen als een droomverhaal waarin het doorlopen van het verhaal het effect weerspiegelde dat ze met het weven wensten te bereiken.

Kakre vond dit het gemakkelijkst. Het was vloeibaar, dynamisch, en hij kon geen moment vergeten hoe gevaarlijk het weefsel was. Zelfs nu, na al die jaren, betrapte hij zichzelf erop dat hij in zijn achterhoofd de ene na de andere hypnotiserende mantra moest afraffelen om te voorkomen dat hij zou worden overweldigd door de immer op de loer liggende verwondering over en eerbied voor zijn omgeving. Hij wist maar al te goed dat dergelijke gevoelens slechts zouden leiden tot een sluipende verslaving die hem in zijn greep zou krijgen als hij zijn zelfbeheersing liet varen, en als hij eenmaal verloren was, zou hij nooit meer kunnen terugkeren.

Nu had hij het pad in zijn bewustzijn uitgestippeld. Hij kantelde zijn vleugels een klein stukje en liet zich in de stroming onder hem vallen. Die sleurde hem met adembenemende snelheid mee, sneller dan een gedachte, sneller zelfs dan een reflex. Hij dook in een kruisstroming, bereed soepel de maalstroom en werd er met nog hogere snelheid uit geslingerd. Opnieuw stapte hij over op de ene kruisstroming na de andere, en ze volgden elkaar zo snel op dat de ene welhaast niet meer van de andere te onderscheiden was. Hij schoot als een vonk door het menselijk brein vooruit, zag elke eb- en vloedstroom en weerstond of bereed ze met verkwikkende gratie, steeds sneller, totdat...

... totdat de wereld zich als een bloesem opende, zijn gezichtsvermogen terugkeerde, en grove menselijke zintuigen de plaats innamen van de oneindig subtielere zintuigen die hij in het weefsel gebruikte. Een kamer, een vertrek opgebouwd uit ongelijke muren, uit lijnen die met de hand van een krankzinnige waren getekend en die iets vormden waaraan alle symmetrie ontbrak. Dunne naalden van bewerkte steen staken als stalagmieten uit de vloer omhoog en vormden een woud van vreemde obelisken, beschreven met tekens uit een betekenisloze taal. Lampen hingen in houders aan de muur. Sommige waren nieuw en brandden met een zwak, somber licht, andere waren kil, duister en bedekt met spinnenwebben. Het was donker en schaduwrijk in de kamer en er heerste een oeroud bewustzijn dat door de muren heen leek te sijpelen. Hij voelde de subtiele bewegingen van de monsterlijke wezens die ver in de diepte de mijnen onveilig maakten. Hij voelde het vreemde delirium van de andere wevers. Hier in Adderach, het klooster in de bergen, het bolwerk en de bakermat van de wevers, was het kolossale gemeenschappelijke doel dat alle dragers van ware maskers verenigde sterker voelbaar dan waar ook.

Hij was een geest in die kamer, een spookverschijning die als een kromme, vage komma in de lucht hing. Zijn masker was duidelijk zichtbaar, maar de kap en de vodden die eromheen hingen werden vager naarmate ze er verder van verwijderd waren. Voor hem stonden drie andere wevers, een willekeurig drietal dat hij nooit eerder had ontmoet. Allemaal droegen ze hun zware lappenmantels, die allemaal uniek waren vanwege het gebrek aan logica en samenhang dat ze kenmerkte. Ze hadden gereageerd op zijn oproep en wachtten hier op hem. Ze zouden luisteren en advies geven, met de stem van de entiteit die de wevers samen vormden, een sturend, gedeeld bewustzijn waaraan zelfs de wevers in hun krankzinnigheid geen naam konden geven. Deze drie zouden vervolgens de informatie die hij verschafte over het netwerk verspreiden.

Het was tijd om het een en ander in beweging te zetten.

'Weefheer Kakre,' begon een van hen, die een masker van botten en leer droeg. 'We moeten weten wat de keizer doet.'

'Dan heb ik jullie veel te vertellen,' antwoordde Kakre hees. Door zijn beschadigde keel klonk zijn stem rauw en iel.

'De oogst zal opnieuw mislukken,' zei de tweede van het drietal, wiens masker van plaatijzer eruitzag als het gelaat van een grauwende demon. 'De hongersnood zal toeslaan. Hoe staan we ervoor?'

'Bloedkeizer Mos verliest zijn geduld,' antwoordde Kakre. 'Hij is gefrustreerd over het feit dat wij er nog niet in zijn geslaagd de ziekte die zijn oogst doet mislukken een halt toe te roepen. Hij heeft nog steeds geen idee dat wij die ziekte veroorzaken. Ik had gehoopt dat we langer goede oogsten zouden hebben, maar het lijkt erop dat het land sneller verandert dan zelfs wij hadden voorzien.'

'Dit is ernstig,' zei de eerste wever.

'We kunnen het niet verdoezelen,' zei Kakre. 'De schade is inmiddels te onmiskenbaar om te kunnen negeren, en te duidelijk zichtbaar om te kunnen verbergen. Verschillende mensen hebben de ziekte al tot aan de bron gevolgd en met het jaar worden dat er meer. We kunnen hun niet allemaal het zwijgen blijven opleggen. Er worden inmiddels vragen gesteld door mensen die we niet durven te beïnvloeden.' Kakre schoof heen en weer in de lucht, zodat hij moeilijk te zien was.

'Als bekend zou worden dat wij de oorzaak zijn van de hongersnood, zou dat het excuus zijn waarop heel Saramyr wacht om ons uit te roeien,' zei de wever met het ijzeren masker.

'Zouden ze dat kunnen? Zouden ze ons kunnen uitroeien?' wilde de eerste weten.

'Dat is onwaarschijnlijk,' kraste Kakre. 'Vijf jaar geleden misschien nog wel. Nu niet meer.'

'Je bent te zelfverzekerd, Kakre,' fluisterde de derde wever, die een prachtig houten masker droeg, een gelaat dat was vertrokken in onuitsprekelijk verdriet. 'Hoe zit het met de erfkeizerin? En met de aanwezigheid waarvoor Vyrrch ons heeft gewaarschuwd, die vrouw die het weefsel kon bespelen? Je hebt hen geen van beiden weten te vinden, hoewel je al vijf jaar naar hen op zoek bent.'

'Niets wijst erop dat de erfkeizerin nog leeft,' antwoordde Kakre langzaam. Zijn woorden staken het weefsel over en galmden als een sonore echo door de kamer. 'De mogelijkheid bestaat nog steeds dat ze in de keizerlijke vesting is omgekomen en door de vlammen is verslonden. Het kan ook zijn dat ze na haar ontsnapping is gestorven. Ik maak me geen illusies over het gevaar dat ze vormt, maar ze is een stuk minder gevaarlijk nu we ons hebben ontdaan van haar moeder en ze de troon niet meer kan erven.'

'Ze is nog steeds een boegbeeld voor ontevreden elementen,' wierp de eerste wever, de meest mondige, tegen. 'En misschien zal het volk nog liever een afwijkende op de troon zien dan Mos, als de honger echt begint te knagen.'

'Dat zouden we nooit toestaan,' zei Kakre rustig. 'De erfkeizerin en de vrouw die Weefheer Vyrrch heeft verslagen zijn gevaren waar we op het moment niets aan kunnen doen en die we niet kunnen inschatten. Ondanks al onze inspanningen zijn ze nog steeds niet gevonden. Schuif die kwesties voorlopig terzijde. We moeten beslissen wat we nú gaan doen.'

'Wat stel je dan voor?' prevelde de derde wever.

Kakres spookverschijning draaide zich om naar degene die had gesproken. 'We kunnen het ons niet veroorloven nog langer te wachten. We moeten onze plannen nú ten uitvoer brengen. Mos' gebrek aan populariteit zal tot een nieuwe burgeroorlog leiden, en we kunnen hem niet blijven steunen zonder ons in de kaarten te laten kijken. Dat moeten we voorkomen. Hij heeft zijn doel gediend. We hebben nu niets meer aan hem.'

De aanwezigen mompelden instemmend.

'Mos' dagen als bloedkeizer zijn geteld,' ging Kakre verder. 'Bloed Kerestyn verzamelt opnieuw zijn troepen en gaat geheime bondgenootschappen aan met de andere hooggeplaatste families. Het volk is ontevreden en dreigt in opstand te komen, en overal heerst bijgeloof. Sommige mensen vinden dat de wevers nooit de macht hadden mogen krijgen en dat de goden daarom het land hebben vervloekt. Het is een gedachtestroming die buiten de steden op het platteland steeds meer navolging krijgt.' Hij keek hen allemaal aan. 'We moeten ervoor zorgen dat wij het tumult overleven.'

'Dus je hebt een plan?' vroeg degene met het masker van botten en leer.

'O, reken maar,' antwoordde Kakre.

◎ 6 ◎

Gegil.

Lan had nooit kunnen denken dat een mens zo'n afschuwelijk geluid kon voortbrengen, zou nooit hebben geloofd dat een dergelijk naakt gekrijs van dierlijke angst van een intelligent wezen afkomstig kon zijn. En zelfs in zijn ergste nachtmerries had hij nooit gedacht dat zijn moeder zo zou gillen.

Het was die dag schitterend weer. Af en toe verscheen er een rijtje piepkleine, dunne, wollige wolkjes als sproeten aan de verder strakblauwe hemel, die zich ter hoogte van de horizon verdiepte tot azuurblauw. De *Pelaska* dreef loom over het midden van de Kerryn en de reusachtige schoepraderen aan weerszijden hingen stil, terwijl de stroming de logge aak vanuit het Tchamilgebergte in het westen meevoerde naar Axekami. Ze lagen voor op schema, want ze bevonden zich nog geen halve dagreis ten oosten van de plek waar de rivier zich splitste en de zuidelijke vork de Rahn werd, die naar de wildernis van de Xaranabreuk stroomde. Men begon te geloven dat er niets zou misgaan.

Het was een gespannen reis geweest. Lan zou zijn vader het liefst hebben gesmeekt de wever en zijn vracht niet aan boord te nemen, maar dat zou tijdverspilling zijn geweest. Ze hadden geen keus.

En nu hoorde hij zijn moeder gillen.

Ze hadden in het piepkleine dorpje Jiji aan de voet van de bergen aan de kade gelegen om bij de mijnen metaal, erts en overgebleven materialen op te halen, die in Axekami moesten worden afgeleverd. Ze hadden pech, want van de aken die er lagen voldeed alleen die van hen aan de behoeften van de wever.

De wevers hadden zelf ook een vloot aken, die de rivieren van West-

Saramyr bevoeren en door iedereen met wantrouwen werden bekeken. De kapiteins waren vreemde, zwijgzame mannen met kille ogen, en overal op de waterwegen deden verhalen de ronde over die verdoemde mannen, die in ruil voor geld en macht hun ziel aan de wevers hadden verkocht. Waar dat geld en die macht vandaan kwamen, was niet duidelijk, want met de aken werd nauwelijks winst gemaakt. Ze dreven net genoeg handel om de kosten te dekken, maar de rest van de tijd passeerden ze stilletjes de havens en legden maar zelden aan. Kennelijk waren ze bezig met hun eigen geheime zaakjes.

De wever vorderde het schip en de bemanning en eiste dat ze hem zouden vervoeren, want hij moest dringend iets afleveren en er was geen enkele aak van de wevervloot in de buurt. Lans vader Pori had zijn lot kalm aanvaard. De eigenaar van het schip zou woedend zijn dat een van zijn aken was gevorderd, maar aangezien de bemanning van de aak tot de boerenstand behoorde, moesten ze de wever gehoorzamen, of sterven.

Lan was doodsbang voor hun nieuwe gast. Zoals de meeste mensen in Saramyr was hij in zijn jeugd met enige regelmaat aanwezig geweest bij de bijeenkomsten die plaatsvonden als er een wever in het dorp kwam preken. Zijn fascinatie werd nooit minder. Hij keek zijn ogen uit naar de vreemde, angstaanjagende, raadselachtige mannen, die zich verscholen achter mooie, groteske maskers en gekleed gingen in mantels van aan elkaar genaaide stukjes bont en stof. Ze praatten over afwijkenden: kwaadaardige, misvormde monsters die het leven in Saramyr wilden ontwrichten. Sommige hadden afwijkingen die aan de buitenkant duidelijk te zien waren: ze waren misvormd, krom of lam, of hadden geen ledematen. Andere waren minder gemakkelijk te herkennen en dus gevaarlijker. Ze zagen eruit als gewone mensen, maar in hun binnenste huisden vreemde, afschuwelijke krachten. De wevers leerden hun hoe ze de smet konden herkennen en wat ze ertegen moesten doen. Terechtstelling was nog de mildste maatregel die ze voorstelden.

Roei het kwaad met wortel en tak uit, drukten de wevers hun op het hart. Laat je door niets weerhouden. Afwijkenden betekenen een verloedering van de mensheid. Het was een boodschap die nu al generaties lang was herhaald, en inmiddels was hij net zo diep ingesleten in het bewustzijn van de Saramyriërs als hun denkbeelden over traditie en plicht, de pijlers van hun beschaving.

Bij dergelijke bijeenkomsten had Lan echter veilig tussen de mensen gestaan en kon hij weggaan wanneer hij maar wilde. Er deden wel verhalen de ronde over de vreselijke lusten van de wevers, maar niemand wist zeker hoeveel ervan waar was. Ze straalden weliswaar iets gevaarlijks uit, maar daar hield het mee op.

Nu waren ze echter gedwongen minstens een week in het gezelschap van een wever door te brengen, en misschien zelfs langer, want ze hadden geen idee waar hun gast naartoe wilde. Hij wilde hun niets vertellen, behalve dat ze stroomafwaarts moesten varen. Een week lang zouden ze met hem vastzitten op een aak, bang dat hij met een of andere krankzinnige gril of eis zou komen, en zouden ze de doodse blik van dat droge, grijze masker van zeehondenhuid met gerimpelde ogen en een dichtgenaaide mond moeten mijden.

Alsof de aanwezigheid van de wever nog niet erg genoeg was, zaten ze ook nog met de vracht die hij zou meenemen. Ze kregen te horen dat die niet in Jiji zou worden ingeladen, maar ergens onderweg. Pori vroeg waar, maar het enige wat hem dat opleverde was een klap in zijn gezicht.

Ze werden gedwongen meteen te vertrekken. Gelukkig hadden ze het merendeel van hun eigen goederen al ingeladen, voornamelijk overgebleven vaten buskruit uit de mijnen, waar het werd gebruikt om gaten in de rots te blazen. Die werden weer verkocht in de stad, waar de groeiende onrust onder de bevolking de prijzen van wapens en buskruit omhoogstuwde naarmate de vraag toenam. De reis zou misschien niet helemaal verspild zijn. Als de wever wilde meewerken, konden ze misschien in Axekami even halt houden om hun afspraak na te komen en de vaten af te leveren. Aan de andere kant hadden ze geen idee hoeveel ruimte die mysterieuze vracht zou innemen, dus misschien moesten ze onderweg wel een deel van hun eigen lading weggooien om er ruimte voor te maken.

De wever nam de hut van Pori en zijn vrouw Fuira in beslag. Dat was te verwachten, want het was de beste hut op het schip. Pori was de kapitein van de *Pelaska*. Ze verhuisden zonder morren naar de vertrekken van de bemanning, waar Lan sliep bij de schuitenvoerders en roergangers. Lan mocht dan de zoon van de kapitein zijn, als ze op de rivier waren, was hij slechts een scheepsjongen en moest hij net als de rest van de bemanning gewoon het dek schrobben.

De eerste nacht na hun vertrek droeg de wever hun op de boot aan de bakboordzijde van de rivier af te meren. Er was daar niets te zien, behalve de bomen van het Yunawoud die zich op de oever verdrongen, want op die plek doorsneed de Kerryn een verder ondoordringbare muur van kreupelhout en begroeiing. Het was een donkere nacht, want er stond maar één maan aan de hemel, en de stroming was verraderlijk in dat deel van de rivier. Bij het bleekgroene licht van Neryn slaagden ze erin het schip met lijnen en ankers vast te maken aan de oever, en ze lieten een loopplank zakken. Toen ze klaar waren, keken ze elkaar aan en ze vroegen zich af wat hun nu te wachten stond.

Die vraag werd snel beantwoord. De wever beval hun allemaal benedendeks te gaan, naar de vertrekken van de bemanning, en sloot hen daar op.

Lan luisterde ademloos en zwijgend naar het gemopper van de scheepslieden. Aan weerszijden van hem zaten zijn vader en moeder kalm op een kooi. Het gevloek en de woede van de bemanning grensden aan heiligschennis. Hij kon maar niet geloven dat ze een wever durfden te bekritiseren en het leek hem ook niet verstandig, ook al kon het onderwerp van hun onvrede hen niet horen. Ze bleven de wevers echter maar vervloeken en liepen als gekooide tijgers heen en weer door het krappe vertrek. Ze mochten dan bij wet en eer verplicht zijn te doen wat de wever zei, dat hield niet in dat ze het leuk moesten vinden. Lan kromp ineen en verwachtte half dat er een of andere afstraffing zou volgen, maar er gebeurde niets, behalve dat zijn vader naar hem toe boog en zachtjes zei: 'Onthoud dit, Lan. Vijf jaar geleden zouden dit soort mannen dergelijke dingen niet hebben durven zeggen. Let goed op, want de woede van een benadeeld man kan ervoor zorgen dat hij zijn angst overwint.'

Lan begreep er niets van. Tot aan deze reis had hij zich hooguit druk gemaakt over de ophanden zijnde Zomerweek, die zijn veertiende oogst zou markeren. Hij had het gevoel dat zijn vader hem wijze woorden toevertrouwde en wist instinctief dat hij er meer mee bedoelde dan je op het eerste gezicht zou denken. Maar hij was slechts een scheepsjongen.

De dag was al aangebroken toen de wever hen vrijliet. De meeste scheepslieden waren intussen in slaap gevallen. Degenen die wakker waren gebleven hadden in het woud vreemde kreten gehoord, die haastige smeekbeden aan de goden en afwerende tekens aan hen hadden ontlokt. Het dek was te dik om de geluiden te kunnen horen van de vracht die werd ingeladen, maar ze gingen ervan uit dat datgene wat aan boord werd gebracht afkomstig was uit het hart van het woud, en dat de wever niet de enige was die aan het werk was. Toen het slot echter met een klik opensprong en de mannen werden vrijgelaten, was alleen de wever aan dek, en zijn grijze masker keek onbewogen op hen neer in het gouden licht van de opkomende zon. Ondanks hun boze woorden van de vorige avond gedroegen de scheepslieden zich niet bepaald strijdlustig toen ze onder de kille blik van hun angstaanjagende gast naar buiten liepen. Geen van allen durfden ze te vragen wat er de vorige avond was gebeurd, of wat er nu zo geheim was aan de vracht die in het ruim van de aak lag, dat niemand er zelfs maar naar mocht kijken.

De wever nam Pori terzijde en praatte met hem. Daarna wendde Pori zich tot de bemanning en vertelde hun wat ze allemaal al hadden verwacht. Niemand mocht het vrachtruim betreden. Het was afgesloten en de wever had de sleutel. Als iemand toch zou proberen er binnen te dringen, zou hij worden gedood.

Daarna trok de wever zich terug in zijn hut.

De eerste paar dagen verstreken zonder noemenswaardige incidenten. De wever bleef binnen en liet zich alleen zien als zijn maaltijden werden afgegeven of zijn po werd geleegd. De scheepslieden luisterden aan de deur van het ruim en hoorden geschraap, vreemd gegrom en geschuifel, maar niemand durfde naar binnen te gaan en te kijken waar de geluiden vandaan kwamen. Ze mopperden, gaven lucht aan hun bijgeloof en wierpen wantrouwige en angstige blikken op de hut waar de wever zich had verschanst, maar Pori zette hen allemaal weer aan het werk. Lan was er blij om. Als hij het dek zwabberde, kon hij tenminste zijn gedachten afleiden van de onheilspellende aanwezigheid in het bed van zijn ouders en de geheime vracht benedendeks. Hij ontdekte dat hij kon doen alsof ze er niet waren als hij er niet aan dacht. Dat ging hem opmerkelijk goed af.

Nuki's oog scheen welwillend neer op de Kerryn, en het was aangenaam nazomers warm. Overal zwermden dansende wolken muggen. Pori liep heen en weer over de aak om te controleren of iedereen zijn werk wel deed. Lans moeder Fuira kookte in het kombuis en kwam af en toe naar buiten om een paar woorden te wisselen met haar man of om Lan een gênante kus op zijn wang te geven. Haaksnavels zweefden boven het water, scheerden op hun sierlijk gebogen vleugels door de lucht en speurden de rivier af naar de zilveren glinstering van vissen. De tijd kabbelde voort in het trage kielzog van de *Pelaska*, en Lan kon bijna geloven dat dit een reis als alle andere was.

Maar nu niet meer.

De wever had haar waarschijnlijk gegrepen toen ze hem zijn middagmaal kwam brengen. Pori had het nooit prettig gevonden dat zijn vrouw iets met de wever te maken had, al was het maar af en toe en heel kort, maar ze had tegen hem gezegd dat hij niet zo dwaas moest doen. Ze deelde aan iedereen aan boord de maaltijden uit, dus was het haar plicht om ook hun ongenode gast te eten te geven. Misschien was hij net klaar met weven, met het versturen van een geheim bericht of met een andere raadselachtige taak. Lan had ge-

hoord dat sommige wevers erg gewelddadig en vreemd gedrag vertoonden nadat ze hun talent hadden gebruikt. Hij kon zich voorstellen hoe ze daar had gestaan en aan de koperen bel had getrokken, wachtend op toestemming om binnen te komen, en hoe de wever razend van woede de deur had opengedaan en haar naar binnen had gesleurd. De wever was klein en kromgegroeid, zoals de meeste wevers, maar Fuira zou zich niet durven verzetten, en trouwens, ze hadden zo hun methoden om mensen te laten doen wat ze wilden.
Toen was het gegil begonnen.
De deur van de hut zat dicht en de scheepslui hadden zich er overmand door angst en hulpeloze woede omheen verzameld. Lan stond bevend tussen hen in, met zijn blik gericht op het dienblad met eten dat op het dek was gevallen. Hij wilde het liefst weg, over de reling van de *Pelaska* duiken en haar kreten doen verstommen met het doffe geraas onder water. Hij wilde naar binnen stormen en haar helpen. Maar hij was verlamd. Niemand kon zich ermee bemoeien. Dat zou hun dood betekenen.
Daarom luisterde hij naar het lijden van zijn moeder, verdoofd en niet in staat de realiteit van wat er gebeurde te bevatten, en hij durfde er niet eens aan te denken wat er daarbinnen met haar werd gedaan.
'Nee!' hoorde hij zijn vader achter zich roepen, en overal om hem heen kwamen scheepslieden in beweging om hem tegen te houden. 'Fuira!'
Lan draaide zich om en zag Pori staan, omringd door vier mannen die een geweer uit zijn handen probeerden te rukken. Hij vocht en worstelde als een bezetene met een gezicht dat was vertrokken van razernij. Het geweer werd uit zijn greep gerukt en gleed over het dek, maar toen klonk opeens het geschraap van metaal en lieten de scheepslui hem los. Een van hen omklemde vloekend een lange, bloedende snee op zijn onderarm.
'Dat is mijn vrouw!' gilde Pori, en het speeksel spatte van zijn lippen. In zijn hand had hij een kort, gekromd mes. Hij keek hen allemaal boos aan met een hoofd zo rood als een biet. Toen rende hij tussen de mensen door en smeet met een kreet de deur van de hut open.
De deur viel met een klap achter hem dicht, maar Lan wist niet of hij dat zelf gedaan had of dat iets anders ervoor verantwoordelijk was. Hij hoorde zijn vader schreeuwen van woede, en een fractie later dreunde er iets zwaars tegen de deur, zo hard dat het dikke hout werd versplinterd. Heel even was het stil. Toen begon zijn moeder weer te gillen, maar nu anders: lang, onafgebroken, vol wanhoop.

73

Bloed sijpelde door de barsten in de deur, droop langzaam omlaag en drupte op het dek.

Lan bleef roerloos staan waar hij stond, terwijl de wever zijn aandacht weer op zijn moeder richtte. Hij stond te kijken naar de trage, vreselijke stroom van bloed. Ongeloof en verbijstering hadden hem in hun greep en vertroebelden zijn geest. Op een gegeven moment draaide hij zich om en liep weg. De scheepslui merkten zijn vertrek niet op, en ze zagen ook niet dat hij onderweg het geweer van zijn vader opraapte. Hij wist niet zo goed waar hij naartoe ging, want hij werd gedreven door een vage drang, die weigerde een vorm aan te nemen die hij kon begrijpen. Hij was zich er nauwelijks van bewust dat hij bewoog, totdat hij besefte dat hij voor de deur van het laadruim stond, die verborgen lag in de schaduwen aan de voet van een houten trap. Hij kon niet verder.

Hij schouderde het geweer en vuurde een kogel af op het slot, dat uiteenspatte.

Er was daarbinnen iets, iets waar hij naar op zoek was, maar als hij er voor zijn geestesoog een beeld van wilde oproepen, zag hij slechts het sijpelende bloed en het gezicht van zijn moeder.

Zijn vader was dood. Zijn moeder werd... geschonden.

Hij was hier met een bepaald doel, maar wat was het? Het was te verschrikkelijk om aan te denken, dus dacht hij maar niet.

Het was warm en donker in het grote ruim. Hij was er zo vaak geweest dat hij de afmetingen ervan uit zijn hoofd kende. Hij wist precies hoe hoog het houten plafond met de dwarsbalken was en hoe ver het was naar de boegwand. Kratten en vaten, samengebonden met touw, waren slechts vage schaduwen vlak bij hem. Dunne straaltjes zonlicht die naar binnen schenen door de kieren in het dek waar de teer was weggesleten verschaften een karig licht, maar niet genoeg om iets te kunnen zien, totdat zijn ogen, die immers waren blootgesteld aan de oogverblindende zomerdag, aan het donker waren gewend. Afwezig trok hij de haan van het geweer van zijn vader naar achteren toen hij speurend het ruim binnenstapte. Boven zijn hoofd klonken rennende voetstappen.

Er bewoog iets.

Lans blik vloog naar de bron van het geluid. Hij tuurde naar het duister.

Toen bewoog het. Het rekte zich langzaam uit, zodat hij de contouren ervan net kon onderscheiden. Het bloed trok weg uit zijn gezicht.

Hij deinsde struikelend achteruit met het geweer afwerend tegen zijn borst. Er zaten monsters! Terwijl hij toekeek, kropen er verschillende uit de schaduwen. Ze maakten een zacht, koerend geluid, net duiven, maar door hun roofdierachtige gang leken ze verre van vriendelijk, en ze naderden hem met nonchalante, maar dodelijk ogende tred.

Achter hem klonk geschreeuw. Scheepslieden waren op het geweerschot afgekomen en renden nu de trap af naar het ruim.

In de verte slaakte Fuira een wanhopige kreet van verdriet, pijn en angst, en opeens wist Lan weer waarom hij hier was.

Buskruit. De lading.

Tegen de spiegelwand lag een keurige stapel vaten, vlak bij de deur waar de andere scheepslieden het ruim waren binnengerend. Ze bleven abrupt stilstaan, deels omdat ze moesten denken aan het verbod van de wever, maar vooral omdat ze dachten dat Lans geweer op hen was gericht. In de duisternis was het moeilijk te zien. Hij mikte echter op de vaten. Er lag genoeg buskruit om de *Pelaska* aan splinters te blazen en bijna niets van haar opvarenden over te laten. Het was de enige manier om een eind te maken aan de lijdensweg van zijn moeder. De enige manier.

Achter hem klonk het geluid van tientallen wezens die het op een rennen zetten, en het gekoer werd een oorverdovend gekrijs.

Hij zegde fluisterend een kort gebed op aan Omecha en haalde de trekker over. De wereld ging in vlammen op.

◎ 7 ◎

De Xaranabreuk lag ver ten zuiden van de Saramyrese hoofdstad Axekami en sneed dwars door een zacht glooiend landschap van heuvels en vlakten. De Breuk zelf vormde een scherp contrast met zijn omgeving, want het was een scherpe, hoekige wirwar van valleien, plateaus, uitstekende rotsen, afgronden en rotsmassa's met steile wanden die leken op miniatuurbergen. Loodrechte wanden begrensden weggezonken rivieren, verborgen open plekken nestelden in kringen van scherpe stenen, de grond was als een kapotte legpuzzel die in weerwil van alle geologische wetten rees en daalde. De Breuk was een reusachtig litteken op het landschap, meer dan tweehonderdvijftig mijl lang en op het breedste punt ruim veertig mijl breed, en doorsneed het land van west naar oost, met een lichte kromming naar het zuiden.

Door allerlei legenden werd het nu beschouwd als een vervloekt oord, en dat was het tot op zekere hoogte ook. Ooit had Gobinda, de eerste Saramyrese hoofdstad, daar gestaan, maar die was in een vernietigende aardbeving – in woede opgeroepen door Ocha, die de derde bloedkeizer Bizak tu Cho wilde straffen voor zijn arrogantie, zo ging het verhaal – weggevaagd. Rusteloze wezens die zich die tijd nog konden herinneren dwaalden door de holtes en afgronden van de Breuk en loerden op onvoorzichtige reizigers. Het gebied werd gemeden, in eerste instantie omdat het een symbool was van een beschamende periode uit de Saramyrese geschiedenis, maar later omdat het een oord was waar de misdaad hoogtij vierde, waar alleen bandieten kwamen, en mensen die zo dwaas waren om de monsters waarover slechts werd gefluisterd te trotseren.

Voor sommigen was de Xaranabreuk echter een toevluchtsoord. Hoe gevaarlijk het gebied ook was, er waren altijd mensen die bereid waren zich aan te passen zodat ze er konden wonen. In eerste instantie was het vooral een verzamelplek voor criminelen geweest, die het gebied gebruikten als een vaste uitvalsbasis van waaruit ze overvallen konden plegen op de Grote Spijsroute die een eindje naar het westen lag. Later kwamen er echter ook andere mensen die op de vlucht waren voor de buitenwereld: mensen die de doodstraf boven het hoofd hing, mensen die door hun buitenissige karakter niet te midden van andere mensen konden wonen, mensen die op jacht gingen naar de grote rijkdommen die onder in de Breuk bloot waren komen te liggen en die bereid waren alles te riskeren om ze te bereiken. Er werden nederzettingen gesticht, die klein begonnen, maar snel groeiden naarmate ze bondgenootschappen aangingen of andere nederzettingen annexeerden. Afwijkenden – die in elk gezagsgetrouw dorp meteen ter dood zouden worden gebracht – doken ook steeds vaker op, op zoek naar een toevluchtsoord waar de wevers die op hen jaagden hen niet konden bereiken.

De thuisbasis van de Libera Dramach was een van die nederzettingen. De inwoners noemden het de Gemeenschap, een naam die hun een gevoel van veiligheid schonk, net als de vallei waarin de nederzetting was gebouwd. De gebouwen stonden op een reeks overlappende plateaus en richels, die de stompe westelijke wand van de vallei bedekten en die met elkaar verbonden waren door middel van trappen, houten bruggen en katrolliften. De Gemeenschap bestond uit een rommelige opeenstapeling van gebouwen, een verwarrend allegaartje van bouwstijlen uit heel Saramyr, gebouwd door vele handen die lang niet allemaal even vaardig waren. Het was een aanwas van woningen die in vijfentwintig jaar tijd waren opgetrokken, en niet volgens een overkoepelend plan of patroon. Nieuwkomers hadden simpelweg hun huis gebouwd op een plek waar ze dachten dat het wel zou passen, en soms paste het ook maar net.

Langs de zandweggetjes die op het oog volkomen willekeurig over het oneffen terrein liepen, stonden krakkemikkige winkeltjes waar kooplui alles verkochten wat ze maar naar de Xaranabreuk konden vervoeren. Cafés verkochten sterkedrank uit eigen distilleerderij, rookhuizen boden amaxawortel en andere verdovende middelen aan voor mensen die het konden betalen. Donkere kinderen uit Tchom Rin in hun traditionele woestijnkledij liepen zij aan zij met Nieuwlanders uit het verre noordoosten, een afwijkende jongeman met een gespikkelde huid en ogen zo geel als die van een havik stond hartstochtelijk te zoenen met een elegant meisje uit de rijke Zuidelijke Prefecturen, een priester van Omecha zat op zijn knieën in een klein, beschut tempeltje om een offer te brengen aan zijn god, en een soldaat liep over straat en tikte lichtjes op het gevest van zijn zwaard, alert op problemen van welke aard dan ook.

Verspreid tussen het rommelige allegaartje van huizen stonden de vestingwerken. Wachttorens en uitkijkposten rezen boven de dicht opeengepakte gebouwen uit. Er waren her en der muren gebouwd, grenzen die inmiddels waren overschreden door het immer groeiende dorp, dus verderop waren nieuwe muren opgetrokken. Kanonnen waren op de vallei in het oosten gericht. Op de rotsachtige heuvelkam die de Gemeenschap aan nieuwsgierige blikken onttrok, stond een dikke palissade, verborgen in de plooien en kommen van het landschap. In de Xaranabreuk was het gevaar nooit ver weg en de inwoners van de Gemeenschap hadden geleerd zich te verdedigen.

Lucia tu Erinima stond op het balkon van het huis van haar voogd, dat op een van de hoogste plateaus van het dorp was gebouwd, en voerde uit haar hand kruimeltjes aan kleine, piepende vogeltjes. Twee raven zaten op de goot van het gebouw ertegenover en hielden haar zorgvuldig in de gaten. In het huis zaten Zaelis en Cailin te genieten van een pot hete, bittere thee terwijl ze naar haar keken.

'Goden, wat is ze gegroeid,' verzuchtte Zaelis. Hij draaide zich om naar zijn metgezel.

Cailin glimlachte vaag, maar door het patroon van rood met zwarte driehoekjes die elkaar rond haar lippen afwisselden zag ze eruit als een grijnzend roofdier. 'Als ik cynischer van aard was, zou ik denken dat je al die jaren geleden de ontvoering van je voormalige pupil op poten had gezet zodat je haar zelf kon adopteren.'

'Ha!' blafte hij. 'Denk je dat die gedachte de afgelopen jaren niet regelmatig bij me is opgekomen?'

'En wat heb je besloten?'

'Dat ik sinds ik haar surrogaatvader ben geworden veel meer zorgen heb dan in al die jaren sinds ik de Libera Dramach heb opgericht.'

'Je hebt op bewonderenswaardige wijze voor allebei gezorgd,' zei Cailin, en ze nam een slokje uit het groene theekommetje dat ze in haar hand had.

Zaelis keek haar verrast aan. 'Dat is buitengewoon vriendelijk van je, Cailin.'

'Zo af en toe ben ik best tot vriendelijkheid in staat.'

Zaelis richtte zijn aandacht weer op het balkon waar Lucia stond. Ooit was ze erfgename van de troon van Saramyr geweest. Nu was ze gewoon een meisje dat over een paar weken haar veertiende oogst zou vieren, en dat in een eenvoudige witte jurk in de zon vogeltjes stond te voeren. Haar blonde haar, dat eens lang was geweest, was kort geknipt en liet haar nek vrij, waar de afschuwelijke littekens te zien waren van de brandwonden die langs haar rug omlaag liepen. Hij zou het liefst zien dat ze haar haar weer liet groeien, want de littekens waren vrij eenvoudig te verhullen. Maar als hij het haar vroeg, keek ze hem alleen maar aan met die ondoorgrondelijke, dromerige blik van haar en deed alsof ze hem niet had gehoord. Ze was als kind al mooi geweest, maar nu de beenderen in haar gezicht en lichaam langer werden, kon je gemakkelijk zien dat ze zou uitgroeien tot een beeldschone vrouw, met dezelfde fijne en misleidend naïef ogende trekken als haar moeder. Uit die lichtblauwe ogen straalde echter iets onaards, dat haar voor hem en voor ieder ander ondoorgrondelijk maakte. Hij kende haar langer dan wie ook, maar toch kon hij niet beweren dat hij haar kende.

'Ik maak me ook zorgen,' zei Cailin uiteindelijk.

'Om Lucia?'

'Onder anderen.'

'Dan doel je op haar...' – Zaelis zocht met iets van afkeer op zijn gezicht naar het juiste woord – 'aanhangers.'

Cailin schudde één keer haar hoofd, en haar zwarte staarten wiegden zachtjes met de beweging mee. 'Ik geef toe dat ze een probleem vormen. Het is een stuk moeilijker om haar verborgen te houden voor degenen die haar kwaad willen doen als er geruchten worden verspreid door degenen die haar zouden moeten beschermen. Toch maak ik me niet erg druk om hen, en uiteindelijk zullen ze misschien van nut blijken te zijn.'

Zaelis nam nadenkend een slok van zijn thee en wierp een steelse blik op Lucia. Een paar vogels zaten inmiddels op het hek van het balkon en keken haar aan als leerlingen die aandachtig naar een schoolmeester luisteren. 'Wat zit je dan dwars?'

Cailin kwam overeind. Als ze stond, kon je zien dat ze lang was voor een vrouw, en ze had zich een angstaanjagend uiterlijk aangemeten. Zaelis, die in kleermakerszit op de mat bij het lage tafeltje was blijven zitten, volgde haar met zijn ogen. Ze liep een paar passen door de kamer en bleef met haar gezicht afgewend staan.

'We hebben niet veel tijd meer,' zei ze.

'Weet je dat zeker?' vroeg Zaelis.

Cailin aarzelde en maakte toen een ontkennend geluidje. 'Ik voel het.'

Zaelis fronste zijn wenkbrauwen. Het was niets voor Cailin om zo vaag te zijn. Ze was een praktische vrouw die niet geneigd was tot zweverigheid. Hij wachtte op wat ze verder zou zeggen.

'Ik weet hoe dat klinkt, Zaelis,' snauwde ze geërgerd, alsof hij haar ergens van had beschuldigd. 'Had ik maar meer bewijs om je mee te overtuigen.'

Hij stond op en ging bij haar staan. Bij het lopen ontzag hij zijn ene been, dat hij langgeleden lelijk had gebroken en dat nooit helemaal was genezen. 'Vertel me dan maar wat je voelt.'

'We naderen een climax,' antwoordde Cailin na een korte stilte om haar gedachten op een rijtje te zetten. 'De wevers hebben zich de afgelopen jaren wel erg koest gehouden. Wat heeft hun bondgenootschap met Mos hun opgeleverd? Denk na, Zaelis. Ze hadden zodra Mos de macht greep meteen actie kunnen ondernemen. Toen was er immers niemand die hun tegenstand kon bieden. Maar wat hebben ze in plaats daarvan gedaan?'

'Ze hebben land gekocht. Land en vervoersbedrijven langs de rivieren.'

'Legale ondernemingen,' zei Cailin. Ze maakte een beweging met haar hand alsof ze die woorden wilde wegvegen. 'En ze maken geen van alle winst.' Er klonk hoorbare frustratie door in haar stem. De Libera Dramach was er niet in geslaagd iets nieuws over de vreemde aankopen van de wevers te ontdekken. De wevers hadden afweermiddelen waar gewone spionnen niet omheen konden, en Cailin durfde de leden van de Rode Orde niet in te zetten, uit angst dat ze zouden worden ontmaskerd. Als één zuster werd gevangengenomen, kon het kwetsbare netwerk in zijn geheel instorten.

'Dat is oud nieuws, Cailin,' zei Zaelis. 'Wat zit je nu dwars?'

'Dat weet ik niet,' antwoordde Cailin. 'Misschien komt het doordat ik hun plannen niet kan doorgronden. Er zijn nog te veel vragen.'

'Jij hebt de laatste jaren het hardst geroepen om geheimhouding,' hielp hij haar herinneren. 'We hebben gekozen voor stabilisatie, voor het verzamelen van onze krachten, en besloten onszelf verborgen te houden totdat Lucia volwassen is. Misschien zijn we te voorzichtig geweest. Misschien hadden we het hun al die tijd zo moeilijk mogelijk moeten maken.'

'Ik denk dat je onze mogelijkheden overschat,' zei Cailin. 'We houden onszelf verborgen omdat we geen keus hebben. Als we ons te vroeg in de kaarten laten kijken, moeten we dat allemaal met ons leven bekopen.' Ze zweeg, dacht even na en ging toen verder: 'De wevers lijken ook te hebben gekozen voor stabilisatie, maar als je wat beter kijkt, besef je dat ze vanaf het begin hebben geweten dat ze slechts tijdelijk aan de macht zouden blijven. Ze wisten dat het verderf dat wordt veroorzaakt door hun heksenstenen de aarde zou vergiftigen, en ze moeten hebben geweten dat Mos daarvan de schuld zou krijgen. Mos is hun vehikel in de strijd. Zonder hem raken ze niet alleen de macht kwijt, maar zullen ze bovendien worden gestraft omdat ze hebben geprobeerd zich een onrechtmatige positie te verschaffen. De adel smeedt al plannen om zich van Mos te ontdoen.'

'Maar is er iemand die sterk genoeg is om het voor elkaar te krijgen?' vroeg Zaelis. 'De enige mogelijke rivaal is bloed Kerestyn, in samenwerking met bloed Koli. Zij zouden misschien een leger op de been kunnen brengen waarover de bloedkeizer zich zorgen zou maken. Maar zelfs zij kunnen hem niet verslaan zolang hij zich in Axekami verschanst met de wevers aan zijn zijde. Over een paar jaar misschien, maar nu nog niet. Ze zouden het niet in hun hoofd halen om aan te vallen, ook al begaat Mos nog zoveel wandaden. En een sluipmoordenaar heeft toch zeker geen schijn van kans zolang Kakre hem beschermt?'

'Maar nu heerst er hongersnood en er dreigt alweer een oogst te mislukken. Nog even en het volk zelf komt in opstand tegen Mos,' zei Cailin. Ze wendde zich met een koele blik tot Zaelis. 'Begrijp je het dan niet, Zaelis? De wevers kunnen onmogelijk hebben gedacht dat ze tot in de eeuwigheid de macht in handen zouden houden, aangezien de smet die de positie van hun weldoener aan het wankelen heeft gebracht door hen veroorzaakt is. Ze probeerden alleen maar tijd te winnen.'

'Ze hebben honderden jaren de tijd gehad om te doen waar jij hen van verdenkt,' wierp Zaelis tegen, en ondanks zijn moeizame ademhaling klonk zijn stem nog net zo overtuigend en gebiedend als altijd.

'Maar pas de laatste paar jaren hebben ze ongehinderd hun gang kunnen gaan,' zei Cailin. 'Ze laten het keizerrijk afglijden naar de vernietiging, omdat ze er geen baat bij hebben om het in stand te houden. Ze zijn iets van plan, Zaelis. En als ze hun kaarten nu niet uitspelen, is het misschien te laat.'

Zaelis bestudeerde zijn metgezel. Het was verontrustend te zien hoe bezorgd ze was. Meestal was ze het toonbeeld van koele gratie.

'Misschien kan onze spion uit Okhamba ons nieuwe inzichten verschaffen,' zei hij om haar gerust te stellen.

'Wie weet,' zei Cailin met weinig overtuiging. Ze keek naar Lucia, die nog steeds op dezelfde plek stond. 'Intussen worden de geesten in de Breuk steeds vijandiger en raken we meer mannen en vrouwen aan ze kwijt dan we ons kunnen veroorloven. Ze voelen de veranderingen in de aarde en raken verbitterd. We worden aan alle kanten ingesloten, Zaelis. Nog even en we zijn omringd door vijanden, niet in staat ons binnen de Breuk te verplaatsen en evenmin in staat hem te verlaten.'

Dat raakte Zaelis diep. Twee van zijn beste mannen waren die week spoorloos verdwenen terwijl ze in het westen langs de Breuk op verkenningstocht waren. Hij vroeg zich af of het gebied binnenkort te gevaarlijk zou worden om in te blijven wonen, en wat ze in vredesnaam moesten doen als het zover kwam.

'Zij kan ons helpen,' zei Zaelis, die Cailins blik volgde. 'Zij kan de geesten tot bedaren brengen.'

'O, ja?' Cailin keek met sombere, peinzende blik voor zich uit. 'Ik vraag het me af.'

Voor Lucia was de wereld gevuld met gefluister.

Zo was het al zolang als ze zich kon herinneren. De wind sprak ruisend in een geheime taal en vluchtige sliertjes vol betekenis trokken haar aandacht, alsof ze in een gesprek haar naam had horen vallen. De regen vertrouwde haar kletterend onzin toe, plaagde haar met woorden die net niet werden gevormd en die wegspoelden voordat ze er iets uit kon opmaken. Rotsen hadden rotsachtige gedachten die nog trager waren dan die van bomen, met hun knoestige overpeinzingen die soms pas na jaren volledig waren. Daartussen schoten de bliksemsnelle geesten van kleine dieren heen en weer. Ze waren altijd alert en lieten hun voorzichtigheid pas varen als ze veilig in hun verborgen nest of holletje zaten.

Ze was een afwijkende, iets tegennatuurlijks, maar toch stond ze dichter bij de natuur dan wie ook, want zij bezat het talent om de vele talen ervan te begrijpen...

Ze liep over een met gras begroeid, uitgesleten pad dat om een overhangende rotspunt rechts van haar kronkelde. Links van haar was er een loodrechte afgrond, zodat ze uitkeek over een reusachtige kloof die zeker een halve mijl breed was. Aan de andere kant, waar de wand minder recht was, stonden hoge rotspunten en pilaren van steen scheef in het licht van de ondergaande zon, dat er een zachtroze gloed aan verleende en langgerekte schaduwvingers wierp. Het was droog en warm en de lucht rook naar gebakken aarde.

Voor haar uit liepen Yugi en een andere bewaker van de Libera Dramach. Achter haar liepen Cailin en Zaelis met nog twee gewapende mannen. Het was tegenwoordig geen gemakkelijke opgave om je voorbij de rand van de vallei te begeven waarin de Gemeenschap lag.

Ze volgden het pad naar boven, waar het afboog, weg van de rand van de afgrond, en verder liep door een lange greppel waar in het midden een smal beekje als een lint doorheen slingerde. De kruinen van de bomen hadden zich boven haar hoofd verstrengeld. In de warme schaduwen klonk het gezoem van bijen die nectar verzamelden uit de zeldzame bloemen die er bloeiden. Lucia luisterde naar hun zachte, troostende bedrijvigheid en benijdde ze om hun duidelijke doel, hun onwrikbare trouw aan hun volk en het eenvoudige genoegen dat ze schepten in het dienen van hun koningin.

Na een tijdje kwamen ze bij een open plek, waar de greppel langs een afbrokkelende rotswand omhoogliep. De bomen waren hier door de kiezelrijke grond teruggedreven en Nuki's oog piepte fel door het bladerdak heen. Water kletterde door een smalle spleet in het oranje gesteente en verzamelde zich in een poel, van waaruit het werd afgevoerd via een modderige bedding die in de richting meanderde waar ze vandaan waren gekomen.

'Jij daar.' Yugi wees naar zijn metgezel. 'Jij blijft hier bij mij. Jullie tweeën gaan een eindje verderop in de greppel staan. Roep maar als je iets ziet wat groter is dan een kat.'

De mannen gromden en deden wat hun werd gezegd. Met zware tred gingen ze op weg. Yugi krabde onder het bezwete vod dat hij om zijn voorhoofd had gewikkeld om zijn vuile donkerblonde haar uit zijn ogen te houden. Hij schonk de achtergebleven mensen een ondeugende grijns en zei: 'Nou, daar zijn we weer.'

Lucia glimlachte. Ze was erg op Yugi gesteld. Hoewel zijn verplichtingen bij de Libera Dramach betekenden dat ze hem niet zo vaak zag als Kaiku en Mishani, was hij een onderhoudende schavuit. Toch kreeg ze soms het gevoel dat hij niet zo gelukkig was als je op grond van zijn gedrag zou denken. Ze wist dat hij zich alleen maar ongemakkelijk zou voelen als ze zich ermee ging bemoeien. Vroeger zou ze meteen hebben gevraagd wat eraan scheelde, maar nu deed ze er het zwijgen toe. Ze was in veel opzichten gegroeid sinds ze elkaar hadden leren kennen, onder andere in wijsheid.

Zaelis kwam geknield voor haar zitten en pakte met zijn eeltige handen haar bovenarmen vast. 'Ben je er klaar voor, Lucia?'

Lucia hield zijn blik even vast en keek toen naar de poel. Voorzichtig maakte ze zijn vingers los voordat ze ernaartoe liep. Op haar hurken bij de rand staarde ze naar het water. Het was maar een paar duim diep en zo helder dat ze de uitgesleten kom in het gesteente eronder kon onderscheiden. Terwijl ze zat te kijken glipte er een piepklein voorntje uit de spleet in de rotsen en viel in de poel. Het visje zwom een paar keer gedesoriënteerd een rondje en liet zich toen door het water meevoeren over de rand van de poel, die de vorm had van een pruillip, in het beekje dat door de greppel liep, niet wetende dat het binnen een paar minuten over de rand van de kloof zou storten. Lucia keek het voorntje na. Ze zou het niet hebben gewaarschuwd, zelfs als ze het had gekund en het visje zou hebben geluisterd. Het moest het pad volgen dat voor hem was uitgezet, net als zij.

Ooit had ze in het keizerlijke bastion gewoond, als een gevangene in een vergulde kooi. Vijf jaar geleden was ze gered van dat eenzame leven en naar de Gemeenschap gebracht, om vervolgens tot de ontdekking te komen dat ook dat een gevangenis was die op zijn eigen wijze net zo beperkend was als de vorige. In plaats van door muren werd ze nu verstikt door verwachtingen.

De Libera Dramach had zeven jaar geleden de nederzetting, die het hoofd nauwelijks boven water kon houden, overgenomen en er een bloeiende vestingstad van gemaakt. De gestaag groeiende bevolking hadden ze gebruikt om de rangen voor hun geheime doel te versterken. En dat allemaal voor haar.

'Ik voorzag wat er zou gebeuren,' had Zaelis haar een keer verteld. 'Toen je nog maar een zuigeling was, werd ik je leraar, en zelfs toen wisten we al dat je een afwijkende was. Je praatte al toen je zes maanden was, en niet alleen tegen ons. Je moeder dacht dat ze je verborgen kon houden, maar ik wist dat dat onmogelijk was. Toen ben ik begonnen. Ik bewoog me in geleerde kringen en zocht naar mensen die misschien welwillend zouden staan tegenover afwijkenden. Ik peilde hun reactie en als ik zeker van mijn zaak was, vertelde ik hun over jou. Het was landverraad, maar ik vertelde het hun. Toen begrepen ze wat je was, wat je betekende. Als jij op de troon zou komen, als een afwijkende het keizerrijk zou regeren, dan zou dat alles ondermijnen waar de wevers voor stonden. De wevers zouden immers nooit een afwijkende bloedkeizerin dienen. Maar als ze dat weigerden, zouden ze alle hooggeplaatste families, die trouw aan jou verschuldigd zouden zijn, tegen de haren in strijken. Dan zou de wurggreep die ze op ons hadden worden gebroken.'

Nou, daar was ze dan. Ze mocht weliswaar vrij rondzwerven en spelen in de vallei, maar er was altijd iemand bij om een oogje op haar te houden. Zij was hun grootste hoop, hun troef. Zonder haar als boegbeeld waren ze slechts een groep verraders die de gevestigde orde wilden ondermijnen. Zij was hun bestaansreden. Ze beschermden haar en hielden haar verborgen. Ze bewaakten hun verdreven erfkeizerin angstvallig, staken al hun tijd in haar, totdat ze genoeg macht en invloed had verzameld om op een dag de troon voor zich op te eisen.

Niemand had haar gevraagd of ze de troon eigenlijk wel voor zich wilde opeisen. In al die jaren niet.

'Is er iets, Lucia?' vroeg Cailin. Lucia keek vluchtig naar haar op, maar richtte toen haar blik weer op de poel.

'Ze staat zich waarschijnlijk af te vragen waarom we de Gemeenschap niet wat dichter bij een rivier hebben gebouwd waar ze mee kan praten,' grapte Yugi. 'Ik heb gehoord dat de beekjes in onze vallei vloeken als dragonders.'

Er speelde een vage glimlach om Lucia's lippen, en ze wierp hem een dankbare blik toe. Hij had voor de helft gelijk. Het was gevaarlijk om je buiten de vallei te begeven, maar dit was het dichtstbijzijnde stroompje dat rechtstreeks van de Rahn kwam, en de taal ervan was niet zo vertroebeld door het eeuwenoude geraaskal van ondergrondse rotsen en duistere dingen uit de diepten van de aarde. Ze stak haar handen als een kom in het water en tilde ze er langzaam weer uit, zonder ook maar een druppel te morsen.

Luister.

Ze boog haar hoofd, sloot haar ogen, en de geluiden van de tastbare wereld verstomden. Het geruis van de blaadjes in de lome wind stierf weg en het gekwetter van de vogels was nog slechts een ver staccato. Haar hartslag vertraagde en haar spieren ontspanden zich. Met elke ademtocht zonk ze dieper weg in de onwerkelijkheid. Ze concentreerde zich uitsluitend op de aanraking van het water in haar handen, het trillen ervan door de minieme bewegingen van haar handen, de manier waarop het in de minuscule groeven van haar huid sijpelde en de lijnen in haar vingertoppen opvulde. Op haar beurt liet ze het water de warmte van haar bloed en het bonzen van haar hart voelen.

Alles in de natuur had een geest: rivieren, bomen, heuvels, valleien, de zee en de vier winden. De meeste waren heel eenvoudig, leven in zijn simpelste vorm, iets instinctiefs dat net zomin als een ongeboren kind in staat was tot logisch denken, maar dat net zo kostbaar was. Sommige geesten waren echter oud en hadden bewustzijn, en hun gedachten waren reusachtig en ondoorgrondelijk. Dit water was afkomstig uit de krochten van het Tchamilgebergte en had door de Kerryn honderden mijlen afgelegd voordat het zich had afgesplitst in de Rahn en in zuidelijke richting naar de Breuk was gestroomd. De grote rivieren waren oeroud, maar onder het oppervlak van hun onbegrijpelijke bewustzijn krioelde het van de eenvoudigere geesten. Lucia zou het niet wagen met de Rahn zelf te spreken, want dat was een mysterie waarvan de omvang haar begrip te boven ging. Maar hier, op deze plek, kon ze iets uitziften wat binnen haar mogelijkheden lag. En langzaam maar zeker, terwijl ze op deze manier oefende, groeide haar beheersing, en op een dag zou ze misschien zelfs in staat zijn toenadering te zoeken tot de ware geest van de rivier. Ze liet het water tussen haar vingers door sijpelen, zodat het zijn indruk van haar kon meenemen naar de poel. Zo kondigde ze voorzichtig haar aanwezigheid aan. Toen legde ze zachtjes haar handen op het wateroppervlak, en door haar aanraking veranderde het in een wirwar van rimpels.

Er komt iets aan.

Iets...

Krijsend kwam het op haar af, een zwarte golf van gruwel die binnendrong in haar keel en longen en haar verstikte. Dood, pijn en wreedheid die door het water stroomafwaarts waren meegevoerd. En er was ook iets anders bij, iets kouds, iets kouds en verderfelijks, een belediging van de natuur, een monsterlijk, klauwend iets wat vernietigend naar haar uithaalde. Een verschrikking op de rivier, een verschrikking op de rivier, en de geesten krijsten het uit!

Haar bewustzijn doofde uit, overweldigd door de onvoorstelbaar gewelddadige aanval, en ze viel zonder een kik te geven achterover op de met kiezels bezaaide grond.

◎ 8 ◎

De *Dienaar van de zee* dreef in een eindeloze duisternis, en de lantaarns op het dolboord en aan de mast straalden als eenzame bollen in een diepe afgrond. Eén driekwart maan stond aan de hemel op wacht: Iridima, met haar felwitte oppervlak dat een web van blauwe scheuren vertoonde, waardoor ze eruitzag als een stuk beschadigd marmer. Brede, snel bewegende wolkenstroken onttrokken soms haar gelaat aan het zicht en doofden de sterren.

De wind, die koud was voor de tijd van het jaar, streek over de jonk, bracht de lantaarns aan het wiebelen en dwong Kaiku haar hemd strakker om zich heen te trekken terwijl ze op het voorste dek naar de sterren keek. Daar had je de Slagtand, laag aan de oostelijke hemel – een onmiskenbaar teken dat de herfst in aantocht was. Door de kille, wazige gloed van Iridima heen was pal boven haar hoofd de Man met de zeis net zichtbaar: nog een voorteken dat het oogstseizoen bijna voorbij was. En daar, in het noorden, stonden naast elkaar de twee dreigende rode sterren van Hij die wacht, als twee ogen die hongerig op de wereld neerkeken.

Het was al laat en de schepelingen sliepen. De mannen die ervoor zorgden dat de jonk ook 's nachts bleef varen, waren geruisloze schimmen op de achtergrond, die zacht met elkaar praatten. Kaiku kon vanavond echter maar niet in slaap komen. Het vooruitzicht dat ze morgen in Hanzean zouden aankomen was te opwindend. Weer voet op Saramyrese grond te kunnen zetten...

Ze voelde tranen opwellen in haar ogen. Goden, ze had nooit gedacht dat ze haar vaderland zo zou missen, zeker nadat het haar zo slecht had behandeld. Maar zelfs nu haar familie dood was en zij een verschoppeling was die vanwege haar afwijking werd gemeden, hield ze nog van de volmaakte schoonheid van de heuvels en de vlakten, van de wouden, de rivieren en de bergen. De gedachte dat ze na een afwezigheid van twee maanden zou thuiskomen maakte haar gelukkiger dan ze ooit voor mogelijk had gehouden.

Haar blik werd getrokken door het gelaat van Iridima, de mooiste en felste van de maanzusters, en ze voelde een rilling van ontzag en angst. Ze zegde in stilte een gebed op aan de godin, zoals ze altijd deed als ze zoals nu even tijd voor zichzelf had, en dacht terug aan de dag waarop ze was aangeraakt door de Kinderen van de Manen, beroerd door een angstaanjagend verheven bestemming waardoor ze zich onvoorstelbaar nietig had gevoeld.

'Ik dacht al dat jij het was,' zei iemand naast haar, en ze voelde de kilte overgaan in een veel aangenamere warmte die zich door haar lichaam verspreidde. Ze draaide haar hoofd een klein stukje om en schonk haar nieuwe metgezel een schattende blik.

'O, ja?' antwoordde ze, en het klonk niet zozeer als een vraag, maar als een nonchalante, ongeïnteresseerde opmerking.

'Niemand anders dwaalt midden in de nacht over het dek,' zei Saran. 'Behalve de matrozen, maar die hebben een zwaardere tred dan jij.'

Hij stond dicht bij haar, een beetje dichterbij dan gepast was, maar ze maakte geen aanstalten om de afstand te vergroten. Na een maand waarin ze elkaar elke dag hadden gezien, had ze haar pogingen te verhullen hoezeer ze zich tot hem aangetrokken voelde opgegeven, en hij ook. Het was een verrukkelijk spelletje tussen hen geworden. Ze waren zich tot op zekere hoogte allebei bewust van de gevoelens van de ander, maar ze waren geen van beiden bereid eraan toe te geven en de eerste stap te zetten. Ze wachtten op elkaar. Ze vermoedde dat de bekoring van het nieuws dat hij verborgen hield daarin een rol speelde, want dat verleende hem een zekere mysterieuze uitstraling. Ze was ontzettend nieuwsgierig naar de bijzonderheden van zijn missie, maar hij ontweek haar indringende vragen altijd, en haar frustratie verhoogde zijn aantrekkingskracht alleen maar.

'Denk je aan thuis?' raadde hij.

Kaiku maakte een zacht keelgeluidje, een bevestiging.

'Wat wacht daar op je?' drong hij aan.

'Thuis, meer niet,' antwoordde ze. 'Voorlopig is dat genoeg.'

Hij zweeg even. Kaiku besefte opeens hoe ongevoelig ze was geweest, en dat ze zijn stilzwijgen verkeerd had geïnterpreteerd. Ze legde haar hand op zijn arm.

'Mijn excuses. Ik was het even vergeten. Je accent is zó verbeterd dat ik soms vergeet dat je geen Saramyriër bent.'

Saran schonk haar een onweerstaanbare glimlach. Zoals gewoonlijk was hij onberispelijk gekleed en zat elk haartje op zijn plaats. Hij mocht dan ijdel zijn – dat had Kaiku de afgelopen weken over hem ontdekt – hij had er dan ook reden genoeg voor.

'Je hoeft je niet te verontschuldigen. Quraal is mijn thuis niet meer. Ik ben er al heel lang niet meer geweest, maar ik mis het niet. Mijn landgenoten hebben oogkleppen voor en verlaten hun eigen grondgebied niet graag. Ze zijn namelijk bang dat de goden beledigd zullen zijn als ze zich mengen met andere culturen, en dat de Theocraten hen misschien van verraad zullen beschuldigen. Ik ben het niet met hen eens. De Quralezen die contact hebben met buitenstaanders stellen zich terughoudend op, maar ik zie in alle mensen wel iets moois. In sommigen meer dan in de meesten.'

Hij keek haar niet aan bij die laatste zin, en er lag ook niet meer nadruk op dan op de andere dingen die hij had gezegd, maar Kaiku voelde toch een blos over haar wangen kruipen.

'Zo dacht ik er vroeger ook over,' zei ze zachtjes. 'Nog steeds wel, denk ik, maar het is tegenwoordig niet meer zo gemakkelijk. Mishani zegt steeds dat ik harder moet worden, en ze heeft gelijk. Als je iemand te hoog aanslaat, maakt dat je alleen maar kwetsbaar. Vroeg of laat zal de een de ander teleurstellen of verraden.'

'Dat is de mening van Mishani, niet die van jou,' zei Saran. 'En trouwens, hoe zit het dan met Mishani zelf? Jullie twee zijn zo te zien twee handen op één buik.'

'Zelfs zij heeft me in het verleden al eens gekwetst, en die wond was veruit de diepste tot dan toe,' prevelde Kaiku.

Saran was even stil. Ze stonden naast elkaar te luisteren naar de ruisende ademhaling van de zee en te kijken naar de duisternis. Kaiku wilde nog wel meer vertellen, maar ze had het gevoel dat ze al te veel had gezegd, dat ze te veel over zichzelf had prijsgegeven. Ze vertelde nooit veel over zichzelf. Dat was ze gewend, en ze had uit ervaring geleerd dat het weinig zin had om er iets aan te veranderen. Om de een of andere reden koos ze altijd de verkeerde persoon uit om haar voorzichtigheid bij te laten varen, maar als ze afstandelijk bleef, joeg ze anderen juist weg.

Ze had twee relaties gehad sinds ze in de Gemeenschap was komen wonen, die op dat moment bevredigend waren geweest, maar uiteindelijk hol waren gebleken. Bij de ene man was ze drie jaar gebleven, totdat ze besefte dat ze bij hem bleef om haar schuldgevoel te verzachten over de dood van Tane. Die was haar uit liefde gevolgd naar de keizerlijke vesting en daar gestorven. Bij de ander was ze een halfjaar gebleven, maar toen bleek opeens dat hij vreselijke driftbuien kon krijgen. Het feit dat ze een leerling van de Rode Orde was, wat betekende dat hij haar fysiek niet kon overmeesteren, maakte het alleen maar erger. Ze had niet gemerkt hoe de woede zich ophoopte, totdat die tot uitbarsting kwam. Hij had haar één keer geslagen. Ze had haar kana gebruikt om de botjes in zijn hand te verbrijzelen. Hij had dan weliswaar zo zijn fouten, maar hij was ook een begenadigd bommenmaker en een grote aanwinst voor de Libera Dramach geweest. Door wat zij had gedaan was daaraan helaas echter een eind gekomen. Ze had er meer spijt van dat ze Zaelis' organisatie schade had toegebracht dan van het feit dat ze hem had verminkt.

Er was echter iemand anders, die al een hele tijd geleden onder haar huid was gekropen en zich niet liet verjagen, die net zo hardnekkig als het gefluister van het masker van haar vader, dat haar soms midden in de nacht wekte met slinkse verleidingen.

'Ik mis Asara,' zei ze afwezig en met troebele blik.

'Asara tu Amarecha?' vroeg Saran.

Kaiku draaide met een ruk haar hoofd om en keek hem aan. 'Ken je haar?'

'Ik heb haar wel eens ontmoet,' zei hij. 'Niet dat ze die naam gebruikte, maar ja, ze wisselde dan ook vrij regelmatig van identiteit.'

'Waar? Waar heb je haar gezien?'

Saran trok zijn wenkbrauw op toen hij de dringende toon in Kaiku's stem hoorde. 'In de haven waar we morgen aanleggen. Dat is al een paar jaar geleden. Ze wist niet wie ik was, maar ik wist wel wie zij was. Ze droeg een ander gezicht, maar ik was op de hoogte gesteld van haar komst.' Hij glimlachte bij zichzelf, genietend van Kaiku's aandacht. 'Ik heb haar aangesproken. We staan immers allebei aan dezelfde kant.'

'Asara staat alleen aan haar eigen kant,' zei Kaiku.

'Ze gaat verbonden aan zoals het haar goeddunkt,' zei Saran, die met zijn gezicht in de wind zich van haar afwendde. Hij wierp met een elegant gebaar zijn haar naar achteren. 'Maar jij zou toch moeten weten dat ze de Rode Orde en de Libera Dramach steunt.'

'Vroeger wel, ja,' zei Kaiku. 'Ik heb haar niet meer gezien sinds Lucia...' Ze onderbrak zichzelf, maar herinnerde zich toen dat Saran het al wist. In onbewuste navolging van zijn gebaar streek ze het haar uit haar gezicht, voordat ze iets voorzichtiger verderging. 'Sinds Lucia naar de Gemeenschap werd gebracht.'

'Ze sprak vol lof over je,' zei Saran terwijl hij langzaam over het voordek heen en weer liep. Hij stond te stram rechtop, en Kaiku vond zijn bewegingen en manier van praten aanmatigend en theatraal. Ze ergerde zich aan hem als hij zich zo gedroeg. Nu hij wist

dat hij beschikte over informatie die zij wilde horen, liep hij zich opeens uit te sloven en buitte hij zijn voordeel tot het uiterste uit. Ze
had hem op zijn plaats moeten zetten, moeten doen alsof het haar
niets kon schelen, maar daarvoor was het nu te laat. Quralezen stonden wijd en zijd bekend om hun hooghartigheid, en Saran vormde
daarop geen uitzondering. Zoals veel mensen die van nature knap
waren, vond hij dat hij niet zo erg zijn best hoefde te doen om de
goede kanten van zijn karakter te tonen, omdat de vrouwen zich
toch wel aan zijn voeten zouden werpen. Wat Kaiku nog het meest
hinderde was dat ze dat wíst, maar toch telkens bij hem terugkwam.
Saran wilde dat ze zou vragen wat Asara over haar had gezegd, maar
dat genoegen gunde ze hem deze keer niet.
Hij leunde op zijn ellebogen op de boegreling, met de maan achter
zijn schouder, en nam haar met zijn donkere ogen onderzoekend op.
'Wat betekenden jullie voor elkaar?' vroeg hij uiteindelijk.
Kaiku twijfelde even of ze dat wel aan hem wilde vertellen, maar ze
was vanavond in een bedachtzame stemming, en praten deed haar
goed.
'Dat weet ik niet,' zei ze. 'Ik ben nooit te weten gekomen wie ze
was, of zelfs wát ze was. Ik wist dat ze... een andere gedaante kon
aannemen. Ik wist dat ze een hele tijd over me had gewaakt, wachtend totdat mijn kana zich zou openbaren. Ze kon wreed zijn, maar
ook teder. Ik denk dat ze misschien eenzaam was, maar te zeer was
gebrand op haar onafhankelijkheid om dat voor zichzelf toe te geven.'
'Waren jullie vriendinnen?'
Kaiku fronste haar wenkbrauwen. 'We waren... meer dan vriendinnen, maar tegelijkertijd ook minder. Ik weet niet wat ze van mij vond,
maar... een deel van haar leeft nog in mij. Hier.' Ze tikte tegen haar
borstbeen. 'Ze heeft de adem van een ander gestolen en aan mij gegeven, en daarmee heeft ze ook iets van zichzelf achtergelaten.' Ze
werd zich ervan bewust dat Saran haar koeltjes stond aan te kijken,
dus ze schudde haar hoofd en lachte snuivend. 'Ik verwacht niet van
je dat je het begrijpt.'
'Ik denk dat ik er genoeg van begrijp,' zei Saran.
'Denk je dat? Ik betwijfel het.'
'Hield je van haar?'
Ongeloof lichtte op in Kaiku's ogen. 'Hoe durf je me dat te vragen?'
snauwde ze.
Saran haalde zorgeloos zijn schouders op. 'Ik vraag het maar. Het
klonk alsof ...'
'Ik hield van wat ze me leerde,' viel ze hem in de rede. 'Ze heeft me

geleerd dat ik mezelf moest accepteren zoals ik was. Een afwijkende. Ze heeft me geleerd me niet meer voor mezelf te schamen. Maar van háár kon ik niet houden. Niet zoals ze was. Bedrieglijk, egoïstisch, harteloos.' Kaiku hield zich in, want ze besefte opeens dat ze met stemverheffing sprak. Ze bloosde van kwaadheid en schaamte. 'Is je vraag daarmee beantwoord?'

'Goed genoeg,' zei Saran onverstoorbaar.

Kaiku liep met grote passen naar de andere kant van het voordek en ging met haar armen over elkaar boos naar de reflectie van het maanlicht op de golven staan kijken. Ze was woedend op zichzelf. Asara was nog steeds een open wond die maar niet wilde helen. Ze had Saran veel meer verteld dan haar bedoeling was. Ze kon het er maar beter bij laten en weggaan, maar ze bleef.

Na een tijdje hoorde ze dat hij naar haar toe kwam. Hij legde zijn handen op haar schouders en ze draaide zich om, liet haar armen langs haar zij zakken. Hij stond weer dicht bij haar, met donkere ogen die brandden in zijn beschaduwde gezicht, een en al vastberadenheid. Ze voelde dat haar polsslag versnelde, en een zilte wind blies tussen hen door. Toen boog hij zich voorover om haar te kussen, en zij wendde zich af. Hij trok zich boos en gekwetst terug.

Kaiku maakte zich van hem los en keerde hem opnieuw haar rug toe, met haar armen onder haar borsten over elkaar geslagen. Ze voelde zijn frustratie en verwarring prikken in haar nek, en beantwoordde ze met de kille houding van haar schouders, een onvermurwbare beslistheid. Eindelijk hoorde ze hem weggaan.

Kaiku was weer alleen, keek naar de sterren en voegde nog een steen toe aan de muur rond haar hart.

De volgende ochtend vroeg kwamen ze aan in Hanzean. Het havenstadje baadde in een rozerood licht. Ver in het oosten was de Surananyi opgestoken. Ontzagwekkende orkanen zweepten het rode stof van de Tchom Rinwoestijn omhoog, zodat Nuki's oog een dreigende gloed kreeg.

Zoals gebruikelijk voerden de zeelieden een korte ceremonie uit rond een piepklein altaartje dat ze uit zijn vaste bewaarplaats benedendeks hadden gehaald, en offerden wierook aan Assantua, de godin van de zee en de hemel, als dank voor de veilige overtocht. Alle Saramyrese opvarenden waren aanwezig, maar Saran en Tsata lieten zich niet zien.

In Hanzean was het minder druk dan in Jinka, dat verder naar het noorden lag en waar de meeste schepen uit Okhamba aankwamen. Hanzean was iets verder varen, maar het was de thuishaven van de vloot van bloed Mumaka. Het was het meest schilderachtige plaatsje aan de westkust, en het oudste bovendien, want het was de allereerste Saramyrese nederzetting op dat werelddeel geweest. Negentig mijl ten zuidwesten van Hanzean stond de Palexai, de reusachtige obelisk die de plek markeerde waar de eerste pioniers voet aan land hadden gezet. Hoewel Hanzean nooit was uitgegroeid tot de eerste hoofdstad van Saramyr – die eer behoorde toe aan het vervloekte Gobinda – was het nog steeds een invloedrijke stad met een geheel eigen, rijke geschiedenis.

Mishani was al een paar keer in Hanzean geweest, in de tijd voordat ze van haar familie vervreemd was geraakt. Ze was erg gesteld op de stille steegjes en oeroude pleinen, want die deden haar denken aan het Keizerlijke Kwartier in Axekami, maar dan een beetje minder goed onderhouden, met iets ruwere kantjes. Realistischer, in zekere zin. Nu voelde ze bij de aanblik van de gladde, stenen torens en de rode randen van de siergoten rond de marktkoepel echter een vreemde mengeling van opluchting en angst. Er hing een prijskaartje aan hun reis, maar ze wist nog niet wat erop stond. Chien was niet geïnteresseerd gebleken in geld. In plaats daarvan had hij haar een belofte ontlokt, een belofte die ze onder de omstandigheden wel moest nakomen: zo niet als tegenprestatie voor de grote dienst die de koopman hun had bewezen, dan wel uit beleefdheid.

'U moet me toestaan dat ik u als gast verwelkom in mijn huis in Hanzean,' had hij gezegd.

Oppervlakkig bekeken leek dat een vrij onschuldig verzoek, maar net als een masker verhulde een oppervlak de waarheid die eronder schuilging. Hoewel er geen termijn was genoemd, vereiste de traditie dat Mishani minstens vijf dagen zou blijven, en in die vijf dagen kon er van alles gebeuren. De landerijen van bloed Koli aan de Mataxabaai waren veel te dichtbij naar haar zin.

Ze bekeek de situatie van alle kanten en zocht achter alles een verborgen betekenis. Dat was een noodzakelijke gewoonte van Mishani, en het was een van haar grootste talenten.

Chien was geen dwaas. Hij had groot voordeel kunnen halen uit hun onderhandelingen. Ze wist wat zij zou hebben gedaan als ze in zijn schoenen had gestaan. Als hij inderdaad op de hoogte was van de breuk binnen haar familie, dan was hij zich ervan bewust dat ze hem niets te bieden had en wist hij waarschijnlijk ook dat barak Avun in het geheim naar zijn dochter op zoek was. Dan zou hij haar gewoon tegen een prijs aan haar vijanden uitleveren.

Waarom sta ik dat dan toe, vroeg ze zich af terwijl ze geluidloos de woorden van de mantra voor Assantua opzegde en met slechts een klein deel van haar geest aandacht besteedde aan de ceremonie van de zeelieden.

Omdat ze een belofte had gedaan. Haar weigering tegen haar eergevoel in te gaan was dé reden dat ze door haar familie was verstoten, en ze was niet van plan nu te veranderen. Chien wist dat ze zijn uitnodiging niet kon weigeren zonder hem diep te beledigen, en bovendien zou ze daarmee hebben laten merken dat ze hem wantrouwde. Hij snapte waarschijnlijk net zo weinig van haar beweegredenen als zij van de zijne. Wat deed ze eigenlijk in Okhamba? Waarom stelde ze haar eigen leven in de waagschaal?

Ze had hem niets verteld, hoewel ze tijdens de reis vaak met elkaar hadden gesproken. Zijn onzekerheid werkte in haar voordeel, en dat moest ze zien vast te houden. Als ze bij zijn huis waren aangekomen, zou ze bekijken wat ze aan haar penibele situatie kon doen.

Ze had Kaiku geen deelgenoot gemaakt van haar zorgen. Hoewel Kaiku in eerste instantie net zo wantrouwig was geweest als Mishani, had ze zich laten sussen door herhaalde verzekeringen dat Chien te vertrouwen was. Dat was natuurlijk gelogen, maar Kaiku kon toch niets doen om haar te helpen. Ze moest Saran en zijn Tkiurathische metgezel naar de Gemeenschap brengen, en haar felle uitbarstingen zouden Mishani's geheime plannetjes meer kwaad dan goed doen.

Kaiku liet het onderwerp varen – uiteindelijk. Mishani was vanaf het begin van plan geweest naar het zuiden te trekken als ze terug waren uit Okhamba, en dat wist Kaiku. Mishani kon in de Gemeenschap nauwelijks een rol van betekenis spelen, behalve als Zaelis of Cailin haar om raad wilde vragen of als Lucia zusterlijke begeleiding nodig had. Nee, ze had andere taken te verrichten, ervan uitgaand dat ze vrij zou zijn om zich ermee bezig te houden nadat Chien klaar was met haar. Ze wilde naar Lalyara, om te praten met barak Zahn tu Ikati, Lucia's echte vader.

Ze stapten uit op Chiens privé-steiger en hij stond erop dat ze voor hun vertrek bij hem thuis het avondmaal zouden nuttigen. Met haar geoefende oog merkte Mishani Sarans tegenzin op, maar hij klaagde niet. Kaiku, die het afscheid van haar vriendin graag nog wat wilde uitstellen, nam het aanbod dankbaar aan. Tsata en Chien wisselden een paar woorden in het Okhambaans – dat de koopman kennelijk vloeiend sprak – en daarop nam ook Tsata de uitnodiging aan. Aangezien hij zich niet gebonden voelde door de Saramyrese gebruiken, was Kaiku bang geweest dat hij iets onbeschofts zou zeggen. Zo te zien wist Chien echter hoe hij met Tkiurathi's moest omgaan.

Ze werden bij de steiger opgewacht en met een rijtuig door de stille straten van Hanzean gereden. Slanke katten keken nieuwsgierig naar hen vanaf de nokken van de daken, zongebruinde vrouwen deden een pas opzij als ze langskwamen en gingen toen verder met het vegen van de stoep met hun rieten bezems, oude mannen zaten met bekers wijn en blokjes exotische kaas voor eethuizen op de stoep, en geschrokken vogels vlogen op uit de oeroude fonteinen waarin ze baadden. Kaiku genoot met volle teugen van het simpele feit dat ze niet meer op een schip zat, maar terug was in Saramyr. Mishani wou dat zij dat ook kon. Ze had gemerkt dat het rijtuig met een omweg naar zijn bestemming reed, waar dat ook mocht zijn. Ze namen smalle, kronkelige straatjes en reden regelmatig een stukje terug. De anderen hadden het niet opgemerkt, of anders lieten ze het niet blijken, maar voor iemand die Hanzean goed kende was het onmiskenbaar.

Chiens huis was niet bijzonder opzichtig. Het was een log gebouw met drie verdiepingen dat leek op een geplette pagode, met geschulpte tegels langs de dakranden en op elke hoek de gebeeldhouwde beeltenis van een geest, die fungeerde als waterspuwer. Het gebouw omringde een kleine binnenplaats met kleurige rotstuinen die met typerende zorg en bedachtzaamheid waren aangelegd. Het omliggende terrein was klein maar netjes, niet meer dan een grasveld binnen de omheining met een paar perken vol bloemen en bomen. Daar stonden ook stenen bankjes en er liep een smal beekje doorheen. Het huis stond in een welvarende wijk, aan een straat vol woningen van ongeveer dezelfde grootte, en het onderscheidde zich in niets van de aangrenzende gebouwen.

De inrichting van het huis sloot naadloos aan op de tuin. Chien was ongetwijfeld erg rijk, maar hij had gerieflijkheid en eenvoud verkozen boven overdaad, en de enige zaken die wezen op zijn succes als koopman waren de zeldzame, kostbare Okhambaanse afgodsbeelden die op sokkels in enkele vertrekken stonden. Kaiku huiverde bij de aanblik ervan, want ze moest denken aan het angstaanjagende bewustzijn van de afgodsbeelden in de Aith Pthakath.

De maaltijd was verrukkelijk en smaakte extra lekker na het ingemaakte voedsel dat ze aan boord van het schip te eten hadden gekregen. Gekookte slijkvis, gekruide zoutrijst gewikkeld in repen kelpwier, een stoofpot van groenten en gegrilde banathi, en – het allerlekkerste van allemaal – jukarabessen, die je alleen in de laatste paar weken van de oogsttijd kon plukken en die zo moeilijk te verbouwen waren dat niemand zijn geld eraan wilde wagen. Ze aten, praatten en maakten grappen, verbonden door hun opluchting dat ze weer vaste grond onder hun voeten hadden. Lachend en herinneringen ophalend aan de reis sneden en spietsten ze hun eten met zilveren vingervorkjes, die aan de ring- en middelvinger van de linkerhand werden gedragen, en de bijbehorende vingermesjes aan de rechterhand. Af en toe gebruikten ze kleine lepeltjes, die ze vastpakten tussen hun onbelemmerde duim en wijsvinger. Saran noch Tsata leek enige moeite te hebben met de techniek, of met de beleefdheidsrituelen aan de eettafel. Mishani kreeg zo langzamerhand de indruk dat de stilzwijgende Tkiurathi wereldwijzer was dan ze in eerste instantie had gedacht.

Eindelijk was de maaltijd ten einde. Chien vroeg Mishani's metgezellen te blijven slapen, zoals van hem werd verwacht, en zij sloegen het aanbod spijtig af, zoals van hen werd verwacht. Chien drong niet aan, maar hij bood wel aan hun een rijtuig ter beschikking te stellen om hen buiten de stad te brengen.

Ze liepen met zijn allen naar het grasveldje binnen de omheining en wandelden loom door de klamme middaghitte. De koele briesjes van de naderende herfst waren weggestorven, en het was vochtig en volkomen windstil. Mishani liep samen met Kaiku voor de anderen uit, de een zo beheerst als altijd, de ander zo nonchalant als altijd.

'Ik zal je missen, Mishani,' zei Kaiku. 'Het is een heel eind naar de Zuidelijke Prefecturen.'

'Ik blijf niet eeuwig weg. Een maand, hooguit twee, als het lot me gunstig is gezind.' Ze schonk haar vriendin een wrange glimlach. 'Ik dacht dat je na deze reis wel genoeg van me zou hebben.'

Kaiku beantwoordde haar glimlach. 'Natuurlijk niet. Wie moet er anders voor zorgen dat ik niet in zeven sloten tegelijk loop?'

'Cailin doet haar best, maar je laat het niet toe.'

'Cailin wil een huisdier van me maken,' zei Kaiku spottend. 'Als het aan haar lag, zou ik elke dag alleen maar studeren, en dan zou ik nu inmiddels de gruwelijke make-up en de zwarte jurk van de Rode Orde dragen.'

'Ze heeft wel veel vertrouwen in je,' zei Mishani terecht. 'De meeste leraren zouden weinig geduld hebben met zo'n onbetrouwbare leerling.'

'Cailin beschermt vooral haar eigen belangen,' antwoordde Kaiku terwijl ze met haar hand boven haar ogen afwezig naar de zon tuurde. 'Ze heeft me geleerd datgene wat in mijn binnenste huist te beteugelen – daarvoor zal ik haar altijd dankbaar zijn – maar ik heb er nooit mee ingestemd de rest van mijn leven door te brengen als een van haar zusters. Dat begrijpt ze niet.' Kaiku sloeg haar ogen neer. 'Trouwens, ik heb me al in dienst gesteld van een hogere macht.'

Mishani legde een hand op haar elleboog. 'Je hebt de afgelopen jaren veel gedaan om de Libera Dramach te helpen, Kaiku. In veel van hun ondernemingen heb je een belangrijke rol gespeeld. Alles wat je voor hen doet, schaadt de wevers, al is het maar in beperkte mate. Vergeet dat niet.'

'Het is niet genoeg,' prevelde Kaiku. 'Mijn familie is nog steeds niet gewroken en mijn belofte aan Ocha is niet vervuld. Ik heb lang gewacht, maar mijn geduld raakt op.'

'Je kunt de wevers niet in je eentje verslaan,' zei Mishani streng. 'En je kunt ook niet verwachten dat je binnen vijf jaar tweeënhalve eeuw geschiedenis teniet kunt doen.'

'Dat weet ik wel,' zei Kaiku. 'Het helpt alleen niet.'

Ze namen afscheid, en Saran, Tsata en Kaiku vertrokken in een rijtuig, zodat Mishani alleen met Chien achterbleef.

'Zullen we naar binnen gaan?' opperde hij toen ze weg waren. Mishani knikte beleefd en liep met hem mee, zich meer dan ooit bewust van het feit dat ze alleen was, en hoogstwaarschijnlijk met open ogen in een val liep.

◎ 9 ◎

Mos zat in de Tranenkamer te luisteren naar de regen.
Hij was nog nooit in deze kamer geweest. Dat was niet zo vreemd:
de bovenste verdiepingen van de keizerlijke vesting stonden voor het
grootste deel leeg. Toen het werd gebouwd, was het onpraktische
gebouw bedoeld als een verzoeningsgebaar van de vierde bloedkeizer van Saramyr, Huitu tu Lilira, om Ocha gunstig te stemmen na
de hoogmoed van zijn voorganger. Zelfs de keizerlijke familie had
echter geen behoefte aan zo'n reusachtig, ingewikkeld gebouw als
de vesting. Zelfs als Mos zijn verste familieleden had gevraagd bij
hem te komen wonen – en dat was geen reële mogelijkheid, want
het was bittere noodzaak om overal verspreid over het land familieleden te hebben die een oogje konden houden op de belangen van
bloed Batik – zouden ze moeite hebben gehad alle kamers te vullen.
Toen een groot deel van het interieur vijf jaar eerder bij de grote
brand verloren was gegaan, waren de inwoners gewoon naar een ander deel van het gebouw verhuisd. Daar konden ze heel gerieflijk
wonen terwijl de herstelwerkzaamheden werden uitgevoerd.
De bovenste verdiepingen, waar Mos de Tranenkamer had ontdekt,
waren het minst gemakkelijk te bereiken, en in de met lax geplaveide gangen huisden slechts holle echo's. Laranya had een keer gezegd
dat daar misschien wel mensen woonden, een gemeenschap van verdwaalde zwervers die eeuwenlang onontdekt was gebleven. Mos
moest erom lachen en had gezegd dat ze zich door haar verbeelding
liet meeslepen. Hoewel ze verlaten waren, waren ze niet verwaarloosd of bedekt met stof, en hij vermoedde dat het tot de taken van
zijn adviseurs hoorde om erop toe te zien dat de bedienden geen enkel deel van de vesting in verval lieten raken.
Het geklater van water had hem aangetrokken toen hij hier op zoek

naar eenzaamheid en met zijn derde fles wijn in zijn hand langs was geslenterd. Het was een grote, ronde kamer met een koepeldak, met in het midden een gat waar de regen door naar binnen viel, op de tegelvloer spatte en door roostertjes wegstroomde. De grond liep nauwelijks merkbaar af naar het midden, zodat al het water daar bleef, en daarom kon je vlak bij het gordijn van regendruppels gaan zitten en toch je voeten droog houden. Een ingenieus gotenstelsel op het dak leidde het water via geheime kanalen naar de standbeelden die in nissen in de muur stonden. Het zorgde ervoor dat tranen uit hun ogen over hun wangen stroomden, om vervolgens te worden opgevangen in de stenen kommen aan hun voeten.

De zon ging al onder en er waren geen lantaarns aangestoken. Het was donker in de kamer en het was benauwd na zo'n warme dag. De regen was ongewoon voor de tijd van het jaar. Hij sloot echter volmaakt aan op Mos' stemming en fascineerde hem. Hij zat op een van de vele stoelen die in een kring in het vertrek stonden en keek naar de zuil van vallende druppels, en naar het tapijt van piepkleine spatjes dat ze vormden als ze de ondiepe poel midden in de kamer raakten. Het enige licht was de wegstervende gloed van Nuki's oog dat door het gat in de koepel naar binnen scheen, en het viel op Mos' voorhoofd en bebaarde kaak en op de rand van de fles die hij vasthield. Hij nam nog een slok, zonder enige beschaafdheid, een verbitterde en boze teug.

'Je moet nu niet alleen zijn,' kraste Kakre vanuit de deuropening van de kamer, en Mos vloekte luid.

'Goden, jij bent wel de laatste die ik op dit moment wil zien, Kakre,' zei hij. 'Ga weg.'

'We moeten praten,' zei de weefheer vastberaden, en hij liep verder de kamer in.

Mos keek hem boos aan. 'Kom dan dichterbij. Ik praat niet met je als je daar op de loer blijft liggen.'

Kakre voldeed aan zijn verzoek en schuifelde de lichtkring binnen. Mos keek hem niet aan, maar hield zijn blik op de regen gericht. De vage, zoete geur van verrotting en dierenhuiden wist hem zelfs door de wijnroes heen te bereiken. Het leek op de stank van een zieke hond.

'Waar moeten we over praten?' zei hij schamper.

'Je bent dronken,' zei Kakre.

'Ik ben nooit dronken. Is dat alles wat je tegen me wilt zeggen? Ik heb al een vrouw die me op de vingers kan tikken, Kakre, daar heb ik jou niet voor nodig.'

Kakre zette zijn stekels op, en er sloeg een golf van woede van hem

99

af waardoor de haartjes in Mos' nek rechtop gingen staan.

'Soms ben je te brutaal, mijn keizer,' zei Kakre waarschuwend, en hij sprak de titel vol minachting uit. 'Ik ben niet een van je bedienden, die je naar eigen inzicht kunt wegsturen of bespotten.'

'Nee, inderdaad niet,' zei Mos instemmend, en hij nam nog een teug uit de fles. 'Mijn bedienden zijn mij trouw en doen wat er van hen wordt verwacht. Jij niet. Soms vraag ik me af waarom ik je nog om me heen duld.'

Daar gaf Kakre geen antwoord op, maar hij keek Mos gehuld in boosaardig stilzwijgen aan.

'Wat heb je me dan te vertellen?' snauwde Mos met een geërgerde blik op Kakre.

'Ik heb nieuws uit het zuiden. In Zila is het volk in opstand gekomen.'

Mos reageerde niet, maar zijn frons verdiepte en er verscheen een nog duisterder blik in zijn ogen.

'Een volksopstand,' herhaalde hij langzaam.

'De landvoogd is gedood. Het was gepeupel, voornamelijk boeren en stedelingen. Ze hebben het bestuursplein bestormd. Een van mijn wevers heeft me het nieuws doorgegeven voordat ook hij werd gedood.'

'Hebben ze een wever gedood?' riep Mos oprecht verbaasd uit.

Kakre zag geen reden om daar antwoord op te geven. Het geklater van de regen vulde de stilte terwijl Mos nadacht.

'Wie is er verantwoordelijk voor?' vroeg de keizer uiteindelijk.

'Het is nog te vroeg om dat te kunnen vaststellen,' zei de weefheer raspend. 'Maar de stedelingen waren goedgeorganiseerd en mijn spionnen in Zila hadden al gemeld dat er toenemende steun was voor die nogal hardnekkige cultus waaraan we al jaren geld en mankracht verspillen.'

'De Ais Maraxa? Waren zij het?' riep Mos ontstoken in plotselinge woede uit, en hij smeet zijn fles door de kamer. Hij sloeg stuk tegen een van de wenende standbeelden, zodat de rode wijn vermengd raakte met het regenwater in de kom aan de voet ervan.

'Misschien. Ik heb je al eerder gezegd dat ze uiteindelijk tot zoiets in staat zouden zijn.'

'Het was de bedoeling dat jij dit soort dingen zou voorkomen!' De keizer stond wild op en gooide zijn stoel omver.

'Ze weten dat de oogst weer is mislukt,' zei Kakre. Hij was niet onder de indruk, hoewel hij lichamelijk gezien in het niet viel bij de grote man. 'Hier in het noordwesten kunnen we de schade nog enigszins verhullen, maar Zila ligt aan de rand van de Zuidelijke Prefecturen. Daar zien ze hoe de smet de gewassen voor hun ogen vernietigt, en al het slechte nieuws komt op weg naar de westkust door Zila. De wevers zijn machtig, mijn keizer, en we hebben veel vernuft, maar we kunnen niet ieders plannen overzien, niet nu het land zich tegen ons keert. Je had mij moeten laten afrekenen met de Ais Maraxa toen we van hun bestaan hoorden.'

'Probeer de schuld niet af te schuiven, Kakre!' raasde Mos. 'Dit is jouw schuld!' Hij greep de wever bij zijn voddenmantel. 'Jouw schuld!'

'Blijf van me af!' siste Kakre, en Mos voelde dat hij werd vastgegrepen, alsof er een hand van staal om zijn borst lag. De kracht vloeide weg uit zijn ledematen en hij raakte bevangen door paniek. Zijn handen vlogen krampachtig open en lieten de weefheer los, en hij strompelde achteruit met slijm in zijn keel en longen die zich nauwelijks met lucht wilden vullen. Kakre leek hoog boven hem uit te torenen, en in zijn verbeelding werd de wever reusachtig en angstaanjagend: een gebochelde gestalte met uitgemergelde witte handen die tot klauwen waren verstrakt en die boven zijn hoofd zweefden als de handen van een poppenspeler boven een marionet. Toen hij nog verder achteruitdeinsde, gleed Mos uit, viel in de zuil van regen en belandde met veel gespetter in de ondiepe poel, waar hij jammerend en ineengedoken bleef liggen. Kakre, met zijn lijkachtige masker dat in schaduwen was gehuld, leek het hele vertrek te vullen, en Mos had het gevoel dat de lucht zelf hem tegen de grond drukte.

'Je gaat te ver,' zei de weefheer met een stem zo duister en kil als het graf. 'Ik zal je leren!'

Mos gilde het uit van angst, ontmand door Kakres macht, en zijn aangeboren moed werd opzijgeschoven door de sluwe hand die zijn lichaam en geest beïnvloedde. De regen viel op hem neer, doorweekte hem tot op het bot, droop uit zijn baard en plakte zijn haar vast aan zijn schedel.

'Je kunt niet zonder mij, Mos,' zei Kakre. 'En helaas kan ik ook niet zonder jou. Maar vergeet niet wat ik met je kan doen. Vergeet niet dat ik de macht heb om op elk gewenst moment over jouw leven of dood te beslissen. Ik kan je hart met een gedachte stoppen of het in je borstkas laten barsten. Ik kan je vanbinnen dusdanig laten bloeden dat zelfs de beste heelmeesters niet zouden beseffen waardoor het gekomen is. Ik kan je van je verstand beroven in de tijd die het jou kost om je zwaard uit de schede te trekken. Raak me nooit, maar dan ook nooit meer aan, anders zal ik je de volgende keer misschien onherstelbare schade toebrengen.'

Toen leek Kakre geleidelijk kleiner te worden en stierf de schrikwekkende energie in de lucht weg. Hijgend hapte Mos naar adem. Het vertrek was weer precies zoals voorheen: donker, ruim en hol, en Kakre was weer gewoon een kleine, verwrongen man met een kromme rug, gehuld in slordig aan elkaar genaaide lappen stof en pels.

'Jij rekent af met de opstand in Zila, ik reken af met de veroorzakers ervan,' zei hij raspend, en met die woorden vertrok hij. Mos bleef alleen achter, liggend op zijn zij in het regenwater, gehuld in de gloed van de ondergaande zon, boos, bang en verslagen.

Keizerin Laranya en haar jongere broer Reki vielen zowat door de ellipsvormige deuropening, nat en ademloos van het lachen. Eszel trok theatraal zijn wenkbrauw op toen ze het paviljoen binnen kwamen stormen en zei droog tegen Reki: 'Je zou bijna denken dat jullie nog nooit regen hadden meegemaakt.'

Reki lachte opnieuw, uitgelaten. Het was niet ver bezijden de waarheid.

Het paviljoen lag midden in een grote vijver die met een smalle brug was verbonden met de rest van de tuinen op het dak van de keizerlijke vesting. De zijkanten waren van bewerkt hout en leken op een dun, uitgehold web van bladeren en schrifttekens, en als je in het paviljoen zat, kon je door de gaten uitkijken over het water. Manden vol bloemen hingen aan de holle pannen op het schuine dak, en op elke hoek stond een stevige, koraalrode stenen zuil. Eszel had de lantaarns aangestoken die aan de binnenkant van de zuilen hingen, want buiten werd het donker. Het was er niet groot, maar er konden gemakkelijk acht mensen op de bankjes zitten. Aangezien ze maar met zijn drieën waren, was er meer dan genoeg ruimte.

Reki liet zich op een bankje vallen en keek vol verwondering door het houtsnijwerk naar buiten. Laranya gaf hem toegeeflijk een kus op zijn wang en ging naast hem zitten.

'Regen is een zeldzaamheid in de streek waar wij vandaan komen,' legde ze aan Eszel uit.

'Dat had ik al begrepen,' antwoordde Eszel met een scheef glimlachje.

'Geesten!' riep Reki uit, terwijl hij zijn blik over het donkere, roerige oppervlak van de door regen gegeselde vijver liet gaan. 'Nu weet ik hoe Ziazthan Ri zich voelde toen hij *De parel van de watergod* schreef.'

Eszel keek de jongeman met hernieuwde belangstelling aan. 'Heb je dat gelezen?'

Opeens werd Reki verlegen, want hij besefte hoe opschepperig hij had geklonken. De eeuwenoude tekst van Ziazthan Ri – die alge-meen werd gerekend tot de beste naturalistische geschriften van het keizerrijk – was ongelooflijk zeldzaam en kostbaar. 'Nou... eigen-lijk...' stamelde hij.

'Mijn beste jongen! Je moet me er alles over vertellen!' zei Eszel en-thousiast, en daarmee was Reki gered. 'Ik heb er overgeschreven fragmenten van gezien, maar ik heb nog nooit het hele verhaal kun-nen lezen.'

'Ik heb het uit mijn hoofd geleerd,' zei Reki. 'Het is een van mijn lievelingsverhalen.'

Eszel gilde zowat: 'Uit je hóófd geleerd? Ik zou het dolgraag van be-gin tot eind willen horen!'

Reki straalde, en door die glimlach onderging zijn smalle gezicht een transformatie. 'Het zou me een eer en een genoegen zijn,' zei hij. 'Ik ben nog nooit iemand tegengekomen die zelfs maar van Ziazthan Ri had gehoord.'

'Dan heb je gewoon nog niet de juiste mensen ontmoet,' zei Eszel knipogend. 'Ik zal je eens aan een paar mensen voorstellen.'

'Wacht eens heel even,' zei Laranya, en ze sprong overeind en ging naast Eszel zitten. Ze greep bezitterig zijn arm vast, en hij werd klets-nat van de druppels die van haar af vielen. 'Eszel is van mij! Ik wil niet hebben dat je hem van mij steelt met je droge boekenwijsheid en je gesprekken over dode oude mannen.'

Eszel lachte. 'De keizerin is jaloers!' zei hij plagerig.

Laranya keek van haar broer naar Eszel en weer terug. Ze was op hen allebei erg gesteld. Ze waren zo verschillend als dag en nacht, maar ze konden het zo te zien beter met elkaar vinden dan ze ooit had durven hopen. De gedreven Reki had grijze ogen, en zijn ge-laatstrekken werden benadrukt door een diep litteken dat van de buitenste hoek van zijn linkeroog tot aan de aanzet van zijn jukbeen liep. Zijn haar, dat tot op zijn kin hing, was gitzwart met aan de lin-kerkant een witte lok, die het gevolg was van dezelfde val in zijn jeugd waarbij zijn gezicht was geschonden. Hij was stilletjes, intel-ligent en onhandig, de kleren die hij droeg leken nooit echt goed te passen en hij leek zich altijd slecht op zijn gemak te voelen.

Eszel, daarentegen, was flamboyant en levendig, heel knap maar ook erg geaffecteerd. Hij leek beter te passen in het Kanaaldistrict dan in de keizerlijke vesting met zijn felle oogmake-up en zijn paars, rood en groen geverfde haar waarin allerlei versierseltjes en kralen waren bevestigd.

'Een beetje misschien,' gaf ze ondeugend toe. 'Ik wil jullie allebei voor mezelf!'

'Bij een hoge rang horen nu eenmaal voorrechten,' zei Eszel. Hij stond op en maakte een overdreven buiging. 'Ik sta geheel tot uw beschikking, mijn keizerin.'

'Dan eis ik dat je een gedicht over regen aan ons voordraagt!' zei ze. Reki's ogen lichtten op.

'Nu weet ik er toevallig eentje waarin de regen een vrij belangrijke rol speelt,' zei hij. 'Zou u dat graag willen horen?'

'Nou en of!' zei Reki. Hij had ontzag voor Eszel, die volgens Laranya een briljant dichter was. Hij was toegevoegd aan de hofhouding op voorspraak van Mos' cultureel adviseur. Die was ervan overtuigd dat Eszel, als hij een paar jaar onder keizerlijke bescherming had gestaan, zulke goede gedichten zou schrijven dat hij in Axekami een begrip zou worden, een gerenommeerde man die in één adem zou worden genoemd met de keizerlijke familie.

Eszel dofte zich in het licht van de lantaarns met veel vertoon op, ging midden in het paviljoen staan en schraapte zijn keel. Heel even was het spetteren en druppen van de regen het enige geluid, terwijl hij zich koesterde in de onverdeelde aandacht van zijn toehoorders. Toen begon hij te spreken, en de woorden rolden als gesmolten zilver van zijn tong. Het Hoog-Saramyrees was een schitterend complexe taal die zich uitstekend leende voor poëzie. Het kon zacht en lispelend klinken, maar ook scherp en knarsend, en bood ruimte voor vele lagen van betekenis die in de mond van een woordkunstenaar konden worden verdraaid en gemanipuleerd tot een verraderlijke puzzel die moest worden ontcijferd, en die een genot was om naar te luisteren. Eszel had er heel veel talent voor en daar was hij zich terdege van bewust. De zuivere schoonheid van zijn zinnen bracht de luisteraar in vervoering.

Het gedicht ging slechts zijdelings over regen. Eigenlijk was het het verhaal van een man wiens vrouw was bezeten door een achicita, een demonische damp die terwijl ze sliep via haar neusgaten was binnengedrongen en die haar vanbinnen ziek maakte. De man werd krankzinnig van verdriet, en in zijn krankzinnigheid werd hij bezocht door Shintu, de bedrieglijke god van het fortuin, die hem overreedde zijn vrouw het huis uit te dragen en drie dagen op de straat te laten liggen, waarna Shintu de demon zou uitdrijven. Toen vroeg Shintu zijn neef Panazu of die het drie dagen lang wilde laten regenen, om het geloof van de man op de proef te stellen, want de vrouw was al ernstig verzwakt en zou het waarschijnlijk niet overleven als ze drie dagen doornat bleef. Nadat hij een dag in de stromende regen naast zijn vrouw had gezeten, werd de man opgesloten door de dorpelingen, die dachten dat hij gek was geworden, en werd zijn vrouw weer in bed gelegd, waar ze almaar zieker werd.

Nu Shintu zijn list ten uitvoer had gebracht, had hij er alweer genoeg van, dus richtte hij prompt zijn aandacht op iets anders. Hij was de hele toestand al snel vergeten, maar toen trok het de aandacht van Narisa, de godin van het vergetene. Zij vond het vreselijk onrechtvaardig dat het echtpaar zo moest lijden. Ze smeekte Panazu om het recht te zetten, aangezien ook hij een rol in de tragedie had gespeeld. Panazu, die hield van Narisa – en wiens liefde later Shintu's aandacht zou trekken en zou leiden tot de geboorte van Suran, het bastaardkind van Panazu en zijn eigen zus Aspinis – kon haar niets weigeren, dus verloste hij de vrouw van de achicita en wierp een bliksemschicht die de cel van de echtgenoot openbrak. Toen ze eenmaal waren bevrijd en herenigd, werden de man en de vrouw beiden genezen verklaard, en ze hervonden samen het geluk.

Eszels verhaal was bijna ten einde – en tot zijn tevredenheid zag hij dat er tranen in Reki's ogen stonden – toen plotseling Mos stampvoetend vanuit de regen naar binnen kwam. De dichter begon te stamelen bij de aanblik van de keizer, die een gezicht had als een donderwolk. Druipend en wel nam hij het tafereel in zich op. Eszel hield op met praten.

'Zo te zien vermaken jullie je wel,' zei hij, en zelfs Eszel kon merken dat hij op ruzie uit was, dus hield hij wijselijk zijn mond. De bloedkeizer mocht hem niet en stak dat feit niet onder stoelen of banken. Eszels enigszins verwijfde maniertjes en opzichtige uiterlijk waren een belediging voor een nuchtere man als hij. Bovendien was het zonneklaar dat Mos zich ergerde aan de vriendschap tussen Eszel en Laranya. Ze zocht immers vaak zijn gezelschap als Mos het te druk had met staatszaken om aandacht aan haar te besteden.

'Kom dan bij ons zitten,' zei Laranya, die opstond en haar beide handen naar Mos uitstak. 'Je ziet eruit alsof je wel wat vermaak kunt gebruiken.'

Hij deed alsof hij haar handen niet zag en keek haar dreigend aan.

'Ik ben al een hele tijd naar je op zoek, Laranya, omdat ik hoopte bij mijn vrouw enige troost te vinden na wat ik heb moeten doormaken. Maar in plaats daarvan tref ik je drijfnat aan terwijl je in de regen kinderachtige spelletjes staat te spelen!'

'Hoezo, na wat je hebt moeten doormaken? Waar heb je het over?' vroeg Laranya, maar in haar bezorgde stem klonk ook al een vonkje woede door om de toon die de keizer aansloeg. Eszel ging zo onopvallend mogelijk naast Reki zitten.

'Maak je daar vooral niet druk om,' snauwde hij. 'Waarom tref ik je altijd als ik naar je op zoek moet aan bij die afgrijselijke protser?'

Hij maakte een minachtend gebaar naar Eszel, die de belediging gedwee over zich heen liet gaan. Hij had niet veel keus. Reki keek ontzet van Mos naar Eszel.

'Reageer je frustraties niet af op je onderdanen, die je geen weerwoord kunnen geven!' riep ze uit, en haar wangen werden rood. 'Als je een probleem met mij hebt, zeg het dan! Ik ben je slaafje niet, en ik hoef niet in je slaapkamer te gaan liggen wachten totdat jij besluit dat je behoefte hebt aan troost!' Ze verdraaide zijn woorden om hem te bespotten, om het te doen lijken alsof hij zich belachelijk maakte met zijn zelfmedelijden.

'Goden nog aan toe!' brulde hij. 'Moet ik dan van alle kanten vijandigheid verdragen? Is er dan niet één iemand van wie ik een vriendelijk woord kan verwachten?'

'Wat heb je het toch zwaar!' antwoordde ze sarcastisch. 'Zeker gezien het feit dat je hier als een kwade banathi binnen komt stormen, mijn goede vriend beledigt en me in het bijzijn van mijn broer in verlegenheid brengt!'

'Kom mee,' zei Mos, en hij greep haar bij haar pols. 'Dan kan ik onder vier ogen met je praten, waar zij niet bij zijn.'

Ze rukte zich los. 'Eszel was een gedicht aan het voordragen,' zei ze gespannen. 'En ik ga niet weg voordat ik het einde heb gehoord.'

Mos keek de dichter dreigend en bijna bevend van woede aan. Reki kon bijna voelen hoe Eszel de moed in de schoenen zonk. Zijn zus bedoelde het goed, maar als ze beledigd was, was ze niet subtiel. Met de reden die ze had gebruikt om Mos' verzoek te weigeren, had ze ervoor gezorgd dat hij zijn woede weer op haar weerloze vriend kon richten.

'En hoe zou je het vinden als die geliefde dichter van je het opeens zonder beschermheer moest stellen?' kraste hij.

'Dan zou mijn geliefde echtgenoot het zonder vrouw moeten stellen!' kaatste ze terug. Als ze eenmaal haar hielen in het zand had gedrukt, gaf ze geen duimbreed toe.

'Betekent hij dan zoveel voor je?' sneerde Mos. 'Die halve man?'

'Die halve man is meer mans dan jij, want hij kan zich tenminste beheersen, iets wat een edelman als jij ook zou moeten kunnen!'

Nu ging ze te ver. Mos tilde opeens in een door woede ingegeven reflex zijn hand op, klaar om haar te slaan.

Opeens werd ze ijzig kalm, nu ze door haar passie de woede voorbij werd gedreven. 'Wáág het eens,' zei ze, en haar stem klonk als het krassen van nagels over verroest ijzer.

Haar veranderde houding hield hem tegen. Hij had nog nooit een vinger naar haar uitgestoken, was nog nooit zo erg zijn zelfbeheersing kwijtgeraakt. Bevend keek hij haar in de ogen, en hij bedacht hoe hartverscheurend mooi ze was als ze ruzie hadden, en hoezeer hij haar tegelijkertijd haatte en liefhad. Toen wierp hij nog een laatste blik vol venijn op Eszel en stormde door de deuropening naar de brug, waar hij opging in de regenachtige nacht.

Reki blies zijn adem uit. Hij had niet eens gemerkt dat hij hem had ingehouden. Eszel keek ellendig. Laranya had haar kin hooghartig geheven en haar borst rees en daalde. Ze genoot er zichtbaar van dat ze haar echtgenoot had overbluft.

De stemming was verpest, en alsof er sprake was van een stilzwijgende afspraak gingen ze alledrie naar hun eigen kamer. Later zou Laranya op zoek gaan naar Mos en zouden ze opnieuw ruziemaken, het bijleggen en nog nagloeiend van woede koortsachtig de liefde bedrijven, zich niet bewust van het feit dat Kakre dan, net als nu, vanuit het weefsel zou toekijken.

⊚ 10 ⊚

Kaiku, Saran en Tsata kwamen vroeg in de ochtend na een snelle, vermoeiende reis vanuit Hanzean in de Gemeenschap aan. Ze hadden in het verhullende duister geheime paden naar de Xaranabreuk genomen en waren het hart van het verwoeste land binnengeglipt zonder de vijandig gezinde wezens die daar leefden op te schrikken. Ze werden enthousiast onthaald door degenen die op de hoogte waren van Kaiku's missie en die konden raden wie haar metgezel was. Tegen de noen hadden de adellijke leden van de Libera Dramach en de Rode Orde zich verzameld om te horen wat hun spion te vertellen had, en Kaiku werd erbij betrokken, op aandringen van zowel Saran als Cailin. Daar was ze behoorlijk opgelucht over. Nadat ze twee maanden van haar leven had gegeven – en het bijna had verloren – om deze man terug te brengen, kon ze de gedachte dat de informatie waarover hij beschikte wellicht te gevoelig was om aan haar toe te vertrouwen niet verdragen.

Ze kwamen samen op de bovenste verdieping van een halfrond gebouw, dat dienstdeed als het officieuze zenuwcentrum van de Libera Dramach. Het stond op een van de hoogste plateaus van de Gemeenschap en de gekromde gevel bood uitzicht op het dorp en het dal in de diepte. Overal op de bovenste verdieping kon je naar buiten kijken. Het platte dak werd omhooggehouden door zuilen en ertussenin liep een hek van smeedijzer, dat ongeveer tot aan je middel kwam. De hele verdieping was één grote ruimte die werd gebruikt voor bijeenkomsten en af en toe voor besloten theatervoorstellingen of voordrachten, en zoals de meeste gebouwen in de Gemeenschap was het eerder functioneel dan mooi. Aan de beige muren hingen goedkope wandkleden en er lagen rieten matten op de vloer, maar verder stond er weinig, afgezien van een gebedsmolen in een van de hoeken en een windklokje dat zachtjes tinkelde in het onregelmatige briesje, om boze geesten af te weren. Dat was een wonderlijk ouderwets bijgeloof dat hier in de Xaranabreuk om de een of andere reden een stuk minder lachwekkend leek.

Het was niet echt een formele bijeenkomst, maar de basisregels van de gastvrijheid vereisten dat er versnaperingen werden aangeboden. De traditionele lage tafels van zwart hout stonden vol bordjes, en ertussenin stonden tinnen karaffen met verschillende soorten wijn, sterkedrank en warme dranken. Kaiku zat bij Cailin en twee andere leden van de Rode Orde die dezelfde kleren droegen als de lange vrouw. Ze had hen geen van beiden ooit ontmoet, want de leden leken elkaar continu af te wisselen en alleen Cailin was een constante. Haar terughoudendheid over het precieze aantal leden van de Rode Orde grensde aan paranoia. Ze hield hen dan ook zoveel mogelijk verspreid, zodat ze niet allemaal tegelijk door één ramp konden worden uitgeroeid. Vlak bij hen zat Zaelis met Yugi, die in feite zijn rechterhand was. Yugi zag haar kijken en schonk haar een geruststellende grijns. Geschrokken glimlachte ze terug. Tsata zat in zijn eentje ver van de tafels aan de rand van het vertrek.

Kaiku bleef even naar hem zitten kijken. Ze vroeg zich onwillekeurig af wat de Tkiurathi hier eigenlijk deed. Waarom had hij Saran helemaal hiernaartoe vergezeld? Wat betekenden ze voor elkaar? Haar woede over het feit dat hij haar leven zo harteloos in de waagschaal had gesteld mocht dan in de loop van de afgelopen maand wat zijn afgenomen, ze was weinig over hem te weten gekomen, en Saran leek vreemd genoeg niet veel over hem kwijt te willen. Hij beweerde dat het Tsata's eigen zaken waren en dat hij haar er zelf wel over zou vertellen als hij dat wilde. Kaiku kon niet besluiten of Saran zo diplomatiek was uit respect voor de vreemde overtuigingen van zijn metgezel, of dat hij zich gewoon van de domme hield om haar te tergen.

Haar gedachten gingen van Saran naar Lucia. Had ze maar genoeg tijd gehad om voor de bijeenkomst bij de erfkeizerin langs te gaan, maar ach, dat kon later ook nog. Toch bleef er iets hinderlijk aan haar knagen met betrekking tot het meisje. Toen Kaiku bij Zaelis had geïnformeerd naar haar welzijn, had hij een luchtige opmerking gemaakt en een ander onderwerp aangesneden, maar nu ze erover nadacht, had hij geen antwoord op haar vraag gegeven. Als ze Mishani was geweest, zou ze dat misschien verdacht hebben gevonden, maar ze was Kaiku, dus nam ze voetstoots aan dat het haar eigen schuld was omdat ze niet had doorgevraagd.

Toen viel er een stilte, en Saran ging met zijn rug tegen het hek staan, zodat zijn silhouet afstak tegen de door de zon verlichte verre wand van het dal. Het was tijd om te horen waarvoor ze haar leven op het spel had gezet, en om vast te stellen of dat de moeite waard was geweest.

'Er zijn hier maar een paar mensen die me kennen,' begon hij met een heldere stem die nu bijna helemaal was gespeend van het Quralese accent. In zijn strakke, strenge kleding leek hij op een generaal die zijn manschappen toesprak, en uit zijn stem sprak hetzelfde overwicht. 'Dus ik zal me eerst voorstellen. Mijn naam is Saran Ycthys Marul. Ik werk al een aantal jaren als spion voor de Libera Dramach en heb verre reizen afgelegd met slechts één doel voor ogen: zoveel mogelijk over de wevers te weten komen. Mijn missie heeft me naar alle vier de landen van de Nabije Wereld gebracht: Saramyr, Okhamba, Quraal en het verre Yttryx. Ik vraag uw geduld, dan zal ik u uitleggen wat ik heb ontdekt.'

Hij liet theatraal een stilte vallen en liep als een roofdier van links naar rechts terwijl hij zijn blik over de verzamelde mensen liet gaan. Kaiku kromp inwendig ineen toen ze zag hoe hij zijn toehoorders bespeelde. Opeens kwam de gedachte bij haar op dat hij zichzelf in gevaar bracht door zijn boodschap persoonlijk aan zoveel mensen door te geven. Hoe meer mensen wisten dat hij spion was, hoe groter de kans dat hij zou worden betrapt. Ze vroeg zich af wat de reden was voor die roekeloosheid. Hij was toch zeker niet zo verwaand dat hij bereid was dat risico te nemen in ruil voor één moment van glorie?

'Saramyr is zijn geschiedenis vergeten,' zei hij. 'Jullie waren zo trots dat jullie dit grote continent hadden gevonden om op te wonen, dat jullie niet stilstonden bij wat jullie wegvaagden. Jullie roeiden de Ugati, de oorspronkelijke bewoners, uit en veegden zo de lei schoon, waarmee vele duizenden jaren aan herinneringen over dit land verloren gingen. Maar in andere landen leeft die herinnering nog. In Okhamba leven al eeuwen stammen die nog nooit met de beschaafde buitenwereld in aanraking zijn gekomen. In Quraal is de onderdrukking van doctrines en het herschrijven van de geschiedenis door de Theocratie niet grondig genoeg aangepakt, en er zijn nog steeds bewijzen uit de diepste krochten van het verleden te vinden, als je weet waar je moet zoeken. En in Yttryx, waar het machtscentrum als gevolg van een aaneenschakeling van burgeroorlogen keer op keer is verschoven, zijn documenten zo ver verspreid geraakt dat het onmogelijk is ze allemaal te vinden, en dus ook onmogelijk ze allemaal te vernietigen. De geschiedenis leeft nog, zelfs hier. En we kunnen er maar beter voor zorgen dat we die niet vergeten, want we weten nooit wanneer gebeurtenissen uit het verleden het heden zullen veranderen.'

Enkele aanwezigen schoven onrustig heen en weer omdat de Quralees het waagde hen te berispen vanwege hun geschiedenis, terwijl de Quralezen juist degenen waren geweest die hen naar Saramyr hadden verdreven, maar Kaiku zag dat er een vage glimlach om de beschilderde lippen van Cailin speelde.

'Ik zal het kort houden en beginnen met het goede nieuws,' ging Saran verder. Hij wierp zijn haar naar achteren en vestigde zijn hooghartige blik op Zaelis. 'Later zal ik ongetwijfeld de gelegenheid krijgen in te gaan op de bijzonderheden met degenen die daar belangstelling voor hebben.' Hij maakte een breed gebaar met zijn arm om alle aanwezigen bij zijn verhaal te betrekken. 'Tijdens mijn reizen door de Nabije Wereld was ik naar drie dingen op zoek: ten eerste naar bewijs voor de ziekte die zich door jullie land verspreidt, en waarvan we nu aannemen dat het een neveneffect is van de heksenstenen van de wevers, ten tweede, naar de wevers zelf of wezens zoals zij, en ten slotte naar de heksenstenen, omdat de wevers daaraan hun macht ontlenen.'

Hij begon weer als een gekooide tijger heen en weer te lopen, en zijn profiel stak scherp af tegen het zonlicht dat naar binnen stroomde. 'Ik kan tot mijn genoegen melden dat ik op twee punten helemaal niets heb ontdekt. Nergens heb ik een ziekte ontdekt die niet kon worden verklaard vanuit een insectenplaag of een andere natuurlijke oorzaak, of die zo verraderlijk en hardnekkig is als de smet die Saramyr heeft getroffen. Ook heb ik nergens iets gevonden wat je een wever zou kunnen noemen, afgezien van de enkeling die in een verre kolonie op een ander werelddeel woont. Er zijn wel mensen die beschikken over gaven die ongebruikelijk zijn onder gewone mensen: onze eigen priesters zijn daar een voorbeeld van, want zij hebben geleerd op primitieve wijze te communiceren met de geesten van ons land. De geëerde Kaiku tu Makaima, die hier aanwezig is, was getuige van wat de vleesbeeldhouwers van Okhamba tot stand kunnen brengen, en in de verborgen wereld diep in het oerwoud huizen zelfs nog ergere dingen dan de vleesbeeldhouwers. In Quraal hebben we de oblaten en in Yttryx de Muhd-Thaal. Hun gaven hebben echter allemaal een natuurlijke of spirituele oorsprong. Zelfs de afwijkenden, die zijn ontsproten aan de smet die door de wevers in het leven is geroepen, spelen geen actieve rol in de verspreiding ervan.' Hij zweeg even en streek met een vinger langs zijn jukbeen. 'Voorbij jullie eigen kustlijnen heb ik geen afwijkenden aangetroffen. Er zijn natuurlijk mismaakte, lamme en kreupele mensen, maar dat zijn geen afwijkenden. Dat is gewoon de natuur. In dit land maken veel mensen dat onderscheid niet meer, hoewel ik moet toegeven dat de aanwezigen in dit vertrek de uitzondering op de regel vormen, en dat is prijzenswaardig.'

Kaiku keek naar hem terwijl hij audiëntie verleende, en haar gedachten dwaalden af naar het slanke lichaam dat ze onder zijn strenge zwarte Quralese kleding vermoedde. Waarom had ze hem eigenlijk afgewezen? Het hoefde niets te betekenen als ze een keer het bed met hem deelde. Waarom zou ze haar plezier laten bederven omdat ze haar eigen gevoelens niet vertrouwde?

Ze besefte dat haar gedachten waren afgedwaald, dus concentreerde ze zich weer op het hier en nu.

'Daaruit kunnen we afleiden dat afwijkenden het gevolg zijn van de smet,' zei Saran juist. 'Dat vermoedden we al, maar nu geloof ik dat het onomstotelijk is bewezen. Buiten Saramyr bestaat de ziekte niet, en zijn er dus ook geen afwijkenden. Er zijn echter wel heksenstenen.'

Dat veroorzaakte opschudding onder de aanwezigen. Kaiku at een kruidenknoedel en zweeg, maar ze keek af en toe vluchtig naar het plotseling geanimeerde publiek.

'Hij weet zijn toehoorders goed te bespelen,' fluisterde Cailin, die zich naar haar toe had gebogen.

'Ik denk dat hij behoefte heeft aan aandacht,' prevelde Kaiku. 'Het streelt zijn ego.'

Cailin lachte verrast en trok zich met een suggestieve blik op haar leerling terug. Kaiku deed alsof ze het niet zag.

'Maar als de heksenstenen de oorzaak zijn van de ziekte in ons land, hoe komt het dan dat er in het buitenland wel heksenstenen zijn, maar geen smet?' riep iemand.

'Omdat ze nog niet zijn gevonden,' antwoordde Saran met opgestoken vinger. Het kabaal stierf weg. 'Ze liggen diep in de aarde begraven. Ze slapen. Ze wachten. Ze wachten totdat ze worden gewekt.'

'Waarmee kunnen ze dan worden gewekt?' vroeg dezelfde man.

'Met bloed,' zei Kaiku. Ze had het eigenlijk bij zichzelf willen zeggen, maar het kwam er luider uit dan haar bedoeling was en iedereen kon het horen.

'Inderdaad, met bloed,' zei Saran, die haar een ontwapenend glimlachje schonk. 'Van alle aanwezigen is Kaiku de enige die een heksensteen heeft gezien. Ze is getuige geweest van de menselijke offers waarmee ze worden gevoed. Ze heeft het hart gezien.'

Kaiku werd opeens verlegen. Haar verslag van haar infiltratie in het weverklooster in het Lakmargebergte op Fo was het onderwerp van enige scepsis bij de Libera Dramach. Velen redeneerden, begrijpelijkerwijs, dat wat ze had gezien in de zaal waar de heksensteen werd bewaard een waanvoorstelling was geweest. Ze was op dat moment immers verzwakt door honger en uitputting en had al dagenlang een wevermasker op, wat altijd slecht was voor je geestesgesteldheid. Desondanks was Kaiku overtuigd van wat ze had gezien, en ze bleef erbij. Ze had de lange, stenen vertakkingen gezien die vanuit de heksensteen waren doorgedrongen in de wanden van de grot, en die eruitzagen als iets levends, niet als iets wat was gevormd door druk of een andere aardkundige kracht. Ze had in het binnenste van de heksensteen gekeken toen die werd gevoed, had de felrode aderen gezien die door het steen liepen, en het kloppende hart in het midden. Wat de heksenstenen ook waren, het waren geen levenloze voorwerpen. Ze leefden, net als bomen. Ze groeiden.

'Hoe weet je dat de heksenstenen er zijn, als ze nooit zijn gevonden?' vroeg Yugi aan Saran.

'Minstens één ervan is wél gevonden, in Quraal, zeker vijfhonderd jaar geleden,' zei Saran. 'Hij wordt genoemd in de teksten die ik heb gestolen uit de kelder van de librum van Aquirra zelf, en die ik met gevaar voor eigen leven hiernaartoe heb gebracht. De teksten verhalen over een voorval in een landelijke provincie, waar de bewoners van een mijnwerkersdorpje opeens gewelddadig gedrag begonnen te vertonen. Toen soldaten erop uit werden gestuurd om de onlusten de kop in te drukken, werden ze met grote overmacht verslagen, en de overlevenden maakten melding van vreemde aanvallen van krankzinnigheid en een vertoon van goddeloze vermogens door de dorpelingen, die bijvoorbeeld voorwerpen konden verplaatsen zonder ze aan te raken, of zonder wapens mensen van afstand konden doden. De Theocraten stuurden er vervolgens een veel groter leger op af, en ze wisten de overwinning te behalen, maar leden zware verliezen. In de mijn onder het dorp troffen ze een altaar aan waarop bloedoffers waren gebracht. De soldaten zeiden later dat ze door het altaar werden gelokt met kwaadaardige bekoringen en beloften. Hun geloof was echter sterk genoeg om er weerstand aan te kunnen bieden, zo zeiden ze, en ze hadden het altaar met springstof aan gruzelementen geblazen en de mijn verzegeld.' Hij wierp zijn zwarte haar naar achteren en keek om zich heen. 'Ik ben ervan overtuigd dat ze een heksensteen hadden gevonden.'

'Dus ze kunnen worden vernietigd?' vroeg Zaelis.

'Als we het verslag kunnen geloven wel, ja,' zei Saran.

'Je zei dat er minstens één is gevonden,' zei een ander uit het publiek. 'Bedoel je daarmee te zeggen dat er nog meer zijn?'

'Ga maar na,' zei Saran. 'Voorzover bekend zijn er in Saramyr vier heksenstenen, en op alle vier hebben de wevers een klooster gebouwd. Twee in het Tchamilgebergte: één onder Adderach en één onder Igarach aan de rand van de Tchom Rinwoestijn, een derde in het Lakmargebergte op het eiland Fo, en de laatste in de bergen bij het Xemitmeer. Dankzij de inspanningen van Kaiku en haar vader Ruito weten we dat daar heksenstenen liggen, want die liggen in het hart van de omringende smet. Vier heksenstenen, alleen al in Saramyr. Waarom zouden ze alleen op ons werelddeel liggen?'

'Waarom niet?' vroeg Yugi. 'Tenzij je weet wat het zijn en hoe ze hier zijn terechtgekomen, kun je toch niet weten hoe ze over het land zijn verspreid?'

'Maar ook dat weet ik,' zei Saran. Hij keerde de toehoorders even de rug toe en liep naar het hek om neer te kijken op de wanordelijke verzameling daken van de Gemeenschap, de smalle straatjes waar kinderen doorheen renden, de bruggen, katrollen en trappen. 'Wat ik jullie te vertellen heb, zal jullie misschien niet bevallen.'

Kaiku ging rechter zitten, en er liep een minieme rilling over haar rug. Overal in het vertrek werd zachtjes gemompeld.

Saran draaide zich om en leunde tegen het hek. 'Ik heb verslagen gevonden over een vuur uit de hemel,' zei hij met een ernstige uitdrukking op zijn knappe gezicht. 'In Quraal, vele duizenden jaren geleden, in de tijd dat onze taal nog jong was. Een rampzalige regen van brandende stenen die hele nederzettingen verwoestten, meren deden koken en de aarde verpletterden. We waren ervan overtuigd dat we door onze goden werden gestraft.' Hij hield zijn hoofd een beetje scheef en het zonlicht benadrukte zijn jukbeenderen. 'Ik heb fragmenten van hetzelfde verhaal aangetroffen in Okhamba, waar geen sprake is van schriftelijke overlevering, alleen van legenden. Verhalen over vuur en verwoesting. Die vond ik ook in Yttryx, maar deze keer in begrijpelijker geschriften, want daar maakte men als eerste gebruik van een alfabet. Er wordt zelfs gesproken over primitieve schilderingen ergens in de Nieuwlanden van Saramyr, waarin de Ugati hun eigen indrukken van de ramp zouden hebben vastgelegd. Elke eeuwenoude beschaving in de Nabije Wereld heeft kennelijk zijn eigen verhalen over de gebeurtenis, en ze sluiten allemaal op elkaar aan.' De blik in zijn ogen werd duister. 'Toen ben ik op aanraden van een man die ik in Yttryx heb leren kennen teruggekeerd naar Okhamba en ben ik diep de binnenlanden ingetrokken. Daar heb ik dit gevonden.'

Hij liep snel naar een tafel, waar hij iets vanaf pakte wat leek op een rol perkament. Hij knielde neer op de rieten mat in het midden van de zaal en rolde het uit. De aanwezigen spanden zich in om het beter te kunnen bekijken.

'Voorzichtig,' zei hij. 'Dit is meer dan tweeduizend jaar oud, en het is overgeschreven van een nog veel ouder geschrift.'

Dat ontlokte een gemeenschappelijke zucht aan de toehoorders. Wat in eerste instantie perkament had geleken, bleek in werkelijkheid de huid van een of ander dier te zijn. Hij was met behulp van een vergeten techniek bewerkt en verkeerde in opmerkelijk goede staat, gezien de ongelooflijke ouderdom ervan.

'Ik zal dit natuurlijk aan onze bondgenoten bij de Rode Orde overhandigen, zodat zij de echtheid ervan kunnen vaststellen,' ging Saran verder. 'Maar persoonlijk ben ik al overtuigd. De vleesbeeldhouwers van de stam waarvan ik het heb gestolen waren dat in elk geval ook. Tien mannen hebben hun leven gegeven om dit geschrift te bemachtigen.' Hij wisselde een blik met Tsata, die uitdrukkingsloos naar hem keek met een nietszeggende blik in zijn bleekgroene ogen.

Kaiku ging ergens anders staan om beter te kunnen kijken. De afbeelding alleen bezorgde haar al een onbehaaglijk gevoel. De hoofdfiguren waren zo goed als onherkenbaar, gestileerde, hoekige gruwelen die misschien dansende mensen moesten voorstellen, of misschien bronstige beesten. In het midden op de voorgrond brandde een vuur, waarvan de vlammen in de loop van de tijd weliswaar waren vervaagd, maar nog steeds duidelijk waren te onderscheiden. Kaiku verwonderde zich onwillekeurig over de behandelmethoden die ervoor hadden gezorgd dat de afbeelding al die tijd behouden was gebleven. Als Saran niet had beloofd het door de Rode Orde op echtheid te laten onderzoeken – wat voor hen geen probleem zou zijn, voorzover het althans het vaststellen van de ouderdom betrof – dan zou Kaiku nooit hebben geloofd dat het zo oud kon zijn.

Ze keek naar de rand, die was beschreven met vele vreemde patronen, en zocht naar de aanwijzing waarvan Saran wilde dat ze hem zouden vinden. Bovenaan in het midden stond de fel stralende onderste helft van de zon, en daaronder stonden de sikkels van de manen.

De manen!

'Er zijn vier manen,' zei Yugi als eerste.

Kaiku voelde vanbinnen iets verkrampen, een onplezierig gevoel waarvan ze een beetje misselijk werd. Hij had gelijk. Daar was Aurus, de grootste van allemaal, Iridima met haar gebarsten huid, Neryn, de kleine groene maan, en een vierde die net zo groot was als

Neryn, maar dan zwart als steenkool en bekrast met donkerrode lijnen, net rode vegen. Kaiku kreeg kippenvel. Ze fronste, verwonderd over haar eigen reactie, en zag toen dat Cailin haar vragend aankeek, alsof zij Kaiku's onbehagen had opgemerkt.

Saran sloeg zijn armen over elkaar en knikte. 'Er waren ook andere aanwijzingen. Ik heb in Yttryx verschillende verwijzingen gevonden naar een wezen dat Aricarat werd genoemd, en in Quraal verwijzingen naar Ariquraa. Ik had al het vermoeden dat het verschillende afleiden van hetzelfde woord waren, maar had geen idee waarnaar ze verwezen. Hoewel ze bijna altijd werden gebruikt in verband met verhalen over de andere maanzusters, kwam de gedachte niet bij me op. Er werd immers altijd naar verwezen alsof het iets mannelijks betrof. Toen vond ik een oud Yttryxaans scheppingsverhaal waarin werd vermeld dat Aricarat was ontstaan uit hetzelfde materiaal als de andere manen, en opeens vielen de puzzelstukjes op hun plaats.' Saran boog zijn hoofd. 'Aricarat was de vierde maan. Hij is duizenden jaren geleden al verdwenen. De maanzusters hebben ooit kennelijk een broer gehad.'

Als Saran een stormvloed van beschimpingen of ontkenningen had verwacht, werd hij teleurgesteld. In het Saramyrese pantheon was altijd slechts plaats geweest voor drie manen, en de stamboom van de goden was iets wat alle kinderen al op jonge leeftijd leerden. Het ging lijnrecht in tegen een geloof van meer dan duizend jaar oud als ze aanvaardden wat hij hun vertelde. Maar de toehoorders keken alleen maar verbijsterd. Een enkeling gaf blijk van zijn twijfel en zei hardop dat het hele idee belachelijk was, maar ze zwegen al snel, want ze kregen weinig bijval. Kaiku was gaan zitten, bekropen door een afschuwelijke angst die haar duizelig en slap maakte.

'Gaat het wel?' vroeg Cailin.

'Ik weet het niet,' zei Kaiku. 'Iets... Iets aan Sarans verslag zit me dwars.'

'Denk je dat hij het mis heeft?'

'Nee, juist niet. Ik denk dat hij gelijk heeft. Daar ben ik van overtuigd. Ik weet alleen niet waarom ik ervan overtuigd ben.'

Zaelis stond op. 'Ik geloof dat ik het begrijp,' zei hij, en met zijn volle, donkere stem eiste hij ieders aandacht op. 'Jij denkt dat de vierde maan... Aricarat?' Saran neeg bevestigend het hoofd. 'Jij denkt dat Aricarat toen de wereld nog jong was op de een of andere manier is vernietigd, en dat de stukken op de aarde zijn terechtgekomen. En dat die stukken de heksenstenen zijn.'

'Precies,' zei Saran.

'Dat is een wilde theorie, Saran.'

'Ik heb bewijs,' zei de Quralese man onverstoorbaar. 'Maar dat moet eerst grondig worden onderzocht, en dat kost tijd. Er zijn dikke, stoffige boeken en perkamenten in dode talen die moeten worden vertaald.'

'Sta je me toe dat bewijs te bekijken?'

'Natuurlijk. Ik ben van de echtheid overtuigd. Iedereen die het wil, mag het bestuderen.'

Zaelis hinkte met een frons op zijn voorhoofd en zijn handen op zijn rug langzaam om Saran heen. De windklokjes rinkelden zachtjes in de stilte. 'Dan zal ik niet oordelen voordat ik dat heb gedaan, en ik raad iedereen aan mijn voorbeeld te volgen.' Dat was tot de aanwezigen gericht. Hij richtte zijn aandacht weer op Saran, hield op met heen en weer lopen en legde een gekromde vinger op de witte baard op zijn kin. 'Eén ding begrijp ik echter niet.'

'Zeg het maar,' zei Saran uitnodigend.

'Als stukken van de maan in die tijd verspreid over de hele Nabije Wereld zijn neergekomen, hoe komt het dan dat ze alleen in de bergen zijn te vinden? Waarom niet in de woestijnen en de vlakten?'

Saran glimlachte. Die vraag had hij al verwacht.

'Er liggen wel degelijk heksenstenen in de woestijnen en de vlakten,' zei hij. 'U bekijkt de kwestie van de verkeerde kant. Ten eerste moeten we ons afvragen hoe we om te beginnen weten waar er heksenstenen liggen. Uitsluitend via de wevers. En hoe vinden de wevers ze dan? Dat weet ik niet. Ik weet wel dat de wevers tot vijf jaar geleden in Saramyr geen land mochten bezitten. Ze konden alleen in de bergen wonen, waar de landwetten niet gelden omdat er toch geen gewassen kunnen worden verbouwd. Het is niet gemakkelijk voor hen om iets te delven wat zo diep onder de grond ligt en het ook nog geheim te houden, maar in de bergen, achter hun misleidende schilden die onze spionnen niet kunnen doorbreken, hebben ze daar alle gelegenheid voor. De reden dat de enige heksenstenen die bij ons bekend zijn in de bergen liggen, is dat het de enige heksenstenen zijn waar de wevers bij konden.'

'Maar nu is alles anders,' stelde Zaelis vast.

'Ja,' zei Saran instemmend. 'Nu hebben de wevers overal in Saramyr land gekocht, en ze bewaken het angstvallig. Op dat land bouwen ze vreemde gebouwen en zelfs de hooggeplaatste families hebben geen idee wat ze daar doen. Maar ik geloof dat ik het wel weet. Ze delven naar heksenstenen.'

Iedereen keek hem nu grimmig en aandachtig aan. Het was geen nieuw idee voor hen, maar gevoegd bij wat Saran dacht te hebben ontdekt over de oorsprong van de heksenstenen, sloot het allemaal akelig naadloos op elkaar aan.

'Maar waarom zouden ze naar nieuwe heksenstenen op zoek gaan?' vroeg Zaelis. 'Het lijkt er toch op dat de Grensvaders er genoeg hebben om maskers van te kunnen maken.'

'Ik zal niet doen alsof ik daar het antwoord op weet,' zei Saran. 'Maar ik ben ervan overtuigd dat ze ernaar op zoek zijn. En dat is nog niet het ergste.' Hij wendde zich theatraal van Zaelis af en richtte zich tot de overige toehoorders. 'Borduur eens voort op wat we weten. Sinds ze zich voor het eerst hebben laten zien, zijn de wevers doorgedrongen in de maatschappij en hebben ze zich onmisbaar gemaakt. Jullie betalen een afschuwelijke prijs voor hun diensten, maar kunnen je niet van hen ontdoen. Nu ze deel uitmaken van het keizerrijk zelf, zijn ze nog moeilijker te verwijderen. We weten allemaal dat de wevers weg moeten, want we weten allemaal dat ze zelf naar de macht hunkeren. Maar nu vraag ik jullie: stel dat het enige doel van de wevers het vinden van de heksenstenen is? Stel dat ze dusdanig groeien dat ze heel Saramyr gaan overheersen? Zelfs als ze erin slaagden jullie hele werelddeel aan zich te onderwerpen, zouden ze hier vastzitten. Geen enkel ander land zou de wevers toestaan om in groten getale naar hun grondgebied te komen, want we koesteren een gezond en verstandig wantrouwen jegens hen. Wat gebeurt er dan?'

'Dan vallen ze binnen,' zei Cailin, die nu zelf opstond. Alle ogen werden op haar gericht. Ze liep langzaam naar het midden van de kamer en ging naast Zaelis staan, waar ze als een toren van duisternis afstak tegen het licht van de zon. 'Maar misschien borduur je wel te ver door, Saran Ycthys Marul.'

'Misschien,' gaf hij toe. 'En misschien ook niet. We weten niets van de motieven van de wevers, afgezien van wat de geschiedenis heeft aangetoond, en die heeft laten zien dat ze zo agressief en inhalig zijn geweest als maar mogelijk was zolang ze nog onder de duim van de hooggeplaatste families zaten. Ik ben er echter van overtuigd dat de hooggeplaatste families binnenkort bij de wevers onder de duim zullen zitten, en dan zijn ze niet meer te stuiten. En een invasieleger dat wordt gesteund door de wevers zou ook niet tegen te houden zijn. Geen enkel ander land kan zich daartegen verdedigen.' Hij keek weer naar Tsata. Kaiku zag de snelle blik die ze wisselden. 'Dit is geen bedreiging die alleen Saramyr betreft. Dit is een schaduw die over de hele Nabije Wereld zou kunnen vallen. Ik wil graag dat jullie je daarvan bewust zijn.'

Nu hij klaar was met zijn verslag, liep Saran naar de plek waar de met tatoeages bedekte Tkiurathi zat en nam naast hem plaats. De toehoorders hadden veel te verwerken gekregen, en het viel hun zwaar. Hij kon zien dat sommigen zijn bevindingen al hadden afgedaan als belachelijke hersenspinsels: hoe kwam hij op basis van het weinige dat ze over de wevers wisten bij dergelijke veronderstellingen uit? Maar als zij de overhand kregen, zou het de ondergang van de Libera Dramach betekenen. Saran wist immers hoe onverstandig het was om de wevers ook maar een beetje elleboogruimte te geven, om ze ook maar een beetje het voordeel van de twijfel te gunnen.

'Sarans verslag werpt een onheilspellend licht op ander nieuws dat ik vanochtend heb vernomen,' zei Zaelis. 'Nomoru, wil je alsjeblieft opstaan?'

Degene die reageerde was een jonge vrouw van misschien twintig winters oud. Ze was mager en pezig en niet bijzonder aantrekkelijk met haar korzelige gezicht en korte, donkerblonde haar dat slordig alle kanten op stak. Haar kleren waren eenvoudig en boers, en haar armen zaten onder de inktafbeeldingen, zoals gebruikelijk was onder daklozen en bedelaars.

'Nomoru is een van onze beste verkenners,' zei Zaelis. 'Ze is net teruggekeerd uit het westelijke deel van de Breuk, waar de Zan hem doorkruist. Vertel maar wat je hebt gezien.'

'Het gaat erom wat ik níét heb gezien,' zei Nomoru. Ze had een bruuske, norse manier van spreken en haar spraak was doorspekt met de platte klinkers van het Laag-Saramyrees. Iedereen in de zaal kon haar meteen in het Armenkwartier van Axekami plaatsen, en ze stelden op basis daarvan hun beeld van haar bij. 'Ik ken dat gebied. Op mijn duimpje. Het valt niet mee om de Breuk in de lengte te doorkruisen, met alles wat je onderweg tegenkomt. Ik was er al jaren niet meer geweest. Al jaren niet meer. Het was te moeilijk om er te komen.'

Ze was niet gewend zoveel mensen toe te spreken, dat was haar duidelijk aan te zien. Om haar schaamte te overwinnen zette ze een boze stem op, maar ze leek niet goed te weten waar ze die woede op moest richten.

'Er was daar een uiterwaard. Daar oriënteerde ik me altijd op. Maar deze keer... deze keer kon ik hem niet vinden.' Ze keek naar Zaelis, die gebaarde dat ze moest doorgaan. 'Ik wist dat hij er was, maar ik kon er niet bij komen. Ik kwam steeds ergens anders uit dan ik verwachtte. Maar dat lag niet aan mij. Ik ken dat gebied als mijn broekzak.'

Opeens wist Kaiku wat zou volgen. De moed zakte haar in de schoenen.

'Toen wist ik het opeens weer. Ik had er al eerder van gehoord. Een plaats die er wel moet zijn, maar waar je niet bij kunt komen. Het is haar overkomen.' Ze wees met een beledigend beschuldigende vinger naar Kaiku. 'Misleiding. Ze trekken een schild op rond plaatsen waarvan ze niet willen dat je ze vindt.'

Ze keek de toehoorders fel aan.

'De wevers zijn in de Xaranabreuk.'

◎ 11 ◎

De baraks Grigi tu Kerestyn en Avun tu Koli liepen naast elkaar over het zandpad tussen de rijen hoog kamakoriet door. Vanuit de hemel keek Nuki's oog welwillend op hen neer, terwijl piepkleine rietspechten heen en weer schoten en bij aantrekkelijke stengels bleven zweven om er met hun puntige snavels gaatjes in te boren. De hemel was blauw, het was droog en de hitte was niet ondraaglijk: het was heerlijk weer. Toch waren Grigi's gedachten verre van zonnig.

Hij stak zijn hand uit en brak met een snelle beweging van zijn reusachtige hand een rietstengel af. Op de plek waar hij knakte, kwam er een wolkje poeder vanaf.

'Moet je zien,' zei hij terwijl hij Avun de stengel voorhield. Zijn metgezel nam hem aan en draaide hem langzaam om, terwijl hij hem met zijn slaperig uitziende, half geloken ogen bestudeerde. Op het oppervlak zaten allemaal verkleurde zwarte strepen. Niet dat Avun die aanwijzing nodig had om te weten dat het riet door de smet was aangetast. Goed kamakoriet was zo hard dat je het als steigermateriaal kon gebruiken, maar deze stengels waren bros en waardeloos.

'De hele oogst?' vroeg Avun.

'Een deel kan worden gered,' zei Grigi peinzend terwijl hij met zijn omvangrijke lijf naar de andere kant van het zandpad waggelde en nog een rietstengel afbrak. 'Dat is sterk genoeg, maar als bekend wordt dat de rest van de oogst is aangetast... Tja, ik kan het riet natuurlijk altijd via een tussenpersoon verkopen, maar dan krijg ik er hooguit de helft van de prijs voor. Het is een godenvervloekte ramp.'

Avun keek hem uitdrukkingsloos aan. 'Je kunt niet beweren dat je dit niet hebt zien aankomen.'

'Dat is ook zo, dat is ook zo,' zei Grigi. 'Sterker nog, ik heb er ergens zelfs op gehoopt. Als de oogst dit jaar beter was gelukt, zouden onze medestanders misschien zijn gaan twijfelen of ze wel de juiste kant hadden gekozen. Wanhoop zorgt in de politiek voor zwakke schakels, en als het tij keert, zullen ze gemakkelijk breken.' Hij gooide vol afkeer de rietstengel weg. 'Maar ik vind het niet prettig om duizenden shirets aan goederen verloren te zien gaan, wat er ook de oorzaak van is. Zeker niet als het mijn goederen zijn!'

'Onze positie kan er alleen maar sterker door worden,' zei Avun. 'We hebben hier immers voorbereidingen tegen getroffen. Anderen hebben minder geluk. Ze zullen snel genoeg begrijpen dat ze óf kunnen verhongeren, óf Mos van de troon kunnen stoten en er iemand op kunnen zetten die weet hoe hij het keizerrijk moet besturen.'

Grigi schonk hem een veelbetekenende blik. Er was nog iets, wat ze echter niet hardop zeiden, waar ze het nooit over hadden tenzij het strikt noodzakelijk was. Grigi op de troon krijgen was slechts een deel van het plan. Het andere deel was dat ze de wevers wilden wegwerken. Ze hadden niets persoonlijks tegen de wevers – niet meer dan de andere hooggeplaatste families, althans, in de zin dat ze het niet prettig vonden dat ze hen nodig hadden – maar ze voelden de heersende stemming aan en wisten hoe het gewone volk erover dacht. De boerenstand dacht dat de wevers verantwoordelijk waren voor de magere jaren waarmee het keizerrijk te kampen had, en in hun ogen was het feit dat ze nu als gelijken van de hooggeplaatste families werden beschouwd een belediging van de traditie en de goden. Avun wist niet of dat waar was, maar dat deed er eigenlijk niet toe. Als Grigi eenmaal bloedkeizer was, zou hij de wevers een toontje lager moeten laten zingen, anders zou hem hetzelfde lot treffen dat Mos nu boven het hoofd hing.

Maar het was een gevaarlijk spelletje, onder de neus van de wevers plannetjes tegen hen smeden. Want net als de andere hooggeplaatste families hadden Grigi en Avun een wever in hun eigen huis, en wie zou zeggen hoeveel die wisten?

Ze liepen een stukje verder, totdat het zandpad het woud van kamakoriet achter zich liet, naar links afboog en de omtrek van een glooiende heuvel volgde. In de diepte strekten Grigi's velden zich uit als een schildersdoek, als een mozaïek van ongelijke bruine veelhoeken, afgewisseld met groene velden waar het riet nog niet was ontbladerd en het zijn groene pluimen en blad nog had. Ertussenin stonden lage, langwerpige schuren en waren kale stukken grond waar de oogstwerktuigen werden bewaard. Mannen en vrouwen, die door de rieten hoeden met de brede rand die hen tegen de zon moesten beschermen niet van elkaar te onderscheiden waren, liepen langzaam tussen de rijen door om riet te snijden of te ontbladeren, of om netten over de onaangetaste delen te spannen om het tegen de hardnekkige rietspechten te beschermen. Vanaf de plek waar ze stonden zag alles er normaal, zelfs een beetje sprookjesachtig uit. Als je niet wist waar je op moest letten, zou je nooit hebben vermoed dat er gif in de grond zat.

Grigi slaakte een spijtige zucht. Hij nam zijn verliezen kalm op, maar het stemde hem toch droevig. Elke vorm van verspilling keurde hij af – zijn omvangrijke, logge, zware lijf bewees dat. In de hogere kringen van Saramyr was het gebruikelijk om meer eten klaar te maken dan nodig was en de eters zelf te laten uitkiezen wat ze wilden hebben. Men at tot men genoeg had en liet de rest staan. Grigi had die kunst echter nooit onder de knie gekregen, en als gevolg van zijn voorliefde voor lekker eten en zijn weigering iets over te laten was hij erg dik geworden. Hij droeg wijde gewaden en een paars kalotje, zijn zwarte haar zat in een vlecht en aan zijn kin hing een dun baardje dat aan zijn vlezige gezicht enig karakter moest geven.

Als je naar hem keek, zou je niet denken dat hij een geduchte barak was, en misschien wel de enige die aanspraak op de troon kon maken sinds hij het leger van bloed Amacha had uitgeroeid. Hij zag eruit als een verwende edelman die zich te buiten ging aan al het goede in het leven, en zijn hoge, meisjesachtige stem en voorliefde voor poëzie en geschiedenis versterkten die indruk. Vraatzucht was echter zijn enige zonde. In tegenstelling tot veel andere baraks hield hij zich afzijdig van verdovende middelen, bloedige sporten, courtisanes en andere vormen van adellijk vermaak. Onder de lagen vet spanden stevige spieren zich om een gestel van ruim een meter tachtig lang, het resultaat van een strikt oefenprogramma bestaande uit worstelen en stenen heffen. Net als zijn metgezel Avun, wiens lome, slaperige manier van doen een messcherp en meedogenloos verstand verhulde, werd hij vaak onderschat door mensen die dachten dat iemand die zich zo te buiten ging nooit erg slim kon zijn.

Als hij al een onvolkomenheid had, dan was het er een die hij met de rest van zijn familie deelde: hij was verbitterd over de speling van het lot die er meer dan tien jaar geleden toe had geleid dat zijn vader van de troon was gestoten en dat bloed Erinima de leidende familie was geworden. Als dat niet was gebeurd, zou Kerestyn nog steeds aan het hoofd van het keizerrijk hebben gestaan. Het kwam door die verbittering dat hij bij de meest recente staatsgreep zo onverstandig was geweest om een aanval op Axekami uit te voeren. Het was onverstandig geweest omdat hij zich weliswaar op sluwe wijze van bloed Amacha had ontdaan, maar er niet op had gerekend dat de stadsbewoners de handen ineen zouden slaan om zijn invasieleger buiten de poorten te houden. Dat hadden ze zo lang volgehouden dat bloed Batik via de oostelijke poort had kunnen binnendringen om de troon op te eisen.

Nu wensten de inwoners van Axekami waarschijnlijk dat ze hem hadden binnengelaten, dacht hij somber.

Het lot had ervoor gezorgd dat bloed Kerestyn uit de keizerlijke vesting was verdreven, en nu zou het lot ervoor zorgen dat ze er weer zouden terugkeren. Zijn vader was nu dood en zijn twee oudere broers waren gestorven aan de kraaienpokken, die zo werden genoemd omdat niemand de ziekte ooit overleefde en de kraaien zich bij voorbaat al verzamelden in afwachting van een maaltijd. De mantel was op hem overgegaan en langzaam maar zeker was het tij in zijn voordeel gekeerd. Edellieden en legers hadden zich in groten getale achter hem geschaard, want hij was het enige echte alternatief voor bloedkeizer Mos. Deze keer, zo bezwoer hij, zou hij niet falen.

Ze kuierden nog een tijdje door de zon en volgden het pad om de heuvel naar de plek waar het weer door de kamakorietvelden naar het landgoed van Kerestyn liep. Het was een van de vele huizen die de familie bezat, en hij en Avun gebruikten het al een tijdje als uitvalsbasis voor diplomatieke bezoeken aan de hooggeborenen van de Zuidelijke Prefecturen. De prefecten waren er inmiddels niet meer. Die waren overbodig gemaakt door de wevers, want nu zij er waren had het weinig zin om in afgelegen gebieden grotendeels onafhankelijke bestuurders aan te stellen. Het razendsnelle communicatienetwerk van de wevers maakte het immers mogelijk om ze vanuit de hoofdstad te besturen, waarmee de macht in handen van de keizerlijke familie bleef. De rijke nakomelingen van de prefecten waren er echter nog wel, en het vervulde hun met afschuw te moeten zien hoe hun geliefde land aan de smet ten prooi viel en onvruchtbaar werd. Ze wilden Grigi maar al te graag allerlei beloften doen, als hij de verrotting van het land kon tegengaan. Natuurlijk had hij geen flauw idee hoe hij dat moest aanpakken, maar tegen de tijd dat ze dat beseften, zou het al te laat zijn.

'Heb je al iets over je dochter vernomen, Avun?' vroeg hij uiteindelijk, wetend dat de barak de hele weg terug naar het huis zou blijven zwijgen, tenzij hij zelf iets zei.

'Als het goed is, is haar schip een paar dagen geleden aangekomen,' antwoordde hij achteloos. 'Ik verwacht elk moment te horen te krijgen dat ze gevangen is genomen.'

'Dat zal een hele opluchting voor je zijn, stel ik me zo voor,' zei Grigi. Hij kende het ware verhaal achter de breuk tussen Avun en zijn dochter. Sterker nog, hij had vrijwel eigenhandig het rookgordijn opgetrokken dat de reputatie van bloed Koli beschermde. 'Als je haar terug hebt, bedoel ik.'

Avun trok minachtend zijn lip op. 'Ik ben vastbesloten ervoor te zorgen dat ze haar familie niet nog een keer zo te schande zal maken. Als ik terugga naar de Mataxabaai zal ik met haar afrekenen.'

'Ben je er dan zo zeker van dat ze niet meer aan je kan ontsnappen?'

'Ik weet al sinds ze in Okhamba is aangekomen precies wat ze allemaal doet,' zei hij. 'En mijn informant is zeer betrouwbaar. Ik voorzie geen problemen. Ze zal in zeer vaardige handen zijn.'

Toen Kaiku Zaelis' werkkamer binnenliep, was Cailin er al. Het was een klein, benauwd vertrek met dikke houten muren die geluiden uit de rest van het huis moesten dempen. Aan een van de muren hingen planken die doorbogen onder de grootboeken, en in de hoek stond een tafel bezaaid met penselen en een half beschreven perkamentrol die deels was opgerold. De luiken waren open om het zonlicht binnen te laten. Het was een warme, windstille middag. Zaelis en Cailin stonden bij het raam en het felle zonlicht wierp scherpe schaduwen op hun gezichten. Op de daken en dakranden in de diepte zaten tjilpende en kwetterende vogels.

'Ik had kunnen weten dat jij als eerste je diensten zou aanbieden,' zei Cailin.

Kaiku deed alsof ze dat niet had gehoord. 'Zaelis,' begon ze, maar hij stak zijn gerimpelde hand omhoog.

'Ik weet het, en ja, het mag,' antwoordde hij.

Kaiku was even van haar stuk gebracht. 'Kennelijk ben ik de laatste tijd een beetje voorspelbaar geworden,' merkte ze op.

Zaelis begon onverwacht te lachen. 'Mijn verontschuldigingen, Kaiku. Je moet niet denken dat ik je niet dankbaar ben voor al het uitstekende werk dat je de laatste jaren voor ons hebt verricht, en ik ben blij dat je er nog steeds enthousiasme voor kunt opbrengen.'

'Toonde ze ook maar zoveel toewijding aan haar studie,' zei Cailin met opgetrokken wenkbrauw.

'Dit is belangrijker,' antwoordde Kaiku. 'En ik moet wel gaan. Ik ben de enige die het kan. De enige die het masker kan gebruiken.'

Cailin neeg bevestigend het hoofd. 'Voor deze ene keer ben ik het met je eens.'

Dat had Kaiku niet verwacht. Ze was helemaal op een redetwist voorbereid geweest. Sterker nog, ergens had ze gehoopt dat ze tegenwerpingen zouden maken, dat ze haar zouden verbieden te gaan. Goden, alleen bij de gedachte werd ze al bang. Het was erg genoeg om de Breuk te moeten oversteken, met al die angstaanjagende gees-ten, moordzuchtige stammen en het vijandige landschap, maar aan het eind ervan wachtten bovendien de wevers, de dodelijkste vijan-den van allemaal. Ze had echter geen keus, niet in de ogen van Ocha, aan wie ze wraak had gezworen. Ze wilde zichzelf niet op deze ma-nier in het gevaar storten, maar ze moest wel.

Zaelis liep weg bij het raam, weg uit het oogverblindende licht. 'Dit kon wel eens belangrijker zijn dan jij denkt, Kaiku,' prevelde hij met zijn volle basstem.

Kaiku had de indruk dat ze aan het eind van een ernstig gesprek tus-sen de twee anderen was binnengekomen, en ze wist niet goed wat ze had gemist.

'De Xaranabreuk is altijd ons toevluchtsoord geweest,' zei hij. 'We hebben ons er verborgen kunnen houden en ze beschermt ons nu al jaren tegen de wevers...' Hij liet zijn stem wegsterven en keek toen naar haar op, en onder zijn witte wenkbrauwen was zijn blik som-ber. 'Als de Breuk niet meer veilig is, is alles misschien verloren. We moeten weten wat de wevers van plan zijn, en wel meteen. Neem Yugi en Nomoru mee en probeer te ontdekken wat ze aan de ande-re kant van de Breuk proberen te verbergen.'

Kaiku maakte een bevestigend geluidje en keek toen verwachtings-vol naar Cailin.

'Ik zal niet proberen je te ontmoedigen,' zei Cailin. 'Daar ben je te koppig voor. Op een dag zul je beseffen hoeveel macht je hebt, en dat je het door je onachtzaamheid hebt verspild. Dan zul je bij me terugkeren en dan zal ik je leren datgene wat je hebt te beheersen. Tot die tijd, Kaiku, zul je echter je eigen weg moeten gaan.'

Kaiku fronste licht, want ze vond het verdacht dat Cailin het zo snel opgaf. Ze kreeg echter de kans niet om erop door te gaan, want Za-elis wilde nog iets zeggen.

'Het is allemaal met elkaar verbonden, Kaiku,' zei hij. 'De wevers in de Breuk, de vreemde gebouwen die ze overal in Saramyr hebben neergezet, de informatie die Saran ons heeft gegeven, wat er met Lu-cia is gebeurd... We moeten iets doen, Kaiku, maar ik weet niet waar we moeten toeslaan.' Hij keek naar Cailin. 'Soms denk ik dat we ons te lang verborgen hebben gehouden, dat we onze vijanden in de buitenwereld alleen maar de kans hebben gegeven sterker te wor-den.'

Kaiku had in zijn uitleg echter iets opgevangen wat haar tot op het bot verkilde. 'Wat is er dan met Lucia gebeurd?'

'Hmm,' zei Zaelis. 'Misschien kun je beter even gaan zitten.'

Mishani lag wakker in de logeerkamer van Chien os Mumaka's huis in de stad en luisterde naar de geluiden van de nacht.

De kamer was ruim en eenvoudig ingericht, zoals Mishani het graag had. Op hoge, smalle tafeltjes stonden zorgvuldig geplaatste potten met miniatuurboompjes en bloemen. Aan het plafond hingen gebedskralen die zachtjes tegen elkaar tikten in het lichte, warme briesje dat om de randen van de verschuifbare, met papier beklede schermen heen sloop. Ze hoorden eigenlijk open te staan, zodat je de ommuurde tuin kon zien, maar Mishani hield ze liever dicht. Haar aandacht was niet gericht op de geluiden buiten in Hanzean: de verre roep van een uil, het alomtegenwoordige getsjirp van chikkikii, af en toe een lach in de verte of het piepen van een wagen. Nee, ze wachtte op een geluid in het huis zelf: een voetstap, het zachte gekras van een scherm dat opzij werd geschoven, een dolk die uit de schede werd getrokken.

Dit was de laatste avond dat ze bij Chien te gast zou zijn. Hoe dan ook.

Ze had de laatste paar dagen maar weinig geslapen, en erg licht. Als Nuki's oog aan de hemel stond, slaagde ze er bijna in te vergeten dat ze in groot gevaar verkeerde. Chien was een uitstekende gastheer en ondanks alles was ze zelfs van zijn gezelschap gaan genieten. Ze aten samen, ze lieten muzikanten voor hen optreden, ze wandelden over het terrein of gingen in de tuin zitten praten. Als de zon echter onderging en ze alleen was, kwam de angst zo dichtbij dat ze hem bijna kon aanraken. Dan besefte ze hoe penibel haar situatie was, en leek de lucht vervuld met gefluisterde twijfels. Er waren te veel dingen die niet klopten. Waarom was hij zo gul geweest toen hij vervoer vanuit Okhamba voor haar had geregeld? Dat was gewoon verdacht. Waarom had het rijtuig zo'n omslachtige route van de kade naar het huis genomen? En waarom had hij haar in die vijf dagen niet één keer buiten de omheining laten komen? In Hanzean was er toneel, kunst, allerlei bezienswaardigheden die een gastheer bijna verplicht was aan zijn gasten te laten zien. Chien had echter niet één keer voorgesteld ergens naartoe te gaan. Aan de andere kant was Mishani opgelucht dat ze niet werd gedwongen openlijk door de havenstad te paraderen, want het was voor haar niet veilig om zich in de openbaarheid te vertonen. Het feit echter dat Chien dat leek te weten betekende niet veel goeds.

Als Chien iets wilde ondernemen, zou hij dat vannacht doen, wist ze. Vanavond had ze hem formeel medegedeeld dat ze de volgende ochtend zou vertrekken. Het was misschien niet zo elegant zo haastig te willen vertrekken nu het absolute minimum aantal dagen dat ze volgens de etiquette moest blijven logeren was verstreken, maar ze was inmiddels zó op van de zenuwen dat het haar niets meer kon schelen. Als ze nu wist te ontsnappen, zou ze hoogstwaarschijnlijk nooit meer iets met Chien te maken krijgen. Hij had te veel connecties binnen de scheepvaart, dus kon ze het risico niet nemen nog eens contact met hem te zoeken. Hij had er geen blijk van gegeven dat hij zich beledigd voelde, maar ze kon tot haar grote frustratie nog steeds niet goed hoogte van hem krijgen.

Vannacht zou ze helemaal niet slapen, had ze zich voorgenomen. Ze had een van de dienstmaagden gevraagd een aftreksel te maken van xatamchi, een pijnstiller met een stimulerende werking die vaak 's ochtends werd ingenomen om maandstondenpijnen tegen te gaan. De dienstmaagd had haar gewaarschuwd dat ze de hele nacht wakker zou blijven als ze het zo laat op de dag nog innam, maar Mishani had gezegd dat ze bereid was dat risico te nemen en dat alleen xatamchi zou helpen.

De dienstmaagd had geen woord te veel gezegd. Mishani had nog nooit xatamchi of iets wat erop leek genomen – haar maanstonden waren gelukkig al haar hele leven mild verlopen – maar nu wist ze waarom het gebruik ervan haar was afgeraden. Ze wist dat ze met geen mogelijkheid in slaap zou kunnen vallen en was nog klaarwakker, hoewel het al behoorlijk laat was. Ze begon het zelfs onprettig te vinden dat ze daar maar op haar slaapmat lag en zou het liefst naar buiten gaan om een nachtelijke wandeling door de tuin te maken.

Ze overwoog net dat te gaan doen, toen ze aan de andere kant van de papieren schermen in de kamer een zachte bons hoorde. Er was iemand in de tuin, besefte ze met een rilling van angst, en ze wist met plotselinge zekerheid dat haar vijanden waren gekomen om met haar af te rekenen.

Ze spande zich tot het uiterste in terwijl ze doodstil bleef liggen, wachtend op een nieuw geluid. Haar hartslag klonk luid in haar oren en ze voelde het bloed kloppen in haar slapen. Gefluister: een kort, bondig bevel van de een tegen de ander, te zacht om te kunnen verstaan. Daarmee was haar twijfel verdwenen. Nu kon ze alleen nog maar wachten op het afschuwelijke geluid van schermen die opzij werden geschoven, tot de goden bidden dat ze haar voorbij zouden lopen, dat ze om de een of andere reden van gedachten zouden veranderen en haar ongemoeid zouden laten.

Ze had haar ogen gesloten en deed alsof ze sliep, toen het gebeurde. Het gefluister van hout dat langs hout werd geschoven, heel langzaam en voorzichtig om haar niet wakker te maken. Een zacht briesje van buiten, dat de frisse, gezonde geur van de bomen in de tuin met zich meevoerde, samen met nog een geur: een vaag, metaalachtig vleugje zweet. Toen opeens de overweldigende stank van matchoula-olie, waarmee je iemand razendsnel kon verdoven.

Het gekraak van leer toen een van hen op zijn hurken naast haar slaapmat ging zitten.

Ze gilde zo hard als ze kon, gooide met één felle beweging de deken van zich af en wierp de handvol rood stof dat ze al die tijd in haar hand had gehouden naar de indringer. Die deinsde verschrikt terug, en het stof vloog recht in zijn gezicht: ruw badzout dat ze had meegesmokkeld naar haar slaapkamer. Hij slaakte een kreet van pijn toen de harde kristallen in zijn ogen kwamen en op zijn tong en lippen begonnen te bruisen toen ze in contact kwamen met zijn speeksel. De tweede schaduwgestalte in de kamer sprong op haar af, maar ze was al van haar mat gerold en overeind gekomen. Ze droeg een overmantel in plaats van nachtkleding en haar gekromde dolk blonk in het bleke maanlicht.

'Zeg maar tegen Chien, je meester, dat ik me niet zo gemakkelijk gewonnen geef!' siste ze, verbaasd over de kracht van haar stem. Toen schreeuwde ze zo hard als ze kon: 'Indringers! Indringers!' De goden mochten weten of het zou helpen – ze betwijfelde of er hulp zou komen, aangezien juist de eigenaar van het huis deze mannen op haar af had gestuurd – maar ze was niet van plan zich midden in de nacht te laten ontvoeren zonder dat zoveel mogelijk mensen het zouden weten.

Degene die niet verblind was rende op haar af, zonder acht te slaan op de kreten van zijn metgezel. Hij zwaaide met een opgevouwen doek die stonk naar matchoula-olie. Ze wilden haar dus levend, dacht ze ondanks de paniek die haar in zijn ijzige greep had. Dat was in haar voordeel.

Ze deinsde terug toen hij op haar afkwam en haalde wild uit met haar mes. Ze was niet goed in vechten. Ze had af en toe een klap van haar vader gekregen, maar buiten dat was ze nog nooit in haar leven met fysiek geweld geconfronteerd, en ze wist niet hoe ze ermee moest omgaan. De indringer vloekte toen de dolk een diepe snee in zijn onderarm maakte, maar sloeg toen haar hand opzij, en de klap was zo hard dat het mes over de vloer weg stuiterde. Hoewel de man tenger was, was hij veel groter en sterker dan zij, en ze zou hem nooit aankunnen. Ze wilde wegrennen, maar hij greep naar haar en wist haar half bij de pols te pakken. Ze werd uit haar evenwicht gebracht, struikelde over de zoom van haar gewaad, viel met wapperende haren en kleren dwars door de kamerschermen heen en stuiterde de twee kleine, houten treetjes af naar de ommuurde tuin van het huis.

Ze kwam in een wirwar van kamerschermen terecht op het pad dat langs de binnenste muren van het huis liep. De klap was zo hard dat er tranen in haar ogen sprongen. Verwoed probeerde ze zich uit de lichte houten geraamtes van de kamerschermen los te maken. Haar enkellange haar bleef overal achter hangen, en ze kwam er steeds met haar knieën op terecht, zodat het pijnlijk aan haar hoofdhuid trok.

Toen werden de kamerschermen van haar afgetrokken en daar was de indringer weer. In het maanlicht van de warme nacht kon ze hem beter zien. Hij droeg roverskleren, zijn haar was onverzorgd en zijn getaande gezicht stond boos. Ze rukte zich van hem los en slaakte opnieuw een kreet, in de hoop dat iemand er wakker van zou worden. Ze had nog maar een paar passen door de tuin gelopen toen hij haar weer inhaalde en zijn voet om die van haar haakte. Weer viel ze, in een bloembed deze keer, en met haar pols sloeg ze hard tegen een steen. Toen zat hij boven op haar en drukte met één hand haar armen tegen de grond terwijl ze tegenstribbelde en schopte.

'Ga van me af!' gromde ze met opeengeklemde kaken. Ze voelde dat ze met haar been iets raakte en de man kreunde. Even dacht ze dat hij haar zou loslaten, maar hij drukte met zijn ene knie pijnlijk hard op haar buik, zodat de lucht uit haar longen werd gedreven. Met zijn vrije hand maakte hij een prop van de in matchoula gedrenkte lap en drukte die tegen haar gezicht. Haar kreten werden gesmoord. Ze schudde heftig haar hoofd, maar zijn hand bewoog meedogenloos mee en liet zich niet verdrijven. De bijtende stank kroop in haar neusgaten en tussen haar lippen, en haar longen brandden. Ze kronkelde paniekerig heen en weer, maar ze was klein en tenger en had niet de kracht om hem van zich af te duwen.

Toen klonk ergens in het huis een hoge kreet, en in de tuin het geroffel van voetstappen. De lap werd opeens weggehaald, de knie verdween, en Mishani snakte met grote, wilde ogen naar adem.

De man die haar vasthield had de lap echter alleen maar laten vallen om zijn mes te kunnen trekken, en dat kwam al op haar keel af. Iets diep vanbinnen, sneller dan een gedachte, bracht haar ertoe haar schouders te verschuiven en een flinke duw met haar knieën te geven, nu ze daar genoeg ruimte voor had. Ze wist hem dusdanig uit evenwicht te brengen dat hij zijn handen moest uitsteken om zichzelf op te vangen, en het mes kwam niet dichterbij. Een tel later werd hij door een pijl in het oog geraakt. Door de kracht van het schot werd hij van haar afgeworpen en buitelde hij in een ondiepe vijver onder aan een rotstuin.

Nog voordat hij stillag was ze al overeind gekomen en had ze het mes dat hij had laten vallen van de grond gegrist. Zwaaiend met haar wapen draaide ze zich om naar de mannen die door de tuin op haar afrenden. Hijgend en verfomfaaid, met modder en twijgjes in haar lange zwarte haar, hield ze met het mes in de aanslag haar boze blik strak gericht op de schaduwgestalten die op haar afkwamen.

'Mevrouw Mishani!' zei Chien, die vooropliep. Achter hem aan kwamen drie lijfwachten, van wie er één een boog bij zich had. Toen ze haar naam hoorde, hield ze de dolk ter hoogte van haar kin, alsof ze hem uitdaagde dichterbij te komen. Hij kwam met zijn handen uitgestoken schielijk tot stilstand. 'Mevrouw Mishani, ik ben het, Chien.'

'Ik weet best wie je bent,' zei ze tegen hem, en haar stem beefde onvergeeflijk, zo erg was ze geschrokken van de felle aanval. 'Blijf uit mijn buurt.'

Chien leek er niets van te begrijpen. 'Ik ben het,' zei hij nogmaals.

'Je mannen hebben gefaald, Chien,' zei ze. 'Als je me wilt doden, zul je het zelf moeten doen.'

'U doden? Ik...' zei Chien, maar hij wist duidelijk niet wat hij moest zeggen. Achter zich hoorde ze een bewaker iets roepen. Chien keek naar iets achter haar. 'Zijn er nog meer?' vroeg hij.

'Hoeveel heb je er ingehuurd?' pareerde ze.

De tweede indringer werd achter haar de tuin ingesleurd. Zijn lichaam was slap. Gif, vermoedde ze. Zijn opdrachtgever zou niet willen dat er bewijsmateriaal zou achterblijven.

'Mevrouw Mishani...' zei hij, en hij klonk diep gekwetst. 'Hoe kunt u zoiets van me denken?'

'Toe nou, Chien,' zei ze. 'Je zou nooit zover zijn gekomen als je niet met alles rekening hield. En ik ook niet.'

'Dan lijkt het erop dat u met de verkeerde dingen rekening hebt gehouden,' zei Chien. Zo te horen wilde hij haar wanhopig graag overtuigen, en zijn stem klonk bijna smekend. 'Ik heb hier niets mee te maken!'

Mishani keek vluchtig om zich heen. Er waren geen ontsnappingswegen, want er waren nu overal bewakers. Ze kon zich geen weg naar buiten vechten. Als ze haar dood wilden hebben, konden ze haar simpelweg neerschieten.

'Waarom zou ik jou geloven, Chien?' vroeg ze.

'Leg dat mes weg, dan zal ik het u vertellen,' zei hij. 'Maar niet hier. Onze zaken moeten onder ons blijven.'

Mishani voelde zich opeens vreselijk moe. Ze wierp de dolk met een beledigend achteloos gebaar weg en keek de koopman vervolgens vernietigend aan. 'Ga jij maar voor.'

'Kunnen we nu ophouden met de maskerade?' vroeg Mishani op hoge toon toen ze alleen waren.

Ze stonden in Chiens boekhoudkantoor, een somber vertrek vol donker hout en zware meubels. Op de planken lagen vele perkamentrollen en op de werktafel waar de koopman gewoonlijk achter zat lagen er nog meer slordig opgetast tegen stapels in leer gebonden inventarisboeken. Aan een van de muren hing het wapen van bloed Mumaka: een krullend, gekalligrafeerd schriftteken met een gouden rand tegen een grijze achtergrond. Chien had de lantaarns die aan de muur hingen aangestoken, en nu baadde de kamer in een zachte, warme gloed.

'Er is geen sprake van een maskerade, mevrouw Mishani,' zei Chien. Hij blies de kaars die hij in zijn hand had uit en legde die terug in de pot waar hij hem uit had gehaald. Hij draaide zich naar haar om, en opeens klonk zijn stem weer krachtig. 'Als ik u had willen doden, had ik dat al ontelbare keren kunnen doen, en op veel subtielere wijze. Als ik u aan uw vader had willen uitleveren, had ik dat inmiddels ook al kunnen doen.'

'Waarom speel je nog steeds dat spelletje?' vroeg Mishani zachtjes. Ze mocht er dan verfomfaaid uitzien en onder de modder zitten, ze had haar zelfbeheersing en plechtstatigheid hervonden, en voor zo'n tenger vrouwtje was ze behoorlijk ontzagwekkend. 'Je eigen woorden verraden je. Je weet hoe het staat met mij en mijn vader. Dat weet je al vanaf het begin. Als je me geen kwaad toewenst, waarom moest je me dan zo nodig vragen bij jou te gast te zijn? Je bent je terdege bewust van de onzekerheid en twijfels die me de afgelopen dagen hebben geplaagd. Vind je het leuk om me te kwellen? Je moest je schamen voor je boosaardigheid. Je doet maar met me wat je wilt, aangezien jij alle troeven in handen hebt, maar houd op met doen alsof, Chien, want ik begin er genoeg van te krijgen.'

'U vergeet wie ik ben en wie u bent, dat u zo kwistig met beledigingen strooit!' snauwde Chien, wiens geduld nu op was. 'Voor u nogmaals uw adem verspilt door mij eerloos te noemen, moet u eerst naar me luisteren. Ik wist inderdaad dat u van uw vader vervreemd was, en dat hij u terug wilde. Ik wist ook dat uw aankomst in Okhamba was opgemerkt door koopmannen in dienst van barak Avun. U bent erin geslaagd uit Saramyr weg te gaan zonder dat zijn mensen u hebben opgemerkt, en de goden weten hoeveel geluk u daarbij hebt gehad, maar zodra u in Kisanth aankwam, bent u gezien. Ze wilden wachten tot u terug was in Saramyr, nagaan met welk schip u reisde en u door iemand laten opvangen zodra u ontscheepte. Dát waren mannen van uw vader. Ik niet. Sterker nog, ik heb voor u een groot risico genomen, en hoogstwaarschijnlijk rekent hij me nu tot zijn vijanden!'

Het deed Mishani genoegen dat ze hem van zijn stuk had gebracht. Ze kon hem mateloos irriteren, dat was ze te weten gekomen in de tijd die ze samen hadden doorgebracht.

'Ga door,' zei ze. Dit werd opeens heel interessant.

Chien ademde diep in om tot bedaren te komen en liep met grote passen naar de andere kant van de kamer. 'Ik heb ervoor gezorgd dat we op de kade met het rijtuig werden opgehaald, en heb u en uw vrienden hiernaartoe gebracht voordat de mannen van uw vader u te pakken konden krijgen. Het was noodzakelijk om via een omweg door Hanzean te rijden, voor het geval we werden gevolgd. Dat hebt u vast gemerkt. Het is niet algemeen bekend waar mijn huis staat.' Hij wuifde met zijn hand en ging er niet verder op in. 'Ik heb uw vrienden in veiligheid gebracht, maar ik wist dat u nog steeds niet veilig was. U zei dat u naar het zuiden moest. Dat kon ik niet toestaan. Niet voordat ik te weten was gekomen wie uw vader had ingehuurd en wat ze wisten. Ze zouden u nog voordat u tien mijl over de Grote Spijsroute had gereisd hebben ingehaald.' Hij keek haar ernstig aan. 'Daarom heb ik u de afgelopen dagen hier gehouden, waar ik u kon beschermen, en ondertussen hebben mijn mensen geprobeerd te achterhalen hoe groot het gevaar voor u is.'

'Waar je me kon beschermen?' vroeg Mishani zachtjes. 'Ik ben bijna vermoord, Chien. Vergeef me als mijn vertrouwen in jou een beetje averij heeft opgelopen.'

Chien trok een gepijnigd gezicht. 'Daar moet ik me voor schamen. Niet voor wat u denkt, mevrouw Mishani. Ik heb u gekweld noch verraden. Ik heb geprobeerd u te beschermen, en daarin heb ik gefaald.'

Mishani nam hem koeltjes op. Zijn uitleg leek te kloppen met de feiten, maar ze geloofde er helemaal niets van. Toch kon ze geen enkele reden bedenken waarom hij het zou verzinnen, of waarom hij haar nog niets had aangedaan als hij dat echt wilde. Waarom zou hij zijn eigen mannen laten doden? Dat kon natuurlijk een list zijn – misschien had hij ze gedood om haar vertrouwen te winnen; toen ze nog regelmatig aan het hof had vertoefd, had ze wel slimmere listen meegemaakt – maar wat voor voordeel had hij daarbij? Ze overwoog hem te vragen waarom hij haar eigenlijk wilde beschermen, maar bedacht zich toen. Wat hij ook zou antwoorden, het zou waarschijnlijk gelogen zijn. Wat dacht hij dat ze voor hem kon doen, wat had het voor zin om haar vertrouwen te winnen? Hij wist dat haar positie niet sterk was.

'Ik wilde het u niet eerder vertellen,' zei Chien. 'Als u had beseft dat ik wist hoe het tussen u en uw vader zat, zou u hebben geprobeerd zo snel mogelijk bij me vandaan te komen. Dan zou u nog sneller in de val zijn gelopen.'

Dat had Mishani al bedacht, en ze had ook geraden waarom de indringers haar in eerste instantie hadden willen ontvoeren, maar uiteindelijk hadden geprobeerd haar te doden. Hun bevelen waren eenvoudig: zo mogelijk levend, zo nodig dood. Ze was niet in het minst verbaasd over de meedogenloosheid van haar vader.

Chien keek haar vlak aan met zijn gelijkmatige, hoekige gezicht, en het licht van de lantaarns scheen op de ene helft van zijn kaalgeschoren hoofd. 'Mevrouw Mishani, u hoeft me niet te geloven, maar ik wilde u morgenochtend alles vertellen in een poging u ervan te weerhouden weg te gaan. Nu blijkt dat ik te lang heb gewacht. De mannen van uw vader hebben u weten te vinden en ze hadden u bijna van het leven beroofd.' Hij liep op haar af. 'Ik heb u niet kunnen beschermen, en als ik iets kan doen om dat goed te maken, hoeft u het maar te zeggen.'

Mishani bestudeerde hem een tijdje. Ze geloofde hem wel degelijk, maar dat betekende niet dat ze hem vertrouwde. Misschien speelde hij met haar vader onder één hoedje en misschien niet, maar hoe dan ook: er was iets wat hij uiteindelijk van haar wilde, iets waarvan ze niet eens wist of het wel binnen haar macht lag om het hem te geven. Na Chiens verklaring begreep ze nog minder van hem dan voorheen. Was dit een doorwrochte valstrik, of iets waarmee ze helemaal geen rekening had gehouden? Sprak hij de waarheid over de mannen van haar vader?

Het deed er niet toe. Hij was haar nu iets verschuldigd, en ze had zijn hulp nodig.

'Breng me naar het zuiden,' zei ze.

◎ 12 ◎

In de Gemeenschap gonsde het van de festiviteiten. Op de paden tussen de huizen krioelde het in de hitte van de namiddag van de feestgangers. De ochtendrituelen waren achter de rug, het middagmaal was bereid en genuttigd en nu waren de mensen de straat op gegaan, voldaan, vrolijk en veelal dronken. In de steden zou er na het vallen van de avond vuurwerk worden afgestoken, maar hier in de Breuk was het te gevaarlijk om met zulke frivoliteiten hun aanwezigheid te verraden. Er zouden wel vreugdevuren zijn, en nog een feestmaal, maar dan gezamenlijk, en er zou tot ver na zonsopgang worden gefeest.

De Zomerweek was begonnen.

Het was de belangrijkste feestdag op de Saramyrese kalender: het afscheid van de zomer, de viering van de oogst. Aangezien de Saramyriërs hun leeftijd telden aan de hand van het aantal oogsten dat ze hadden meegemaakt in plaats van het aantal jaren vanaf de dag van hun geboorte, werd iedereen die dag een jaar ouder. Op de laatste dag van de Zomerweek zou het seizoen met een groots ritueel worden afgesloten, en de volgende dag bij zonsopgang begon de herfst.

Die ochtend was er voor het hele dorp onder in de vallei een ceremonie gehouden door drie priesters van verschillende ordes. Je gezindte deed er toch niets toe, want in de Zomerweek werden zowel de goden als de geesten bedankt. De ceremonie was voornamelijk een manier om je dankbaarheid uit te drukken voor de eenvoudige vreugde en schoonheid die de natuur te bieden had. Saramyriërs hadden een sterke band met het land, en ze waren nooit uit het oog verloren hoe schitterend het werelddeel was waarop ze woonden. Iedereen woonde de plechtigheid bij. De meeste Saramyriërs beperkten zich tot slechts een paar goden en baden en bezochten de tempels zo vaak als hun geweten vereiste. Toch waren er bepaalde dagen waarop zelfs de minst godvruchtigen niet weg durfden te blijven als ze het enigszins konden voorkomen. En dit jaar mocht er dan een zekere sombere, bittere ironie met het vieren van de oogst gepaard gaan, dat deed niets af aan de opwinding waarmee mensen uitkeken naar de ophanden zijnde feestelijkheden.

Het middagmaal was net zozeer een traditie als de ochtendrituelen, hoewel de samenstelling ervan van streek tot streek sterk uiteenliep. De ondernemende handelaren in de Gemeenschap hadden alle zeilen moeten bijzetten om aan de grote en gevarieerde bestellingen van de afgelopen weken te voldoen, en de prijzen waren er dan ook naar. Gazelhagedissen uit Tchom Rin, lapinth uit de Nieuwlanden, spiraalvis uit het Xemitmeer, schaduwbessen, kokomach en zonnewortel, wijn, sterkedrank en exotische dranken: elk jaar was er één maaltijd die volmaakt moest zijn en dat was deze. De meeste mensen aten samen met vrienden en familie en de eer de maaltijd te bereiden viel altijd de beste kok in het gezelschap ten deel. Naderhand werden er geschenkjes gegeven, vernieuwden echtparen hun geloften en werden er verlovingen geregeld.

Nu gonsde het onder in de vallei van de bedrijvigheid, want ter voorbereiding voor de overvloedige gezamenlijke maaltijd die na zonsondergang zou worden genuttigd werden er tafels, tenten en matten klaargezet. Er werden vreugdevuren gebouwd, vlaggetjes opgehangen, een toneel opgebouwd. Langs de rand van de vallei stonden echter twee keer zoveel bewakers als gewoonlijk, en ze keken uit over de Breuk, wetende dat ze zelfs nu hun waakzaamheid niet mochten laten varen.

Kaiku liep samen met Lucia door de drukke, hete zandstraten langs een van de hoge plateaus waar het dorp op was gebouwd. Het was hier een beetje rustiger en het was op straat nog niet zo druk dat je nauwelijks vooruitkwam. In tijdelijke kraampjes werden rozetten en wimpels verkocht, of warme noten, en af en toe kwamen er groepjes zingende feestgangers voorbij, maar de meeste mensen die ze tegenkwamen hadden de drukte onder aan de vallei net verlaten of waren er juist naar op weg. Ze slenterden samen over straat, in beslag genomen door herinneringen aan de fantastische maaltijd die voor hen was bereid door Zaelis, die een ietwat verrassend talent voor koken aan de dag had gelegd. Ze hadden hun feestmaal gedeeld met Yugi en een stuk of tien anderen. Cailin was nergens te bekennen, en Saran en Tsata waren kennelijk ook elders, want ze waren sinds de dag waarop ze waren aangekomen niet meer gesignaleerd. Ze werden niet gemist, hoewel Kaiku zichzelf er af en toe op betrapte dat ze naar de deur keek, in de verwachting de lange Quralese man met het strenge gezicht daar te zien staan. Hij en zijn Tkiurathische metgezel vierden de Zomerweek kennelijk niet.

Het was gezellig geweest en in de ongedwongen sfeer van blijdschap hadden ze hun problemen even vergeten. Kaiku wilde dat gevoel zo lang mogelijk vasthouden, dus was ze weggegaan voordat het gesprek op gewichtiger onderwerpen kwam, en ze had Lucia meegenomen. Later zou Lucia ongetwijfeld vrienden van haar eigen leeftijd zoeken; ze mocht wat stilletjes zijn, maar ze straalde iets uit waardoor ze onder de kinderen van de Gemeenschap erg geliefd was. Voorlopig was ze echter een zeer prettige metgezel voor Kaiku, die in een bedachtzame en uiterst emotionele bui was. Wat was het toch een prachtig kind. Kaiku kon zich niet voorstellen wat ze zou hebben gedaan als... als...

Lucia betrapte Kaiku erop dat ze liefdevol naar haar keek en glimlachte. 'Maak je nou niet zo'n zorgen,' zei ze. 'Ik ben alleen maar flauwgevallen.'

'Je bent anders twee dagen buiten bewustzijn geweest,' antwoordde Kaiku. Hartbloed, twee dagen! Toen Kaiku van Lucia's vreemde ervaring met de riviergeesten had gehoord, was ze buiten zichzelf geweest van bezorgdheid. Gelukkig leek Lucia inmiddels volledig hersteld, wat Kaiku een beetje geruststelde. Ze durfde er niet bij stil te staan wat een vreselijke dingen er hadden kunnen gebeuren omdat Lucia zich met iets onbekends had bemoeid. De goden zij dank leek er niets met haar aan de hand te zijn.

'Het was gewoon iets slechts,' zei Lucia, wat helemaal geen licht wierp op de beproeving die ze had doorstaan. 'Ergens op de rivier gebeurde iets. De geesten vonden het niet leuk. Het werd me te veel.'

'Ik wil alleen dat je voorzichtig bent,' zei Kaiku. 'Je bent nog zo jong. Je hebt nog meer dan genoeg tijd om te leren wat je wel en niet kunt.'

'Ik ben vandaag veertien oogsten geworden!' wierp Lucia speels tegen. 'Zo jong ben ik dus niet meer.'

Ze kwamen bij een houten brug die twee richels met elkaar verbond en die hoog boven de daken van het plateau eronder uitstak, en daar rustten ze even uit. Ze lieten hun armen op de balustrade rusten en keken uit over de vallei. De chaotische nederzetting van de hele Gemeenschap strekte zich onder hen uit, en rauwe geluiden van vrolijkheid stegen op uit de diepte. Een paar feestgangers op de daken zagen hen staan en zwaaiden naar hen. Nuki's oog keek vanuit de wolkeloze hemel op dat alles neer, en niets wees erop dat de zomer bijna ten einde was.

'Je maakt je nog steeds zorgen,' merkte Lucia op, en ze keek haar vriendin zijdelings aan. Ze was zo opmerkzaam dat het bijna griezelig was, en het had geen zin om de waarheid voor haar verborgen te houden.

'Ik maak me zorgen over wat Zaelis heeft gezegd,' legde Kaiku uit. Lucia leek een beetje bedroefd te worden. Ze wisten allebei waar ze op doelde. Eerder die dag had Zaelis een dronk uitgebracht op Lucia's herstel en haar gevraagd wanneer ze weer klaar zou zijn om met de geesten te gaan praten. Kaiku was woedend voor Lucia in de bres gesprongen en had tegen hem gezegd dat Lucia geen wapen was dat moest worden geslepen totdat ze nuttig genoeg was om tegen de vijand te gebruiken. Ze had al een trauma opgelopen dat ze zelf niet eens begreep, en Kaiku had Zaelis berispt omdat hij zelfs maar overwoog haar nóg meer onder druk te zetten. Het was even een domper op de feestvreugde geweest, maar toen had Yugi met een goedgeplaatste opmerking de spanning gebroken en hadden zowel Kaiku als Zaelis het erbij gelaten. Achteraf vond Kaiku dat ze een beetje te fel had gereageerd, wat waarschijnlijk te verklaren was uit haar woede over het feit dat ze pas na de bijeenkomst van Lucia's beproeving op de hoogte was gesteld. Toch bleef ze er maar over piekeren.

'Luister maar niet naar hem,' zei ze. 'Ik weet dat je hem als een soort vader beschouwt, maar jij bent de enige die weet waar jij toe in staat bent, Lucia. Alleen jij weet wat je bereid bent te riskeren.'

Lucia's lichtblauwe ogen stonden afwezig. Ze was tegenwoordig bijna net zo lang als Kaiku. Kaiku's blik dwaalde af naar de littekens in haar nek, en zoals gewoonlijk voelde ze zich schuldig. Die brandwonden had Kaiku haar bezorgd. Ze wou dat Lucia er niet zo mee te koop liep.

'We moeten het weten,' zei Lucia zachtjes. 'Wat er op de rivier is gebeurd, bedoel ik.'

'Niet waar,' antwoordde Kaiku scherp. 'Hartbloed, Lucia! Jij weet net zo goed als ik dat je met de geesten niet moet spotten. Het is het niet waard dat jij jezelf zo op het spel zet. Begin weer wat kleiner, als je het echt wilt. Werk er langzaam naartoe.' Ze zweeg even, maar voegde er toen aan toe: 'Zaelis stuurt spionnen op onderzoek uit. Laat hen hun werk doen.'

'Daar is misschien geen tijd voor,' zei Lucia eenvoudig.

'Zijn dat Zaelis' woorden of de jouwe?'

Lucia gaf geen antwoord. Kaiku werd er een beetje kriegel van, maar ze wilde dit niet zomaar loslaten. Om de feeststemming niet te bederven deed ze haar best de schelle toon in haar stem te onderdrukken.

'Lucia,' zei ze zachtjes. 'Ik weet hoe groot de verantwoordelijkheid is die je moet dragen. Maar zelfs de sterkste rug kan breken onder het gewicht van overspannen verwachtingen. Laat je door niemand dwingen. Zelfs niet door Zaelis.'

Lucia draaide zich met een dromerige uitdrukking op haar gezicht naar Kaiku om. Ze had alles gehoord, al leek het misschien alsof ze niet oplette. Een deel van haar luisterde naar de wind, en de raven hielden haar vanaf hun plek op de daken in het oog.

'Weet je nog dat Mishani in de daktuin van de keizerlijke vesting naar je toe kwam met die nachtjapon?' vroeg Kaiku.

Lucia knikte.

'Wat dacht je? Toen ze hem aan je aanbood?'

'Ik dacht dat ik eraan zou doodgaan,' antwoordde Lucia eenvoudig.

'Zou je hem hebben aangenomen?' vroeg Kaiku. 'Zou je hem hebben aangetrokken, wetende wat het was?'

Lucia draaide zich langzaam om en keek uit over het dorp. Achter hen staken enkele mannen met veel kabaal de brug over, onder het luidkeels zingen van schunnige liederen. Kaiku kromp geërgerd ineen.

De stilte tussen hen strekte zich uit.

'Lucia, je bent niet iemands offerlam,' zei ze, en haar stem klonk vriendelijk. 'Je bent te onbaatzuchtig, te passief. Je bent geen willoze pion, begrijp je dat dan niet? Als je dat nu niet leert, wat moet er de komende jaren dan van je worden, als de mensen met nog meer hoop in hun ogen naar je kijken?' Kaiku zuchtte en sloeg haar arm om Lucia's tengere schouders, waarna ze haar even kameraadschappelijk tegen zich aan drukte. 'Ik beschouw je als een zusje, dus is het mijn taak om me zorgen over je te maken.'

Er speelde een grijns om Lucia's mondhoeken, en ze beantwoordde de omhelzing met beide armen. 'Ik zal mijn best doen,' zei ze. 'Om aan jou een voorbeeld te nemen.' De grijns werd breder. 'En een grote, koppige schreeuwlelijk te worden.'

Kaiku slaakte een kreet van gespeeld ongeloof en maakte zich uit Lucia's omhelzing los. 'Monster!' riep ze, en Lucia ging er lachend over de brug en de straat vandoor, met Kaiku op haar hielen.

De avond viel in de Xaranabreuk. Vuren en papieren lantaarntjes werden aangestoken en vormden een sterrenbeeld van warm licht. Buiten de grenzen van de feestelijkheden heerste een klamme, zwoele duisternis, maar binnen de lichtkring was alleen plaats voor vrolijkheid. De gemeenschappelijke maaltijd was al een tijdje bezig. Velen waren al van tafel opgestaan om voor anderen plaats te maken en waren naar de toneelspelers aan het kijken of aan het dansen op de muziek van een inderhaast gevormd zesmansorkestje dat al improviserend oude volksliedjes speelde. Het vreemde samenraapsel van instrumenten en de uiteenlopende vaardigheden van de muzikanten leidden tot een soort beheerste kakofonie, een ruw en primitief geluid. Het zachte, krassende gebrom van de miriki met drie snaren contrasteerde met de glazige, korte, hoge klanken van de rietharp en de droefgeestige klanken van de twee dauwhoorns. Het ritme werd op een trommel met een dierenvel aangegeven door een donkere man, en boven alles uit speelde het echte talent in het gezelschap, een dame die ooit, voor de laatste staatsgreep, courtisane was geweest aan het hof. Ze speelde de irira, een instrument van leer, been en hout met zeven snaren, dat een hol, breekbaar geluid als een weeklacht voortbracht, en haar prachtige lichte aanslag van de snaren deed de lucht bijna glinsteren.

Kaiku, die rode wangen had gekregen van de wijn, de warmte en het lachen, danste een boerendans met de jonge mannen en vrouwen uit de Gemeenschap. Het was een veel energiekere en minder elegantere manier van dansen dan in de hogere kringen gebruikelijk was, maar wel veel leuker. Ze tolde en draaide van de armen van de ene man naar die van de volgende, en stond toen opeens tegenover een afwijkende jongen met een huid zo klam als die van een dode vis en met bolle, blinde, uitdrukkingsloze ogen. Toen ze over haar schrik heen was, leidde ze hem door de snelle bewegingen heen, totdat iemand anders haar bij de hand pakte en ze ieder een andere kant opgingen. Ze was uitgelaten en behoorlijk dronken, en liet zich door de muziek meevoeren. Heel even was ze door het dansen haar zorgen vergeten.

Het liedje hield opeens op, juist op het moment dat ze van de ene danser aan de andere werd doorgegeven, en tot haar verrassing trof ze Yugi tegenover zich toen de feestvierders in de geladen stilte tussen twee deuntjes even uitrustten. Ze stonden allebei te hijgen van inspanning en wisselden een schuldbewuste grijns uit.

'Zo te zien is het lot mij weer eens gunstig gezind,' zei hij. Zijn ogen stonden heel helder en zijn pupillen waren erg groot. 'Mag ik deze dans van u?' Hij stak zijn hand naar haar uit.

Kaiku had echter een gestalte in het oog gekregen, die aan de rand van de lichtkring van de lantaarns geleund tegen een van de houten palen die banieren omhooghielden naar haar stond te kijken.

'Het spijt me, Yugi,' zei ze met een kus op zijn stoppelige wang. 'Ik moet even met iemand gaan praten.'

Met die woorden liet ze hem staan, terwijl achter haar de muziek weer begon, en hij werd door een aantrekkelijk meisje uit de Nieuwlanden het hart van het dansgewoel ingetrokken. Kaiku liet het lawaai en de warmte achter zich en liep naar de plek waar de duisternis en de stilte zich gereedhielden voor een invasie, waar Saran stond te wachten.

'Kun je dansen?' vroeg ze met haar heup verleidelijk naar voren gestoken.

'Helaas niet,' antwoordde hij. 'Volgens mij hebben wij Quralezen niet zulke soepele gewrichten als jullie.'

Het duurde even voordat ze besefte dat het een grapje was, want zijn toon was zo droog als gort.

'Waar heb jij uitgehangen?' vroeg ze. Ze wankelde een beetje, maar de kleur op haar wangen en haar uitnodigende houding maakten haar voor hem alleen maar aantrekkelijker.

'Dit is niet mijn soort feest,' zei hij, en zijn gelaatstrekken waren donker in de maanloze nacht.

'Nee, ik bedoel: waar heb je uitgehangen?' drong ze aan. 'De bijeenkomst is al dagen geleden. Ben je me nu alweer vergeten? Kon je het niet eens opbrengen om even afscheid te nemen? Geesten, ik vertrek overmorgen om de Breuk over te steken!'

'Dat weet ik,' zei hij. 'Tsata gaat met je mee.'

'O, ja?' vroeg Kaiku. Dat was nieuws voor haar. 'En jij?'

'Ik heb nog geen beslissing genomen.' Hij bleef een hele tijd stil. 'Ik dacht dat je me misschien liever niet om je heen wilde,' zei hij uiteindelijk. 'Daarom ben ik weggebleven.'

Kaiku bestudeerde hem even en stak toen haar hand uit. 'Kom, dan gaan we een eindje lopen,' zei ze.

Hij aarzelde en nam haar aandachtig op. Toen pakte hij haar hand vast. Kaiku trok hem zachtjes weg van de paal waar hij tegenaan stond en ze liepen langs de feestende menigte terug naar het dorp. Links van hen lag als een gapend gat de vallei, waarvan de contouren alleen zichtbaar waren omdat de nachtelijke hemel boven de randen nét een tint lichter was; rechts van hen waren er vreugdevuren, gelach en het feestmaal. Ze liepen over de strook niemandsland waar de twee tegenstellingen elkaar ontmoetten, in elkaar overgingen en geen van beide de overhand konden krijgen.

'Deels...' begon Kaiku, maar ze hield op, om vervolgens opnieuw te beginnen. 'Deels ben ik blij dat ik weg kan. Ik heb te lang niets gedaan, denk ik. In de loop der jaren heb ik wat kleine dingen kunnen doen om de Libera Dramach te helpen, maar ik ben niet tevreden met de kleine stapjes voorwaarts die we maken.' Ze keek op naar Saran. 'En Ocha ook niet.'

'De goden zijn geduldig, Kaiku,' zei hij. 'Onderschat de wevers niet. Je hebt tot nu toe geluk gehad. De meeste mensen krijgen niet eens een tweede kans.'

'Is dat bezorgdheid die ik in je stem hoor?' vroeg ze plagerig.

Saran liet haar los en haalde zijn schouders op. 'Wat kan het jou schelen of ik bezorgd over je ben?'

Kaiku's gezicht betrok een beetje. 'Mijn verontschuldigingen. Ik wilde je niet kwetsen.' Ze was vergeten hoe snel hij in zijn ego geraakt was. Ze liepen een eindje verder.

'Ik ben vooral bang voor het masker,' zei ze, want ze voelde aan dat ze hem een beetje tegemoet moest komen als ze de intimiteit van zoeven wilde herstellen. 'Het is vijf jaar geleden dat ik het voor het laatst heb gedragen, maar het probeert me nog steeds te lokken.' Ze huiverde opeens. 'Ik moet het weer opzetten om door de misleiding van de wevers heen te breken.'

'Je hebt het koud,' zei Saran, en hij maakte de gesp van zijn mantel los en sloeg die om haar schouders. Ze had het helemaal niet koud, maar ze liet hem begaan, en toen hij de gesp bij haar keel vastmaakte, legde ze haar hand op de zijne. Hij bleef even staan om het contact te rekken voordat hij zich terugtrok.

'Waarom kan een zuster de barrière niet slechten?' vroeg hij. 'Waarom moet jij dat doen?'

'Cailin durft niet het risico te lopen dat een volleerd zuster wordt betrapt,' zei Kaiku. 'En het zou niet veilig zijn om iemand anders het masker te laten gebruiken. De wevers weten niets over de Rode Orde en dat wil ze graag zo houden. Het masker is een werktuig van de wevers, dus als dat door de barrière heen breekt, gaan er waarschijnlijk geen alarmbelletjes rinkelen.'

'Maar je hebt geen idee of het masker deze keer wel zal werken,' wierp Saran tegen. 'Misschien werkt het alleen bij de barrière van het klooster op Fo.'

Kaiku trok een berustend gezicht. 'Ik moet het in elk geval proberen,' zei ze.

Saran duwde zijn sluike haar achter zijn oor. Kaiku keek hem zijdelings aan en bestudeerde de contouren van zijn lichaam onder de strenge snit van zijn kleren. Een waarschuwend stemmetje vertelde haar dat ze dit beter niet kon doen, maar ze luisterde er niet naar. De plezierige gloed van de wijn die ze had gedronken hield haar gedachten stevig in het heden vast en ze was daardoor niet in staat de gevolgen van haar daden te overzien.

Saran betrapte haar erop dat ze naar hem staarde, en de haast waarmee ze haar blik afwendde sprak boekdelen.

'Waarom gaat Tsata met ons mee?' vroeg ze, want opeens voelde ze de behoefte iets te zeggen. Toen voegde ze eraan toe, omdat ze besefte dat ze het echt wilde weten: 'Wat betekent hij voor je?'

Saran zweeg even om na te denken. Kaiku wist nooit zo goed of hij op zulke momenten zijn woorden woog of gewoon in een bewuste poging tot dramatiek en plechtstatigheid een stilte wilde laten vallen. Dat was moeilijk vast te stellen bij Saran, en ze vond deze gewoonte soms ergerlijk gemaakt.

'Hij betekent niets voor me,' zei Saran uiteindelijk. 'Hij is slechts een metgezel. Ik heb hem in Okhamba ontmoet en hij is om zijn eigen redenen met me meegegaan naar het hart van dat werelddeel. Om dezelfde reden is hij meegegaan naar Saramyr. Ik weet niet waarom hij heeft gevraagd of hij jou op je oversteek door de Breuk mag vergezellen, maar ik sta voor hem in. Van iedereen met wie ik in de Nabije Wereld heb gereisd is er niemand op wie ik zo volledig zou durven vertrouwen als op hem.'

Inmiddels hadden ze de grenzen van het dorp bereikt, waar het de bodem van de vallei bereikte. De laagste plateaus vormden een natuurlijke, beschermende barricade, waarin liften waren gebouwd en trappen met poorten waren uitgehouwen. In tijden van oorlog werden de poorten gesloten en de liften omhooggetakeld, om te voorkomen dat vijanden konden binnendringen.

Ze liepen omhoog over weinig gebruikte wegen. Lantaarns brandden als eilandjes van licht in de duisternis. Ze passeerden kussende, zingende en vechtende dorpsbewoners, en één keer botsten ze bijna op een optocht waar honderden mensen zich bij hadden aangesloten en die zigzaggend naar een onbekende bestemming marcheerden. Op een bepaald moment pakte Kaiku Sarans hand weer vast. Ze dacht te voelen dat hij licht beefde, en ze glimlachte heimelijk.

'Heb je twijfels?' vroeg ze. 'Over wat je hebt ontdekt?'

'Met betrekking tot de vierde maan? Nee,' antwoordde Saran. 'Zaelis is er ook van overtuigd, nu ik hem de bewijzen heb laten zien en de zusters de echtheid ervan hebben bevestigd. Ik was een beetje bang dat het idee voor jullie te zonderling zou zijn. Jullie zijn immers het enige volk in de Nabije Wereld dat de manen nog aanbidt.' Hij veegde met een curieus vrouwelijk gebaar een haarlok van zijn voorhoofd. 'Maar kennelijk had ik het mis. De afgelopen duizend jaar zijn er wel meer goden van vroeger tijden vergeten, en het is niet meer dan natuurlijk dat jullie niet op de hoogte waren van het bestaan van een god die al dood was voordat jullie beschaving ontstond.'

'Misschien is hij helemaal niet dood,' prevelde Kaiku. 'Misschien is dat juist het probleem.'

Saran maakte een vragend geluidje.

'Nee, niets,' zei Kaiku. 'Alleen... Ik heb hier een slecht gevoel over. Ik ben aangeraakt door een van de Kinderen van de Manen, wist je dat? Indirect, weliswaar, want ze wilden Lucia helpen, niet mij.'

'Dat wist ik,' zei Saran.

'Deze kwestie rond Aricarat maakt me... ongerust.' Ze kon het niet beter uitdrukken, maar ze voelde een vage misselijkheid, een trilling als het waarschuwende gerommel van de aarde voorafgaand aan een aardbeving, als ze aan die naam dacht. Zou ze dat gevoel ook hebben gehad als ze nooit in aanraking was gekomen met de onpeilbare luister van die geesten? Ze wist het niet zeker.

'Maar dat is niet alles,' ging ze verder. 'Mijn vriend Tane is gestorven omdat hij het pad wilde volgen dat zijn godin Enyu volgens hem voor hem had uitgestippeld. Mij is vanwege mijn eed aan Ocha bijna hetzelfde overkomen, en morgen ga ik opnieuw met dat risico op pad. De Kinderen van de Manen hebben ingegrepen om Lucia te redden. En nu vertel je me dat de wevers hun macht, de ware reden voor de kommer en kwel waaronder ons land gebukt gaat, te danken hebben aan de restanten van een vierde, vergeten maan.' Ze maakte onbewust een teken tegen het boze oog voordat ze verderging. 'Ik begin te geloven dat ik, per ongeluk dan wel met opzet, in een spelletje tussen de goden verzeild ben geraakt, dat we deel uitmaken van een of andere krachtmeting die wij niet kunnen overzien. En dat we in de ogen van het Gouden Rijk geen van allen onmisbaar zijn.'

Daar dacht Saran even over na. 'Ik denk dat je te veel belang hecht aan die goden van je, Kaiku,' zei hij. 'Sommige mensen zien hun eigen moed ten onrechte aan voor de wil van hun godheden, en anderen gebruiken hun geloof als rechtvaardiging voor het kwaad dat ze aanrichten. Wees voorzichtig, Kaiku. Wat je hart je ingeeft zal op een dag misschien lijnrecht ingaan tegen wat je goden je opdragen.'

Kaiku was oprecht verbaasd een Quralees dergelijke dingen te horen zeggen. Hun opvoeding binnen de Theocratie betekende immers dat ze meestal onwrikbaar waren in hun vroomheid. Ze wilde eigenlijk reageren, maar zag toen opeens dat ze voor de deur van het huis stonden dat ze met Mishani deelde. Het stond op een van de middelste plateaus van de Gemeenschap, en het was een klein, onopvallend gebouwtje waarvan de lelijke kantjes werden verhuld met behulp van strategisch geplaatste kruipplanten en potten vol bloemen. Aangezien het vrijwel onmogelijk was om te midden van de omringende chaos het elegante minimalisme van de huizen waarin ze waren opgegroeid te doen herleven, hadden ze besloten het zo mooi mogelijk te maken. Het was allemaal Mishani's werk, net als de inrichting van het huis zelf, want Kaiku was daar heel slecht in. Het was een zeer vrouwelijke bezigheid die ze zich nooit eigen had gemaakt, omdat ze het te druk had gehad met wedijveren met haar oudere broer.

Er volgde een geladen moment waarop Kaiku en Saran elkaar in de ogen keken en geen van beiden echt overwogen van de ander afscheid te nemen. Allebei waren ze bang dat een poging tot toenadering zou worden afgewimpeld, hoewel ze instinctief aanvoelden dat dat niet zou gebeuren. Toen opende Kaiku de deur en gingen ze samen naar binnen.

Het was niet alleen letterlijk een drempel waar ze overheen stapten. Kaiku had de deur nog maar nauwelijks gesloten of Saran begon haar te kussen, en ze reageerde al net zo vurig, met haar handen op zijn wangen en in zijn haar, en een warme gloed verspreidde zich door haar lichaam toen hun tongen langs elkaar streken. Hij drukte haar tegen de muur en kuste haar keer op keer, en hun hete ademtochten waren het enige geluid dat ze maakten. Kaiku wreef met haar heupen tegen zijn lichaam en merkte met wellustig genoegen de zwelling in zijn kruis op. Het waarschuwende stemmetje was inmiddels naar een uithoek van haar geest verdrongen, en ze was absoluut niet van zins datgene wat stond te gebeuren een halt toe te roepen.

Ze was al druk in de weer met zijn strakke buis, en morrelde aan de vreemde Quralese gespen. Ze moest lachen om haar eigen onhandigheid, en hij moest haar helpen de laatste paar gespen los te maken voordat hij de buis kon uittrekken en het naakte bovenlijf dat eronder zat onthulde. Ze duwde hem een eindje van zich af om te kunnen zien wat ze had blootgelegd. Hij was slank en gespierd als een atleet en er zat geen grammetje vet aan zijn lijf. Ze streek met haar handen over de vlakken van zijn buik, en hij huiverde van genot. Ze glimlachte bij zichzelf en ging dichter bij hem staan om vochtige, lome kussen op zijn hals en borst te drukken. Ze voelde zijn lippen in haar haar, aan haar oorlelletje.

Kaiku stuurde hem naar een lange rustbank, liet zich erop vallen en trok hem boven op zich. Het was benauwd en donker in de kamer, want ze had de lantaarn niet aangestoken. De luiken zaten dicht, zodat de geluiden van het feestgedruis werden gedempt. Ze kusten elkaar opnieuw en drukten zich tegen elkaar aan, en haar handen gleden over zijn ruggengraat naar zijn onderrug.

Met vaardige, soepele bewegingen trok hij haar hemd uit en gooide het in een slordige hoop op de grond. Vervolgens schoof hij meteen haar onderhemd omhoog, wat Kaiku een steek van teleurstelling bezorgde. Hij werd haastig in zijn hartstocht, en zij hield ervan om traag en geleidelijk de liefde te bedrijven. In een uiterste poging hem te onderbreken – want zijn handen gleden al naar haar middel – duwde ze hem zachtjes van de rustbank af op de grond, en ze rolde met hem mee zodat ze boven op hem belandde.

Schrijlings op zijn heupen gezeten kuste ze zijn wangen en voorhoofd, en hij leunde naar voren om haar borst in zijn hand te nemen en zijn lippen om haar tepel te leggen, en de hete, vochtige aanraking van zijn tong zond rillingen van genot door haar lichaam. Ze stak haar hand naar achteren en begon dwars door de stof van zijn broek heen met de muis van haar hand over zijn roede te wrijven. Hij raakte opgewonden, zijn ademhaling was snel en oppervlakkig, en hoewel ze het ergens vleiend vond dat ze zo'n heftige reactie kon ontlokken aan een man die gewoonlijk zo onwrikbaar kalm en beheerst was, was ze opnieuw een beetje bang dat hij zich te veel liet meeslepen. Ze zoog de lucht tussen haar tanden door naar binnen toen hij zo hard in haar tepel beet dat het pijn deed.

Hij duwde haar opeens opzij en draaide haar om, zodat hij bovenop kwam te liggen, en ze zag dat zijn gezicht rood, gespannen en lelijk was geworden. Haar opwinding stierf weg, ondermijnd door iets onplezierigs wat ze in zijn ogen zag, een dierlijke lust die verder ging dan het verlangen van een man naar een vrouw.

'Saran...' begon ze, niet wetend wat ze moest zeggen, niet wetend of ze hiermee moest doorgaan in de hoop dat dit een vluchtig moment was, of hem moest teleurstellen en ermee moest stoppen. Ze was bang voor zijn reactie als ze dat zou wagen. Ze wilde hem geen pijn doen, maar als het nodig was, zou ze niet aarzelen.

Hij legde haar met een ruwe, woeste kus het zwijgen op, zo fel dat haar lippen er beurs van werden, en opeens veranderde er iets aan de kus. De hartstocht verdween en er kwam iets anders voor in de plaats.

Honger.

Haar kana reageerde als een slangennest, verspreidde zich vanuit haar lendenen en haar schoot en reet al door haar lichaam voordat ze volledig besefte wat er gebeurde. Heel even had ze het gevoel dat iets in haar binnenste zich trachtte los te rukken, alsof haar organen zich uit hun ketenen zouden bevrijden en via haar mond die van Saran zouden binnendringen, en toen volgde er een witte lichtflits en werd Saran achterwaarts door het vertrek geslingerd. Hij botste tegen de muur en viel krachteloos op de grond.

Het was net als de vorige keer. Ze had die honger al eerder gevoeld.

'Nee...' prevelde ze, en de tranen sprongen in haar ogen toen ze opstond. Ze hield haar hemd beschermend voor haar borsten. Haar haar viel voor haar gezicht. 'Nee, nee, nee.' Ze jammerde het als een mantra, alsof ze daarmee het overweldigende gevoel van verraad kon ontkennen.

Saran kwam overeind met een gezicht dat was vertrokken van smart. 'Kaiku...' begon hij.

'Nee, nee, néé!' gilde ze, en de tranen biggelden over haar wangen. Haar lip beefde. 'Ben jij het? Ben jij het?'

Saran zei niets, maar hij schudde even van nee, niet als antwoord op haar vraag, maar omdat hij haar smeekte de vraag niet te stellen.

'Asara?' fluisterde ze.

Zijn gezicht verstrakte alsof er een pijnscheut door zijn lichaam trok, en meer had Kaiku niet nodig. Ze liet zich op haar knieën vallen en haar gezicht vertrok toen ze begon te huilen.

'Hoe kon je?' snikte ze, en toen werd ze opeens boos en krijste: 'Hoe kón je?'

Zijn blik was gekrenkt, maar de ogen waren die van Asara. Hij opende zijn mond om iets te zeggen, maar de woorden wilden niet komen. Hij pakte zijn buis van de vloer en liep naar buiten, de warme nacht in. Kaiku bleef alleen en huilend op de vloer achter.

⑨ 13 ⑥

De dag brak aan in de Xaranabreuk, en het licht was kil en somber, gehinderd als het was door een wolkendeken die niet bij de tijd
van het jaar paste en die zich uitstrekte over de oostelijke horizon.
Slierten ochtendmist kronkelden in de hoeken en gaten van de Gemeenschap en de vallei. Het was griezelig stil in het dorp en er liep
geen levende ziel over straat, afgezien van een enkele wachter, wiens
komst in de lege straten en steegjes werd voorafgegaan door het gekraak van het geharde leer waarvan de wapenrusting was gemaakt.
De Zomerweek was twee dagen geleden begonnen en die eerste nacht
had het hele dorp tot ver na zonsopgang en soms zelfs tot laat in de
ochtend feest gevierd. Gisteravond was het feest minder uitbundig
geweest: iedereen was gaan slapen om uit te rusten en het zou nog
een hele tijd duren voordat ze uit bed zouden komen.
Er waren echter mensen met plichten die zelfs voor de Zomerweek
niet konden worden uitgesteld. Die mensen hadden zich verzameld
op het hoogste plateau van het dorp, waar aan de westkant van de
vallei een loodrechte rotswand omhoogrees. Hier waren vele grotten ontstaan die in de steen waren uitgesleten door dezelfde oeroude en reeds lang opgedroogde rivieren die de lager gelegen plateaus
en richels hadden gevormd. In de steen rond de grotopeningen waren zegeningen en etsen gekrast en er waren alkoofjes uitgehakt die
als altaren dienden. Zelfs nu bereikte de vage, muskusachtige geur
van smeulende kamanoten en wierook, de overblijfselen van de offer-
gaven van de vorige dag, hun neusgaten. Hangende amuletjes klik-
ten en tinkelden tegen elkaar.
Kaiku zat met een bleek gezicht en donkere kringen om haar ogen
van het slaapgebrek op het gras en staarde verbitterd naar de vallei
in het oosten. Ze was zich vagelijk bewust van de drie mensen ach-

ter zich. Ze trokken de riemen van hun rugzakken aan, stopten kogels in hun geweren en mompelden zachtjes, alsof ze de stilte van de dageraad niet wilden verstoren: Tsata, Yugi en Nomoru, de korzelige verkenner die met het verslag was gekomen dat de aanleiding vormde voor deze tocht. Vandaag zouden ze naar de Breuk trekken, om die vervolgens in de lengte over te steken naar de plek vlak bij het westelijke puntje, waar de Zan stroomde, en daar zouden ze de verstoring die Nomoru had gevonden gaan onderzoeken. Daar zouden ze de wevers gaan opsporen.

Ze hoorde meer te voelen dan nu het geval was. Ze stond al een hele tijd te popelen om op zoek te gaan naar de wevers, degenen die haar familie hadden uitgemoord en die ze had gezworen met alle middelen te bevechten, en nu het eindelijk zover was, zou dat haar moeten raken. Ze hoefde niet per se opgewonden te zijn, maar op zijn minst bang of op haar hoede. Haar hart leek echter wel dood, een klomp as nadat het vuur was opgebrand, en ze kon het niet eens opbrengen om zich daar druk over te maken.

Hoe kon het toch dat ze de waarheid over Saran niet had vermoed? Hoe kon het toch dat ze niet had begrepen waar haar gevoelens vandaan kwamen? Goden, ze had op de voorplecht van Chiens schip naast hem gestaan en hem verteld hoe Asara haar van de drempel van de dood had weggegrist, dat die gebeurtenis een diepgewortelde, subtiele band tussen hen had geschapen, en al die tijd was het die band geweest die hen nader tot elkaar had gebracht. Al die tijd was het Asara geweest met wie ze stond te praten.

Geesten, wat haatte Kaiku haar. Ze haatte haar leugens, haar bedrog, haar onverdraaglijke egoïsme. Ze haatte het dat ze Kaiku had laten geloven dat ze Saran was, om haar ertoe te verleiden over Asara te praten terwijl Asara zelf vanachter die donkere Quralese ogen toekeek. En erger nog: dat ze Kaiku hem had laten verleiden, de liefde met hem had laten bedrijven, omdat ze dacht dat hij een echte man was en niet een of andere vervloekte vervalsing. Het maakte niet uit dat het niet tot gemeenschap was gekomen. Het verraad zat hem in de bedoeling, niet in het resultaat, en het verraad was compleet.

Kaiku wist nu dat haar beslissing het bed met hem te delen niet uitsluitend was gebaseerd op lust en het verlangen van hem te genieten. Dat was een leugen die ze zichzelf had voorgehouden. Ze had zich voor hem opengesteld, en in haar beleving zou de daad meer zijn geweest dan spel. Het zou een bevestiging hebben betekend van wat ze volgens haar voor elkaar waren gaan voelen. Niet dat ze dat tegenover zichzelf toegaf, natuurlijk. Ze had haar gevoelens nog nooit eerlijk beoordeeld. Alleen aan de kracht van haar verdriet kon ze merken hoe diep haar gevoelens voor Saran waren geweest, maar het was al te laat.

Ze had zich kwetsbaar opgesteld en opnieuw was haar hart vergruisd. Ze staarde somber en met niets ziende ogen voor zich uit, en beloofde zichzelf grimmig dat ze dat nooit meer zou laten gebeuren.

'Het is tijd, Kaiku,' zei Yugi, die zijn hand op haar schouder legde. Ze keek langzaam naar hem op en leek hem nauwelijks te zien. Toen kwam ze vermoeid overeind, pakte haar knapzak en geweer en slingerde die over haar schouder.

'Ik ben zover,' zei ze.

Ze passeerden de vestingwerken aan de rand van de Gemeenschap en gingen in westelijke richting op pad. Nuki's oog steeg boven de dreigende wolken uit en hulde de kloven en valleien van de Xaranabreuk in een warme gloed. Een hele tijd zei niemand iets. Nomoru ging hen voor tussen smalle rotsplooien die schuin omlaag liepen naar de bodem, waar ze onopgemerkt door het wilde land konden lopen dat hen omringde. De kartelige, bobbelige horizon werd aan het zicht onttrokken door hoge rotswanden vol steenslag, die voor hen, achter hen en aan weerszijden omhoogrezen. Ze verdwenen uit Nuki's blikveld en stapten de koele schaduwen in.

De westkant van de Gemeenschap werd beschermd door een nauw labyrint van rotsspleten en tunnels, dat het Kluwen werd genoemd. Hier hadden dezelfde riviertjes die in vroeger tijden vanaf de rand van de vallei in oostelijke richting hadden gestroomd en het landschap hadden gevormd waarop het dorp was gebouwd, ook in westelijke richting gestroomd en beddingen in de oeroude steen uitgesleten. In de loop van de tijd had het water de steen ondermijnd, of had de aarde gebeefd, zoals in de Breuk van tijd tot tijd gebeurde. Daardoor waren de rotsen omlaag gestort en had het water nieuwe tunnels moeten uitslijten. Nu was het water verdwenen, maar de beddingen waren er nog steeds en vormden een doolhof van gangen met vele doodlopende vertakkingen, waardoor je slechts heel traag kon afdalen. Het was mogelijk, en bovendien een stuk sneller, om over het Kluwen heen te lopen, waar een kaal stuk rots van een mijl breed als een hoefijzer om de westkant van de Gemeenschap lag. Daar was echter geen enkele vorm van beschutting, en iedereen die de rots overstak was tot ver in de omtrek duidelijk zichtbaar. In de Breuk was geheimhouding troef.

De dageraad was overgegaan in een heldere ochtend tegen de tijd dat ze het Kluwen achter zich lieten. Ze klauterden via een smalle spleet omhoog naar de bodem van een ravijn, dat voor hen uit glooiend omhoogliep. Kaiku's adem stokte haar in de keel toen ze het zag, en ondanks het verpletterende verdriet dat ze met zich meetorste werd ze even overspoeld door ontzag.

De loodrechte wanden van het ravijn staken meer dan honderd voet boven hun hoofden uit, als een verweerde massa spleten en richels waar smalle bosjes groeiden op plekken waar ze enige houvast konden vinden. De bodem was een wilde tuin vol bomen en bloemen, met hier en daar tussen het groen dieprode en paarse bladeren. Een waterbron vulde een reeks poeltjes. De zon scheen schuin over de rand van het ravijn, waardoor het verste eind baadde in zonlicht en de rest in schaduw was gehuld. Felgekleurde vogels hadden hoog op de wanden hun nesten gebouwd en vlogen af en toe op om luid kwetterend door de lucht te scheren en te buitelen. Het was windstil en er lag een dromerige, zachte gloed over het landschap. Het leek of ze een verborgen paradijs waren binnengegaan.

'Dit is de grens van ons territorium,' zei Nomoru. Dat was het eerste wat iemand sinds hun vertrek had gezegd, en haar scherpe, lelijke Laag-Saramyrese klinkers verstoorden Kaiku's stemming ruw. 'Vanaf nu wordt het een stuk minder veilig.'

De Xaranabreuk was een veranderlijk gebied vol niet-erkende grenzen, neutrale gebieden en betwiste grond. De politieke geografie was net zo onstabiel als de Breuk zelf. Als straatbendes bewaakten de verschillende groeperingen hun territorium angstvallig, terwijl van de ene maand op de andere ook hele gemeenschappen konden worden verdreven of uitgemoord, of zich achter een machtiger leider konden scharen. In de Breuk was het een constant gevecht om de wegen naar de buitenwereld open te houden, en bandieten hadden het gemunt op de voorraden die voor de Libera Dramach werden binnengesmokkeld. Andere groeperingen hadden andere doelen: sommige waren onverbeterlijk expansionistisch en droomden ervan om de hele Breuk te overheersen, of de volkeren die erin leefden te verenigen. Andere wilden alleen maar met rust worden gelaten en richtten zich op de verdediging in plaats van op de aanval. Nog weer andere hielden zich gewoon verborgen. Op de hoogte blijven van de plannen van de buren was iets waaraan Zaelis en de Libera Dramach veel tijd en moeite moesten besteden. Het was echter van cruciaal belang als je in de genadeloze wereld waarin zij zich hadden gevestigd wilde overleven.

Ze liepen met hernieuwde waakzaamheid door. Het terrein was zwaar en Nomoru had een duidelijke voorkeur voor de moeilijkere paden, want de minst toegankelijke wegen waren vaak ook het veiligst. Binnen een paar uur was Kaiku haar gevoel voor richting helemaal kwijt. Ze keek boos naar de pezige gestalte van de vrouw die hen leidde en gaf haar de schuld van de beproeving, maar toen besefte ze waar ze mee bezig was en hoe oneerlijk het was. Als Asara er niet was geweest, zou ze blij zijn geweest met deze tocht. Als Asara er niet was geweest.

Er werd niet gepraat, dus verviel ze weer in duistere gedachten. Yugi was ongewoon stilletjes en Tsata zei nooit iets wat niet het vermelden waard was, maar keek en luisterde liever met een vreemde, enigszins verontrustende nieuwsgierigheid. Had hij het geweten? Had hij geweten dat Saran niet was wie hij leek te zijn? En Zaelis en Cailin dan, die waren er toch wel van op de hoogte geweest? Cailin in elk geval wel, want ze kon een afwijkende op een mijl afstand herkennen. Dat konden alle zusters.

Na haar ontdekking, toen ze in de greep verkeerde van de woede die op het verdriet volgde, wilde ze het liefst naar Cailin en Zaelis toe gaan en op hoge toon vragen waarom ze het haar niet hadden verteld. Dat had echter geen zin, want ze wist al wat ze zouden zeggen. Asara was een spion, en het was niet aan hen om anderen te vertellen wie ze in werkelijkheid was. Kaiku had behalve met Mishani maar weinig over Asara gepraat, en over haar gevoelens voor Saran had ze geen woord gezegd. Waarom zouden ze dan ingrijpen? En trouwens, dan zou ze Cailin alleen maar argumenten in handen spelen waarom Kaiku zich aan de lessen van de Rode Orde moest wijden. Als ze meer aandacht aan de lessen had besteed in plaats van rusteloos het landschap uit te kammen, zou ze Sarans ware identiteit zelf hebben aangevoeld.

En toch had ze geen enkel vermoeden gehad. Dat kon eigenlijk ook niet. Ze had geen idee hoever Asara's afwijkende talenten reikten. Ze had gezien hoe ze haar gelaatstrekken op subtiele wijze had veranderd, de kleur van haar haar had aangepast en hoe ze een tatoeage op haar arm had laten verdwijnen. Ze had ook gezien dat de afschuwelijke brandwonden op haar gezicht volledig waren genezen. Maar dat ze niet alleen haar lichaam, maar zelfs haar geslacht kon veranderen... Dat had Kaiku niet eens voor mogelijk gehouden. Welk wezen, welk monster was tot zoiets in staat?

En welk monster kan de draden van de realiteit verdraaien en zo vuur maken, of iemands geest breken, vroeg ze zichzelf meedogenloos. Zij is niet erger dan jij. De wereld verandert sneller dan jij denkt. De heksenstenen veranderen de aard van Saramyr, en alles wat ooit zeker was, is dat nu niet meer.

'Je loopt te piekeren, Kaiku,' zei Yugi achter haar. 'Ik kan het hier voelen.'

Ze glimlachte verontschuldigend naar hem, maar ze kreeg weer wat moed. 'Praat met me, Yugi. Dit wordt een lange reis en als niemand iets doet om de sfeer te verlichten, geloof ik niet dat ik het eind van de dag zal halen.'

'Het spijt me. Ik heb me slecht gekweten van mijn taak als vrolijke noot in het gezelschap,' zei hij met een grijns. 'Ik had nog een beetje last van gisteravond, maar door het lopen ben ik nu helemaal wakker.'

'Ben je jezelf soms een beetje te buiten gegaan?' vroeg Kaiku.

'Integendeel. Ik heb niets gegeten of gedronken. Geen wonder dat ik me zo beroerd voel.'

Ze lachte zachtjes. Nomoru, die vooropliep, keek met een geërgerd gezicht naar hen om.

'Er zit je iets dwars,' zei Yugi op ernstige toon. 'Heeft het met het masker te maken?'

'Nee,' zei ze, en dat was waar: tot op dat moment had ze er niet eens meer aan gedacht, zozeer was ze in beslag genomen door het leed dat Asara haar had berokkend. Het zat ingepakt in haar tas, het masker dat haar vader had gestolen en waarvoor hij was gestorven. Opeens kon ze voelen dat het vals naar haar grijnsde. Vijf jaar lang had het in een kist in haar huis verborgen gelegen, en ze had het nooit meer opgezet, want ze wist maar al te goed hoe ware maskers werkten. Ze hadden een verdovende werking en zorgden ervoor dat de drager verslaafd raakte aan de euforie van het weefsel, en de grote macht die eraan kon worden ontleend kostte je uiteindelijk je gezonde verstand. Het verraderlijke verlangen, de kriebel in haar achterhoofd als ze eraan dacht, was echter niet minder sterk geworden. Het lonkte naar haar.

's Middags gingen ze op een met gras begroeide helling onder een overhangende rotspunt zitten om te rusten en te eten. Ze hadden het ravijn achter zich gelaten en liepen nu om een verzakte vlakte vol gebarsten stenen heen, die aan alle kanten door hoge rotsen werd begrensd. Sommige stenen waren dwars door de grond omhooggekomen en vormden versplinterde groepjes, als ruwe stenen bloemen met blaadjes waarvan de randen waren bezet met kwarts, kalksteen en malachiet. Andere waren afkomstig van de hoge tafelbergen die gevaarlijk ver boven de vlakte uitstaken. De reizigers renden nu al meer dan een uur van de ene schuilplaats naar de andere, en hoewel ze nu sneller vooruitkwamen dan in de ravijnen, was het een stuk zenuwslopender. Ze waren hier veel te slecht beschut.

'Waarom gaan we eigenlijk via deze kant? Zoveel haast hebben we nu ook weer niet,' zei Yugi op vriendelijke toon tegen Nomoru terwijl hij een hap van een koude, gebraden poot van een watervogel nam.

Nomoru's smalle gezicht verstrakte, want ze voelde zich beledigd door die opmerking. 'Ik ben hier de gids,' snauwde ze. 'Ik ken het terrein.'

Yugi liet zich niet uit het veld slaan. 'Leg het me dan eens uit. Ik ken het namelijk ook, hoewel niet zo goed als jij, denk ik. In het zuiden is er een hoog gelegen pas waar ...'

'Daar kunnen we niet langs,' zei Nomoru beslist.

'Waarom niet?' vroeg Tsata. Kaiku keek hem een beetje verbaasd aan. Dat was het eerste wat hij die dag had gezegd.

'Dat doet er niet toe,' antwoordde Nomoru stug. Haar onbeschofte gedrag bracht Kaiku van haar stuk.

Tsata nam de verkenner een tijdje aandachtig op. Zoals hij daar op zijn hurken in de schaduw van de rots zat, met de lichtgroene tatoeage die zijn armen en gezicht met zijn tentakels leek te omvatten, leek hij helemaal op te gaan in het landschap van de Breuk. Zijn huid, die er in het licht van de dageraad bleek en ziekelijk had uitgezien, leek in de middagzon goudgeel, en hij zag er opeens een stuk gezonder uit. 'Jij bent bekend met deze landen, dus moet je je kennis delen. Als je dat niet doet, is dat slecht voor de pasj.'

'De pasj?' vroeg Nomoru minachtend en niet-begrijpend.

'De groep,' zei Kaiku. 'We reizen nu met zijn vieren, dus zijn wij nu de pasj. Klopt dat?' Dat laatste was tot Tsata gericht.

'Een bepaald soort pasj,' verbeterde Tsata haar. 'Niet de enige. Maar inderdaad, daar doelde ik op.'

Nomoru stak geërgerd haar handen omhoog. Toen haar mouwen verschoven, kon Kaiku de tatoeages op haar armen zien: ingewikkelde, kartelige vormen en spiralen die zich verstrengelden rond emblemen en schrifttekens die stonden voor getrouwheden, of schulden die al dan niet waren voldaan. Het was onder de bedelaars, dieven en andere eenvoudige lieden van het Armenkwartier van Axekami gebruikelijk om je levensgeschiedenis met inkt op je huid te laten vastleggen. Op die manier konden gedane beloften niet worden gebroken. Vanwege hun armoede waren ze gedwongen diensten voor elkaar te verrichten, en de gemeenschap werd door noodzaak in stand gehouden. Over het algemeen was hun erewoord genoeg, maar bij belangrijke kwesties was soms iets duidelijkers vereist. Een tatoeage was dan het zichtbare bewijs van de taak die hun was opgelegd. Meestal werd hij maar half getekend en pas afgemaakt als de taak was volbracht. De inkttekenaars van het Armenkwartier kenden alle gezichten en wisten precies wie een ander wat verschuldigd was, en ze maakten een tatoeage pas af als ze te horen hadden gekregen dat de taak was volbracht. Iemand die zich niet aan zijn woord hield, liep binnen de kortste keren tegen de lamp en zou het niet lang meer maken, want niemand zou hem nog willen helpen.

Wat vreemd, dacht Kaiku, dat de behoefte aan eerzaamheid groeit naarmate men minder geld en bezittingen heeft. Ze vroeg zich af of Nomoru een belofte had gebroken, maar ze begreep niets van de tatoeages, en de weinige woorden die ze zag, waren geschreven in een soort Laag-Saramyrees dat ze niet kende.

'Territoria verschuiven,' zei Nomoru, die eindelijk schoorvoetend toegaf. 'Grenzen zijn niet duidelijk. Tussen twee territoria het vaagst. Verkenners, soms krijgers, maar geen echte wachters en geen vestingwerken. Dus leid ik jullie tussen de territoria door. Minder bewaking, makkelijker om ertussendoor te glippen.' Ze neeg het hoofd in de richting van de met stenen bezaaide vlakte. 'Dit is een slagveld. Kijk maar naar het terrein. Niemand bezit het. Te veel geesten.'

'Geesten?' vroeg Kaiku.

''s Nachts komen ze tevoorschijn,' zei Nomoru. 'Dan gaat hier van alles dood. Daarom komen we overdag. Als we ons gedeisd houden, zijn we veilig.'

Ze krabde door haar broek heen aan haar knie en keek naar Yugi. 'De hoge pas is een maand geleden veroverd. Er is gevochten, iemand heeft verloren, iemand heeft gewonnen.' Ze haalde haar schouders op. 'Was ooit veilig. Nu ben je dood voor je een meter hebt gelopen.' Ze keek Tsata met opgetrokken wenkbrauw aan. 'Tevreden?' vroeg ze geprikkeld.

Hij hief zijn kin. Nomoru keek hem boos en verward aan, want ze wist niet dat dit in Okhamba gelijkstond aan knikken. Kaiku maakte haar niet wijzer. Ze had al besloten dat ze de verkenner met het klittende haar niet aardig vond.

Laat in de middag liet hun geluk hen in de steek.

De hemel was dofrood en dreigend purper, doorspekt met vegen diepblauw en doorschijnende wolkenlinten. Neryn en Aurus reisden die avond samen en ze hingen al laag aan de westelijke hemel: een dunne, groene sikkel die achter het reusachtige, wasachtige gezicht van haar grote zus vandaan piepte. Nomoru leidde hen langs een heuvelkam die hoog uittorende boven het landschap van de smalle bergstroompjes en nauwe ravijnen, dat zich tot mijlen in de omtrek uitstrekte. Hier was de grond versplinterd tot een legpuzzel van met gras begroeide richels die schrikbarend steil waren, zodat ze vaak om donkere gaten heen moesten klimmen of langs smalle, duizelingwekkende hellingen omhoog moesten klauteren met aan weerszijden een angstaanjagend diepe afgrond. Maar hoe moeilijk het ook was, het leverde één voordeel op: ze waren in de plooien van het landschap uitstekend verborgen en het was niet waarschijnlijk dat ze zouden worden gezien, tenzij iemand over hen struikelde.

Ze hadden bijna het andere eind van de heuvelkam bereikt, waar het land somber en dreigend op hen lag te wachten, toen Nomoru opeens haar hand omhoogstak, met de vingers gekruld in het Saramyrese teken voor 'stilte'. Dat was iets wat alle kinderen al heel vroeg leerden, meestal van hun ouders, die het vaak gebruikten om hen het zwijgen op te leggen. Tsata kende het kennelijk ook, of anders had hij de betekenis ervan geraden, maar hij bewoog toch altijd al geluidloos.

Kaiku spande zich in om iets te horen, maar het enige wat ze opving waren de kreten van dieren in de verte en het aanzwellende koor van nachtelijke insecten. Ze hadden tot nu toe geen teken van menselijk leven kunnen bespeuren – misschien was dat toeval, en anders was het aan Nomoru's vaardigheid te danken – en het enige wat hen ervan had weerhouden hun waakzaamheid te laten varen, waren de glimpen van grote roofdieren die ze af en toe in de verte opvingen. Nu verstrakten haar spieren zich als reactie op het dreigende gevaar. Een kille opwinding verspreidde zich door haar lichaam en veegde haar sombere gedachten weg.

Nomoru keek vluchtig achterom en beduidde dat ze moesten blijven waar ze waren. Even later was ze razendsnel langs de rotswand tegenover hen omhooggeklommen en over de top uit het zicht verdwenen.

Yugi kroop op zijn hurken naar Kaiku toe met zijn geladen geweer in zijn handen. 'Voel je iets?' fluisterde hij.

'Ik heb het niet geprobeerd,' zei ze. 'Ik durf het nog niet. Als het een wever is, ontdekt hij me misschien.' Ze verwoordde haar grootste angst echter niet: dat ze het in het slagveld van het weefsel nog nooit tegen een wever had opgenomen, dat Cailin de enige zuster was die dat had gedaan, en dat ze doodsbang was dat ze het op een dag zelf zou moeten doen.

Pas toen merkte ze dat Tsata was verdwenen.

De Tkiurathi bleef laag bij de grond en dicht bij de grote rots die zich links van hem verhief. Bijna instinctief wist hij vanuit welke gezichtshoeken hij zichtbaar was en vanuit welke oogpunten hij aan het zicht werd onttrokken. De stekelige varens rechts van hem beschermden hem in de flank, en hij zou iedereen die erdoorheen probeerde te komen kunnen horen, maar hoog op een vinger van steen die daarachter stond waren schaduwplekken die misschien een schutter of boogschutter konden verbergen. In tegenstelling tot Nomoru, die links om de hoge rots was gelopen, was hij rechtsom gegaan in de hoop dat hij om het gevaarte heen zou kunnen lopen en haar aan de andere kant zou tegenkomen, en als hij er niet omheen kon, zou hij eroverheen klimmen.

Dat was voor hem de gewoonste zaak van de wereld, iets wat voortkwam uit een manier van denken die door duizenden jaren van leven in het oerwoud was aangescherpt. Eén verkenner kon door een slang worden gebeten, in een valstrik trappen, een been breken of gevangen worden genomen zonder de kans te krijgen de rest van de pasj te waarschuwen dat de vijand, die ongetwijfeld het spoor van de verkenner terug zou volgen, in aantocht was. Twee verkenners, die ieder een ander pad kozen maar elkaar in de gaten bleven houden, waren veel moeilijker te verrassen, en als de een iets overkwam, kon de ander hem redden of hulp halen. Bovenal was het voor de groep veiliger.

Tsata werd keer op keer in verwarring gebracht door de onbegrijpelijke manier van denken van buitenlanders, of het nu Saramyriërs of Quralezen waren. Hun drijfveren stelden hem voor een raadsel. In het buitenland werd heel veel niet uitgesproken, maar was er sprake van een verwarrende uitwisseling van signalen en suggesties, die de indruk van een onderlinge verstandhouding moesten wekken. Hun pogingen om elkaar het hof te maken, bijvoorbeeld: hij had gezien hoe Saran en Kaiku aan boord van Chiens schip wekenlang om elkaar heen hadden gedraaid. Waarom was het zo onaanvaardbaar om iets uit te spreken wat ze allebei wisten, om hun verlangen naar elkaar toe te geven, maar was het wél aanvaardbaar om het op zo omslachtige wijze net zo duidelijk te maken? Ze deden allemaal vreselijk geheimzinnig, zaten helemaal in zichzelf opgesloten en waren niet bereid hun wezen met anderen te delen. Ze waakten als vrekken over hun kracht in plaats van die te gebruiken, gebruikten hun woorden en daden om zelf vooruit te komen in plaats van datgene wat ze hadden geleerd ten behoeve van de pasj aan te wenden. Daardoor hadden ze geen hechte gemeenschap, maar een volslagen ongelijke samenleving bestaande uit vele sociale lagen waarin minderwaardigheid voortvloeide uit je afkomst, of je gebrek aan bezittingen, of de daden van je vader. Het was zo ongelooflijk belachelijk dat Tsata er kop noch staart aan kon ontdekken.

Hij kon zich tot op zekere hoogte vereenzelvigen met Saran. Saran was immers bereid geweest iedere man die hem in de oerwouden van Okhamba vergezelde op te offeren om zelf levend terug te komen. Dat kon Tsata wel begrijpen, want hij deed dat ten behoeve van een belangrijkere pasj: de Libera Dramach en het Saramyrese volk. De anderen die aan de expeditie hadden deelgenomen waren slechts op geld en roem uit geweest. Alleen Sarans drijfveren hadden onbaatzuchtig geleken. Maar zelfs Saran hield, net als alle anderen, zijn bedoelingen verborgen, en wilde Tsata vaak vertellen waar hij naartoe moest en wat hij moest doen. Hij had zichzelf als de 'leider' van de groep beschouwd, hoewel Tsata geen geld had gewild en uit eigen vrije wil was meegegaan.

Het was te ingewikkeld. Hij zette het van zich af. Hij moest een andere keer maar verder piekeren over die verwarrende mensen.

Het leek er niet op dat het stenen gevaarte links van hem zou afbuigen en Tsata een pad zou bieden dat dat van Nomoru zou kruisen, dus besloot hij het erop te wagen en eroverheen te klimmen. Dan zou hij een tijdje gevaarlijk onbeschut zijn, maar daar was nu eenmaal niets aan te doen. In één soepele beweging kwam hij uit zijn gehurkte draf overeind en sprong omhoog om zich aan de ruwe wand van de rots vast te grijpen, waarna hij zijn opwaartse snelheid en de krachtige spieren in zijn armen gebruikte om zichzelf op te trekken. Hij vond een steuntje voor zijn voet en duwde zichzelf omhoog naar de bovenkant van de rots, waar hij plat op zijn buik op het bobbelige oppervlak ging liggen. In het oerwoud van zijn vaderland werkten zijn gele huid en groene tatoeages als camouflage, maar nu voelde hij zich erg naakt en zichtbaar. Hij kroop snel over de rots heen naar de andere kant en bleef daarbij zo dicht mogelijk bij de schaarse begroeiing die er te vinden was. De wassende manen keken boos op hem neer terwijl het licht aan de hemel langzaam wegstierf en plaatsmaakte voor een zachte, groen getinte gloed.

Hij bevond zich boven op een lange, smalle rug van steen. Vlakbij, links onder hem, liep een richel die de omtrek van de rug volgde, maar toen opeens afliep naar een kleine open plek die aan drie kanten door andere heuvelruggen werd begrensd.

Hij kon de mannen al horen en ruiken voordat hij hen langs de richel naar de plek zag lopen waar Kaiku en Yugi zaten te wachten.

Ze waren met zijn tweeën. Ze waren gekleed in een vreemd samenraapsel van zwarte kleren en wapenrusting van donker leer, hun gezichten waren onnatuurlijk wit gepoederd en er zat donkerblauwe inkt om hun ogen. Hun kleren, haren en huid waren vuil, er waren met blauwe verf oorlogstekens op getekend, ze waren onverzorgd en stonken naar een soort wierook die Tsata herkende als ritasi, een bloem met vijf blaadjes waarvan hij had begrepen dat Saramyriërs die vaak bij begrafenissen brandden. Ze hadden oude geweren van een onbetrouwbaar merk bij zich – zware, smerige gevallen – en om hun middel droegen ze kromzwaarden.

Tsata verschoof zijn eigen geweer, dat aan een riem om zijn schouder hing, en maakte zijn *kntha* los uit zijn riem. Kntha waren Okhambaanse wapens, gemaakt voor man-tot-mangevechten in het oerwoud, waar je met langere wapens slecht uit de voeten kon en gemakkelijk achter klimplanten kon blijven haken. Ze bestonden uit een met leer omwikkeld gevest met een stalen vuistbeschermer, en twee geknikte lemmeten die aan de onderkant en bovenkant uit het gevest staken. De taps toelopende lemmeten bogen ongeveer halverwege in tegengestelde richtingen om en hadden een gemeen scherpe rand. Kntha werden in tweetallen gebruikt, een om mee af te weren en een om mee uit te halen, zodat je in totaal vier messen had om een vijand mee te bevechten. Er was een uitzonderlijk wrede vechttechniek voor nodig om ze doeltreffend te kunnen gebruiken. De Saramyriërs hadden er een naam voor die gemakkelijker te onthouden was dan de Okhambaanse term: slachthaken.

Soepel als een kat liet hij zich op de richel vallen, en zijn landing was geruisloos. Tkiurathi's hadden een hekel aan alle versierselen die geluid konden maken, want hoe konden ze anders onopgemerkt blijven? De twee mannen waren volledig geconcentreerd op hun eigen onbeholpen sluipgang en hoorden hem niet aankomen. Ze vormden een gemakkelijke prooi.

Hij verraste hen volledig en haalde uit naar de hals van de dichtstbijzijnde. Daarbij wierp hij zo veel lichaamsgewicht in de strijd dat de man in één keer werd onthoofd. Met zijn linkerhand haalde hij uit naar de ander, die zich net op dat moment in de richting van het mes omdraaide. Hij werd recht op zijn keel geraakt, niet zo hard dat ook hij werd onthoofd, maar wel zo hard dat het mes door de dikke spieren heen sneed en in de ruggengraat bleef steken. Terwijl de eerste man nog viel, zette Tsata al zijn schoen tegen de borst van de tweede om zijn slachthaak los te trekken. Er kwam een fontein van warm bloed mee, gevolgd door nog een straal die vanuit de wond over de borst van de man gutste. Tsata deed een stap achteruit en keek toe hoe hij op de grond in elkaar zakte. Zijn lichaam leek nog niet te beseffen dat hij dood was, want zijn hart klopte nog steeds krampachtig.

Nu hij ervan was overtuigd dat het grootste deel van zijn pasj veilig was, richtte hij onmiddellijk zijn gedachten op Nomoru. Hij veegde het bloed van zijn messen en zijn mouwloze hemd van hennep, om te voorkomen dat eventuele vijanden de geur ervan zouden oppikken, en liep toen langs de richel in de richting waar de mannen vandaan waren gekomen.

Hij vond haar op de verdiepte open plek aan het eind van de richel. Ze stond met haar gezicht naar hem toe en met haar rug tegen een rotswand. Er waren nog twee mannen bij haar, en een van hen had een mes onder haar kin gedrukt. De ander had zijn geweer paraat en hield de heuvelkam in de gaten. In het laatste licht van de dag was Tsata zo goed als onzichtbaar terwijl hij vanuit de schaduw bij de stenen richel toekeek. Hij keek snel om zich heen of er nog meer mensen waren, maar er was niets te zien, zelfs geen wachters of verkenners op de hoogste punten rond de open plek. Dit waren geen krijgers, hoe snoeverig ze ook deden.

Voor hem was de man met het mes tegen Nomoru's keel de belangrijkste. Hij zou graag hebben geprobeerd het stilletjes te doen, maar het risico was veel te groot. Hij wachtte dan ook totdat ze geen van beiden in zijn richting keken en richtte toen zijn geweer. Hij probeerde net de kans in te schatten dat hij de man kon neerschieten zonder dat die in een reflex Nomoru zou neersteken, toen de verkenner hem met een nauwelijks zichtbare vonk van herkenning in haar ogen aankeek. Even later keek ze hem opnieuw aan, heel ingespannen deze keer. Dat was opzet. De man die haar bewaakte fronste toen hij het zag. Met opengesperde ogen staarde ze Tsata boos aan, alsof ze hem wilde aansporen.

Tsata wachtte even met vuren. Slim van haar. Ze probeerde de aandacht van haar vijand af te leiden.

'Houd op met staren, dwaas mens,' siste de man. 'Ik ben niet gek. Je krijgt me echt niet zover dat ik de andere kant op kijk.' Met die woorden gaf hij haar een klap. Daarvoor moest hij het mes echter een paar centimeter bij haar vandaan halen, en op het moment dat hij dat deed, schoot Tsata een kogel door de zijkant van zijn hoofd. De laatste man draaide zich met een kreet en zijn geweer geheven om, maar Tsata sprong al boven op hem en stootte met de kolf van zijn eigen vuurwapen tegen de kaak van de man. Het geweer van zijn vijand ging af toen hij viel, en met een tweede klap sloeg Tsata hem de hersens in.

De echo's van de geweerschoten galmden door de Breuk en de vallende nacht.

Het bleef even stil terwijl Nomoru en Tsata in het schemerduister

naar elkaar keken. Toen wendde Nomoru zich af en pakte haar geweer en dolk, die haar waren afgenomen.

'Ze komen vast achter ons aan,' zei ze zonder hem recht aan te kijken. 'Andere mannen. We moeten gaan.'

◎ 14 ◎

De geluiden die de achtervolgers maakten galmden in de verte tussen de heuveltoppen.

Toen ze met Tsata was teruggekeerd, had Nomoru hen bij de heuvelrug die ze tot dan toe hadden gevolgd vandaan geleid en in plaats daarvan een pad gekozen dat in noordwestelijke richting steil naar beneden liep. Ze zaten onder de schrammen en blauwe plekken van alle keren dat ze langs met schalie bedekte hellingen omlaag waren gegleden, en ze waren behoorlijk moe, want Nomoru hield al meer dan een uur een roekeloze snelheid aan. Ze leek woedend, hoewel niet duidelijk was of ze boos was op zichzelf of op de anderen. Ze beulde hen af en leidde hen het diepste gedeelte van de Breuk in, totdat het donkere landschap hen aan alle kanten insloot.

Eindelijk hield ze halt op een ronde wei die tussen de levenloze rotsen eromheen helemaal niet leek thuis te horen. Ondanks de warme nacht hing er een deken van mist boven de grond, die in het licht van de maansikkels een droeve, parelachtig groene kleur had. De wei liep over de helling van een smalle heuvel naar het westen omlaag, maar als daar iets was, werd het door de plooien in het landschap aan het zicht onttrokken.

Yugi en Kaiku lieten zich op het gras vallen. Tsata ging vlakbij op zijn hurken zitten. Nomoru liep geagiteerd heen en weer.

'Goden, ik zou ter plekke in slaap kunnen vallen,' zei Yugi.

'We kunnen hier niet blijven. Jullie mogen alleen even rusten,' snauwde Nomoru. 'Ik wilde helemaal niet deze kant op.'

'Gaan we nog verder?' vroeg Kaiku ongelovig. 'We zijn al sinds de dageraad op pad.'

'Waarom zouden we ons kapot haasten? We hebben tijd genoeg,' zei Yugi nogmaals.

'Ze volgen ons spoor,' zei Tsata. Toen Yugi en Kaiku hem aankeken, gebaarde hij met zijn hoofd in de richting waar ze vandaan waren gekomen. 'Ze roepen naar elkaar. En ze komen dichterbij.'

Yugi krabde in zijn nek. 'Koppige mensen. Vervelend. Wie zijn ze?'

Nomoru stond met haar armen over elkaar tegen een rotswand geleund. 'Weet niet hoe ze heten. Het is een sekte van Omecha. Niet zoals in de steden. Erg extremistisch. Ze denken dat de dood het belangrijkste doel van het leven is.' Ze maakte een geringschattend gebaar met haar hand. 'Bloedoffers, verminking, rituele zelfmoord. Ze kijken uit naar hun eigen dood.'

'Dan was Tsata zeker een aangename verrassing voor hen,' grapte Yugi met een grijns naar de Tkiurathi. Tsata lachte, en daar schrokken ze allemaal van. Ze hadden hem geen van allen ooit horen lachen. Sterker nog, tot op dat moment had het erop geleken dat hij geen enkel gevoel voor humor had. Het geluid klonk hen om een onverklaarbare reden vreemd in de oren. Eigenlijk hadden ze verwacht dat hij zijn plezier op een andere manier zou uitdrukken dan Saramyriërs.

Nomoru kon de opmerking niet waarderen. Ze was al boos op zichzelf omdat ze zich had laten vangen, en bizar genoeg was ze ook boos op Tsata, omdat die haar had gered. 'Ze horen hier helemaal niet te zijn,' zei ze ruw. 'Een week geleden waren hier anderen. Daar hadden we gemakkelijk langs kunnen glippen. Ze letten niet goed op.'

'Misschien zijn ze daarom wel verdreven,' opperde Yugi.

Ze keek hem boos aan. 'Ik wilde helemaal niet deze kant op,' zei ze nogmaals.

Kaiku, die een stuk kruidenbrood uit haar knapzak at om haar energie een beetje aan te vullen, keek naar haar op. 'Waarom niet?' vroeg ze met volle mond. 'Wat is hier dan?'

Nomoru leek op het punt te staan iets te zeggen, en er lag een gekwelde blik in haar ogen, maar toen besloot ze kennelijk haar mond te houden. 'Weet ik niet,' zei ze. 'Maar ik weet dat ik hier beter niet kan komen.'

'Nomoru, als je iets over deze plek hebt gehoord, zeg het dan tegen ons,' zei Kaiku. Haar zwijgzaamheid was verontrustender dan alles wat ze had kunnen zeggen.

'Ik weet het niet!' zei ze weer. 'Het stikt van de verhalen over de Breuk. Ik heb ze allemaal wel eens gehoord. Maar er doen slechte geruchten de ronde over de plek waar we naartoe gaan.'

'Wat voor geruchten?' drong Kaiku aan terwijl ze het haar uit haar gezicht veegde en Nomoru dringend aankeek.

'Slechte geruchten,' zei de verkenner koppig, en ze beantwoordde boos Kaiku's blik.

'Zullen ze hier achter ons aan komen?' vroeg Yugi, die een andere tactiek wilde proberen.

'Als ze slim zijn niet,' zei Nomoru. Toen was ze alle vragen kennelijk moe, want ze beval hen overeind te komen. 'We moeten gaan. Ze halen ons in.'

Yugi keek naar Tsata, die het met een grimmige opwaartse knik met zijn kin bevestigde. Hij hees zichzelf overeind en stak een hand uit om Kaiku te helpen. Hun benen deden pijn, maar morgen zou de spierpijn nog veel erger zijn.

'We moeten nú gaan!' siste Nomoru ongeduldig, en ze liep van de smalle grashelling af naar wat daarachter lag.

De helling werd na een tijdje minder steil en kwam uit in een breed, vlak moerasgebied, een lange, bochtige vlakte geflankeerd door wanden van zwart graniet waar duizenden smalle waterstraaltjes vanaf sijpelden. Het was er onverklaarbaar kil en de reizigers kregen kippenvel toen ze langs de helling afdaalden. Kluitjes gras en haveloze struiken staken als eilandjes boven de sombere, akelige deken van mist uit. Vreemde korstmossen en varens bedekten hier en daar de donkere rotswanden en hadden zich als vegen vreugdeloos groen, rood en paars over het slijk verspreid. In de droevige gloed van Aurus en Neryn lag het moeras er troosteloos bij, en de stilte werd slechts af en toe verbroken door het gekrijs of gekwaak van een ongezien wezen.

Het terrein onder hun voeten werd langzaam maar zeker natter, en water welde op in hun schoenafdrukken. Onder aan de helling, waar het gras in moerasland overging, vroeg Yugi zich hardop af of ze het wel konden oversteken. Nomoru deed alsof ze hem niet had gehoord. Aan het geluid van hun achtervolgers die elkaar in een duistere, plechtige taal dingen toeriepen had ze immers niets toe te voegen. Hoewel de lucht die hen omringde geluiden leek te dempen en echo's leek tegen te houden, waren de sekteleden duidelijk niet ver weg.

Ze liepen haastig het moeras in, en de verstoorde mist wikkelde zich om hun benen en kolkte traag tot aan hun knieën omhoog. Nu al drong het water in hun schoenen en bij elke pas sopten hun voeten. Ze sjokten in ganzenpas voort terwijl de modder aan hun schoenen zoog alsof hij die wilde afpakken. Tsata liep achteraan met zijn geweer in zijn handen en wierp regelmatig een blik op de helling achter hen, waar hij elk moment nog meer smoezelige gestalten verwachtte te zien.

'We lopen hier te veel in het zicht,' zei hij.

'Daarom gaan we ook zo snel,' zei Nomoru kortaf. Ze struikelde en vloekte. 'Ze kunnen ons niet raken als we te ver vooruit zijn.'

Het was nu te laat om die beslissing in twijfel te trekken, dus worstelden ze zo snel als ze konden achter Nomoru aan door het naargeestige moeras. Ze leek precies te weten waar ze naartoe moest, en hoewel ze door een misstap vaak in het waterige slijk aan weerszijden van de paden die ze uitkoos terechtkwamen, hadden ze redelijk vaste grond onder de voeten zolang ze in haar boetstappen volgden. Opeens klakte Tsata met zijn tong, een hard geluid waar Kaiku behoorlijk van schrok. 'Daar zijn ze,' zei hij.

Nomoru keek achterom. Boven aan de helling: vier mannen en een vrouw, van wie er twee geweren droegen. Ze riepen iets naar hun ongeziene metgezellen. Terwijl ze stond te kijken, richtte een van de mannen zijn geweer en vuurde. De scherpe knal werd door de dikke moeraslucht opgeslokt. Kaiku en Yugi doken werktuiglijk in elkaar, maar de kogel kwam niet eens bij hen in de buurt.

Nomoru glipte langs de anderen naar de plek waar Tsata stond en haalde het geweer van haar schouder. Voor het eerst viel Kaiku op hoe sterk het contrast was tussen het wapen en de vrouw die het droeg. Nomoru was schriel, sjofel en lomp, maar haar geweer was een prachtig voorwerp met gladde zwarte lak op de kolf, een inscriptie van piepkleine gouden schrifttekens, en een krullende, met zilver ingelegde ingesneden figuur over de gehele lengte van de loop. 'Maak je geen zorgen,' zei ze tegen Kaiku en Yugi toen nog een sektelid een schot loste en ze van schrik ineenkrompen. 'Ze raken ons toch nooit. We zijn buiten schootsafstand.'

'Wat ga jij dan doen?' vroeg Yugi. Het was vreselijk zenuwslopend om op een open vlakte te staan terwijl er iemand op hen schoot, ook al was het dan van heel ver. Toch durfde hij geen stap te verzetten zonder Nomoru om hen te leiden. Hij had inmiddels een heilig ontzag gekregen voor de gevaren van het moeras.

Nomoru zette het geweer tegen haar schouder, richtte en haalde de trekker over. Even later zakte een van de sekteleden met een gat in zijn voorhoofd in elkaar.

'Ze zijn niet buiten míjn schootsafstand,' zei ze. Ze trok de haan weer naar achteren, liet de loop een fractie naar links zwaaien en vuurde opnieuw. Weer ging er een sektelid neer.

'Hartbloed...' prevelde Yugi verwonderd.

De overgebleven sekteleden trokken zich nu gehaast terug naar de open plek en verdwenen uit het zicht.

'Nu hebben ze iets om over na te denken,' zei Nomoru, terwijl ze

haar geweer over haar schouder slingerde. 'We gaan verder.'
Ze liep weer naar het hoofd van de groep en trok verder. De anderen gingen zo goed en zo kwaad als het ging achter haar aan.
Al snel merkte Kaiku een verandering op. In eerste instantie was het zo subtiel dat ze er de vinger niet op kon leggen, gewoon een gevoel van onbehagen. Geleidelijk werd het echter steeds sterker, totdat de kleine haartjes op haar armen ervan overeind gingen staan. Ze wierp een blik op de anderen om te zien of een van hen haar onrust deelde, maar zo te zien niet. Ze had het onwerkelijke gevoel dat ze van haar metgezellen afgeschermd was, alsof ze op een ander niveau bestond dan zij, alsof ze een geest was die zij niet konden zien en voelen en met wie ze niet konden praten. In haar binnenste roerde haar kana zich.

Het gevoel was afkomstig uit het moeras, uit de grond waarop ze liepen: een gestaag groeiend bewustzijn, alsof het land om hen heen langzaam ontwaakte. En met dat bewustzijn kwam er boosaardigheid.

'Wacht,' zei ze, en ze bleven stilstaan. Ze waren halverwege het moeras, ver van de dichtstbijzijnde veilige plaats, en nog steeds werd dat gevoel sterker, dat kolossale, stuitende kwaad dat door de lucht leek te sijpelen. 'Goden, wacht. Het moeras... Er zit iets in het moeras...' Haar stem klonk ijl, zwak en etherisch, en haar ogen stonden onscherp.

Alsof iets haar waarschuwing had opgevat als een signaal stak er opeens een smerig riekende wind op, die de mist rond hun voeten tot hoog boven hun hoofden opzweepte. De wind stierf net zo snel als hij was komen opzetten weer weg. De mist, een witte, nevelige sluier die alles in de wereld om hen heen tot grijze schaduwen terugbracht, bleef echter hangen. Tot op dat moment hadden ze het hele moeras in de lengte en de breedte kunnen overzien, maar nu was hun zicht opeens sterk beperkt en daardoor voelden ze zich vreselijk opgesloten.

'Wat heb je over deze plaats gehoord, Nomoru?' vroeg Tsata plotseling.

'Verder konden we nergens heen,' snauwde ze verdedigend. 'Het waren maar geruchten. Ik wist niet dat ze...'

'Wat heb je gehoord?'

De zwijgzame Tkiurathi verhief zelden zijn stem, maar zijn frustratie over Nomoru werd hem nu te veel. Ze was een volslagen eenling die in haar eentje wegging zonder iemand te vertellen waarom, die om de leiding over de groep te kunnen behouden waardevolle feiten verborgen hield in plaats van ze aan de anderen te vertellen. De weinige kennis die ze had deelde ze slechts mondjesmaat, en alleen als het haar uitkwam.

Het was even stil terwijl ze elkaar hun wil trachtten op te leggen. Uiteindelijk was Nomoru degene die toegaf. 'Demonen,' zei ze kribbig. '*Ruku-shai's*.'

In de verte sneed een luid geratel door de mist, alsof er holle stokken tegen elkaar werden geslagen. Het geluid zwol tot een crescendo aan voordat het opeens wegstierf. Yugi zuchtte geërgerd en vloekte grof.

'Verder konden we nergens heen,' zei Nomoru opnieuw, maar deze keer zachter. 'Ik geloofde de geruchten niet.'

Yugi haalde vertwijfeld zijn handen door zijn haar, trok de doek recht die hij om zijn hoofd had gebonden en wierp haar een blik vol afkeer toe. 'Haal ons gewoon hier weg,' zei hij.

'Ik weet niet welke kant we op moeten!' riep ze uit, en ze gebaarde naar de mist die hen omringde.

'Raad dan!' schreeuwde Yugi.

'Die kant op,' zei Tsata kalm. Zijn richtingsgevoel werkte nog prima, want hij had zich niet bewogen of omgedraaid sinds de mist was komen opzetten.

'Ze komen eraan!' zei Kaiku, die in paniek om zich heen keek. Haar irissen waren niet langer bruin, maar hadden een donkere, dieprode kleur gekregen.

Ze verspilden geen tijd. Nomoru ging voorop in de richting die Tsata had aangewezen en stak zo snel als ze durfde het moeras over. De mist was niet zo dicht dat ze helemaal niets konden zien, maar alles wat meer dan twintig voet bij hen vandaan was, werd een vage vlek. Ze waadden met grote passen door het slijk en hielden hun ogen en oren goed open. Het geratel klonk nu overal om hen heen, een ritmisch geklik dat varieerde van traag en sinister tot snel en agressief. Door de mist konden ze met geen mogelijkheid precies vaststellen waar het vandaan kwam. Ze liepen met hun geweren in de aanslag verder, wetend dat het ijzer in de kogels het enige wapen was dat ze tegen de demonen konden gebruiken. Ze wisten echter ook dat ze de demonen daarmee niet lang konden tegenhouden.

'Kaiku,' zei Yugi achter haar. Ze leek het niet te horen, want haar blik was gericht op iets wat de anderen niet konden zien. 'Kaiku!' zei hij opnieuw, en hij legde zijn hand op haar schouder. Ze keek opeens naar hem om, alsof ze uit een droom was wakker geschud. Haar ogen stonden wild en ze beefde. Ze moest denken aan andere demonen en aan de doodsangst die ze voor ze had gevoeld.

'Kaiku, we hebben je nodig,' zei Yugi met een dringende blik. Ze

leek het niet te begrijpen. Opeens glimlachte hij volkomen onverwacht en streek het haar weg dat half voor haar gezicht hing. 'We
hebben je nodig. Je moet ons beschermen. Kun je dat?'
Ze keek hem even onderzoekend aan en knikte toen snel. Zijn bemoedigende glimlach werd breder en hij gaf een kameraadschappelijk klopje op haar bovenarm. 'Brave meid,' zei hij, en onder andere omstandigheden zou Kaiku dat beledigend en neerbuigend hebben
gevonden, maar nu vond ze het vooral opbeurend.
'Kom op!' blafte Nomoru voor hen, en ze haastten zich om haar in
te halen.
Kaiku bevond zich in een andere wereld dan de anderen. Ze was het
weefsel binnengeglipt, maar bleef hangen halverwege de tastbare wereld en de onaardse tapisserie die zich buiten het bereik van het menselijk oog bevond. Met haar aangescherpte zintuigen stond ze echter bloot aan ergere dingen dan de angst waarmee de anderen te
kampen hadden. Ze streek langs de overweldigende geest van de demonen, de dimensieloze paden van hun gedachten, en ze dreigden
haar te verpletteren. Ze vocht om ze buiten te sluiten, om te voorkomen dat ze van dat smalle koord in de gapende leegte zou vallen
die op haar wachtte als ze zou proberen die gedachten te doorgronden. Dit was van een geheel andere orde dan het moment waarop ze een glimp van de wereld van de Kinderen van de Manen had
opgevangen. Toen was Kaiku vooral overweldigd door haar eigen
nietigheid toen ze had beseft hoe onbelangrijk ze voor dat onbegrijpelijke bewustzijn was. De ruku-shai's waren bij lange na niet zo
machtig als die ontzagwekkende geesten, maar ze voelde hun haat,
en de kracht ervan deed Kaiku beven. Hun aandacht was nu strak
op haar gericht.
Volgens de Saramyrese legenden waren demonen onreine zielen die
vanwege de afschuwelijke zonden die ze bij leven tegen de goden
hadden begaan in een stoffelijk lichaam waren gevangen, waardoor
ze dood noch levend waren, maar eeuwig waren veroordeeld tot een
martelend halfbestaan. Op dat moment wist Kaiku echter dat dat
niet waar was, dat haar volk nooit zou weten waar de demonen vandaan kwamen. Ze waren zo verre van menselijk dat het onmogelijk
was te geloven dat ze ooit in haar wereld hadden geleefd, dat ze net
als zij hadden liefgehad, gerouwd, gelachen en gehuild.
Ze kon met behulp van de loom golvende draden van fonkelend
goud door de mist heen kijken, en daar zag ze hoe de demonen zich
losmaakten uit het moeras. Hun gestalten waren als zwarte, knobbelige klitten in de puurheid van het weefsel. Ze kon geen details
onderscheiden, maar hun vorm was voor haar duidelijk zichtbaar.

Ze hadden een soepel, slangachtig lijf dat uitliep in een scherpe zweepstaart. Zes dunne poten staken uit hun onderlijf omhoog en opzij, om bij een stekelig kniegewricht omlaag te knikken. Ze kropen langzaam vooruit, tilden overdreven zorgvuldig hun poten hoog op en zetten de twee tenen aan het uiteinde zachtjes neer. En ondertussen klonk steeds dat vreselijke geratel, dat ze voortbrachten door met de botjes in hun keel tegen elkaar te slaan. Zo communiceerden ze in hun naargeestige taal met elkaar.

'Er zijn er drie,' zei ze, en toen struikelde ze en zakte tot aan haar dijen weg in een poel vol brak, stinkend water. Tsata pakte haar bij haar arm voordat ze verder voorover kon vallen en tilde haar eruit alsof ze niets woog. 'Er zijn er drie,' herhaalde ze buiten adem.

'Waar?' vroeg Tsata terwijl hij haar dwong weer in beweging te komen.

'Links van ons.'

Yugi keek werktuiglijk die kant op, maar zag alleen de grijze lijkwade van mist. Nomoru liep stug door en was inmiddels zo ver vooruit dat ze haar nauwelijks meer konden zien.

'Nomoru, wacht!' riep hij, en ergens voor hen klonk fel, geërgerd gevloek. Toen ze haar inhaalden, was ze woest. Inmiddels was echter duidelijk dat de woede slechts een flinterdun laagje vernis was dat de rauwe angst moest tegenhouden die onder de oppervlakte borrelde en dreigde over te koken. Zodra ze dichtbij genoeg waren, liep ze in een moordend tempo door.

'Hoe ver zijn we van de rand van het moeras?' vroeg Yugi aan Kaiku.

'Te ver,' zei ze. Ze kon voelen dat de demonen ongehaast op hen af slopen en rustig wachtten totdat ze zichzelf hadden uitgeput, als wilde honden die op een antilope joegen. Ze waren al sinds de dageraad onderweg en dat uitte zich in een vermoeide tred en veel gestruikel. De ruku-shai's hoefden alleen maar het juiste moment af te wachten.

Op het moment dat ze dat besefte, bleef ze staan. Ze was in het verleden voor andere demonen op de vlucht geslagen, voor de meedogenloze shin-shins. Ze had zich dagen- en nachtenlang steels en ineengedoken in het Lakmargebergte op Fo voor angstaanjagende afwijkenden schuilgehouden. Ze was door de gangen van een weverklooster geslopen, doodsbang dat ze zou worden ontdekt. Steeds weer was ze op de vlucht geslagen, weggekropen, teruggedeinsd om te voorkomen dat machtiger wezens dan zijzelf haar zouden opmerken. Dat was echter voordat Cailin haar had geleerd haar kana te gebruiken, voordat de lessen het van een onbeheersbare, vernietigende oerkracht hadden veranderd in een wapen dat ze kon hanteren. Ze was niet meer zo weerloos.

'Wat nu weer?' riep Nomoru uit.

Kaiku deed alsof ze dat niet had gehoord en draaide zich om naar de muur van mist en de demonen die daarachter met hun lome, aanstellerige tred op hen afkwamen. Haar irissen werden bloedrood en een windvlaag speelde door haar haar en kleren, zodat de sombere nevel even optrok.

'Ik weiger te vluchten,' zei ze met een plotselinge roekeloosheid die haar deed duizelen. 'We moeten de strijd aangaan.'

Haar kana barstte los als miljoenen vezelige ranken die onzichtbaar voor haar metgezellen het gouden diorama van het weefsel binnen kronkelden. Het spervuur doorboorde de dichtstbijzijnde ruku-shai, en Kaiku's bewustzijn ging mee. Het was alsof ze in ijskoude, stinkende teer dook. Een fractie lang – hoewel het in de wereld van het weefsel veel langer leek – dreigde ze te stikken, want haar zintuigen waren omgeven door de weeë corruptie van de demon en ze raakte bijna in paniek door die nieuwe, onmenselijke sensatie, maar toen nam haar instinct het over en kon ze zich oriënteren. De demon was net zo verward en onvoorbereid geweest als Kaiku, maar nu was ze haar voordeel kwijt, en ze gingen elkaar als gelijken te lijf.

Niets wat de zusters haar hadden geleerd had haar hierop kunnen voorbereiden. De zorgvuldig gechoreografeerde schermutselingen die ze had meegemaakt leken in niets op deze verwoede strijd met een ander wezen in het weefsel. Ergens had ze verwacht dat ze de demon gewoon in stukken zou kunnen scheuren, dat ze de vezels ervan met één vuurstoot zou kunnen vernietigen. Dat had ze ook met verschillende mensen gedaan die zo onfortuinlijk waren geweest haar pad te kruisen nadat de kracht pas in haar was ontwaakt. Demonen en geesten lieten zich echter niet zo gemakkelijk vernietigen.

Ze stortten zich op elkaar in een wirwar van graaiende draden, die als een kluwen slangen die elkaars staarten achternazaten keer op keer uiteen sprongen en weer samenkwamen. De demon deed zijn uiterste best de draden te volgen naar haar lichaam, waar hij echt schade kon aanrichten, en zij vocht om hem tegen te houden terwijl ze hetzelfde bij hem probeerde te doen. Opeens was ze overal, want ze had haar geest versplinterd om de duizend verschillende piepkleine schermutselingen te kunnen volgen: hier maakte ze een knoop in een draad om de oprukkende duisternis die erlangs kroop tegen te houden, daar sprong ze van de ene vezel over op de andere, op zoek naar een zwakke plek in de verdediging van de demon. Ze gebruikte foefjes die Cailin haar had geleerd en merkte tot haar verbazing dat ze ze gebruikte alsof ze haar hele leven niet anders had gedaan. Ze brak draden doormidden en vlocht ze weer samen om lussen te creëren waarmee ze de aanvallen van de ruku-shai kon terugkaatsen, ze maakte onregelmatige scheuren in het weefsel van hun strijdperk die haar vijand noodgedwongen moest omzeilen, terwijl ze kana-pijlen op hem afvuurde in een poging zijn inwendige barrières te slechten.

Ze maakte schijnbewegingen en stak onderzoekend toe, waarbij ze de ene keer al haar draden bundelde en ze de andere keer wijd verbreidde, zodat ze de demon op vele fronten tegelijk het hoofd kon bieden. Bij elke aanraking voelde ze de hete, duistere stank en de angstaanjagende, geconcentreerde haat van haar vijand. Keer op keer werd ze gedwongen zich terug te trekken om een gat te dichten dat de ruku-shai had geopend en zijn snelle uitvallen te pareren voordat hij haar kon bereiken en haar kon aanraken met de afschuwelijke energie waaruit hij bestond. Ze deinsde voor hem terug, vermande zich vervolgens en dreef hem naar achteren, maar werd vervolgens op haar beurt door de kracht van zijn aanwezigheid teruggedreven. Hij gebruikte technieken die in niets leken op datgene waarin de zusters haar hadden onderwezen. Ze waren gestoeld op een demonische logica die ze nooit had kunnen voorzien.

Desondanks waren ze aan elkaar gewaagd. Het voordeel wisselde tussen de een en de ander, maar in feite was er sprake van een patstelling. En langzaam maar zeker raakte Kaiku aan de schermutseling gewend. Haar bewegingen werden iets zelfverzekerder. Ze had niet meer zo sterk het gevoel dat ze maar wat deed, en werd beheerster. Als de demon haar vanaf het begin met al zijn kracht had bestookt, zou hij haar misschien hebben verslagen, maar nu begon ze zijn tactieken te doorgronden. Het waren er in feite maar een paar die hij steeds herhaalde. Met een vurig soort genoegen merkte ze dat ze de foefjes van de demon kon herkennen en afwenden. De ruku-shai wist steeds minder vaak door haar verdediging heen te breken. Ze besefte dat ze ondanks haar gebrek aan ervaring sneller en wendbaarder was op de draden van het weefsel dan het wezen waartegen ze het moest opnemen, en dat het uitsluitend aan die onervarenheid te wijten was dat hij haar zo lang had kunnen tegenhouden.

Ze begon te geloven dat ze kon winnen.

Ze raapte de draden die ze beheerste bij elkaar, vlocht ze samen tot een strak lint en schoot in een spiraal omhoog, waarbij ze haar vijand als de staart van een komeet met zich meesleurde. Ze hield de demon met haken en lussen stevig vast en trok hem met duizelingwekkende snelheid mee naar een grote hoogte. De demon was verbijsterd door dat voor hem vreemde offensief en reageerde veel te traag. Ze bestookte hem met snelle aanvallen en leidde zijn aandacht ver af van de kern van zijn bewustzijn. Vervolgens sneed ze zich behendig van de demon los, dook terug de diepte in en sprong van de ene draad naar de andere om terug bij zijn lichaam te komen. Het strijdfront vermeed ze volledig. Eindelijk besefte de ruku-shai dat hij zich had laten weglokken bij de plek die hij eigenlijk moest verdedigen, en hij ging zo snel als hij kon achter haar aan. Kaiku bewoog nu echter op topsnelheid en haar vijand was te traag. Als een vloedgolf beukte ze met de volle kracht van haar kana tegen zijn inwendige barrières, en die begaven het. Ze was binnen en snelde door de vezels van het stoffelijke lichaam van de ruku-shai, scheurde door zijn spieren en aderen en drong door in al zijn onaardse lichaamsfuncties.

Er was geen tijd meer voor subtiele maatregelen. Ze plantte zichzelf gewoon midden in het lijf van de demon en reet de zwarte knoop van zijn wezen uiteen.

De demon uitte vanuit zijn keel een onmenselijk geratel toen hij van binnenuit uiteen werd gescheurd. Een straal vuur schoot uit zijn muil, zijn ledematen en buik zwollen op en ten slotte spatte hij in brandende stukken bot en vlees uit elkaar. Toen ze haar kana terugtrok, voelde ze de woede en de pijn die met zijn dood gepaard gingen als een golf over zich heen spoelen, als een krachtige naschok in het weefsel die haar dreigde te verdoven. Ze keerde met een ruk terug naar de realiteit en haar kana trok zich weer diep in haar lichaam terug om zich tegen de terugslag van het heengaan van de demon te beschermen.

Ze knipperde met haar ogen, en opeens zag ze niet langer het weefsel, maar de grijze mist en haar metgezellen die naar de doffe vuurgloed staarden die opeens opzij van hen was ontstaan. Voor hen was er maar een tel verstreken, maar Kaiku had het gevoel dat ze in haar eentje een oorlog had uitgevochten.

Haar opgetogenheid omdat ze als winnaar uit de strijd was gekomen verdween al snel, toen ze de ritmische tred van de naderende demonen hoorde. Ze had er één verslagen, maar zijn metgezellen waren woedend en hadden geen zin meer om op hun prooi te wachten. Hun geratel werd hoger en feller, zodat het pijn deed aan haar oren. De klamme nevelgordijnen trokken zich samen tot twee monsterlijke schaduwgestalten. Ze gingen al in de aanval voordat ze de kans kreeg om haar kana weer te ballen.

Ze stormden vanuit de sombere mist op hen af, door hun zes poten voortgestuwd in een vreemde, springerige gang. Ze waren van hun wrede gespleten tenen tot aan hun knobbelige ruggengraat zeven voet hoog en meer dan twaalf voet lang, en ze hadden een vale, grijsgroene kleur. Hun torso was een slordig veelvlak van benen platen die hun flanken en rug bedekten. Overal zaten scherpe hoeken en punten, zodat het leek alsof ze een vacht van doornen hadden, en ze zaten onder de stinkende modder en rafelige plukken moerasplanten. Om hun diepliggende ogen en op hun voorhoofd hadden ze net zulke platen, en als ze hun kaken spreidden, kon je het lijkkleurige huidvlies zien dat aan de binnenkant van hun muil zat.

Ze stortten zich op de groep, die zich had laten verrassen door hun onverwachte snelheid. Kaiku sprong uit de weg toen een van hen langs haar heen galoppeerde en met zijn staart razendsnel naar haar hoofd uithaalde. Ze kwam onhandig terecht, want ze struikelde over een pol hoog gras en viel languit in een smerige poel zuigende modder. Haar aanvaller kwam tot stilstand, verhief zich op zijn vier achterpoten, trok als een bidsprinkhaan zijn voorpoten op en doorboorde haar met zijn dodelijke blik. Toen klonk er een geweerschot, en een kogel ketste af op het pantser op zijn wang. De demon deinsde terug en Kaiku voelde dat Yugi zijn arm onder een van haar oksels stak om haar overeind te trekken.

Ze wist net op tijd haar evenwicht te hervinden om over Yugi's schouder te kunnen kijken naar de andere ruku-shai. Ook die had zich als een bidsprinkhaan verheven, en voor Kaiku's verbijsterde ogen haalde hij razendsnel met de hoefachtige tenen van zijn voorpoot uit naar Tsata, zodat de Tkiurathi bloedend achteruit tegen een heuveltje vloog. Een fractie later stormde de demon op hen af.

'Yugi! Achter ons!' riep ze, maar het was al te laat. De dunne staart van de demon klapte als een zweep tegen Yugi's ribben, op het moment dat die zich als reactie op haar waarschuwing omdraaide. Hij slaakte een zucht en viel voorover tegen Kaiku aan toen zijn spieren plotseling slap werden. Ze ving hem werktuiglijk op. Toen hoorde ze een tweede geweerschot en de boze, ratelende snauw van een demon. Ze liet Yugi's slappe lichaam op de grond vallen en zag vanuit haar ooghoeken dat de demon die hem had verwond nu wild om zich heen sloeg van de pijn in zijn nek, waar Nomoru met een kogel zijn pantser had doorboord.

De ruku-shai die hen als eerste had aangevallen torende nu echter hoog boven haar uit met zijn voorpoten uitgestoken en zijn muil open. Zijn kromme, kapotte slagtanden werden door slierten geel speeksel verbonden toen zijn kaken uiteenweken. Diep in zijn keel klonk een sinister geratel.

Ze had maar heel weinig tijd om te reageren, maar het was genoeg.

Met een wanhopige wilsinspanning balde ze haar kana in haar binnenste samen, stak haar hand uit naar de demon en wierp haar geest in een woeste aanval naar voren. Het weefsel kwam met een schok om haar heen tot leven terwijl ze al haar energie in een flinterdunne straal samendrukte en als een naald door een lap stof door de barrières van de demon prikte. Ze hield niets achter om zichzelf te beschermen. De ruku-shai kon niet snel genoeg een doeltreffende tegenaanval inzetten, want hij was volkomen verrast door de naar zelfmoord neigende roekeloosheid van haar actie. Kaiku drong in een oogwenk door tot in de kern van zijn wezen en reet hem uiteen.

De kracht van de explosie toen de demon werd vernietigd verschroeide haar met modder bedekte gezicht. Ergens achter zich hoorde ze Nomoru vloeken, smerige scheldwoorden in een straattaal die ze de laatste demon toebeet terwijl ze de ene na de andere kogel op hem afvuurde, waarbij ze na elk schot soepel de haan spande om opnieuw te kunnen schieten. Kaiku besteedde geen aandacht aan Yugi. Ze keerde de brandende resten van haar vijand de rug toe en schoot struikelend de verkenner te hulp.

Nomoru stond bij de gevallen Tsata op het heuveltje en hield de ruku-shai op afstand. Telkens als ze hem raakte kronkelde het wezen van de pijn, omdat het ijzer in de kogel brandde in zijn vlees, maar telkens kwam hij weer op haar af, en Nomoru's munitie moest een keer opraken.

Kaiku slaakte een uitdagende kreet. Ze waadde door het moeras op Nomoru af, en haar irissen waren dieprood en haar gezicht stond grimmig. Toen hij haar op zich af zag komen, verloor de demon de moed, en met een laatste geratel ging hij er in de mist vandoor.

Nomoru haalde nog één keer de trekker over, maar uit haar geweer klonk slechts een nutteloos plofje. Het buskruit was op. Ze keek Kaiku met een effen, nietszeggend gezicht aan. Toen hurkte ze naast Tsata op de grond en rolde hem op zijn rug.

'Ga die andere halen,' zei ze tegen Kaiku.

Kaiku deed wat haar was opgedragen. De lucht werd minder drukkend nu het kwaad als een uitgeblazen adem wegtrok, en de mist om hen heen werd dunner. Ze voelde zich verdoofd. De demonen waren weg, maar ze was doodmoe, en nu de opwinding opeens uit haar lichaam wegtrok, begon ze te beven.

Yugi lag languit op zijn gezicht, en waar de staart van de ruku-shai hem had geraakt was zijn hemd gescheurd. Eronder welde bloed op. Kaiku knielde naast hem neer en de moed zakte haar in de schoenen. Ze deed zijn rugzak af, legde hem op zijn rug en schudde hem heen en weer. Toen dat niets opleverde, schudde ze hem nog harder heen en weer, zodat zijn hoofd van de ene kant naar de andere rolde.

Haar verwarring maakte plaats voor bezorgdheid. Zo hard was hij niet geraakt. Wat was er met hem aan de hand? Ze had geen benul van kruidenleer of ziekenverzorging, dus ze wist niet wat ze moest doen. De zachte plooien van uitputting waren niet dik genoeg om de afschuw die nu in haar binnenste opwelde tegen te houden. Yugi was haar vriend. Waarom kwam hij niet bij?

Omecha, stille oogster, hebt u me nog niet genoeg afgenomen, bad ze verbitterd. Laat hem in leven!

'Gif,' zei iemand vlak achter haar, en toen ze omkeek zag ze dat Tsata op zijn hurken bij haar zat. In zijn gezicht zat een bloederige, diepe snee en zijn rechteroog zat dicht. Als hij praatte, maakten zijn gezwollen lippen een smakkend geluid.

'Gif?' herhaalde Kaiku.

'Demonengif,' zei Nomoru, die over hen heen gebogen stond. 'De ruku-shai's hebben weerhaken aan hun staart.'

Kaiku bleef maar staren naar het gezicht van de gevallen man, dat onder hun ogen langzaam maar zeker donkerpaars kleurde.

'Kun je iets voor hem doen?' vroeg Kaiku met een klein stemmetje. Tsata legde zijn vingers op Yugi's keel om zijn hartslag te kunnen voelen. Kaiku wist niet dat je dat moest doen. Dat soort dingen leerde je als hooggeboren meisje niet. 'Hij is stervende,' zei Tsata. 'Het is te laat om het gif uit te zuigen.'

De mist was bijna tot op de grond teruggezakt, en in een ver uithoekje van haar geest besefte Kaiku dat ze ongeveer op driekwart van het moeras zaten. De sekteleden aan de andere kant waren weg.

'Haal jij het er maar uit,' zei Nomoru. Het duurde even voordat Kaiku besefte tegen wie ze het had.

'Ik weet niet hoe het moet,' fluisterde ze. Ze had niet genoeg vertrouwen in de kracht in haar binnenste. Opeens werd ze overvallen door spijt, omdat ze al die jaren Cailins advies meer te studeren en haar kana te leren beheersen had genegeerd. De kracht als wapen gebruiken was tot daaraan toe, maar hem gebruiken om iemand te genezen was een heel ander verhaal. Ze had eerst Asara en later Lucia er bijna mee gedood, omdat ze er niet genoeg controle over had. Ze wilde Yugi's dood niet op haar geweten hebben, wilde daar niet verantwoordelijk voor zijn.

'Je bent een leerling,' hield Nomoru vol. 'Een leerling van de Rode Orde.'

'Maar ik weet niet hoe het moet!' herhaalde Kaiku hulpeloos.

Tsata greep haar bij de kraag en trok haar naar zich toe, waarbij hij haar met zijn goede oog boos aankeek.

'Probeer het dan!'

Kaiku probeerde het.

Ze wierp zichzelf in Yugi voordat ze weer door angst kon worden overmand, met haar handen op zijn borst en haar ogen stevig dichtgeknepen. Het dooraderde vlies voor haar ogen kon het weefsel niet buitensluiten, toen de wereld weer van goud werd. Ze dook in de kolkende vezels van zijn lichaam die als een maaswerk om de groeven van zijn spieren lagen en dompelde zichzelf onder in de zwakke stroming die hem in leven hield.

Ze kon het gif voelen, kon het zelfs zien omdat het de gouden draden van zijn vlees zwart kleurde. Het trage gerommel van zijn hart gonsde door haar heen.

Ze wist niet waar ze moest beginnen, wat ze moest doen. Ze wist bijna niets over het menselijk lichaam en nog minder over giffen en hun werking. Ze wist niet hoe ze Yugi tegen het gif moest beschermen zonder hem tegelijk te vernietigen. De besluiteloosheid verlamde haar. Haar bewustzijn bleef in het diorama van Yugi's lichaam hangen.

Leer van je omgeving. Ga erin op.

De woorden die bij haar opkwamen, waren van Cailin. Een les die ze langgeleden had geleerd. Als je niet meer wist wat je moest doen, moest je je volledig ontspannen en het weefsel laten aangeven hoe je verder moest.

Yugi's lichaam was een machine die al meer dan dertig winters uitstekend had gewerkt. Het wist wat het deed. Ze hoefde er alleen maar naar te luisteren.

Ze zette een mantra in, een meditatie die ze kon gebruiken om te ontspannen. Hoewel ze het niet had verwacht, kalmeerde het haar, en de stugge vorm van haar bewustzijn loste op, smolt als een klomp ijs in warm water. Kaiku was verrast te merken hoe snel haar kana op haar bevel reageerde. Wat kortgeleden nog een onmogelijke opgave had geleken, werd opeens kinderlijk eenvoudig. Ze liet zichzelf opnemen in de mal van Yugi's lichaam en liet haar instincten leiden door de natuur.

Het was volkomen logisch: de bloedcirculatie, het geknipper van de synapsen in zijn brein, de piepkleine pulsjes door zijn zenuwen. Toen ze zich erin liet opgaan, werd zijn lichaam net zo vertrouwd als dat van haarzelf. Ze ontdekte dat ze niet zozeer bewust als wel onbewust wist wat ze moest doen, dus liet ze zich door haar kana leiden. Het gif verspreidde zich als een gezwel, en zelfs aan het kleinste deeltje ontsproten boosaardige, schadelijke draden. Kaiku moest met de precisie van een chirurg door de vezels van Yugi's lichaam bewegen, de donkere strengen in de gloeiende buizen van zijn aderen en haarvaatjes opsporen en zijn hart beschermen tegen de verraderlijke, oprukkende indringer terwijl ze het besmette bloed reinigde dat er met elke zwakker wordende slag doorheen sijpelde. Het kostte haar een immense geestelijke inspanning om Yugi in leven te houden terwijl ze het gif neutraliseerde, vooral omdat ze geen idee had wat ze deed. Ze merkte echter dat ze de overhand kreeg nu haar kana op eigen houtje te werk ging, alsof ze er eigenlijk niets meer over te zeggen had.

Ze joeg op het gif. Ze hield het met knopen en lussen tegen. Voorzichtig maakte ze besmette draden los en stuurde ze weg, zodat ze zonder schade aan te richten opgingen in het moeras om haar heen. Ze creëerde gezwellen waar het niet langs kon, en brak ze weer af als het gevaar was geweken. Tot twee keer toe dacht ze dat ze het had verslagen, om tot de ontdekking te komen dat ze een piepklein restje gif over het hoofd had gezien en dat het zich weer verspreidde. Ze dreigde te worden overmand door vermoeidheid, maar haar wil bleef sterk. Ze weigerde hem te laten sterven. Punt uit.

Toen was ze opeens klaar. Haar dieprode ogen gingen knipperend open en ze bevond zich weer in het moeras. Tsata keek haar met iets van ontzag in zijn blik aan, en zelfs Nomoru's houding drukte een soort schoorvoetend respect uit. Yugi haalde normaal adem, zijn huid had weer zijn gewone kleur en hij was diep in slaap. Ze voelde zich gedesoriënteerd en het duurde even voor ze besefte waar ze was en wat er was gebeurd.

Goden, dacht ze vol ongeloof. Ik had geen idee. Ik wist niet wat ik allemaal kon doen met de kracht in mijn binnenste. Waarom heb ik Cailin niet toegestaan me les te geven?

Ze voelde zich tot in het diepst van haar ziel opgetogen, zoals nooit tevoren. Ze had Yugi's leven gered. Niet door hem buiten gevaar te brengen of door hem in de strijd te beschermen, maar door hem met haar eigen handen van het randje van de dood weg te trekken. Ze was zich terdege bewust van de gevaarlijke euforie die het weefsel kon oproepen, maar dit was een ander soort extase, een heel pure soort. Ze had haar kracht gebruikt om te genezen in plaats van om te vernietigen. Bovendien was ze daarin geslaagd zonder dat iemand haar had laten zien hoe het moest. Een glimlach verbreidde zich over haar gezicht, en ze begon te lachen van opluchting en vreugde. Het duurde even voor ze besefte dat ze tegelijkertijd huilde.

◎ 15 ◎

Bloedkeizer Mos werd met een schreeuw wakker uit een droom. Hij blikte verwilderd om zich heen met zijn vlezige handen stevig om de goudkleurige lakens op het bed. Hij kwam weer tot zichzelf toen hij besefte dat hij wakker was. De droom bleef echter door zijn hoofd spoken: de vernedering, het verdriet, de woede.

Het was te warm. De ochtend was al verstreken, vermoedde hij, en ondanks de openstaande luiken was het bloedheet in de keizerlijke slaapkamer. Het vertrek was ruim en hoorde koel te blijven, door de vloer van zwarte lax en de gewelfde doorgang die toegang verschafte tot een balkon aan de noordoostzijde van de keizerlijke vesting. Aan weerszijden van de doorgang zaten kleine, ovale raampjes waar pijnlijk fel zonlicht door naar binnen scheen.

Mos lag in het bed dat midden in de kamer stond. Het overige meubilair was voornamelijk voor Laranya bedoeld: kaptafels, spiegels, een elegante rustbank. Maar het bed was van hem, een geschenk van een afgezant uit Yttryx die hij aan het begin van zijn regeringsperiode had ontvangen. Op de vier hoeken van het bed stonden hoorns van een of ander kolossaal Yttryxaans dier die als beddenstijlen fungeerden. Ze waren zes voet lang en bogen symmetrisch naar buiten, en ze waren ingelegd met gouden banden en edelstenen.

Het stonk in de kamer naar zuur dronkemanszweet en hij had de smaak van oude wijn in zijn mond, een smaak die was bezoedeld door het opgedroogde slijm in zijn keel en op zijn tong. Hij was naakt onder het kluwen lakens dat hij met zijn nachtelijke gewoel had losgetrokken.

Zijn vrouw de keizerin lag niet naast hem in bed, en omdat hij haar parfum niet rook, wist hij dat ze er de afgelopen nacht niet had geslapen.

Traag keerden de herinneringen terug. De Zomerweek was nog maar net begonnen. Hij herinnerde zich een feestmaal, muzikanten... en wijn, grote hoeveelheden wijn. Vage beelden van gezichten en gelach verschenen voor zijn geestesoog. Zijn hoofd deed pijn.

Ruzie. Natuurlijk, want de laatste tijd hadden ze steeds vaker ruzie. Als twee heethoofden het tegen elkaar opnamen, vlogen de vonken nu eenmaal in het rond. Maar hij was in een verzoenende stemming geweest, want hij werd nog steeds geplaagd door schuldgevoelens omdat hij haar in het paviljoen bijna een klap had gegeven. Hij had het met haar goedgemaakt, en ze hadden de hele nacht door gefeest. Omdat hij aanvoelde dat de wapenstilstand wankel was, had hij zelfs het afschuwelijke gezelschap dat ze om zich heen had verzameld verdragen. Hij had zijn eigen flegmatieke, interessante metgezellen in de steek gelaten en genoegen genomen met de weerzinwekkend protserige en theatrale vrienden van zijn vrouw.

Natuurlijk was Eszel erbij geweest, en Laranya's broer Reki. Die boekenwurm leek zijn plekje wel te hebben gevonden in de vriendenkring van de keizerin. Mos herinnerde zich dat hij zonder veel te zeggen wankelend heen en weer had gelopen terwijl zij onzin praatten over onbelangrijke zaken, alleen maar om hem buiten het gesprek te houden, zo leek het. Wat wist hij nou over oude filosofen? Wat kon hem de klassieke Vinaxaanse beeldhouwkunst schelen? Hoewel Laranya af en toe een poging had gedaan hem bij het gesprek te betrekken, alsof hij een hond was die ze restjes moest toewerpen, had hij niets kunnen bijdragen.

Hij fronste toen de puzzelstukjes langzaam op hun plaats vielen. Een zekere boosheid, omdat ze geen aandacht hadden besteed aan hem, de bloedkeizer. Tevredenheid omdat zowel Reki als Eszel zich door zijn aanwezigheid bijzonder slecht op hun gemak had gevoeld. Verlangen... een heel sterk verlangen. Hij wist nog dat hij naar Laranya had gehunkerd, een diepgewortelde opwinding had gevoeld die moest worden bevredigd. Toch weigerde hij zijn vrouw te vragen met hem mee naar bed te gaan, niet in het bijzijn van de dikdoeners met wie ze omging. Daar was hij te veel man voor. Ze hoorde met hem mee te gaan als hij dat zei, hij weigerde erom te smeken. Hartbloed, hij was de keizer! Maar hij vreesde een gênante afwijzing als hij haar een bevel zou geven, en ze was zo koppig dat hij er niet zeker van kon zijn dat ze ja zou zeggen.

Hij wilde weg, en hij wilde dat ze mee zou gaan. Hij wilde haar daar niet achterlaten. Midden in de nacht had hij met een soort dronken helderheid van geest beseft dat hij haar niet bij Eszel wilde achterlaten. Hij was bang dat er tussen hen iets zou gebeuren als hij eenmaal weg was.

De dageraad, dat was het laatste wat hij zich kon herinneren. Toen kon hij niet meer wakker blijven onder de verstikkende deken van wijn die over zijn zintuigen lag. Op luide toon had hij onbeholpen verklaard dat hij naar bed ging, waarbij hij Laranya nadrukkelijk had aangekeken. De dikdoeners hadden hem allemaal met de gebruikelijke beleefde rituelen welterusten gewenst en Laranya had hem snel een kus op de lippen gegeven en gezegd dat ze zo zou komen.

Maar ze was niet gekomen. En Mos had die nacht boze en ongewoon levendige dromen gehad. Hoewel hij er maar één had onthouden, kon hij de gevoelens die ze bij hem hadden opgeroepen niet van zich afzetten. Een droom over verhitte, roodgloeiende paardrift, waarin hij onzichtbaar een kamer binnen was gewandeld en daar zijn vrouw had aangetroffen, die met haar nagels voren trok in de rug van de man die tussen haar benen lag te stoten, en die hijgde en kreunde zoals ze ook deed wanneer ze met Mos was. En in zijn droom was hij machteloos geweest, hulpeloos, niet in staat in te grijpen of het gezicht te zien van de man die hem bedroog. Zwak en zielig. Net als op dat moment toen Kakre zich over hem had gebogen en hem als een kind ineen had doen krimpen.

Hij ging weer liggen, met zijn kiezen verbitterd op elkaar geklemd. Eerst de weefheer, en nu zijn eigen vrouw! Speelden ze soms onder één hoedje om hem te vernederen? Zijn verstand vertelde hem dat Laranya waarschijnlijk nog steeds was waar hij haar had achtergelaten, dat ze nog steeds feestvierde met die levenslust die hij zo geweldig aan haar vond. Maar hij zou nooit weten wat er in die vergeten uurtjes sinds de dageraad was gebeurd, en zijn droom kwelde hem terwijl hij boos wachtte op haar terugkeer.

De dorpelingen van Ashiki hadden geleerd het vallen van de nacht te vrezen.

De Zomerweek was voor hen een periode van vervloeking geweest. Er werd geen feest meer gevierd. Ze vormden slechts een kleine gemeenschap, en ze woonden nog maar kort in de Breuk. Voornamelijk geleerden en hun gezinnen, hoewel ze hun rijkdom hadden aangewend om soldaten in te huren die de wacht moesten houden. In de afgelopen jaren waren er steeds meer mensen naar de Xaranabreuk gevlucht om aan de drukkende sfeer en de langzaam oplopende spanning in de steden te ontsnappen. De ogen van de wevers waren overal, behalve hier, en de geleerden en denkers die Ashiki hadden gesticht waren banger geweest voor vervolging vanwege hun radicale ideeën dan voor de verhalen die ze over de Breuk hadden gehoord.

Ze hadden niet de juiste verhalen gehoord.

Bij hun aankomst in de Breuk hadden ze veel geluk gehad. Dankzij Zanya of Shintu, of misschien allebei, waren ze op een afgelegen dal aan de voet van een grote waterval gestuit, vlak bij de oostelijke oever van de Rahn. In eerste instantie had het een vervloekte plaats geleken, een knekelhuis vol lijken dat hen met afschuw vervulde, maar ze waren pragmatische mensen die niets ophadden met bijgeloof, en ze beseften al snel wat er was gebeurd en dat het de volmaakte plaats was om een dorp te stichten. Twee strijdende partijen hadden elkaar hier in een gevecht om elkaars territorium uitgeroeid en de overlevenden waren gevlucht. Niemand had het land opgeëist, dus eisten de geleerden het op.

Ze beseften niet eens hoe fortuinlijk ze waren geweest. De meeste nieuwelingen hielden het in de Breuk nog geen week vol voordat ze door een andere, gevestigde macht werden opgeslokt. Na de grote veldslag was het land echter tot een mijl in de omtrek verlaten, en ze slaagden er ongehinderd en onopgemerkt in een kleine gemeenschap te vormen. Ze hielden zich in hun schilderachtig gelegen dal verborgen en bouwden primitieve vestingwerken en woningen.

Dit zou hun eerste Zomerweek in de Breuk zijn geweest, en ondanks de vele ontberingen voelden ze zich als ontdekkingsreizigers in een onbekend land, en ze waren blij.

Maar toen, tijdens de tweede nacht van de Zomerweek, begonnen er opeens mensen te verdwijnen.

In slaap gesust door het kennelijke gebrek aan gevaar hadden de feestvierders in Ashiki hun waakzaamheid tijdens de vieringen laten verslappen. 's Ochtends waren vier mensen nergens te bekennen. In eerste instantie viel hun afwezigheid nauwelijks op, en toen ze wel werden gemist, dacht men over het algemeen dat ze ergens dronken in slaap waren gevallen. Tegen de avond begonnen hun familieleden en vrienden zich zorgen te maken. De andere dorpelingen maakten zich echter niet druk genoeg om die paar vermiste mensen om op te houden met feestvieren. Hoogstwaarschijnlijk waren ze gewoon stilletjes weggeglipt op zoek naar een plekje om te vrijen, of om even aan de drukte te ontsnappen. Dat kwam wel vaker voor.

Die nacht verdwenen er nog zes mensen. Sommigen uit hun bed.

Deze keer schrokken de dorpelingen wel. Ze stuurden er mensen op uit om het omringende gebied uit te kammen. Toen ze terugkwamen, ontbraken er twee mannen.

Nu was het bijna avond op de vierde dag van de Zomerweek, en niemand durfde te gaan slapen. Ze waren doodsbang voor de steelse demonen en geesten die hun dorpsgenoten hadden ontvoerd, en ze sloten zich in groepjes op in hun huizen of verstopten zich achter de omheining en keken met angst en beven uit naar de ochtend. Ze wisten niet dat hun demon klaar was met zijn werk en inmiddels was vertrokken. Hij had genoeg slachtoffers gemaakt.

Het wezen dat Kaiku kende als Asara zat in een grot te broeden, nog steeds in de gedaante van Saran Ycthys Marul. Kaiku zou hem echter niet hebben herkend. Hij was dik en opgezwollen, en zijn huid was een netwerk van felrode aderen dat in losse plooien om zijn lijf hing alsof alle rek eruit was. Zijn strenge Quralese kleren lagen op een hoopje naast hem, naast een tweede verzameling kleren die hij voor zijn nieuwe gedaante had gestolen. Het ooit zo gespierde lichaam was nu grotesk en slap en zakte over zijn gevouwen knieën heen. Over zijn ogen lag een wit waas met hier en daar een stukje donkere iris dat in de blinde oogbollen vrij leek rond te drijven. De onderdelen van zijn lichaam vielen langzaam uiteen en werden opnieuw gerangschikt in een ongelooflijk nauwkeurig genetisch proces. Het veranderingsproces voltrok zich heel geleidelijk, zodat alle lichaamsfuncties gewoon in stand konden blijven terwijl het wonder van de metamorfose zich voltrok. Hij veranderde zijn volledige samenstelling en werd als het ware in zijn eigen huid opnieuw geboren.

Het was klam en pikdonker in de goed verborgen grot. Bij het licht van een kampvuur zou het een kleine, aantrekkelijke schuilplaats zijn geweest die werd gedomineerd door een ondiepe poel omringd met stalagmieten en met in de wanden flonkerende groene en gele mineralen. Maar hij had geen vuur gemaakt, want hij had geen behoefte aan warmte. Hij had deze grot gekozen omdat die zo moeilijk bereikbaar was, en hij had ervoor gezorgd dat hij ver bij de dichtstbijzijnde nederzetting in de Breuk vandaan was. Er hing een verstikkende, dierlijke muskusstank. De bewoner was een paar dagen geleden door Saran gedood en afgevoerd, maar de stank zou andere dieren uit de buurt houden. Voor de zekerheid had hij de ingang met stenen gebarricadeerd.

In de dagen die hij nodig had om van vorm te veranderen, zou hij kwetsbaar zijn. Zijn spieren waren al zo ver weggeteerd dat hij zich nauwelijks kon bewegen. Hij was in feite doof en blind. Hij zat alleen in het donker en had slechts de steeds trager wordende stroom van zijn gedachten als gezelschap. Ze zouden weldra stilvallen op het moment dat hij zou wegglijden in de slaaptoestand waarin het grootste deel van zijn transformatie zich zou voltrekken.

De weinige gedachten die nog in een hoekje van zijn geest rond kolkten waren als bittere droesem.

Asara had zich met volkomen onschuldige bedoelingen het lichaam van Saran Ycthys Marul aangemeten. Het was een noodzakelijke vermomming geweest om haar missie in Quraal te vergemakkelijken. Onder de streng patriarchale Theocratie was het vrouwen niet toegestaan om zonder speciale ontheffing van de ene provincie naar de andere te reizen, en buitenlandse vrouwen mochten het land niet eens in. De vorm van een Quralese man aannemen was de enige manier waarop ze realistisch gezien ook maar iets in dat land kon ondernemen. Het stond haar een beetje tegen, maar ze vond het niet onplezierig. Ze had al eerder een paar jaar als man geleefd, toen ze had rondgezworven op zoek naar de identiteit waar ze maar geen vat op kon krijgen. Deze keer merkte ze dat ze er al een beetje aan was gewend, en ze voelde zich lekkerder in haar nieuwe lijf. Toch had ze soms onwillekeurig het gevoel dat ze zich gedroeg zoals een man zich volgens haar hoorde te gedragen, in plaats van dat het vanzelf ging. Dergelijke momenten van twijfel uitten zich in overdreven ernst of expressiviteit, waardoor ze zonder dat ze het besefte een beetje geforceerd en belachelijk overkwam.

Tijdens zijn laatste bezoek aan Okhamba had hij zijn vermomming gehandhaafd. Gedeeltelijk omdat hij eraan gewend was geraakt, maar ook omdat het gemakkelijker zou zijn om voor een gevaarlijke tocht mannen te werven als hij zelf een man was. Zo zou zijn geslacht geen vermoeiende discussies uitlokken, tijdens de voorbereidingen noch tijdens de tocht zelf. Mannen koesterden vaak minachting voor vrouwen die hun leven op het spel zetten – ze waren zo arrogant te denken dat vrouwen zich op die manier met hen wilden meten – of ze stelden zich beschermend op, wat nog veel erger was. Ze waren net zo voorspelbaar als de dag die na de nacht komt.

Maar er was een andere, belangrijkere reden. Om zijn hele lichaam te kunnen veranderen, moest hij zichzelf volvreten, de adem en het wezen van andere mensen stelen totdat hij niet meer kon. De vuurhaard voor de veranderingen, het orgaan waarvan hij kon voelen dat het tussen zijn maag en zijn ruggengraat in zat – hij stelde het zich voor als een springveer, hoewel dat niet op enige anatomische logica berustte – moest zó sterk worden opgestookt dat hij tot aan het eind van de metamorfose zou blijven branden. Daarvoor waren veel mannen- en vrouwenlevens nodig.

Niet dat Saran zich schuldig voelde omdat hij nam wat hij nodig had. Hij had allang geleerd dat het doden van mensen hem slechts met een vluchtig soort spijt vervulde, zoals een slager niet door schuldgevoel werd geplaagd als hij een banathi slachtte. Hij was echter altijd erg voorzichtig geweest, anders zou hij nooit zesentachtig oogsten oud zijn geworden, en een stuk of tien sterfgevallen kort achter elkaar wekten altijd angst en wantrouwen onder de overlevenden op. Soms dachten ze dat het een geheimzinnige plaag was, de slaapdood waarvan ze hadden gehoord, want zijn slachtoffers werden volkomen ongeschonden aangetroffen, alsof ze gewoonweg waren opgehouden met ademhalen. Soms gingen ze echter op zoek naar een mogelijke dader, en als ze hem halverwege zijn transformatie zouden vinden, zouden ze hem verscheuren.

Gewoonlijk veranderde hij niet zijn hele lichaam als dat niet nodig was. Dit was echter een uitzondering.

Hij was in de greep van een vurige walging. Deze gestalte, deze huid was bezoedeld. Saran Ycthys Marul zou als een dode huid worden afgeworpen, en daarmee viel misschien ook iets van de verantwoordelijkheid voor de herinneringen die ermee waren verbonden van hem af.

Hoe had hij kunnen weten dat ze Kaiku zouden sturen om hem op te vangen? Waarom nu net zij? Hoewel ze elkaar vijf jaar lang niet hadden gezien, was die vervloekte aantrekkingskracht tussen hen nog onverminderd sterk, welke vorm hij ook aannam, en deze keer was die des te sterker geweest omdat dergelijke gevoelens tussen een man en een vrouw nu eenmaal acceptabeler waren. Had hij Kaiku maar nooit het leven gered. Dat had een zware tol geëist van iemand die er altijd trots op was geweest dat hij van niemand, maar dan ook van niemand afhankelijk was.

Toch had hij even geloofd dat het geluk aan zijn zijde was. Waarom zou hij het haar vertellen, had hij gedacht. Hij was het haar niet verschuldigd. Het was zijn voorrecht om zijn identiteit te veranderen als hij dat wilde, en hij vond niet dat hij haar vertrouwen beschaamde door over zijn verleden te liegen. Toen Kaiku hem had verteld hoe ze over Asara dacht, had hij een definitief besluit genomen. Ze konden maar beter met een schone lei beginnen. Kaiku hoefde het nooit te weten te komen.

En toen was het moment gekomen, het moment van eenwording, maar zijn lichaam had hem verraden, net als vroeger dat van Asara. Het verlangen haar te bezitten, in haar binnen te dringen, was zo krachtig dat het bedrijven van de liefde niet genoeg was om het te bevredigen. Op een heel primitief niveau wilde hij haar verslinden, het verloren deel van zichzelf opeisen en tegelijkertijd haar wezen in zich opnemen. Opnieuw was hij zijn zelfbeheersing kwijtgeraakt.

Nu had hij alles kapotgemaakt. Hij kende Kaiku maar al te goed: ze was in haar wrok net zo koppig als in al het andere. Dit zou ze hem nooit vergeven, nooit. Zijn leugens, die indertijd gerechtvaardigd hadden geleken, schenen hem weerzinwekkend toe nu hij ze door Kaiku's ogen bekeek. Wat was hij toch een afschuwelijke rat, dat hij keer op keer een nieuwe gedaante aannam om achter een nieuw masker zijn fouten uit het verleden te verbergen. Een wezen zonder kern, zonder ziel, dat zijn essentie van anderen moest stelen en vanbinnen hol was.

Hij was naar Cailin gegaan, en ze hadden gesproken over een nieuwe taak voor hem, een waarvoor hij een andere gedaante moest aannemen. Hij had zijn nieuwe opdracht gretig aangenomen.

Hij kon zichzelf niet langer verdragen. Het was tijd om te veranderen.

Zaelis trof Lucia aan bij een jongen van haar eigen leeftijd, in de luwte van een rots die uit de flank van de vallei naar voren stak. Het was vroeg in de middag. Nuki's oog stond fel aan de hemel en geselde de wereld met zijn oogverblindende licht. Lucia en de jongen lagen in het kleine beetje schaduw dat de rots bood, hij op zijn rug, zij lezend op haar buik en afwezig zwaaiend met haar benen. In de buurt waren enkele dieren met een vreemd soort nonchalance druk bezig: twee eekhoorntjes groeven naar noten en schoten watervlug heen en weer, maar dwaalden nooit ver af, een raaf wandelde als een uitkijk over de rots heen en weer, een zwarte vos knaagde aan zijn staart en wierp af en toe een blik achterom naar de twee tieners die onder zijn bescherming lagen te luieren.

Zaelis bleef een eindje onder hen op de helling staan om naar hen te kijken. Het leek wel een schilderij, een kinderlijke idylle. Lucia's houding en gedrag waren nog nooit zo meisjesachtig geweest. Terwijl hij dat dacht, draaide ze zich om naar de jongen en maakte een opmerking over het boek waarin ze las, en hij barstte in lachen uit, zo plotseling dat de eekhoorns ervan schrokken. Ze grijnsde naar hem: een zorgeloze, oprechte glimlach. Dat maakte Zaelis blij, maar meteen ook verdrietig. Zulke momenten waren voor Lucia maar al te zeldzaam, en nu moest hij dit moment onderbreken. Bijna keerde hij op zijn schreden terug met de bedoeling een andere keer met haar te praten, maar hij hielp zichzelf herinneren dat er nu meer op het spel stond dan zijn of haar gevoelens. Hij hinkte tegen de heuvel op naar hen toe.

Hij kende die jongen, besefte hij toen hij dichterbij kwam. Hij heette Flen en hij was de zoon van een van de weinige beroepssoldaten die de Gemeenschap rijk was. Zijn vader hoorde bij de Libera Dramach. Zaelis herinnerde zich dat hij de jongen een paar keer had ontmoet. Van alle mensen met wie Lucia omging, was ze het meest op Flen gesteld. Dat wisten zijn informanten hem althans te vertellen. Zijn bezorgdheid had Zaelis ertoe gedreven de activiteiten van de voormalige erfkeizerin in de gaten te laten houden, nu ze ouder werd.

Hij betrapte zichzelf erop dat hij de jongen nu al niet mocht. Hij had Lucia gewaarschuwd dat ze niet met haar talenten te koop moest lopen, uit angst dat ze haar ware identiteit zou verraden. Bijna niemand wist dat de erfkeizerin van bloed Erinima nog leefde, laat staan dat ze over een vreemde affiniteit met de natuur beschikte, maar het risico was te groot. Voor Flen hield ze haar vaardigheden echter niet verborgen. Hij was de enige. Ze had zoveel vrienden. Wat maakte hem zo bijzonder?

Voorzichtig, Zaelis, zei hij tegen zichzelf. Ze is nu veertien oogsten oud. Geen klein meisje meer. Hoe graag jij dat ook zou willen.

Toen zag Flen hem eindelijk, hoewel de dieren – en dus Lucia – hem al veel eerder hadden opgemerkt. Ze gingen er niet vandoor, zoals schichtige dieren altijd doen, maar bleven met een bizar soort brutaliteit gewoon op hun plaats.

'Meester Zaelis,' zei hij, en hij kwam overeind en maakte snel de buiging die bij een jonge jongen hoorde: met zijn handen op zijn rug gevouwen.

'Flen,' antwoordde hij met een korte hoofdknik. 'Mag ik even onder vier ogen met Lucia praten?'

Flen wierp Lucia een blik toe alsof hij haar om toestemming vroeg. Dat ergerde Zaelis op onverklaarbare wijze. Ze ging echter gewoon verder met lezen, alsof ze er geen van beiden waren.

'Natuurlijk,' zei hij. Hij leek op het punt te staan ter afscheid iets tegen Lucia te zeggen, maar bedacht zich toen. Aarzelend liep hij weg, want hij wist niet of hij moest weggaan of in de buurt moest blijven. Toen nam hij een besluit en liep met grote passen in de richting van het dorp.

'Daggroet, Zaelis,' zei Lucia zonder op te kijken. Het was de eerste keer dat ze elkaar die dag hadden gezien, want ze had het huis verlaten voordat hij wakker was geworden. De groet was dus niet alleen beleefd, maar ook gepast.

Hij ging naast haar zitten met zijn verminkte been recht voor zich uit. Hij kon als het nodig was wel in de traditionele kleermakerszit zitten, maar dan deed zijn knie pijn. Zijn blik dwaalde over de bobbelige, streperige huid onder aan haar nek, die afschuwelijke littekens van de brandwonden, die haar korte haar niet bedekte. Ze keek hem over haar schouder aan, kneep haar ogen samen tegen het felle zonlicht en wachtte af.

Zaelis zuchtte. Het was nooit gemakkelijk om met haar te praten. Ze droeg zo weinig bij aan een gesprek.

'Hoe voel je je?' vroeg hij.

'Prima,' zei ze nonchalant. 'En jij?'

'Lucia, je zou inmiddels echt een formelere spreektrant moeten gebruiken,' zei hij. Haar taalgebruik was langzaam maar zeker uitgegroeid tot een mengeling van de vormen voor een jong meisje en die van een vrouw, wat gebruikelijk was als tieners zich gingen schamen voor kinderachtige praat en volwassenen gingen imiteren. Het dialect dat zij uit de vele verschillende invloeden binnen de Gemeenschap had samengesteld was echter niet erg passend voor het kind van een keizerin.

'Ik kan zonder problemen overstappen op een elegantere spreektrant, Zaelis,' zei ze met keurig gearticuleerde, kille klanken. Zo leek haar stem griezelig veel op die van Cailin. 'Maar alleen als dat nodig is,' voegde ze er in haar gebruikelijke stijl aan toe.

Zaelis liet dat gespreksonderwerp voor wat het was. Hij had er nooit over moeten beginnen.

'Ik zie dat je weer communiceert met de fauna in de vallei,' zei hij, wijzend op de zwarte vos, die hem boos aankeek.

'Ze komen toch wel naar me toe, of ik met ze praat of niet,' zei ze.

'Houdt dat in dat je helemaal bent hersteld van je aanvaring met de riviergeesten?' vroeg hij terwijl hij afwezig met zijn knokkels over zijn korte, witte baard streek.

'Dat heb ik je al gezegd,' antwoordde ze.

Zaelis keek uit over de vallei terwijl hij zijn volgende zin probeerde te verwoorden. Verrassend genoeg was Lucia echter degene die het eerst iets zei.

'Je wilt dat ik het nog een keer probeer,' zei ze. Het was geen vraag. Zaelis keerde zich weer naar haar om met een grimmige, bevestigende uitdrukking op zijn gezicht. Het had geen zin om eromheen te draaien. Daarvoor had ze een te scherp inzicht.

Lucia kwam overeind en ging in kleermakerszit zitten, waarbij ze haar gewaad over haar knieën drapeerde. Ze leek opeens zo lang en slank, dacht Zaelis plotseling. Waar was het kleine meisje gebleven dat hij les had gegeven, het kleine meisje om wie hij een geheim leger had verzameld?

'Het heeft geen zin,' zei ze. 'Wat er ook op de rivier is gebeurd, het

is vergeten, zeker door de geesten waarmee ik contact kan leggen.'
'Dat weet ik,' zei Zaelis, hoewel hij er niet honderd procent zeker
van was geweest totdat Lucia het hem had verteld. 'Maar er is iets
gebeurd, Lucia. Ik heb spionnen op onderzoek uitgestuurd na wat
jou is overkomen. In de dorpen langs de rivier praat men over niets
anders.'
Lucia keek hem met haar onaardse blauwe ogen aan en spoorde hem
met haar stilzwijgen aan om door te gaan.
'Op de Kerryn is een aak vergaan,' zei hij terwijl hij ongemakkelijk
heen en weer schoof. 'Het schijnt dat er explosieven mee werden vervoerd. Waarschijnlijk zijn die afgegaan en is de aak daardoor aan
splinters geslagen. Maar er zijn...' Hij aarzelde even, en vroeg zich
af of hij dat wel aan haar moest vertellen. 'Er zijn lichaamsdelen
aangespoeld, van de mensen die op de aak voeren. Maar ook delen
van andere wezens. Die aak had een vreemde lading aan boord toen
ze ontplofte, en het waren geen mensen.'
Nog steeds zei Lucia niets. Ze wist dat hij nog niet klaar was.
'Cailin gelooft dat er iets ingrijpends staat te gebeuren. De mislukte oogst, de legers van bloed Kerestyn, Sarans verslag, wat je op de
rivier hebt gevoeld, de wevers in de Breuk. Ik ben geneigd haar te
geloven. We hebben niet veel tijd meer.'
Hij liet met opzet de opstand in Zila weg, hoewel het nieuws daarover hem al een hele tijd geleden had bereikt. Hij deed zijn uiterste
best om de acties van de Ais Maraxa zoveel mogelijk voor Lucia verborgen te houden.
Hij legde zijn hand op de knie van zijn geadopteerde dochter. 'Ik ben
gaan beseffen dat we eigenlijk geen idee hebben wat we kunnen verwachten, en onwetendheid kan onze dood worden. We moeten nú
weten wat er gaande is,' zei hij. 'We moeten weten met wie we te
maken hebben. Wat de bron van dit alles is.'
De moed zonk haar in de schoenen toen ze het onvermijdelijke voelde aankomen.
'Lucia, daar hebben we jou voor nodig. Je moet naar Alskain Mar
gaan en met een van de grote geesten spreken. We moeten de waarheid over de heksenstenen weten.' Hij trok een gepijnigd gezicht toen
hij dat zei. 'Wil je dat doen?'
Je bent geen willoze pion. Kaiku's woorden, die ze op de eerste dag
van de Zomerweek tegen haar had gezegd, schoten haar te binnen.
Maar onder het gewicht van de noodzaak klonken ze hol en broos.
In haar hart wist ze dat ze niet in staat was tot een gesprek met de
geest die in Alskain Mar huisde, en dat ze zichzelf in groot gevaar
bracht door het te proberen, maar hoe kon ze weigeren? Ze dankte

haar leven aan Zaelis en ze hield zielsveel van hem. Hij zou dit nooit van haar vragen als het niet heel belangrijk was.

'Ja,' zei ze, en opeens leek de hemel te betrekken.

⊚ 16 ⊚

De Zomerweek verstreek, maar voor Mishani was er dit jaar geen feest geweest. Zeven dagen reed ze nu al over het platteland van Saramyr, en voor iemand die niet was gewend aan lange reizen te paard was het een slopende ervaring. Ondanks de zadelpijn, de vermoeidheid en de eindeloze waakzaamheid klaagde ze echter nooit en liet ze haar masker van onaandoenlijkheid geen moment zakken. Ook al werd ze omringd door mannen die ze wantrouwde, ook al reed ze in het geheim naar het zuiden, een onbekend lot tegemoet, ook al wilde haar eigen vader haar laten vermoorden, ze bleef steeds kalm en sereen. Zo was ze nu eenmaal.

Ze waren kort na de aanslag op Mishani uit Hanzean weggegaan en hadden hun vertrek laten samenvallen met het begin van de oogstfeesten, zodat ze in de verwarring ongemerkt konden wegglippen. Chien had erop gestaan haar persoonlijk te begeleiden, uit schuldgevoel dat hij niet had kunnen voorkomen dat zijn gast door huurmoordenaars werd belaagd. Mishani had niet anders verwacht. Wat Chien ook voor plannen met haar had, ze was ervan overtuigd dat hij erbij zou willen zijn als ze ten uitvoer werden gebracht.

Toch was hun reis ondanks het gevolg van acht lijfwachten dat met hen meereisde verre van veilig, en de koopman nam een behoorlijk risico door haar te vergezellen. Vervoer per schip was geen mogelijkheid, want alle schepen zouden door de mannen van barak Avun in de gaten worden gehouden, en in de bestemmingshaven zou hun aankomst worden geregistreerd. Dan bleef alleen een reis over land over. Daar kwamen meer kleine gevaren bij kijken, maar het zou daardoor wél een stuk gemakkelijker zijn om aan de aandacht van haar vader te ontsnappen. Als iemand vanuit Hanzean naar hen op zoek ging, zou diegene geen idee hebben waar hij moest zoeken, aangezien alleen Mishani precies wist waar ze naartoe gingen.

De noodzaak van geheimhouding bracht echter zo zijn eigen nadelen met zich mee. Mishani was gewend per koets te reizen, maar nu waren ze gedwongen de wegen te mijden en dat betekende dat ze moesten paardrijden en onder de sterrenhemel moesten overnachten. Hoewel Chien kosten noch moeite spaarde om het haar zo gerieflijk mogelijk te maken – zo had hij lakens voor haar meegenomen, en een sierlijke tent die de mopperende lijfwachten elke avond voor haar moesten opzetten – was dat ergerlijk voor het kind van een barak. Mishani was erg op luxe gesteld en was niet zo gemakkelijk als Kaiku bereid het zonder comfort te stellen. Ach, in elk geval had ze haar bagage voor de reis naar Okhamba nog, dus ze had kleren en parfums bij zich, en er was meer dan genoeg afleiding.

Vanuit Hanzean waren ze enkele dagen in zuidelijke richting gereisd, waarna ze bij Barask de Grote Spijsroute naar het zuidoosten hadden genomen. De Grote Spijsroute was bijna duizend mijl lang en liep van Axekami naar Suwana in de Zuidelijke Prefecturen. Ze durfden geen gebruik te maken van de Han-Baraskweg, een van de twee grote wegen vanuit de haven, en zelfs toen ze de Grote Spijsroute hadden bereikt bleven ze er een flink eind vandaan. Ze hielden een koers ten westen van de brede doorgaande weg aan totdat links van hen de noordelijke uitlopers van het Xuwoud in het zicht kwamen en ze werden gedwongen een stukje over de weg te rijden, omdat ze de Pirikabrug over de Zahn moesten nemen. Ze werden gewaarschuwd voor de opstand in Zila en kregen te horen dat ze het beste konden omkeren om via een andere route naar hun bestemming te reizen.

Er waren er maar weinig die op de waarschuwing acht sloegen, want er was geen andere route. In het oosten lag het uitgestrekte, angstwekkende, oeroude woud waar het wemelde van de geesten, en in het westen lag de kust. Er waren tot aan Hanzean geen andere havens die groot genoeg waren voor passagiersschepen, en om het woud te mijden moest je een mijl of negenhonderd om reizen, en dat was waanzin. In plaats daarvan verlieten de meeste reizigers de weg om zo dicht als ze maar durfden langs het woud te trekken en Zila aan de oostkant te passeren. Aangezien ze geen andere mogelijkheid hadden, kozen Mishani en haar gevolg ook voor die route.

Toen op de zevende dag van hun reis de avond viel, hadden ze vijfentwintig mijl ten zuidoosten van de geplaagde stad hun kamp opgeslagen, vlak bij een reeks lage, zwarte rotsblokken die in een halve cirkel als knokkels uit de vlakte omhoogstaken. Het was de laatste dag van de zomer en in Axekami zou het afsluitende ritueel van de

Zomerweek, waarmee de herfst werd ingeluid, nu in volle gang zijn. Hier konden ze zich nergens verstoppen, tenzij ze bereid waren het bos in te trekken dat dreigend een mijl ten oosten van hen lag. Hun kamp viel echter niet op tussen de vele kampen die over de vlakte verspreid waren. Ook andere reizigers moesten net als zij naar het zuiden en waren gedwongen het erop te wagen in de flessenhals die Zila had veroorzaakt.

Mishani zat in kleermakerszit op een mat bij het vuur met haar rug naar de rotsen die aan één kant hun kamp afbakenden, en keek naar de lijfwachten die vlakbij haar tentje aan het opzetten waren. Naast haar op de grond lag een dun boekje, geschreven door haar moeder. Het was een geschenk van Chien: het nieuwste deel in de reeks romans die Muraki tu Koli schreef over Nida-jan, een energieke romanticus die aan het hof vele avonturen beleefde. Door haar boeken had Muraki onder de hooggeplaatste families een zekere mate van bekendheid verworven, en haar verhalen waren bovendien mondeling verspreid onder de bedienden en de boerenstand. Dienstmaagden vroegen regelmatig aan hun meester of mevrouw of die de verhalen van Nida-jan aan hen wilde voorlezen. Deze waren in het Hoog-Saramyrees gedrukt, een geschreven taal die alleen werd geleerd aan hooggeborenen, priesters en geleerden, en die voor de lagere standen onbegrijpelijk was. Vervolgens vertelden ze de verhalen gretig door aan hun vrienden, waarbij ze ze hier en daar wat opsmukten, en die vrienden deden dan weer hetzelfde bij hún vrienden.

Nida-jan was alles wat Mishani's moeder niet was: vermetel, avontuurlijk, seksueel ongeremd en zelfverzekerd genoeg om zich uit elke situatie te kunnen kletsen, en anders, als woorden niet genoeg waren, vaardig genoeg om zich vechtend een uitweg te banen. Mishani's moeder was een stille, verlegen en buitengewoon intelligente vrouw met een onfeilbaar ethisch kompas. Ze leefde via haar boeken, want daar kon ze de wereld naar eigen inzicht vormgeven. In het echte leven moest ze het maar doen met de wereld zoals die was, en die was vaak te wreed en kwetsend voor zo'n gevoelige vrouw.

Uiterlijk leek Mishani op haar moeder, maar ze had het karakter van haar vader geërfd. Muraki was een eenzame vrouw die te introvert was om een echte band te kunnen aangaan met mensen om haar heen. Ze was weliswaar prettig gezelschap, maar het was makkelijk te vergeten dat ze er was. Toen haar vader Avun Mishani begon te onderwijzen in de gewoonten aan het hof, verdween Muraki bijna helemaal uit beeld. Terwijl Mishani al haar tijd bij haar vader in Axekami doorbracht, bleef Muraki op het landgoed aan de Mataxabaai om te schrijven. Toen Mishani voor ballingschap had gekozen en naar de Xaranabreuk was gevlucht, had ze geen moment rekening gehouden met de gevoelens van haar moeder. Muraki toonde haar emoties zo zelden dat Mishani er niet eens bij had stilgestaan dat ze hier misschien wel door werd geraakt.

Nu Mishani het boek had uitgelezen, werd ze door een diepe droefenis overvallen. Het was niet wat ze gewend was te lezen over Nida-jan, want het waren melancholieke, tragische verhalen, en dat was iets nieuws voor de gewoonlijk zo onstuitbare held. In dit boek ontdekte Nida-jan dat uit een van zijn kortstondige relaties aan het hof een zoon was geboren die voor hem verborgen was gehouden, en over wiens bestaan hij pas iets vernam toen de moeder op haar sterfbed de waarheid aan hem opbiechtte. De jongen was echter naar het oosten getrokken en daar enkele maanden eerder verdwenen. Nida-jan werd gekweld door liefde voor zijn onbekende zoon en ging naar hem op zoek. Hij raakte door zijn zoektocht geobsedeerd en wuifde zijn vrienden weg als die hem vertelden dat het hopeloos was. Hij ondernam roekeloze reizen, op zoek naar aanwijzingen omtrent de verblijfplaats van zijn zoon. Uiteindelijk moest hij het opnemen tegen een machtige demon met honderd ogen, en hij verblindde zijn vijand met spiegels en doodde hem, maar vlak voor hij stierf vervloekte de demon hem: Nida-jan was gedoemd over de wereld te zwerven totdat hij zijn zoon had gevonden, en zou pas rust vinden als zijn zoon hem 'vader' noemde en het meende.

Zo eindigde het boek: Nida-jan was vervloekt, zijn ziel geteisterd en zijn zoektocht nog niet ten einde. Uit elke zin sprak verdriet. In elk verhaal draaide het in meerdere of mindere mate om het verlangen van een ouder naar een kind. Mishani's moeder mocht dan introvert zijn, ze was niet harteloos. Ze had haar pijn aan papier toevertrouwd en het deed Mishani verdriet om het te lezen. Opeens miste ze haar moeder zo erg dat ze er pijn in haar buik van kreeg. Ze miste haar vader ook, of in elk geval de persoon die hij was geweest voordat ze hem tot haar vijand had gemaakt. Ze wilde niets liever dan de jaren die hen scheidden wegvagen. Dan zou ze terug kunnen keren naar de tijd waarin ze de trots van haar vader was geweest, haar moeder omhelzen en haar zeggen hoe erg ze het vond dat ze nooit een betere band hadden gehad, dat ze niet had beseft hoe Muraki zich voelde.

Ze voelde zich verpletterd onder de druk van al die jaren waarin ze zich verborgen had gehouden, geplaagd door de eeuwige vrees herkend te worden, doodsbang voor haar eigen familie. Als ze alleen was geweest, zou ze hebben gehuild.

Ze zat naar de maanloze hemel te kijken toen Chien naast haar kwam zitten. Het was warm, maar de hemel leek die avond onnatuurlijk helder en broos, en het licht van de sterren was scherp en fel.

'U denkt aan uw moeder, nietwaar?' vroeg Chien na een poosje.

Mishani vermoedde dat hij dat had geraden omdat hij het boek had gezien dat naast haar lag. Ze wilde hem geen antwoord geven, dus vermeed ze de vraag.

'De Grauwe Mot staat vandaag aan de hemel,' zei ze met een gebaar naar boven. Chien keek omhoog.

'Ik zie hem niet,' zei hij.

'Hij is erg vaag. Meestal kun je hem helemaal niet zien.'

'Ik zie alleen de Duikende vogel,' zei de koopman terwijl hij met zijn stompe vinger de negen sterren in het sterrenbeeld aanwees.

Mishani boog haar hoofd, zodat haar lange haar over haar schouders naar voren viel. 'Hij is er wel,' zei ze. 'Voor sommigen verborgen en voor anderen zichtbaar. Dat draagt bij aan het mysterie.'

Chien probeerde het sterrenbeeld nog steeds te ontdekken, want hij wilde graag in haar ervaring delen. 'Is het een voorteken, denkt u?'

'Ik geloof niet in voortekenen,' antwoordde Mishani. 'Het past alleen goed bij mijn stemming.'

'In welk opzicht?'

Mishani keek naar hem op. 'Dat weet je vast wel. Je kent het verhaal toch over hoe de goden onze wereld hebben geschapen?'

Chiens hoekige gezicht was uitdrukkingsloos. 'Mevrouw Mishani, ik ben geadopteerd. Geadopteerde kinderen worden niet zo uitgebreid in godsdienst onderwezen, en bij het beheren van het scheepvaartbedrijf van mijn familie heb ik nooit veel academische kennis nodig gehad. Ik ken het verhaal over de tapisserie, maar weet niets over motten.'

Mishani bestudeerde zijn gezicht, dat van opzij werd belicht door het kampvuur. Hij leek oprecht, maar ze vermoedde dat hij, om het gesprek op gang te houden, zich dommer voordeed dan hij was. Hij was vaak geen gemakkelijk gezelschap, want hij ontbeerde de rust die de meeste mensen wel hadden, waardoor hij slecht tegen stiltes in het gesprek kon. Hij moest altijd praten als hij bij haar was, moest altijd iets te zeggen hebben. Ze kon zijn onbehagen voelen als het gesprek stilviel.

'Het verhaal wil dat de goden zich verveelden, en dat Yoru voorstelde ter vermaak een tapisserie te borduren,' begon Mishani. 'Dat was in de tijd voordat hij werd gedwongen voor de poorten van het Gouden Rijk de wacht te houden, voordat Ocha zijn verhouding met Isisya ontdekte en hem daarnaartoe verbande.'

'Dat deel ken ik wel,' zei Chien met een scheve glimlach.

'Iedere god of godin zou een stukje borduren,' ging Mishani verder. 'Maar ze hadden niets om het van te maken, dus ging Misamcha naar haar tuin om rupsen te verzamelen. Ze beroerde de rupsen en ze sponnen zijde, en zij maakte er strengen van en gaf die aan de goden, die er hun tapisserie mee maakten. Toen het werk af was, waren ze het er allemaal over eens dat het de mooiste tapisserie was die ze ooit hadden gezien, en zeker de rijkste en meest gedetailleerde. Aangezien ze er allemaal zo mee in hun nopjes waren, besloot Ocha er leven aan te schenken, zodat ze hun tapisserie konden zien groeien. Iedere god of godin werd er in zijn of haar favoriete aspect in weergegeven. Sommigen kregen een tastbare vorm: de zee, de zon, de bomen, vuur en ijs. Anderen werden als minder tastbare zaken verbeeld: liefde, de dood, wraak, eer. En zo werd de wereld geschapen.'

'Nu hebt u me van alles over rupsen verteld,' zei Chien, 'maar niets over motten.'

Mishani keek weer omhoog naar de nachtelijke hemel, waar de Grauwe Mot hing, zeven zwakke sterren rond een volmaakt lege afgrond. 'De goden wilden dat de tapisserie volmaakt zou zijn. Toen hij echter was geborduurd en de wereld was geschapen, veranderden de rupsen allemaal in prachtig gekleurde motten, op één na. Die ene was grauw en ziekelijk, want niets is helemaal volmaakt, zelfs niet als het door de goden is geschapen, zelfs de goden zelf niet.'

Ze richtte haar blik op het vuur, en de vlammen dansten in haar pupillen. 'De grauwe mot had bezoedelde zijde voortgebracht, een draad die de goden samen met alle andere draden hadden gebruikt om hun tapisserie mee te maken, een draad die met de andere draden was verweven. En in die zijde lag al het kwaad van de wereld besloten, alle afgunst, haat en verdorvenheid, al het verdriet, alle honger en pijn. Toen de goden zagen wat er was gebeurd, werden ze door afschuw vervuld, maar het was al te laat om hun werk ongedaan te maken. Vanaf dat moment hielden ze iets minder van de wereld.' Ze zweeg even, peinzend. 'De zijde van die rups noemden ze de streng van de rouw, en vervolgens hebben ze als een soort geheugensteuntje de Grauwe Mot aan de hemel geplaatst.'

'Als geheugensteuntje? Waarvoor?' vroeg Chien.

'Om ons eraan te herinneren dat we nooit onze waakzaamheid moeten laten varen, dat zelfs de goden niet iets volmaakts konden scheppen zonder dat er bederf in sloop, en dat de mens tenslotte feilbaarder is dan zij. Als we niet opletten, glipt het kwaad ons leven binnen, en dan zal het ons ondermijnen en onze ondergang worden.'

Ze beantwoordde Chiens blik en liet in haar ogen haar vermoeidheid en iets van haar droefheid doorschemeren. 'Ik geloof dat we de laatste tijd niet oplettend genoeg zijn geweest.'

Chien keek haar even met bevreemde blik aan, en zijn eenvoudige gezicht drukte onbegrip uit. Mishani had geen zin om er verder op in te gaan. Al snel begon Chien met de zoom van zijn mantel te spelen, een duidelijk teken dat hij zich ongemakkelijk voelde. Ze liet hem lijden, totdat hij zelf iets zei.

'We zijn Zila voorbij,' zei hij, 'en de weg naar het zuiden wordt weer breder. Misschien wordt het nu tijd dat u ons vertelt waar we naartoe gaan. We moeten de beste weg uitstippelen en nagaan of we voorraden moeten inslaan.'

Dat gaf Mishani met een hoofdknikje toe. Immers, zelfs al wilde hij haar verraden, dan zou Chien nu niet veel meer kunnen uitrichten. 'Ik ga naar Lalyara,' zei ze. 'Daar kun je me achterlaten, en dan zal ik je verplichting als eervol vervuld beschouwen.'

'Pas als ik u veilig naar uw eindbestemming heb gebracht, mevrouw Mishani,' zei Chien stellig. 'In de handen van iemand die de verantwoordelijkheid voor uw welzijn op zich zal nemen.'

Mishani lachte. 'Dat is heel vriendelijk van je, Chien os Mumaka, maar er is niemand in Lalyara die daartoe bereid zal zijn. Mijn zaken moeten geheim blijven en andere beloften die ik heb gedaan weerhouden mij ervan jou erover te vertellen.'

Chien nam het nieuws goed op. Ze had verwacht dat hij erg teleurgesteld zou zijn – hij kon soms vreemd kinderlijk reageren – maar hij glimlachte flauwtjes en begrijpend. 'Dan zal ik deze laatste paar dagen dat ik van uw gezelschap kan genieten, koesteren,' zei hij.

'En ik ook,' antwoordde Mishani, vooral omdat het van haar werd verwacht, niet omdat ze het oprecht meende. Hoewel, tegen beter weten in was ze op Chien gesteld geraakt. Het was wijzer om geen genegenheid te koesteren voor een mogelijke tegenstander, maar die spanning vond ze nu juist het interessantst aan hun verstandhouding, en ze moest toegeven dat ze hem graag mocht. Hij was intelligent en erg gevat, en Mishani had onwillekeurig bewondering voor alles wat hij had bereikt: dat hij het stigma van een geadopteerd kind uit een onteerde familie had overwonnen en met zijn sluwe koopmansvaardigheden bloed Mumaka had geholpen nieuwe macht te vergaren.

Toch zou ze, ondanks dat alles, blij zijn als ze van hem af was. Ze was doorlopend op haar hoede, omdat ze wachtte totdat hij zijn verborgen plannetjes zou onthullen.

Zou het haar op haar bestemming echter beter vergaan?

Hij verontschuldigde zich en stond op om met zijn mannen te praten, zodat Mishani alleen achterbleef met haar gedachten. Die dwaalden af naar de toekomst, naar wat ze moest doen als Chien eenmaal weg was.

Ze zou op bezoek gaan bij barak Zahn tu Ikati, Lucia's echte vader. En als alles goed ging, zou ze hem vertellen dat zijn dochter nog leefde en dat zij wist waar ze was.

Het was een zeer gevoelige zaak die haar diplomatieke vaardigheden meer dan ooit tevoren op de proef zou stellen. Het risico was immens en de verantwoordelijkheid die op haar schouders rustte was nóg groter. Mishani mocht niet laten doorschemeren dat ze iets over Lucia wist voordat ze er zeker van was dat de barak zou reageren zoals zij en haar vrienden wilden. Als ze de situatie verkeerd inschatte, zou ze misschien worden gegijzeld en overgeleverd aan de genade van Zahns wever, die haar zou verhoren. Misschien zou Zahn eisen dat zijn dochter bij hem zou worden gebracht, misschien zou hij zelfs zijn troepen om zich heen verzamelen en de Breuk binnenvallen, en dat zou rampzalig zijn.

Als je de verhalen mocht geloven, was hij de laatste jaren steeds afweziger en somberder geworden. Hij had het familiebedrijf verwaarloosd en zich teruggetrokken op een van zijn landerijen ten noorden van Lalyara. Het gerucht ging dat hij treurde om de dood van zijn vriendin – en geliefde, zo wisten de roddelaars te melden, niet beseffend hoe waar dat was – Anais tu Erinima, de voormalige bloedkeizerin. Mishani wist wel beter.

Zaelis was er getuige van geweest toen Zahn Lucia in de daktuin van de keizerlijke vesting had ontmoet, en zowel vader als dochter had meteen beseft wat Anais al die jaren verborgen had gehouden.

Als Zahn echter ooit van plan was geweest zijn dochter op te eisen, had hij zijn kans gemist. De bloedkeizerin werd afgeslacht en in de verwarring die volgde was de kleine erfkeizerin verdwenen. Hoewel haar lichaam nooit was gevonden, ging men ervan uit dat ze bij de branden en ontploffingen die de vesting hadden geteisterd was omgekomen en dat haar lichaam onherkenbaar was verminkt. In werkelijkheid was ze ontvoerd door de Libera Dramach, maar dat wist zelfs Zahn niet.

Zaelis had Mishani opgedragen zelf te beslissen of ze het hem al dan niet kon vertellen. Het was een zware last om te dragen. Ze konden Lucia echter niet eeuwig voor de buitenwereld verborgen houden, en als ze Zahn aan hun zijde konden krijgen, zouden ze in hem een machtige bondgenoot hebben. Ze hadden tijd nodig, vele jaren zelfs, om voorbereidingen te treffen voor het moment waarop Lucia uit de schaduwen naar voren zou treden. Maar hiermee, met Mishani's missie, zou het beginnen. Na Zahn zou ze bloed Erinima benaderen. Ook die hadden immers belang bij de zaak, aangezien Lucia een doodgewaand lid van hun familie was, en niets was immers zo sterk als een bloedband.

Maar eerst barak Zahn. Alles op zijn tijd.

Opschudding in het kamp deed haar opschrikken uit haar gemijmer. Enkele wachters die rond het vuur hadden gezeten waren haastig opgestaan en tuurden over haar heen naar de duisternis achter de halve cirkel van zwarte rotsen. Ze voelde een trilling in de grond en even later bereikte een geluid haar oren. Het geroffel van hoeven die de vlakte geselden.

En het naderde snel.

Met het eerste salvo werden vier van de acht lijfwachten die Chien had meegenomen neergemaaid. Het nachtzicht van de verdedigers was door het kampvuur ernstig aangetast en de aanvallers vuurden vanuit de duisternis. Daardoor waren Chiens mannen gemakkelijke doelwitten terwijl de nieuwkomers zo goed als onzichtbaar bleven. Mishani nam haastig haar toevlucht tot de beschermende rotsen, vlak voordat zes paarden eroverheen sprongen. Een ervan kwam maar een paar duim van de plek waar ze lag neer en vertrappelde de mat waar ze op had gezeten. De aanvallers trokken met luid gerinkel hun zwaarden toen ze het kamp binnenreden en staken nog een lijfwacht neer. Vervolgens galoppeerden ze dwars door Mishani's tent terug de duisternis in.

'Doof dat vuur!' gilde Chien. Hij schopte naar de vlammen totdat er alleen nog gloeiende houtblokken van over waren, en stampte die vervolgens uit. Een van de overgebleven lijfwachten smeet een pan water over de sintels, zodat Chiens laarzen drijfnat werden, terwijl de twee andere mannen eindelijk hun geweer schouderden. Ergens buiten hun blikveld herlaadden de aanvallers hun wapens, klaar om opnieuw te schieten. Het licht stierf weg toen het vuur werd gedoofd en de duisternis slokte het kamp op.

'Mevrouw Mishani! Bent u gewond?' riep de koopman, maar Mishani gaf geen antwoord. Ze was al over de lage rotsen naar de andere kant geklauterd, zodat die tussen haar en de plek stonden waar ze haar aanvallers vermoedde en ze vanuit het kamp niet zichtbaar was. Haar hart bonsde tegen haar ribben en ze ervoer dezelfde afgrijselijke, nerveuze angst die haar in Chiens huis had overvallen toen de huurmoordenaars op haar af waren gekomen. Waren dit nog meer van die mannen? Hadden ze het op haar gemunt? Daar moest ze wel van uitgaan.

'Mishani!' riep Chien opnieuw, nu met iets van wanhoop in zijn stem, maar ze wilde niet dat ze haar zouden vinden. Op dit moment waren de mannen onbeschermd en zouden de nieuwe moordenaars hen eerst als doelwit kiezen. In dat geval had ze een kansje. Ze hoorde angstig gebries en herinnerde zich toen opeens de paarden. Ze waren aan haar kant van het kamp aan een paal vastgemaakt. Als ze haar ogen samenkneep, kon ze ze bijna onderscheiden: spookachtige blauwe gestalten die elkaar geschrokken trachtten te verdringen. Ze had het geluk van Shintu, want ze hadden hun zadels en teugels nog. De wachters hadden van Chien opdracht gekregen 's avonds eerst Mishani's tent op te zetten voordat ze hun paarden afzadelden. Haar afkeer voor slapen in de openlucht zou misschien haar redding blijken.

'Mishani!' riep Chien opnieuw. Van Mishani mocht hij zo nog wel even doorgaan met roepen, want hij vestigde daarmee vooral de aandacht op zichzelf. Door een opening tussen de rotsen kon ze zien dat Chien en zijn overgebleven wachters nu met hun geweren in de aanslag een verdedigende houding hadden aangenomen en elkaar zoveel mogelijk rugdekking gaven. De ruiters vielen echter nog niet aan. Nu het vuur was gedoofd, konden de huurmoordenaars hun doelwitten veel minder gemakkelijk op de korrel nemen. Mishani dankte de maanzusters voor hun beslissing om die avond niet aan de hemel te verschijnen en kroop naar de paarden toe.

De twintig voet die ze moest overbruggen leek wel een mijl en ze had een afschuwelijk voorgevoel dat ze elk moment de brute klap van een geweerkogel zou voelen en uit het leven zou worden weggerukt. Tot haar lichte ongeloof kwam dat moment echter niet. Ze maakte voorzichtig de teugels van haar paard los en zwaaide met een behendigheid die haar zelf nog het meest verbaasde in het zadel. Op dat moment werd de tweede aanval ingezet.

Deze keer kwamen ze in paren uit drie verschillende richtingen. Elk paar bestond uit een man met een geweer en een man met een zwaard. Ze vuurden hun geweren af terwijl ze op het kamp af galoppeerden en tegelijkertijd schoten de mannen van Chien terug. Misschien was het geluk, of misschien werd er gewoon slecht gemikt, maar de verdedigers kwamen er beter af: ze werden geen van allen geraakt, maar slaagden er wel in een van de aanstormende paarden recht tussen de ogen te raken, zodat het viel en met veel gekraak van botten over zijn berijder heen rolde.

Toen klonk het gerinkel van zwaarden die tegen geweerlopen ketsten en tegen de zwaarden die de lijfwachten haastig hadden getrokken, en het geschreeuw van wanhopig vechtende mannen. Mishani, die zich sinds het begin van de aanval doodstil had gehouden uit angst dat ze de aandacht zou trekken, gaf haar paard de sporen. Het dier ging er meteen als een speer vandoor, zo snel dat het haar de adem benam. De koele wind streek door haar lange haar, dat als een vaandel achter haar aan wapperde toen ze zich in de verhullende duisternis stortte.

Toen doken er voor haar gevoel uit het niets – haar ogen waren nog steeds niet helemaal aan het donker gewend – andere paarden naast haar op die haar de weg versperden en werd er een hand uitgestoken naar de teugels die ze vasthad. Haar paard werd ingehouden. Overal om haar heen klonk het hoefgeroffel van paarden die door hun berijders scherp werden beteugeld en bleven stilstaan, en er werden geweren op haar gericht. Andere mannen haastten zich naar het kamp, waar Chien en zijn mannen een hopeloze strijd voerden.

Een lange man met brede schouders – degene die haar paard had tegengehouden – nam haar aandachtig op. Hoewel ze zijn gezicht niet kon onderscheiden, keek ze hem boos en uitdagend aan.

'Mevrouw Mishani tu Koli,' zei hij met het brouwende accent van de Nieuwlanden. Toen grinnikte hij. 'Wel heb ik jou daar.'

◎ 17 ◎

De grimmig en ongastvrij ogende stad Zila stond op de zuidoever van de rivier de Zan. Hij was gebouwd aan de monding van de brede waterweg, waar het water dat in het Tchamilgebergte aan zijn zeshonderd mijl lange reis was begonnen in de zee stroomde. Het was geen pittoreske plaats, want het had van oorsprong een strategische functie: het was een vesting die de Ugati – het volk dat het land had bewoond voordat de Saramyriërs het hadden gekoloniseerd – op afstand moest houden en de flessenhals tussen de kust en het Xuwoud moest bewaken, terwijl vroege kolonisten in het noorden de stad Barask bouwden. Zila stond er nu al meer dan duizend jaar en hoewel de muren al vele malen waren ingestort en herbouwd en er bijna geen gebouwen of straten uit die tijd meer over waren, ademde het nog steeds die sombere, dreigende sfeer van toen. Kil en waakzaam was het.

De stad was gebouwd op de meest gunstige plek op een steile heuvel, die aan de zuidkant vrij geleidelijk omhoogliep, maar aan de andere kant steil afliep naar de oever van de rivier. Er stond een kronkelende, bochtige, hoge muur van zwarte steen omheen, die de rondingen van het landschap volgde. Boven de muren staken schuine daken van rode tegels en leisteen uit, die omhoog leken te leiden naar de kleine vesting in het midden. De vesting was de spil van de stad, vrij letterlijk zelfs, want heel Zila zag eruit als een soort misvormd wiel, met zijn concentrische steegjes die werden doorkruist door straten die als spaken vanuit de vesting naar buiten liepen. Alles was opgetrokken uit een zwaar, somber ogend plaatselijk gesteente, terwijl men toch in Saramyr meestal de voorkeur gaf aan licht steen en hout. Er zaten twee poorten in de muur, maar die waren allebei dicht, en er was op de heuvels buiten de stille stad hier en daar wel wat bedrijvigheid te bespeuren, maar niet zoveel als je zou verwachten. De meeste mensen hadden zich binnen de beschermende muren teruggetrokken en zo goed en zo kwaad als het ging voorbereidingen getroffen tegen de ophanden zijnde storm. Zila wachtte uitdagend af.

De troepenmacht van de keizer was onderweg.

Het was vroeg in de ochtend en er viel een milde, warme regen toen Mishani en haar gevangennemers aankwamen. Ze reden langs de oever van de rivier naar de voet van de steile helling tussen de Zan en de muur van Zila. Daar waren kades aangelegd en steile, zigzaggende trappen die ze met de stad verbonden. Er lagen echter geen vaartuigen, want die waren allemaal tot zinken gebracht of losgesneden zodat ze naar de zee konden afdrijven. Zo kon de vijand ze niet in beslag nemen.

De ruiters stegen af en van het tiental mannen dat druk op de kades heen en weer liep kwam er één op hen afgelopen.

'Bakkara!' zei de man terwijl hij het gebaar maakte – een knikje met het hoofd iets scheef – dat als begroeting werd gebruikt door volwassenen van ongeveer dezelfde status. 'Ik vroeg me al af of je op tijd terug zou zijn. Bij het aanbreken van de middag sluiten we de laatste poort.'

De man tot wie hij zich richtte – de man die Mishani's paard had gevangen, de leider van de groep – gaf hem een kameraadschappelijke klap op zijn schouder. 'Dacht je nu echt dat ik me zou laten buitensluiten? Dan zou ik alle pret missen!' riep hij. 'En trouwens, daarbinnen ligt waarschijnlijk meer voedsel dan in de rest van Saramyr bij elkaar, mijn vriend. En een soldaat vecht met zijn maag.'

'Ik had kunnen weten dat jij op de eerstvolgende goede maaltijd af zou komen,' antwoordde de ander met een grijns. Toen zag hij Mishani en voegde hij eraan toe: 'Ik zie dat je niet alleen maar voorraden hebt meegenomen.' Hij wierp een blik op Chien, die bont en blauw en onder het bloed in zijn zadel hing. 'Die man heeft betere tijden gekend.'

'Hij zou helemaal geen tijden meer hebben gekend als wij iets later waren geweest,' zei Bakkara met een blik op de koopman. 'Bandieten. Deze twee hebben het als enigen overleefd.'

'Nou, dan hoop ik dat ze je dankbaar zijn,' antwoordde de man. Hij keek Mishani veelbetekenend aan en knipoogde tegen Bakkara. 'Of in elk geval een van hen.'

Mishani staarde hem ijzig aan totdat de glimlach van zijn gezicht verdween. Bakkara lachte bulderend.

'Angstaanjagend is ze, hè?' brulde hij. 'Met haar valt niet te spotten. We hebben hier met edellieden te maken.'

De man keek Mishani nors aan. 'Ga maar snel naar binnen,' zei hij tegen de hele groep. 'Ik zorg wel voor jullie paarden.'

Mishani en Chien werden gedwongen de stenen trap op te lopen die van de kade naar de stad leidde. Het kostte Chien vanwege zijn verwondingen veel moeite, maar daar hielden hun gevangennemers keurig rekening mee. Ze kwamen slechts traag vooruit.

Mishani keek op naar de muren die boven hen uittorenden. Ze werden naar een stad gebracht waar opstand was uitgebroken en zouden gedwongen zijn samen met de inwoners de belegering door de overweldigende troepenmacht van de keizer uit te zitten. Ze wist niet of ze de god van het fortuin moest bedanken of vervloeken.

De mannen die hen hadden aangevallen waren ongetwijfeld in dienst van haar vader geweest, hoewel ze daar tegen Bakkara met geen woord over had gerept. Ze kon niet geloven dat doodgewone bandieten een groep gewapende lijfwachten zouden aanvallen terwijl er gisteravond tientallen ongewapende reizigers waren geweest die verspreid over de vlakte hun kamp hadden opgeslagen. Bovendien waren ze veel te doelgericht te werk gegaan en waren ze met te weinig geweest. Bandieten zouden nooit aanvallen als ze in de minderheid waren.

Ze had geen idee hoe de mannen erin waren geslaagd hun spoor te volgen, maar ze was er danig van geschrokken dat ze opnieuw zo dicht bij haar in de buurt hadden weten te komen. Stel dat ze in haar tent had gelegen toen ze er dwars doorheen waren gereden? Het was nu overduidelijk dat het haar vader niets meer kon schelen of ze dood of levend werd teruggebracht. Bij die gedachte voelde ze een scherpe steek van verdriet. Het viel niet mee om zoiets tegenover jezelf toe te geven.

Toen waren Bakkara en zijn ruiters opgedoken. Als zij zich er niet mee hadden bemoeid, zou ze misschien zijn ontsnapt, maar dat deed er nu niet meer toe. Ze hadden Avuns huurmoordenaars met hun overmacht onder de voet gelopen, net op tijd om Chiens leven te redden, maar voor zijn lijfwachten was de hulp te laat gekomen. Vervolgens hadden ze Mishani en Chien niet vrijgelaten, maar hun gevraagd hen te vergezellen. Het was als een verzoek verwoord, maar ze twijfelden er niet aan dat ze in werkelijkheid gevangenen waren. Maar goed, Chien had medische zorg nodig en die kon hij in Zila krijgen. Mishani gaf toe, vooral om zichzelf de vernedering te besparen als ze vastgebonden werd afgevoerd.

Wat hun bedoelingen ook waren, de mannen behandelden haar niet als een gevangene. Ze waren erg spraakzaam en tijdens de reis en de korte rust die ze op de terugweg namen kwam ze veel over hen te weten. Voor het merendeel waren ze stedelingen uit Zila, boeren en ambachtslieden. Ze waren erop uitgestuurd om voorraden te roven van de reizigers die door de flessenhals naar het zuiden trokken – zonder lichamelijk geweld, benadrukten ze – en terug te brengen naar de pakhuizen in de stad, in verband met de ophanden zijnde belegering. Hun verkenners hadden gemeld dat er verschillende legers op weg waren om de opstand de kop in te drukken en dat de eerste de volgende avond zouden aankomen. Ze toonden zich afwisselend angstig en opgewonden over dat vooruitzicht. Iets had een uitzonderlijke geestdrift in hen doen opvlammen, maar wat, dat kon Mishani niet bevroeden. Ze leken meer op lieden met een duidelijk doel voor ogen dan op mensen die wanhopig vochten voor hun recht op voedsel.

Bakkara was degene met wie Mishani het grootste deel van de reis optrok. Haar diepgewortelde politieke opportunisme vertelde haar dat ze geen tijd aan gewone soldaten moest verspillen als ze een band met hun leider kon opbouwen, en hij leek al even praatgraag als zijn ondergeschikten. Hij was een grote, getaande man met kleine, donkere ogen, een stoppelige, vooruitstekende kaak en een geplette neus. Zijn zwarte haar, dat tot koorden was gedraaid en was doorvlochten met gekleurde draden, liet zijn voorhoofd vrij en hing tot onder aan zijn nek. Hij naderde zijn vijftigste oogst, maar omdat hij zo groot en sterk was als een beer, kon hij de meeste mannen die half zo oud waren als hij met gemak aan. Zijn stem en ogen straalden een vermoeid soort gezag uit. Hij leek een soldaat die alles al vele malen had meegemaakt en zich erbij had neergelegd dat het niet de laatste keer zou zijn.

Van Bakkara kreeg Mishani te horen hoe het kwam dat ze haar hadden herkend en waarom zijn mannen zo opgewekt waren over hun dreigende noodlot.

'Het is niet mijn gewoonte om edelvrouwen te redden,' had hij in antwoord op haar vraag met een ruwe grijns gezegd. Dat was toen ze in de kleine uurtjes van de nacht te paard hadden gezeten. Alles om hen heen had een onwerkelijke, verwarde sfeer geademd, alsof de groep moederziel alleen was in een verlaten wereld.

'Wat bracht je er dan toe om met de traditie te breken en mij te ontvoeren?' vroeg ze.

'Ontvoeren is wat sterk uitgedrukt, mevrouw,' zei hij. Hij gebruikte de correcte aanspreekvorm, maar zijn manier van spreken was allesbehalve onderdanig. 'Tenzij u wilt dat uw man in die toestand helemaal naar uw eindbestemming doorrijdt.'

Mishani hield haar hoofd scheef en het zachte sterrenlicht viel op het scherpe, smalle vlak van haar wang. 'We weten allebei dat je me niet zomaar zou laten vertrekken,' zei ze. 'En wat Chien betreft: ik geef niet veel om hem. En hij is zeker niet mijn "man".'

Bakkara grinnikte. 'Ik zal er geen doekjes om winden,' zei hij. 'Ieder ander zouden we gewoon hebben laten gaan, maar u niet. Aan de ene kant: Ocha verhoede dat u iets zou overkomen, en ik wil u liever niet verder naar het zuiden laten reizen. De situatie verslechtert daar met de dag.' Hij trok een spijtig gezicht. 'Aan de andere kant bent u te waardevol om zomaar te laten lopen, en Xejen zou me vermoorden als ik dat deed. We hebben u in Zila misschien nog nodig. Dus het spijt me, maar daar gaat u heen.'

Mishani had al voordat hij Xejen had genoemd en haar vermoedens had bevestigd begrepen waar ze in verzeild was geraakt.

'Je bent van de Ais Maraxa,' zei ze.

Hij gromde instemmend. 'Wat bent u een geluksvogel, hè?'

Mishani moest lachen.

'U bent binnen de Ais Maraxa een beetje een legende, mevrouw, zoals u ongetwijfeld weet,' ging Bakkara op laconieke toon verder. 'U bent een van degenen die onze kleine messias uit de kaken van de dood hebben weggegrist.'

'Neem me niet kwalijk, maar je klinkt niet als de schuimbekkende fanaat die ik zou verwachten,' zei Mishani, wat haar een brullende lach van de soldaat opleverde.

'Wacht maar tot u Xejen leert kennen,' antwoordde hij. 'Die voldoet waarschijnlijk een stuk beter aan uw verwachtingen.' Zijn glimlach stierf weg en hij wierp Mishani een vreemde blik toe. 'Ik geloof in Lucia,' zei hij uiteindelijk. 'Dat ik het dogma niet van de daken schreeuw, maakt mijn overtuiging er niet minder sterk op.'

'Je moet begrijpen dat het voor mij moeilijker is om me achter het standpunt te scharen dat jullie organisatie inneemt,' zei Mishani. 'Voor jullie belichaamt ze misschien een ideaal – en ik ben van mening dat het van grote afstand veel gemakkelijker is om iemand te aanbidden – maar voor mij is ze als een klein zusje.'

'Aanbidden is wat sterk uitgedrukt,' zei Bakkara ongemakkelijk. 'Ze is immers geen godin.'

'Dat kan ik in elk geval bevestigen,' zei Mishani. Ze vond Bakkara een vreemde man. Hij leek niet zo volledig achter zijn standpunt te staan als hij wilde doen geloven, en dat bracht haar in verwarring. 'Maar ze is meer dan alleen maar een mens,' ging de soldaat verder. 'Dat weet ik zeker.'

Mishani dwong zichzelf zich weer op het heden te richten, en op de dreigende muren van Zila die boven hen uittorenden terwijl ze de trap opliepen en de gewonde koopman ondersteunden. Ze probeerde alles wat ze over de Ais Maraxa wist uit haar geheugen op te diepen: ze dacht aan gesprekken met Zaelis en Cailin en dolf er feitjes uit alsof ze diamanten uit steenkool peuterde. Het was te lang geleden dat ze aandacht aan de Ais Maraxa had besteed en ze had te licht over hen gedacht. Inmiddels was ze al meer dan twee maanden weg, twee maanden waarin ze geen contact met haar thuisbasis had gehad, en kennelijk had de Ais Maraxa zich tijdens haar afwezigheid eindelijk aan de buitenwereld getoond. Ze had nooit verwacht dat ze daartoe in staat zouden zijn. Dit was waar iedereen die Lucia na stond bang voor was geweest.

De Ais Maraxa was heel klein begonnen, als een uitzonderlijk radicaal en enthousiast onderdeel van de pas opgerichte Libera Dramach. Onder de boerenstand deden al vele verhalen de ronde over een messias die hen zou redden van de smet, lang voordat de naam Lucia tu Erinima bekend werd. Het was een natuurlijke reactie op iets wat ze niet begrepen: de ziekte in het land die niet kon worden tegengehouden. Hoewel de Libera Dramach naar geheimhouding streefde, waren er toch mensen die hun mond voorbijpraatten, en de verhalen verspreidden zich als een lopend vuurtje. Het verhaal over de erfkeizerin in haar gouden kooi raakte verstrengeld in het reeds bestaande spinnenweb van vage profetieën, hoop en bijgeloof en het paste precies. In hun ogen was de verschijning van een verborgen erfkeizerin die met de geesten kon spreken op het moment dat er een smet over het land lag een beetje al te toevallig. Het was niet meer dan logisch dat zij door de goden aan Saramyr was geschonken om de strijd met het kwaad in het land aan te binden. Er was immers geen enkele andere reden te bedenken waarom Enyu, de godin van de natuur, het zou toestaan dat er binnen de keizerlijke familie een afwijkende werd geboren. Opeens had de boerenstand het niet meer over een god of een held die hen zou redden, maar over een klein meisje.

Toch bleef de organisatie die uiteindelijk zou uitgroeien tot de Ais Maraxa beperkt tot een lichtelijk overenthousiaste splintergroepering binnen de Libera Dramach. Totdat de erfkeizerin werd gered.

Nu duidelijk was dat hun boegbeeld in de Breuk aanwezig was, hadden ze verder geen aansporing nodig. Lucia's bovennatuurlijke uitstraling en haar op het oog miraculeuze ontsnapping aan de dood overtuigde hen ervan dat hun messias eindelijk was opgestaan. Ze werden openlijk opstandig en hielden vol dat volledige geheimhouding niet de juiste keuze was. Ze moesten het nieuws dat Lucia nog leefde juist door het hele land verspreiden en zo steun vergaren voor de dag waarop ze hen in de strijd zou voorgaan. Het geloof van een groot deel van de boerenstand was met de val van de keizerlijke vesting verpletterd en hun vreugde zou des te groter zijn als ze te horen kregen dat het kind was ontsnapt.

Zaelis had het ronduit verboden en uiteindelijk had de opstandige factie er het zwijgen toe gedaan. Een paar maanden later waren ze zonder waarschuwing vertrokken, en met hen enkele van de meest vooraanstaande leden van de Libera Dramach. Het duurde niet lang voordat de eerste berichten binnensijpelden over een organisatie die zich Ais Maraxa noemde – wat in een eerbiedige spreektrant van het Hoog-Saramyrees letterlijk 'de volgelingen van het zuivere kind' betekende – en die griezelig accurate geruchten over het hele land verspreidde.

Zaelis had gepiekerd en gevloekt, en Cailin had haar zusters erop uitgestuurd om te achterhalen hoe gevaarlijk de Ais Maraxa voor hen kon zijn, maar hun grootste angsten leken nog niet bewaarheid te zijn geworden. De enkelingen die zich van de Libera Dramach hadden afgesplitst, hadden de verblijfplaats van de erfkeizerin in elk geval geheimgehouden. Er waren maar heel weinig mensen die wisten waar Lucia was. De rest van de organisatie wist alleen dat ze zich schuilhield en gaven dat aan anderen door. Dat kon Zaelis echter niet geruststellen, want die vond hen desondanks roekeloos en onverantwoordelijk. Toch had het er jarenlang op geleken dat ze er tevreden mee waren om hun boodschap te verspreiden, en uiteindelijk had Mishani besloten dat ze zo goed als onschadelijk waren.

Nu rees de poort van Zila voor haar op en liep ze aan Bakkara's zijde een stad binnen die in voorbereiding op een belegering diezelfde dag nog zou worden afgesloten. Had ze maar meer aandacht aan Lucia's fanatieke volgelingen besteed, want die misser zou haar wellicht nog aardig duur komen te staan.

Het landgoed van bloed Koli lag ten westen van de Mataxabaai op een klip die uitzicht bood op het uitgestrekte, blauwe water. Ver in de diepte lagen witte stranden en inhammen, onbezoedelde zandvlakten die het oog verblindden. Aan de voet van de klip lagen vlak aan de baai enkele dorpjes met houten hutten, aanlegsteigers en op palen gebouwde voetpaden, en rukten piepkleine bootjes en jonken aan hun meertouwen. In de verte staken reusachtige, met mos en struiken bedekte kalksteenformaties boven het water uit die aan de onderkant waren geërodeerd, zodat ze naar de top toe breed uitliepen en eruitzagen als omgekeerde dennenappels. De vissers roeiden er in hun bootjes met de lange peddels omheen en wierpen in de schaduwen ervan hun netten uit.

Het huis van de familie Koli stond vlak bij de rand op het hoogste punt van de uitstekende rotspunt. Het was een koraalrood gebouw met in het midden een rond vertrek waar een platte, geribbelde koepel bovenop zat. De eentonigheid van het gebouw werd verbroken door een vierkante ontvangsthal, die aan de kant van het vasteland als een stompe snuit naar voren stak. Twee smalle vleugels die ruimte boden aan stallen en personeelsvertrekken liepen langs de rand van de klip. In de klip zelf waren drie plateaus uitgehakt voor de reusachtige tuin en om het laagste plateau, dat uitstak boven het strand in de diepte, was een hekwerk aangebracht. In de tuin stonden vele verschillende bomen en planten en waren op strategische plaatsen gebeeldhouwde rotspilaren geplaatst, zodat het oog werd gestreeld door een volmaakte mengeling van steen en begroeiing. Op het hoogste plateau stond een kleine oranjerie, een geraamte van hoge bogen en gewelfde pilaren, waar Mishani's moeder Muraki altijd ging zitten schrijven.

Daar was ze nu vast ook, dacht barak Avun, hoewel hij het niet kon zien vanaf de plek op het laagste plateau waar hij samen met barak Grigi tu Kerestyn lag te luieren. En ongetwijfeld was ze nog meer van die verhalen uit haar duim aan het zuigen, dacht hij vol afkeer, waarin ze de privé-problemen van haar familie met de rest van het keizerrijk deelde. In alles gehoorzaamde ze hem, behalve daarin. Hij was woest geweest toen het nieuws over haar meest recente boek hem ter ore was gekomen: het was koren op de molen geweest van kwaadsprekers verspreid over het land. Er deden al genoeg geruchten over hun vermiste dochter de ronde zonder dat zij er nog een schepje bovenop deed. Maar ze wilde zelf bepalen wat ze schreef en wist dat hij haar de mond niet zou durven snoeren.

Maar goed, de schade kon tot een minimum worden beperkt. Als alles goed ging, zou hij binnenkort zijn dochter terug hebben, dood dan wel levend, en dan konden ze een verhaal verzinnen waarmee al die geruchten over eerloosheid de kop konden worden ingedrukt. Als alles goed ging...

'Goden, dit is niet verkeerd, hè?' zei Grigi, die op een bank over het hekwerk naar de baai lag te kijken. 'Hier kun je alle problemen in de wereld even vergeten, inclusief de smet. Nuki's oog schijnt nog steeds op ons neer, eb en vloed wisselen elkaar onveranderd af. Onze problemen lijken maar nietig als je ze van deze hoogte bekijkt.'

Avun nam hem met lichte minachting op. De dikke barak was dronken. Tussen hen in stond een tafel, met daarop vele lege wijnkannen en de karige resten van het eten dat Grigi had verslonden. Avun leidde een ascetisch leven, maar Grigi was een veelvraat en hij lag zich al de hele middag vol te proppen.

'Zelf vind ik ze niet zo nietig,' zei Avun kil. 'Eb en vloed mogen elkaar nog steeds afwisselen, maar de vissen raken verminkt, en met de opbrengst van die vissen moet ik het voedsel betalen dat je net hebt opgegeten. Mijn vissers houden tegenwoordig een deel van de vangst achter om zichzelf en hun gezin tegen de hongersnood te beschermen. Ze bestelen me.' Hij keek met zijn half geloken ogen naar de verre klippen aan de oostkant van de baai, die als een lage, diepblauwe kartellijn tegen het water afstaken. 'Het is niet moeilijk om te doen alsof er niets aan de hand is. Het is ook niet verstandig.'

'Je hoeft niet zo streng te doen, Avun,' zei Grigi, die een beetje teleurgesteld was omdat zijn bondgenoot zijn euforische stemming niet deelde. 'Hartbloed, jij weet wel hoe je iemand weer met beide benen op de grond moet krijgen.'

'Ik zie geen reden om blij te zijn.'

'Dan besef je niet wat een kansen deze hongersnood ons biedt,' zei Grigi. 'Er is geen dapperder soldaat dan een man die voor zijn leven en dat van zijn gezin moet vechten. Ze hebben alleen iemand nodig om zich achter te kunnen scharen. En dat ben ik!' Hij hief onhandig zijn drinkbeker en er klotste wat wijn over de rand op de stenen tegels van het terras.

'Daar gaat de barakesse,' zei Avun, en hij wees loom naar een felgekleurde jonk die ver onder hen wegleed uit de haven en zich tussen de vele vissersboten door een weg baande.

Grigi schermde zijn ogen af tegen het felle licht van de zon en keek omlaag. 'Vertrouw je haar?'

Avun knikte langzaam. 'Ze zal klaarstaan als het zover is.'

Ze hadden die middag tot hun tevredenheid veel werk verricht. Emira, een jonge barakesse van bloed Ziris, was op haar eigen verzoek bij hen geweest. Ze had met hen gepraat over van alles en nog wat: de dreiging van hongersnood, de bloedkeizer, de benarde situatie van haar eigen mensen. En op haar eigen sluwe, omslachtige manier had ze zich hardop afgevraagd of bloed Kerestyn van plan was een gooi naar de troon te doen, en of ze daarbij misschien de hulp van bloed Ziris konden gebruiken.

Zo ging het spelletje aan het keizerlijke hof altijd. Families steunden elkaar in de hoop dat het huis waarachter ze zich hadden geschaard aan de macht zou komen, en in ruil daarvoor zou die familie haar medestanders een hoge positie schenken. Nu Mos' onbekwaamheid steeds duidelijker werd en bloed Kerestyn als het enige realistische alternatief werd beschouwd, schaarden de hooggeplaatste families zich in drommen achter Grigi, zonder dat hij het hun hoefde te vragen. Met bloed Koli aan zijn rechterhand stond hij sterk en de macht van het keizerrijk verzamelde zich om hem heen.

Het probleem was echter altijd hetzelfde: het leger van de keizer. Met de wevers aan zijn zijde en de keizerlijke garde onder zijn bevel was hij nagenoeg onverslaanbaar. Waar de troepen van Kerestyn bij de meest recente staatsgreep waren verpletterd, was bloed Batik zonder enige tegenstand te ondervinden de stad binnengetrokken, en hun aantallen waren sindsdien alleen maar gegroeid. Zelfs nu hij op de overweldigende steun van de hooggeplaatste families kon rekenen, wist Grigi dat het erom zou hangen. Hij had zichzelf al eens tegen de muren van Axekami te pletter gereden en hij wilde heel zeker van zijn zaak zijn voordat hij het opnieuw probeerde.

Avun had hem vandaag de oplossing voor dat probleem in handen gespeeld.

'Ik heb een nieuwe vriend gemaakt,' had hij gezegd toen ze die ochtend door de vertrekken van het huis hadden gelopen. 'Iemand die heel dicht bij de keizer staat. Hij heeft kortgeleden contact met me opgenomen.'

'Een nieuwe vriend?' vroeg Grigi met opgetrokken wenkbrauw.

'Hij wist me te melden dat er zeer binnenkort iets staat te gebeuren. We moeten voorbereid zijn.'

'Voorbereid?'

'We moeten onze bondgenoten om ons heen verzamelen, zodat we binnen een dag tegen Axekami kunnen optrekken.'

'Eén dag! Dat is belachelijk. Dan zouden we alle families ruim van tevoren op de hoogte moeten stellen, zodat ze hun troepen hier konden verzamelen.'

'Dan zullen we dat doen zodra de tijd rijp is. We moeten wachten op een teken. Als dat eenmaal komt, moeten we snel reageren en moeten al onze bondgenoten klaarstaan om ons voorbeeld te volgen.'

Grigi had zijn paarse kalotje recht op zijn hoofd gezet. 'Dat is een beetje te veel om zomaar aan te nemen, Avun. Vertel me eens wie die nieuwe vriend van je is.'

'Kakre. De wever van de keizer zelf.'

◎ 18 ◎

'Het is tijd, Kaiku,' zei Yugi.

Het werd donker. In het oosten was de hemel zacht paars, een voorbode van de naderende nacht. Een halfvolle Iridima stond in haar eentje omringd door een dikke sterrendeken aan de hemel en zag er in het schemerlicht bleek en spookachtig uit.

Ze hadden de barrière van de wevers gevonden, de grens van het geheim dat ze wilden achterhalen en waarvoor ze de Breuk waren overgestoken. Nomoru had verkondigd dat ze het punt naderden waar ze bij haar laatste poging de weg was kwijtgeraakt en kort daarna waren ze weer op dezelfde plek uitgekomen, hoewel ze steeds in westelijke richting waren blijven lopen. En alsof dat nog niet genoeg was, waren Kaiku's zintuigen gaan opspelen. Ze was ervan overtuigd dat ze precies wist waar de barrière het landschap doorsneed en wanneer ze waren omgedraaid. Ze had haar kana heel zorgvuldig beteugeld toen ze ertegenaan liepen. Ze wilde niet proberen zonder het masker van haar vader de barrière te lijf te gaan.

De vier reizigers hadden zich een tijdje in een bebost valleitje schuilgehouden om op het vallen van de duisternis te wachten. Kaiku had al die tijd met haar rug tegen een boom in de lege oogkassen van het grijnzende zwart met rode masker in haar handen zitten staren. Toen Yugi tegen haar sprak, hoorde ze hem niet eens. Hij moest haar bij haar arm heen en weer schudden voordat ze scherp en geërgerd naar hem opkeek, maar toen verzachtte haar gelaat en glimlachte ze dankbaar. Uit Yugi's ogen sprak onzekerheid en hij trok zich terug. Haar gedachten keerden terug naar dat moment vóór die laatste zware reisdagen, toen Yugi in het naargeestige moeras op sterven had gelegen. De strijd om het gif van de demon uit zijn lichaam te verjagen zou Kaiku nooit meer vergeten: elke tastende vezel, elke kronkel en knoop was als een glanzende lijn in haar bewustzijn geëtst. Onwillekeurig vertrok ze haar gezicht in een grijns van triomf, en ze vrolijkte een beetje op. Toen viel haar blik echter op Yugi, die net zijn tas op zijn schouders hees, en haar grijns vervaagde.

Sinds hij was bijgekomen, was Yugi in een bepaald opzicht veranderd. Ze had iets gevoeld toen ze in zijn binnenste had gezeten, een deining vanuit zijn geest die had gewezen op iets duisters, iets wat onuitsprekelijk slecht was. Ze kon niet raden wat het was, ze wist alleen dat het diep verborgen had gelegen en dat het tijdens zijn bewusteloosheid uit zijn ketenen was bevrijd. Ze hield hem in de gaten en piekerde.

Yugi probeerde er niet op te letten, maar hij kon haar blik in zijn rug voelen prikken. Zijn ontmoeting met de demonen had hem ontnuchterd, dat was zeker. De nabijheid van de dood had hem herinnerd aan een vorig leven, voordat hij zich bij de Libera Dramach had aangesloten. Dagen vol bloed, messen en geweld. Hij speelde soms met de vuile sjerp die om zijn voorhoofd zat, een overblijfsel uit die tijd, die hij wanhopig graag wilde vergeten. Dat lukte echter niet.

Hij zette zijn sombere gedachten van zich af toen de reizigers overeind kwamen en zich klaarmaakten om de barrière van de wevers te slechten. De taak die voor hen lag maakte hem scherp. Hun tocht door de Breuk was niet eenvoudig gebleken, maar vanaf dit moment zou het alleen maar erger worden.

'Werkt dat wel?' vroeg Nomoru twijfelend met een gebaar naar het masker in Kaiku's hand.

'Dat zullen we snel genoeg merken,' zei Kaiku, en ze zette het op.

Ze had het angstaanjagende gevoel dat ze thuiskwam. Het masker voelde warm aan op haar huid en ze beeldde zich in dat ze kon voelen hoe het zich aanpaste aan de piepkleine veranderingen die haar gezicht had ondergaan sinds de laatste keer dat ze het had gedragen. Ze ervoer een gevoel van diepe tevredenheid, een nostalgische warmte, zoals toen ze nog een klein meisje was en op haar vaders schoot in slaap was gevallen. Ze kon Ruito's troostende gefluister horen, een vage herinnering aan hem die langs haar heen streek, en de tranen sprongen in haar ogen.

Ze knipperde ze weg. Het masker voelde aan als haar vader omdat het een deel van zijn gedachten en persoonlijkheid van hem had geroofd toen hij het had gedragen. Hij was om dit stuk hout gedood. De maskers waren wrede meesters, die in ruil voor de macht die ze schonken heel veel eisten. Ze voedden de verslaving van hun slachtoffers totdat ze niet meer zonder konden. Totdat ze wevers waren geworden. Dat zou ze zichzelf blijven voorhouden.

Geesten, wat zou er gebeuren als een zuster van de Rode Orde een wever werd?

'Je ziet er belachelijk uit,' zei Nomoru met een stem die van humor was gespeend. 'Wat denk je hiermee te bereiken?'

Kaiku wierp haar een minachtende blik toe. Vreemd genoeg voelde ze zich niet in het minst belachelijk met dit veelbetekenend grijnzende masker op haar gezicht. Integendeel, ze had het gevoel dat het haar prima stond en dat ze er zo indrukwekkender uitzag.

'Wat ik hiermee denk te bereiken, is door die barrière heen breken waar jij niet kon passeren,' antwoordde Kaiku luchtig. 'Laten we opschieten. Ik wil dit ding niet langer hoeven dragen dan strikt noodzakelijk is.'

Toen ze vertrokken, bedacht ze dat die woorden haar vreemd hol in de oren klonken. Ze had het gezegd omdat ze vond dat het zo hoorde, niet omdat ze het meende.

Het laatste licht was uit de hemel verdwenen toen ze op de barrière stuitten. Toen ze tussen twee kolossale rotspunten de top van een flauwe helling bereikte, voelde Kaiku dat het masker bij haar wangen warm werd.

'Hier is het,' zei ze. 'Bind je aan mij vast.'

Tsata haalde een touw tevoorschijn en ze deden wat ze had gezegd. Het was moeilijk vast te stellen in hoeverre de Tkiurathi geloofde dat wat ze nu deden noodzakelijk was, maar hij legde zich zonder te klagen bij de wil van de rest van de groep neer.

Kaiku liep voorzichtig en met haar hand voor zich uit verder. Het masker werd nog warmer en de temperatuur bleef stijgen totdat ze dacht dat ze er brandwonden van zou krijgen, maar toen streken haar vingers langs de barrière, en op dat moment kon ze hem ook zien.

Ze kon een kreet van ontzag niet onderdrukken. Het glanzende, uit het weefsel gevlochten tapijt van zes meter hoog en zes meter dik strekte zich aan weerszijden van haar uit en liep langs de steile hellingen van de Breuk omhoog. Het was een maalstroom van gouden spiralen en kolkjes die langzaam kronkelden en ronddraaiden, zich om elkaar heen wikkelden en nieuwe vormen aannamen, zich uitrekten en samentrokken in een onbevattelijk chaotische dans. Als een draaikolk in de wateren van de realiteit werd de waarneming op deze plek vervormd en een andere richting op gestuurd, en opnieuw stond Kaiku versteld over de complexe schepping van de wevers.

'Wat is er?' vroeg Yugi. 'Is het de barrière?'

Door de manier waarop hij dat vroeg besefte Kaiku dat hij wilde weten waarom ze was blijven staan, niet wat dat voor ding was waar ze voor stonden. Niemand kon hem zien, behalve zij. Heel even werd ze door een zelfgenoegzame, egoïstische vreugde overvallen omdat zij als enige dit wonder mocht aanschouwen. Toen zette ze het van zich af, verrast door haar eigen gedachten.

'Houd elkaars hand vast,' zei ze tegen de anderen, en ze stak haar hand uit naar Yugi. De anderen volgden haar voorbeeld.

Ze stapte de barrière binnen en werd door het weefsel opgeslokt. De eerste keer dat haar dat was overkomen, op Fo, was ze in de verleiding gekomen om zich te laten meeslepen door de onuitsprekelijke schoonheid van de gouden wereld die haar omringde. Deze keer was ze erop voorbereid en had ze haar hart tegen de verlokking gewapend, maar het viel niet mee. Ze trok Yugi met zich mee en in een paar passen was ze erdoor, maar toen ze terugkeerde naar de werkelijkheid leek die grauw en lelijk.

Yugi kwam achterwaarts achter haar aan gestommeld en struikelde, omdat hij volkomen gedesoriënteerd werd door het feit dat hij met zijn gezicht de verkeerde kant op stond. Hij had de hand van Nomoru, die achter hem aan kwam, losgelaten, en toen hij op de grond viel kwam het touw om zijn middel strak te staan, want Nomoru probeerde de andere kant op te lopen. Kaiku kon haar nu zien doordat de barrière uit het zicht was verdwenen zodra ze hem had verlaten. Nomoru zat gevangen in het onzichtbare, desoriënterende gebied. Haar gezicht was uitdrukkingsloos terwijl ze haar uiterste best deed terug te lopen in de richting waar ze vandaan was gekomen, kennelijk niet in staat te begrijpen waarom dat niet lukte. Vlakbij was Tsata er net zo aan toe, en zijn gezicht was het toonbeeld van kinderlijke verwarring.

'Trek ze erdoorheen,' zei Kaiku tegen Yugi, en hoewel hij nog steeds niet goed wist waar hij was, deed hij wat hem was opgedragen. Samen sleurden ze hun metgezellen door de barrière naar de andere kant.

Het duurde een hele tijd voordat ze weer helder konden denken, en ondertussen had Kaiku het masker afgezet en terug in haar tas gestopt. Ze nam hen gebiologeerd op terwijl ze elkaar als zuigelingen met glazige ogen aankeken, of naar hun omgeving keken alsof ze geen flauw idee hadden waar ze waren. Geen wonder dat niemand zonder masker door de barrière heen kon komen. Wat een knap staaltje manipulatie hadden de wevers toch afgeleverd!

Toen ze weer een beetje tot zichzelf waren gekomen, herkende Nomoru de streek waarvan ze ooit had beweerd dat ze die als haar broekzak kende nog steeds niet. Haar richtingsgevoel was kennelijk nog steeds van slag, waardoor ze geen flauw benul had waar ze naartoe moest. Kaiku nam dan ook de leiding.

'We moeten hier weg,' zei Kaiku. 'Ik ben er niet van overtuigd dat het veilig is de barrière te doorkruisen, zelfs met het masker. Misschien weten degenen die hem hebben opgetrokken nu dat we er zijn.'

Ze trokken vlak langs de barrière het verwoeste landschap aan hun rechterhand in. Kaiku vertrouwde erop dat haar zintuigen haar zouden waarschuwen als ze te dicht bij de onzichtbare grens kwamen, en met die grens als leidraad verdwenen ze tussen de donkere geulen en uitsteeksels van de Xaranabreuk, gadegeslagen door Iridima met haar halve gezicht.

Toen ze ver van de plek waren waar ze het domein van de wevers waren binnengedrongen, hield Nomoru halt.

'Dit heeft geen zin,' zei ze. 'Het op deze manier aanpakken. We komen er nooit in het donker.'

De anderen betuigden vermoeid hun instemming. Even had het erop geleken dat ze goed vooruitkwamen, maar toen was de nachtelijke hemel betrokken zodat de gloed van de sterren en de halve maan was verdwenen, en nu konden ze nauwelijks een hand voor ogen zien. Ze dwaalden nu al een tijdje rond over een vlakte vol grillige voren en struiken. Ze zaten onder de schrammen van de doornstruiken en liepen waarschijnlijk in een kringetje rond. Hun frustratie werd verergerd door het feit dat ze niet precies wisten waar ze naar op zoek waren. Bewijs van weveractiviteit zoeken was een breed, vaag doel. Ze hadden immers geen idee waar hun vijanden precies toe in staat waren en welke vorm dergelijk bewijs zou aannemen. Nu liepen ze door een geul vol uitgedroogde modder met steile wanden die tot boven hun hoofden kwamen: een oude beekbedding die al heel lang droogstond en waarin het stikte van het onkruid.

'We kunnen beter gaan rusten,' zei Yugi. 'Dan gaan we verder als het opklaart, of als de dag aanbreekt.'

'Ik ben niet moe,' zei Kaiku, die zich vreemd energiek voelde. 'Ik houd wel de wacht.'

'Ik zal je gezelschap houden,' zei Tsata onverwacht.

Ze wierpen hun tassen neer op de bodem van de geul. Nomoru en Yugi rolden hun slaapmatten uit en vielen al snel in slaap.

Kaiku ging met haar rug tegen de wand van de geul zitten, met haar verstrengelde handen om haar knieën. Tsata nam zwijgend tegenover haar plaats. Het was griezelig stil. Zelfs het gonzen van nachtelijke insecten ontbrak. In de verte hoorde ze de onplezierige kreet van een vogel die ze geen naam kon geven.

'Moet een van ons niet naar boven gaan om te kijken of...' Ze liet haar stem wegsterven, beseffend dat ze geen idee had wat voor gevaren ze verwachtte.

'Nee,' zei de Tkiurathi. 'Wij kunnen niet ver kijken, maar er zijn misschien wezens die ons in de diepste duisternis nog kunnen zien. We kunnen ons beter verborgen houden.'

Kaiku knikte. Ze wilde toch liever niet naar boven en dit leek haar een prettige, beschutte plek.

'Ik wil praten,' zei Tsata opeens. 'Over wevers.'

Kaiku streek het haar uit haar gezicht en stopte het achter haar oor. 'Goed.'

'Ik heb van Saran wel iets over hen gehoord, maar ik begrijp nog steeds niet waarom jouw volk hen accepteert,' zei hij.

Bij het horen van Sarans naam kneep Kaiku haar ogen samen. Door de aanvaring met de sekte van Omecha en de ruku-shai was die herinnering helemaal naar de achtergrond verdrongen.

'Ik begrijp niet zo goed wat je nu eigenlijk wilt vragen,' zei Kaiku.

'Ik zal je zeggen hoe ik het zie, en dan mag je me daarna eventueel verbeteren. Is dat goed?'

Kaiku hief haar kin en besefte toen een beetje beschaamd dat ze een Okhambaans in plaats van een Saramyrees gebaar had gebruikt.

'Ooit legde jullie beschaving zich toe op kunst en wetenschap, op het bouwen van prachtige gebouwen, lange wegen en ongelooflijke woningen,' begon Tsata. 'Ik heb de geschiedenisboeken gelezen. Ik deel jullie liefde voor steden van steen niet en begrijp niet waarom jullie in zulke groten getale bij elkaar gaan wonen dat de pasj betekenisloos wordt. Maar ik ben me ervan bewust dat niet iedereen denkt zoals ik, en dat kan ik accepteren. Ik kan zelfs de gapende kloof tussen de edelen en de lagere standen accepteren, en het feit dat kennis door de ene groep angstvallig wordt bewaakt om de andere groep onwetend te houden, zodat ze alleen dom werk kunnen doen. Dat vind ik ronduit slecht, want het druist lijnrecht in tegen het wezen van mijn volk. Maar als ik daarover begin, zitten we hier nog wel een tijdje en ik wil het liever over de wevers hebben.'

Kaiku was een beetje van haar stuk gebracht, zowel door zijn directheid – die aan onbeschoftheid grensde – als door zijn welsprekendheid. Ze had Tsata zelden meer dan een paar zinnen achter elkaar horen zeggen, maar kennelijk had zijn passie voor dit onderwerp zijn natuurlijke zwijgzaamheid overwonnen.

'Toen de wevers kwamen, hebben jullie voorouders hen bij zich in huis genomen,' zei hij uiteindelijk, terwijl hij met zijn bleekgroene ogen recht voor zich uit keek naar de duisternis. 'Ze werden verblind door de macht waarover ze met een wever aan hun zijde konden beschikken. De edelen waren er al zo lang aan gewend dat ze eenvoudiger lieden als werktuigen konden gebruiken, dat ze dachten dat ze met de wevers hetzelfde zouden kunnen doen, niet beseffend hoe gevaarlijk ze waren. Want de wevers toelaten in jullie wereld betekende dat er een pact moest worden gesloten, en jullie voorouders waren zich er vanaf het allereerste begin terdege van bewust met wat voor voorwaarden ze instemden.' Hij liet bedroefd het hoofd hangen. 'Hun hebzucht werd hun ondergang. Misschien hadden ze in het begin een nobel doel voor ogen. Misschien dachten ze dat ze met de wevers aan hun zijde het keizerrijk konden uitbreiden en het machtiger en onoverwinnelijk konden maken. Soms is de prijs echter te hoog, wat de beloning ook is.'

Kaiku zag dat hij zijn handen tot vuisten had gebald, zodat de gele huid zich over zijn knokkels spande.

'Jullie namen de wevers uit vrije wil in huis, en jullie voedden hen met jullie kinderen.'

Daar schrok ze van. Ze ademde in om te protesteren, maar dat kon ze niet. Hij had immers gelijk. Hooggeplaatste families waren verplicht hun wever alles te geven wat hij tijdens zijn ontwenningsmanie verlangde. Ze was zich er maar al te zeer van bewust tot welke afgrijselijke, perverse daden die wezens in staat waren. Als ze de terugslag van het gebruik van het masker gingen voelen, als ze ontwenningsverschijnselen kregen alsof ze een verdovend middel hadden genomen dat was uitgewerkt, waren ze gewetenloos in hun irrationele, primitieve verlangens en behoeften. Niets was te verderfelijk wat wevers betrof: verkrachting, moord, marteling... Dat waren slechts enkele van de verlangens die de wevers bevredigd wilden zien. Ze had ook andere dingen gehoord. De wever van bloed Kerestyn scheen een kannibaal te zijn. Bloed Nira had er een die de uitwerpselen van mensen en dieren at. De huidige weefheer, zo had ze vernomen, had een voorliefde voor het levend villen van mensen, en van de huid maakte hij kunstwerken. Er waren weliswaar wevers met een manie waar anderen geen last van hadden – sommigen deden heel gewone dingen, zoals schilderen, of werden hele dagen door waanideeën gekweld – maar die waren er niet veel, en hoewel ze na het weven niet altijd hoefden te worden bevredigd, hadden de meeste wevers toch ieder tientallen doden op hun geweten. En naarmate hun krankzinnigheid en verslaving toenamen en hun lichaam feller door ziekte werd geteisterd, werden het er steeds meer.

Opeens schaamde ze zich toen ze aan haar simpele vreugde dacht toen ze vanuit Okhamba in haar vaderland was aangekomen. Saramyr was inderdaad een prachtig, harmonieus land en ze prees zich gelukkig dat ze er mocht wonen, maar het was op de beenderen van vele doden gebouwd. Vóór de wevers was er de stelselmatige uitroeiing van de inheemse Ugati geweest, en het dodental moest toen in de miljoenen hebben gelopen. Dat was voor Kaiku ook niet nieuw; het leek alleen heel ver weg en ze herkende zichzelf er niet in, alsof het niets met haar te maken had. Nu het echter zo onomwonden werd verwoord, besefte ze dat beschaving slechts een heel dun laagje was, een korst waar de hooggeborenen met hun sierlijke voeten overheen liepen terwijl daaronder een zee van wanorde en geweld ziedde.

Tsata was echter nog niet klaar. 'Jullie kunnen niet verantwoordelijk worden gehouden voor de daden van jullie voorouders,' zei hij, 'hoewel ik de indruk heb dat in jullie samenleving de zoons vaak moeten boeten voor de fouten van hun vader. Nu vernietigen de wevers echter zelfs het land waarop jullie leven. Dat is nog het meest ironische. Jullie zijn zo afhankelijk van hen geworden dat jullie jezelf er niet eens toe kunnen brengen je van hen te ontdoen, ook al zullen ze alle schoonheid waar jullie zo van hebben gehouden kapotmaken. Jullie hebben zo veel gestoken in het uitbreiden en verbeteren van het keizerrijk dat jullie de grond waarop het is gebouwd dreigen te vernietigen. Jullie hebben een zo hoge toren gebouwd dat jullie nu de stenen van de onderkant moeten gebruiken om bovenaan verder te kunnen bouwen.' Hij boog naar Kaiku toe. 'Jullie maken de aarde kapot met jullie egoïsme.'

'Dat weet ik ook wel, Tsata,' zei Kaiku. Ze werd boos, want dit begon een beetje te veel op een persoonlijke aanval te lijken. Ze wist dat Tsata niets ophad met de ontwijkende, beleefde manier van spreken die in haar cultuur gebruikelijk was, maar ze vond hem nu wel erg fel. 'Waar denk je dat we nu mee bezig zijn? Ik probeer iets tegen hen te ondernemen.'

'Ja,' zei hij. 'Maar doe je dat wel om de juiste reden? Je vecht omdat je wraak wilt. Dat heeft Saran me verteld. Nu komt het volk hier in opstand, want het voedsel wordt schaars, maar tot die tijd hebben ze de smet gewoon laten groeien omdat ze dachten dat iemand anders er wel iets aan zou doen. Jullie vechten geen van allen voor het algemeen belang. Jullie besluiten pas iets te ondernemen als dat in jullie eigen voordeel is.'

'Zo zijn mensen nu eenmaal,' zei Kaiku.

'De mensen in míjn land niet,' zei Tsata.

'Misschien komt het daardoor dat jullie nog steeds in het oerwoud leven en dat jullie kinderen door wilde beesten worden verslonden,' kaatste Kaiku terug.

De Tkiurathi nam geen aanstoot aan de bedekte belediging. 'Misschien,' zei hij. 'Het was echter niet mijn bedoeling mijn cultuur met die van jou te vergelijken en de verdiensten van de ene tegen die van de andere af te wegen.'

'Daar leek het anders wel op,' zei Kaiku nors.

'Ik vertel je alleen hoe jouw land er in mijn ogen uitziet,' zei hij eenvoudig. 'Heb je dan zoveel moeite met eerlijkheid?'

'Ik heb jou niet nodig om me op de zwakke punten van mijn landgenoten te wijzen. Misschien zijn mijn drijfveren naar jouw smaak niet onbaatzuchtig genoeg, maar het is en blijft een feit dat ik in elk geval iets tegen de wevers onderneem. Ik heb ervoor gekozen de dingen niet te accepteren zoals ze zijn, want ik weet dat er van alles mis mee is. Dus die morele preek kun je me besparen.'

Tsata keek haar zwijgend aan. Ze kalmeerde een beetje en schoof met haar hak over het zand.

'Ik kan je niets nieuws leren over de wevers,' gaf ze uiteindelijk toe. 'Je beschrijving van de situatie klopt helemaal.'

'Komt het dan voort uit jullie cultuur?' vroeg Tsata. 'Omdat jullie allemaal streven naar persoonlijke verbetering in plaats van die van de hele groep, weigeren jullie iets tegen een dreiging te ondernemen tenzij het in jullie voordeel is. Zit het zo?'

'Misschien,' zei Kaiku. 'Dat weet ik niet. Maar ik weet wel dat onze acceptatie van de wevers voor een groot deel uit onwetendheid voortkomt. Als de hooggeplaatste families bewijs hadden dat de wevers verantwoordelijk waren voor het bederf van het land, zouden ze in opstand komen en hen vernietigen. Dat geloof ik stellig.'

'Maar dat is niet waar, Kaiku,' zei Yugi. Ze keken naar hem om en zagen dat hij rechtop was gaan zitten. Hij trok de lap om zijn voorhoofd recht en glimlachte verontschuldigend naar hen. 'Het valt niet mee om te slapen terwijl jullie de wereld zitten te verbeteren.'

'Hoezo is het niet waar? Hoe bedoel je?' vroeg Kaiku.

'Ik mag je dit eigenlijk niet vertellen, maar ach, het doet er niet zoveel toe,' zei hij terwijl hij overeind kwam en zich uitrekte. 'In de hogere echelons van de Libera Dramach gebeurt veel wat we niet aan anderen vertellen. Een van de dingen die we meteen hebben gedaan was controleren of de theorie van je vader over de heksenstenen klopte. Toen we zeker wisten dat hij gelijk had, hebben we... Nou ja, toen hebben we een paar edelen op de hoogte gesteld. Op subtiele wijze. Hier en daar een toespeling laten vallen. Toen dat niet werkte, hebben we hun het bewijs laten zien en hen uitgedaagd het zelf te controleren.' Hij krabde aan zijn nek. 'Allemaal via tussenpersonen, natuurlijk. De Libera Dramach heeft zich nooit echt blootgegeven.'

Kaiku gebaarde naar hem dat hij door moest gaan. 'Hoe is het afgelopen?'

Hij slenterde naar de plek waar zij zaten en keek op hen neer. 'Ze deden niets. Helemaal niets. Slechts een enkeling nam de moeite de feiten na te trekken.' Hij lachte verbitterd. 'Al die tijd hebben de wevers zich laten weerhouden door de angst voor wat er zou gebeuren als de hooggeplaatste families tegen hen in opstand zouden komen. Nou, we hebben geprobeerd daarvoor te zorgen, maar ze hebben ons gewoon genegeerd.'

Kaiku was ontzet. 'Hoe kan dat nou? Terwijl ze zó kunnen zien waar de wevers mee bezig zijn?'

Yugi legde een hand op Tsata's blote schouder. 'Onze buitenlandse vriend heeft gelijk,' zei hij. 'Het is niet in hun belang. Als één, of zelfs een tiental hooggeplaatste families iets met de bewijzen deed, zouden ze hun wever kwijtraken, waarna ze zouden worden verpletterd door de andere families die nog wél een wever hadden. Er is te veel haatdragendheid, er zijn te veel oude wonden. Er zal altijd wel iemand zijn die de overhand wil krijgen, die alleen aan de korte termijn denkt en die alles zal grijpen wat hij kan pakken. Mensen zijn nu eenmaal egoïstisch. Er zal alleen iets fundamenteel kunnen veranderen als iedereen op hetzelfde moment besluit het anders te gaan aanpakken.' Hij haalde zijn schouders op. 'En zover komt het pas als er een ramp gebeurt.'

'Dat is zo. Jullie zullen moeten wachten totdat het land zó erg is aangetast dat je er nog maar nauwelijks op kunt leven, en pas dan zal het in ieders belang zijn om er iets aan te doen,' zei Tsata. 'En tegen die tijd zou het wel eens te laat kunnen zijn.'

'Is dat dan echt de enige manier?' vroeg Kaiku wanhopig. Ze voelde zich door de twee mannen klemgezet. 'Moeten er dan echt mensen sterven voordat er iets verandert?'

Yugi en Tsata keken haar alleen maar aan, en hun stilte sprak boekdelen.

Tegen de ochtend trok de bewolking op en in het licht van Iridima gingen ze weer op weg. Inmiddels leek het erop dat Nomoru haar richtingsgevoel weer terug had. Door een schatting te maken van de kromming van de barrière kon ze een route uitzetten die hen ongeveer naar het midden van het gebied zou brengen dat de wevers van de buitenwereld hadden afgesloten. Ze gingen ervan uit dat ze daar zouden vinden wat ze zochten.

Ze hadden nog niet ver gelopen toen er voor hun voeten opeens een diepe afgrond opdoemde, en toen ze omlaag keken zagen ze een met keien bezaaide helling die naar het duistere, glinsterende lint van de Zan leidde. Het was zo stil dat ze het lispelende gemurmel van het water konden horen.

'Zijn we nog steeds stroomopwaarts ten opzichte van de waterval?' vroeg Yugi.

Nomoru maakte een bevestigend geluid. 'Deze kant op,' zei ze, en ze boog in zuidelijke richting af. Kaiku betwijfelde of de verkenner zelf wel wist waar ze naartoe gingen, maar als niemand de weg wist, maakte het niet zoveel uit welke kant je op ging.

De hemel werd al lichter toen Yugi hen opeens liet stoppen. Ze waren alert geweest op een teken van leven, maar hadden tot op dat moment nog niets ontdekt. Het was juist griezelig stil. Zelfs de dieren leken te zijn gevlucht.

'Wat is er?' fluisterde Kaiku.

'Daar,' zei Yugi. 'Kijk eens naar die boom.'

Ze keken. Boven hen op een rotsachtige helling zagen ze het silhouet van een kromgegroeide boom met kale, misvormde takken en spiraalvormige twijgjes die alle kanten op krulden. Hij stond daar ineengedoken als een dreigende wegwijzer, een waarschuwing van wat hen te wachten stond als ze verdergingen.

'Hij is ziek,' zei Yugi ten overvloede.

'Ze hebben weer een heksensteen gevonden,' zei Kaiku. 'En ze hebben hem gewekt.'

'Gewekt?' zei Nomoru spottend. 'Het is maar een steen, Kaiku.'

'O, ja? Is dat zo?' antwoordde Kaiku sarcastisch. 'Waarom houden de wevers hem dan verborgen?'

Nomoru snoof vol afkeer en liep verder stroomafwaarts. De anderen gingen achter haar aan.

Het was kort na zonsopgang toen ze vonden wat ze zochten, en het was vele malen erger dan ze hadden verwacht.

De richel in het landschap die ze hadden gevolgd liep met een bocht weg van de Zan en tussen de oostelijke oever van de rivier en de landrug strekte zich een brede vlakte uit, een vruchtbare uiterwaard, begroeid met gras. Ze hadden geen vrij uitzicht op de grasvlakte, nu ze door een plotseling vijandig stuk terrein vol gespleten rotsen gedwongen waren verder van de rand van de helling te gaan lopen. Uiteindelijk wist Nomoru echter een pad terug te vinden, zodat ze het land ten westen van hen goed konden zien, en toen zagen ze wat de wevers al die tijd verborgen hadden gehouden.

In de helling zat een reusachtige zwarte klip die boven de vlakte uitstak, en toen Nomoru de afgrond bereikte, liet ze zich opeens plat op de grond vallen en gebaarde naar de anderen dat ze haar voorbeeld moesten volgen. Het opkomende daglicht was grauw en zwak en ontbeerde nog de kracht die het nodig had om de wereld te kleuren. De hemel boven hun hoofd was vaalgrijs en de eenzame maan zakte langzaam weg achter de kartelige tanden van de Breuk. Op hun buik kropen ze naar de plek waar Nomoru lag en ze keken over de rand.

Kaiku vloekte zachtjes.

Aan de andere kant van de uiterwaard, bij de rivieroever, stond een groot, dreigend uitziend gebouw, een kale bochel die eruitzag als het rugschild van een monsterlijke kever. Het was dof roodbruin van kleur, net verroest brons, en gemaakt van reusachtige stroken gestreept metaal. Eromheen stonden kleinere gebouwtjes, als pasgeboren diertjes die elkaar verdrongen om bij de tepels van hun moeder te komen. Daar draaiden langzaam vreemde, metalen tandraderen vol scherpe uitsteeksels rond. Kettingen gleden rinkelend over katrollen die uit smalle schachten in de grond omhoogstaken, en korte, stompe schoorstenen braakten olieachtige zwarte rook uit. Vanuit de diepte klonk een zacht gekletter en gebons.

De vier keken vol ontzetting naar het bouwwerk. Zoiets hadden ze nog nooit gezien. Het ging hun beleving zó ver te boven dat ze het gevoel hadden alsof ze in een andere wereld waren terechtgekomen. Het was een smerige, ziedende gruwel die pijn deed aan de ogen.

Maar dat was nog niet alles. Er was nog een gevaar, dat een stuk herkenbaarder was. Het krioelde op de vlakte van de afwijkenden. Er liepen in de diepte zo veel wezens rond dat het onmogelijk was zelfs maar een schatting te maken van hun aantal. Ze bewogen volkomen ongeordend door elkaar heen en het was moeilijk vast te stellen waar het ene kluwen ophield en het andere begon. Wat het nog erger maakte, was dat de afwijkenden alle soorten en maten hadden. Het was een fantasmagorie van gedrochten die aan de verbeelding van een krankzinnige leek te zijn ontsproten. Duizenden waren het er, misschien zelfs tienduizenden. De horde bedekte het land van de voet van de heuvels tot aan de oever van de Zan, en ze waren in groepjes aan elkaar geketend of opgesloten in reusachtige metalen kooien. Sommige dwaalden rusteloos langs de rivier, andere lagen op de grond te slapen, weer andere maakten ruzie en krabden naar elkaar.

Kaiku voelde dat iemand haar op de schouder tikte en toen ze om-keek zag ze Nomoru, die haar een kijkglas voorhield. Het was een eenvoudig draagbaar voorwerp – twee glazen lenzen met een taps toelopende koker van stijf leer eromheen – maar erg handig. Ze nam het met een onzekere glimlach van dankbaarheid aan. Dat was waarschijnlijk de eerste keer dat Nomoru uit zichzelf iets vriendelijks voor een van hen had gedaan. Kennelijk had hun grootse ontdekking haar ertoe bewogen even haar norsheid van zich af te zetten.

Ze zette het kijkglas tegen haar oog en opeens kon ze elk weerzinwekkend detail van het tafereel in de diepte zien. Overal stonden, zaten en lagen tegennatuurlijke, verwrongen gestalten. Donkere monsters die eruitzagen als uitgerekte oerwoudkatten, maar dan met een snuit die het midden hield tussen die van een hond en een hagedis, slopen grauwend met lange passen rond. Demonische wezens die ooit misschien aapjes waren geweest hingen aan de tralies van hun kooi, en hun teruggetrokken lippen onthulden een wrede verzameling scherpe tanden. Gebochelde, beerachtige monsters, stevige, gedrongen spierklompen met scherpe tanden, woeste snuiten en grote, kromme slagtanden groeven in de aarde. Met een rilling van herkenning keek Kaiku naar een kooi vol reusachtige vogels met dikke, hoornen snavels en geknikte, rafelige vleugels met een spanwijdte van zeker zes voet: gierkraaien, die ze jaren geleden op het eiland Fo voor het laatst had gezien.

Toch was er een patroon in de chaos te ontdekken. De aanwezigheid van de gierkraaien had haar er alert op gemaakt, en nu ze nogmaals de vlakte overzag, zag ze in het bleke licht van de dageraad dat de afwijkenden geen van alle uniek waren. Er waren misschien enkele tientallen verschillende soorten, maar van elke soort waren er meerdere exemplaren. Dezelfde vormen en trekken keerden steeds terug. Dit waren geen willekeurige afwijkingen als gevolg van de invloed van de heksenstenen. Dit waren afzonderlijke diersoorten. Ze waren weliswaar afschuwelijk om te zien, maar er waren geen overbodige trekken, geen evolutionaire kenmerken die hen wellicht konden hinderen. Geen verminkingen.

'Daar niet,' zei Nomoru ongeduldig. Ze pakte het ene uiteinde van het kijkglas vast en draaide het een stukje opzij. 'Daar.'

Kaiku wierp haar eerst een geërgerde blik toe vanwege haar onbeschoftheid, voordat ze het kijkglas weer aan haar oog zette. Wat ze zag deed het bloed in haar aderen stollen.

Er liep een gestalte langzaam tussen de hordes door, zonder enige aandacht te besteden aan de roofdieren die hem omringden. In eerste instantie dacht ze dat het een wever was, maar als dat zo was, leek hij op geen enkele andere wever die ze ooit had gezien. Deze was lang, zeker zeven voet, en graatmager. Hij liep met rechte rug, niet voorovergebogen zoals de wevers gingen doen naarmate hun lichaam heviger door ziekte werd geteisterd. Zijn mantel was niet van losse lapjes gemaakt, zoals die van de wevers, maar van eenvoudige zwarte stof, en er zat een grote kap aan. Hij droeg wel een masker, maar dit had de vorm van een volmaakt gladde, witte ovaal met twee ooggaten erin.

'Een nieuw soort wever?' fluisterde ze.

'Weet ik niet,' antwoordde Nomoru.

Yugi pakte het kijkglas en keek ook.

'Waar kijk ik nu naar?' vroeg hij, terwijl hij langzaam zijn blik over de hordes liet glijden. 'Waar zijn ze mee bezig?'

'Is het een soort dierentuin?' opperde Kaiku. 'Een verzameling van afwijkende roofdiersoorten?'

Nomoru lachte bitter. 'Denk je dat echt?'

Tsata's gezicht was grimmig. 'Het is geen dierentuin, Kaiku,' zei hij. 'Het is een leger.'

◎ 19 ◎

Op het moment dat Kaiku en haar metgezellen vol ongeloof naar de horde afwijkenden bij de Zan lagen te kijken, kwam Lucia met haar gevolg aan bij Alskain Mar.

Het oord lag bijna honderdvijftig mijl bij Kaiku vandaan aan de andere kant van de Xaranabreuk bij de rivier de Rahn, ten oosten en een klein eindje ten zuiden van de plek waar zij zich bevond. Ooit, in de dagen voor de natuurramp die duizend jaar geleden de grond had verscheurd en Gobinda had opgeslokt, was het een schitterende ondergrondse tempel geweest. Bij de aardbeving waren de toegangspoorten ingestort, was het dak naar beneden gekomen en waren talloze mensen onder het puin bedolven. Nu was het een spookachtige plaats waar iets oerouds en leeftijdloos huisde, en zelfs de meest woeste groeperingen in de Breuk bleven op veilige afstand. In Alskain Mar zwaaide een machtige geest de scepter en de geesten bewaakten hun territorium streng.

Toch moest Lucia daar naar binnen. Alleen.

De groep die haar vanuit de Gemeenschap had begeleid bestond uit enkele van de meest betrouwbare krijgers van de Libera Dramach, en verder Zaelis en Cailin. Het was riskant dat de leider van de Libera Dramach, het hoofd van de Rode Orde en het meisje op wie al hun hoop was gevestigd zich gedrieën buiten de Gemeenschap waagden, maar Cailin wilde per se mee en Zaelis was niet van plan zijn aangenomen dochter deze beproeving zonder zijn steun te laten doorstaan. Zijn schuldgevoel drukte zwaar op hem, en zo ver mogelijk met haar meegaan was wel het minste wat hij kon doen.

Cailin was woedend geweest toen Zaelis haar had verteld wat hij had gedaan. Hoewel hij tegenover Lucia de indruk had gewekt dat hij en Cailin het erover eens waren dat ze haar moesten vragen naar

Alskain Mar te gaan, was het in werkelijkheid helemaal zijn idee geweest. Cailin was er fel op tegen en ze deinsde er niet voor terug om hem dat te vertellen. In zijn huis, in zijn stille, knusse studeerkamer, was ze de confrontatie met hem aangegaan.

'Dit is dwaasheid, Zaelis!' had ze gezegd, in haar woede extra donker en dreigend. 'Je weet toch wat er de laatste keer met haar is gebeurd? En nu wil je haar op een geest afsturen die ontelbare malen sterker is! Wat mankeert jou?'

'Denk je soms dat het een gemakkelijke beslissing was?' zei Zaelis verhit. 'Denk je soms dat ik het een prettig idee vind om mijn dochter naar het hol van dat monster te sturen? Het is bittere noodzaak, Cailin!'

'Niets is het leven van dat meisje waard. Ze is de spil waarom alles draait waarvoor we hebben gestreden.'

'Als de wevers de Gemeenschap weten te vinden, zullen we alles waarvoor we hebben gestreden kwijtraken,' zei Zaelis, dië geagiteerd door de kamer heen en weer liep. De lucht zelf leek zich aan hun harde stemmen te ergeren. Lantaarns wierpen warme schaduwen op de hardhouten vloer. 'Jij kunt makkelijk oordelen, want jij hebt de Rode Orde. Jij kunt binnen een dag verdwijnen, onderduiken, dit alles achter je laten. Maar ik heb een verantwoordelijkheid tegenover datgene wat ik in gang heb gezet! Elke man, elke vrouw in dit dorp is er omdat ik iets in het leven heb geroepen. Zelfs degenen die niet tot de Libera Dramach behoren zijn gekomen vanwege de idealen die wij voorstaan.' Hij sloeg zijn ogen neer. 'En ze beschouwen mij als hun leider.'

'Er zal een dag komen waarop ze Lucia als hun leider zullen beschouwen, Zaelis,' zei Cailin. 'Dat was toch de bedoeling? Hoe kun je haar leven dan op deze manier in de waagschaal leggen?' Ze zweeg even, en voegde er toen nog een laatste stekelige opmerking aan toe. 'Nog afgezien van het feit dat ze, zoals je zelf zegt, je eigen dochter is.'

Zaelis' bebaarde kaak verstrakte van pijn. 'Ik riskeer haar leven omdat ik niet anders kan,' zei hij zachtjes.

'Wacht tot de verkenners terugkomen,' raadde Cailin hem aan. 'Misschien maak je je nodeloos zorgen.'

'We moeten hoe dan ook iets doen,' zei hij. 'Wat ze ook ontdekken, het verandert niets aan het feit dat de wevers in de Breuk zijn. Misschien zijn ze er zelfs al jaren. Begrijp je het dan niet? Het is uitsluitend aan Nomoru's vaardigheid te danken dat ze de barrière van de wevers heeft opgemerkt. Hoeveel verkenners zijn die kant op gereisd zonder te beseffen dat ze een andere kant op werden gestuurd?'

Hij keek Cailin beschuldigend aan. 'Je hebt me zelf verteld hoe die barrières werken.'

Cailin hield haar hoofd een beetje scheef. De ravenveren op haar kraag golfden zachtjes. 'Je hebt gelijk. De barrières werken zo subtiel dat de meeste mensen geloven dat ze zelf verdwaald zijn geraakt.'

'Wat houden de wevers dan mogelijk nog meer vlak voor onze neus verborgen?' vroeg Zaelis. 'Deze barrière hebben we puur bij toeval ontdekt.' Hij stak geërgerd zijn eeltige handen omhoog. 'Opeens is het tot me doorgedrongen dat we zo goed als weerloos zijn tegenover de vijand tegen wie we het willen opnemen. We hebben er tot nu toe op vertrouwd dat we ons voor hen konden verbergen. Nu besef ik echter dat ze ons vroeg of laat zullen vinden, misschien bij toeval, misschien ook niet. Misschien hebben ze ons zelfs al gevonden. We moeten weten waarmee we te maken hebben en dat kunnen alleen de geesten ons vertellen.'

'Weet je dat zeker, Zaelis?' vroeg Cailin. 'Wat weet jij nu over geesten?'

'Ik weet wat Lucia me heeft verteld,' zei hij. 'En zij denkt dat het een poging waard is.'

Cailin keek hem strak aan. 'Natuurlijk denkt ze dat. Ze zou alles doen wat je van haar vroeg. Zelfs als het haar dood zou worden.'

'Goden, Cailin, maak het niet erger voor me dan het al is!' riep hij. 'Ik heb mijn keuze gemaakt. We gaan naar Alskain Mar.'

Cailin had verder niet tegengestribbeld, maar toen ze wegging, was ze op de drempel van het vertrek blijven staan en had hem over haar schouder aangekeken.

'Wat was in het begin je bedoeling met dit alles? Waar heb je het allemaal voor gedaan? Je hebt de Libera Dramach uit het niets in het leven geroepen. Eén man heeft al die mensen geïnspireerd. Maar wie heeft jóú geïnspireerd?'

Zaelis had geen antwoord gegeven. Hij wist dat ze hem met die vraag uit zijn tent wilde lokken, maar hij ging er verder niet op in.

'Wat is nu belangrijker voor je?' had Cailin zachtjes gevraagd. 'Het meisje of het geheime leger waarvan je de leider bent? Lucia of de Libera Dramach?'

De bittere herinneringen galmden door Zaelis' hoofd toen het gezelschap zich voorzichtig door het feller wordende licht van de dageraad een weg baande naar de tempelruïne. Om niet op te vallen waren ze de vorige avond in het donker uit de Gemeenschap vertrokken. Ze waren slechts langzaam gevorderd, omdat ze rekening moesten houden met het stijve been van Zaelis, en Lucia – die nog nooit in haar leven meer dan een paar mijl achter elkaar had hoe-

227

ven lopen – werd snel moe. De wolken die een heel eind verderop Kaiku het leven zuur maakten, waren niet zo ver naar het oosten afgedreven, en ze hadden de hele nacht het licht van Iridima gehad om hen bij te lichten terwijl ze over het verraderlijke terrein van de Breuk trokken.

Toen de eerste tekenen van de nieuwe dag zich aandienden, waren ze bij een brede, ronde kom in het landschap aangekomen met een diameter van meer dan een mijl. De kom lag boven op een weidse, vlakke heuveltop en was dichtbegroeid met bedauwd gras, struiken en kleine, dunne boompjes. Aan de oostzijde ervan liep de Breuk hortend en stotend af naar de oevers van de Rahn. Midden in de kom zat een diep, ruw gat, een schacht vol tanden die naar de reusachtige grot in de diepte voerde, waar Alskain Mar lag.

Aan de rand van de kom bleven ze staan. Er waren zielenvreters in een ruwe kring omheen gezet, maar de oppervlakken ervan waren verweerd en de verf bladderde af. Ze ratelden luid als de wind erlangs streek en de oude amuletten van kootjes en stenen van doorzichtige hars tegen de rotsen tikten. Veel rotsen waren gebarsten en in de spleten groeide mos. Eén rots was zelfs doormidden gebroken, en het bovenste deel lag naast de stomp.

Cailin wierp een geringschattende blik op de zielenvreters. Het waren overblijfselen van een oud bijgeloof die waren geroofd van de Ugati: smalle, ovale stenen die waren beschilderd met zowel vervloekingen als zegeningen en waar primitieve sieraden aan waren gehangen die veel kabaal maakten. Het verhaal ging dat een geest die in de buurt van een zielenvreter kwam doodsbang zou worden van het geluid van de amuletten en zowel de zegeningen als de vervloekingen weerzinwekkend zou vinden. Vervolgens zou hij op de vlucht slaan en zich verbergen op de plek waar hij vandaan was gekomen. Ze hadden geen effect en waren honderden jaren geleden door de Saramyriërs al afgedaan als wonderlijke overblijfselen van een oude folklore, maar deze exemplaren waren relatief nieuw, niet meer dan vijftig jaar oud. Wie zou zeggen wie ze daar had neergezet, en wat diegene daarmee had willen bereiken? Misschien had hij gedacht dat een oude methode het beste was om een oeroude geest op te sluiten. In de Xaranabreuk waren de gebruikelijke regels van de beschaving niet van toepassing.

Ze rustten aan de rand van de kom uit terwijl de zon de hemel beklom. Lucia ging met opgetrokken benen op een mat liggen en viel in slaap. De nachtelijke trektocht was haar zwaar gevallen. Ze mocht dan meer dan genoeg energie hebben, erg sterk was ze nog steeds niet, want ze was als kind heel beschermd opgevoed. De lijfwachten aten nerveus hun koude eten en hielden de stille heuveltop behoedzaam in de gaten. Ze waren hier redelijk veilig voor andere mensen die mogelijk een gevaar konden vormen, want zo dicht bij Alskain Mar had niemand zich ooit echt gevestigd. De aanwezigheid van de geest was echter zelfs voor de minst gevoelige man merkbaar en ze kregen er kippenvel van. Zelfs de warmte en het licht van de dag konden de kilte niet verjagen. Telkens vingen ze vanuit hun ooghoeken vluchtige bewegingen in de struiken op, maar als ze dan op onderzoek uitgingen, troffen ze niets aan.

Zaelis en Cailin zaten bij elkaar. Zaelis zat bezorgd naar zijn slapende dochter te kijken en Cailin bestudeerde zwijgend het gat in het midden van de kom.

'Je kunt nog van gedachten veranderen, Zaelis,' zei de zuster.

'Nee,' zei hij. 'Ik heb mijn besluit genomen.'

'Besluiten kunnen worden teruggedraaid,' zei Cailin.

Er zat een diepe frons in Zaelis' voorhoofd en er lag een gepijnigde blik in zijn ogen terwijl hij naar het rijzen en dalen van Lucia's smalle rug keek. 'Dit niet,' zei hij.

Daar gaf Cailin geen antwoord op. Als ze hem had durven tegenhouden, zou ze dat hebben gedaan, maar ze kon haar eigen positie en die van de Rode Orde niet op het spel zetten. Ze betrapte zichzelf erop dat ze wenste dat Kaiku of Mishani erbij was. Misschien hadden zij Zaelis kunnen ompraten. Er kwam een wild idee bij haar op: dat ze kon proberen hem via het weefsel op subtiele wijze te manipuleren. Maar Lucia zou het meteen weten, zelfs als Zaelis het niet merkte, en daarmee zou ze zijn vertrouwen op een vreselijke manier beschamen. Dat kon ze zich niet veroorloven.

Daarom kon ze slechts toekijken terwijl hij degene op wie ze al hun hoop hadden gevestigd Alskain Mar binnen stuurde, en ze moest maar afwachten of ze er weer uit zou komen.

'Hoe staat het eigenlijk met Asara?' vroeg Zaelis uiteindelijk, om een ander onderwerp aan te snijden. 'Heb je al iets van haar gehoord? Misschien hebben we haar zeer binnenkort wel weer nodig.'

'Ze is weg,' zei Cailin. Ze noemden haar nog steeds allebei Asara, hoewel ze haar tijdens de korte periode die ze in de Gemeenschap had doorgebracht als Saran hadden gekend. Zijzelf waren het geweest die Asara als spion op pad hadden gestuurd om de Nabije Wereld af te speuren op zoek naar bewijs voor de aanwezigheid van wevers, maar ze hadden niet geweten wat voor verschijningsvorm ze zou aannemen. 'Ze is kort voor Kaiku vertrokken. Ik vermoed dat ze onenigheid hebben gehad.'

Zaelis trok een wenkbrauw op.

'Ik houd mijn minst betrouwbare pupil heel goed in de gaten,' zei ze. Ze keek naar het oosten, naar de ochtendhemel die de sfeer van de herfst ademde. 'Ik denk alleen niet dat we Saran Ycthys Marul nog zullen terugzien. Ze is haar identiteit aan het veranderen.'

'Heb je dan met haar gepraat? Wat weet je?'

Cailins zwart met rode lippen vertrokken zich in een glimlach. 'Ze gaat iets voor me opknappen. Ik heb haar ervan weten te overtuigen dat het... in haar belang is.'

'Iets?' herhaalde Zaelis, en er klonk wantrouwen door in zijn diepe stem. 'Wat voor iets, Cailin?'

Cailin keek hem zijdelings aan. 'Dat zijn onze zaken,' zei ze.

'Hartbloed! Je stuurt mijn beste spion weg en je wilt me niet eens vertellen waarom? Wat ben je van plan?'

'Ze is niet jouw spion,' hielp Cailin hem herinneren. 'Als ze al van iemand is, is ze van mij. En ze is nu aan het werk voor de Rode Orde.'

'De Libera Dramach en de Rode Orde horen samen te werken,' zei Zaelis. 'Wat voor samenwerking noem je dit?'

Cailin lachte zachtjes. 'Als wij echt zo nauw samenwerkten, Zaelis, dan zouden we Lucia zeker niet naar Alskain Mar hebben gebracht. Als ik kon, zou ik het verbieden. Nee, de Libera Dramach zwaait in de Gemeenschap de scepter, en dat weet je drommels goed. We zijn je niets verschuldigd. We helpen je weliswaar, maar we zijn je niets verplicht. En ik heb andere belangen waarmee ik me ook bezig moet houden voor het einde zich aandient.'

Lucia werd 's middags wakker, at wat en bereidde zich voor op wat er moest worden gedaan. Ze praatte met niemand.

Na een tijdje liep ze de ring met zielenvreters voorbij en bleef staan bij de rand van het gat dat midden in de kom lag. De middagzon scheen warm op haar rug, maar onder aan haar nek en tussen haar schouderbladen – waar de littekens zaten – namen haar dode zenuwen niets waar. Haar blik was afwezig, gericht op de witte stipjes van piepkleine wolkjes aan de oostelijke horizon, waar het diepe azuurblauw overging in paarstinten.

Ze ontspande zich en luisterde. De wind fluisterde sissend onzin in haar oor en de trage gedachten van de heuveltop rommelden zo langzaam voort dat ze er niets van begreep. Hier waren geen dieren; die waren allemaal verdreven door hun instinct, dat hen had gewaarschuwd voor wat zich onder in dat gat in de grond schuilhield. Lucia kon het ook voelen, overal om zich heen maar vooral onder de grond. Het was als het verre zuchten van een reusachtig dier dat sliep, maar zich desondanks van hen bewust was. Zelfs de lucht leek gespannen en hield het oog met vluchtige bewegingen voor de gek. Zaelis kwam met Cailin naast haar staan en schonk haar een sussende glimlach die niemand overtuigde. De zuster streek in een verrassend teder gebaar over haar haar.

'Denk erom, Lucia,' zei ze. 'Niemand dwingt je dit te doen.'

Lucia gaf geen antwoord, en na een tijdje knikte Cailin begrijpend en trok zich terug.

'Ik ben er klaar voor,' zei Lucia, hoewel dat eigenlijk gelogen was. Een paar van de lijfwachten die met hen mee waren gereisd hadden de onderdelen van een draagtoestel meegenomen, en terwijl Lucia sliep hadden ze het in elkaar gezet. Het was eigenlijk niet meer dan een lichtgewicht stoel van kruislings verbonden kamakorietstengels met daaraan een netwerk van touwen dat diende om Lucia veilig op de stoel te kunnen vastmaken en om de stoel in de grot te kunnen laten zakken. Ze bonden haar onhandig vast, want ze hadden groot ontzag voor haar en wilden haar geen pijn doen. Toch durfden ze de knopen ook niet te los te maken uit angst dat ze zou wegglijden. Toen ze klaar waren, tilden ze haar met zijn tweeën op terwijl de andere lijfwachten het lange touw oppakten en het uiteinde aan een stevig uitziende zielenvreter vastmaakten. De twee lijfwachten die haar droegen duwden haar voorzichtig over de rand van het gat, zodat hun metgezellen geleidelijk haar gewicht te dragen kregen. Dat kostte hun weinig moeite, want ze was zo slank dat ze haar stuk voor stuk in hun eentje hadden kunnen dragen. Eindelijk hing ze boven de schacht met de rugleuning van de stoel tegen de wand.

Zaelis keek op haar neer en achter zijn ogen streden twijfel en vastberadenheid voor het laatst om voorrang. Toen ging hij op zijn hurken zitten. 'Kom veilig terug,' zei hij.

Ze keek hem alleen maar aan met die vreemde, afwezige blik in haar ogen en zei niets.

'Laat haar zakken!' riep een van de lijfwachten tegen zijn metgezellen, en zo begon Lucia's afdaling.

De eerste paar meters waren niet gemakkelijk. De mannen aan de rand van het gat waren gedwongen zo ver mogelijk naar voren te buigen om het touw te laten zakken, en Lucia moest zich van de zwarte, natte stenen van de schacht afduwen om te voorkomen dat de stoel langs de wand zou schuren. Het duurde niet lang, maar tegen die tijd zaten Lucia's handen en benen onder de schrammen en blauwe plekken.

Toen werd de schacht breder en hing ze in de leegte boven Alskain

Mar, een piepkleine gestalte in een draagtoestel dat in een immens grote ondergrondse grot bungelde. Op dat moment drong pas echt tot haar door wat haar te wachten stond en werd ze overvallen door angst om haar hachelijke situatie, en nog erger, door ongeloof omdat haar vader dit had laten gebeuren. Pas toen besefte ze dat ze ergens had verwacht dat Zaelis van gedachten zou veranderen, dat hij tegen haar zou zeggen dat ze niet hoefde te gaan, dat hij het haar niet kwalijk zou nemen als ze ervoor terugdeinsde. Dat had hij echter niet gedaan. Hij had haar zelfs niet de kans gegeven om aan haar beslissing te twijfelen. Hoe kon hij haar dat aandoen? Hoe kon hij?

Het schijnsel van Nuki's oog was hier het enige licht, een oogverblindende zonnestraal die op Lucia neerscheen. Het zorgde ervoor dat haar blonde haar en rug baadden in ondraaglijke felheid en haar gezicht werd gehuld in scherpe schaduwen. Onder haar was water, een meer dat scherp glinsterde waar de zon erop scheen en dat zo volmaakt helder was dat ze het puin op de bodem duidelijk kon zien. Daar lagen restanten van oude beelden, kapotte stukken steen die in de loop van de tijd waren geërodeerd en waarop mos en waterplanten waren gegroeid. Overal in het meer lagen eilanden, bleke, crèmekleurige bulten die boven het wateroppervlak uitstaken en die ooit gewelven of machtige pilaren waren geweest. Ze kon één wand van de grot zien, maar aan beide kanten verdwenen de ruwe krommingen in het duister, zodat de rest van de ruimte een onpeilbare afgrond bleef. Vanuit de schacht hingen klimplanten en mosslierten omlaag die naar het meer in de diepte leken te reiken. Het was hier koud en vochtig, en de enige geluiden waren de echo van het water dat in het meer drupte en af en toe het spetteren van een vis.

Het grootste deel van de tempel stond nog overeind, hoewel het duizend jaar geleden was sinds de aarde zich erop had gestort. Overal om Lucia heen verhief hij zich in al zijn melancholieke pracht en praal: kolossale stenen ribben die uit het meer omhoogstaken, de gebogen wanden van de grot volgden en in afgebrokkelde punten uitliepen. In de ribben waren reusachtige schrifttekens uitgesneden in een taal die zo oud was dat Lucia hem niet eens herkende, een dialect dat in de evolutie van de beschaving was achtergebleven. De vormen wezen in haar ogen echter op ernst en verhevenheid, op indringende, wijze woorden.

Andere delen van de tempel waren ook bewaard gebleven. Onder haar lag het geraamte van een vertrek met een koepel, met een vloer die zo hoog was dat het water wel om de randen kabbelde maar er niet overheen stroomde. Beschadigde overblijfselen van andere vertrekken gaven een indruk van hoe het gebouw er voor zijn vernietiging moest hebben uitgezien. Vlak bij de wand waar ze tegenaan keek werd een groot stuk metselwerk nog door twee ribben ondersteund, een deel van wat ooit het oorspronkelijke dak van de tempel was geweest. Op het oppervlak waren hoekige patronen zichtbaar waaruit je iets kon opmaken van de pracht en praal van het gebouw toen het nog intact was. Aan de rand van de lichtkring zag ze andere bouwwerken. Die werden niet genoeg verlicht om ze goed te kunnen onderscheiden, maar wekten de indruk adembenemend groot te zijn.

Opeens voelde ze zich verschrikkelijk klein en alleen. Helemaal alleen, afgezien van de aanwezigheid die in Alskain Mar op haar wachtte.

Ze lieten haar zakken in de ruïne van het vertrek met de koepel. Haar krakende stoel ging stukje bij beetje omlaag, en na elke korte afdaling bleef ze even hangen. Gelukkig had ze geen hoogtevrees, maar ze was doodsbang dat de stoel of het touw het zouden begeven, hoewel de mannen haar hadden verzekerd dat ze alle mogelijke voorzorgsmaatregelen hadden genomen en dat het draagtoestel stevig genoeg was om iemand te torsen die zes keer zo zwaar was als zij. Ze luisterde naar haar bonzende hart en probeerde rustig te blijven terwijl ze langzaam de bodem van de grot naderde.

Toen zakte ze eindelijk tussen de kromme, gebroken vingers van de verbrijzelde koepel door en kwam haar draagtoestel met een bons op de stenen vloer terecht. Ze maakte zichzelf snel los, want ze wilde er wanhopig graag uit, alsof ze bang was dat ze haar elk moment weer door de leegte omhoog zouden hijsen.

'Lucia?' riep Zaelis vanuit de schacht boven haar hoofd, waar de hoofden van de toekijkers als donkere vlekken afstaken tegen het oogverblindende zonlicht. 'Is alles goed?'

Zijn stem galmde als een vloek door de griezelige stilte van de grot, en opeens leek het donkerder te worden en ontstond er een overweldigende, drukkende sfeer van boosheid en afkeur die zó tastbaar was dat Lucia er jammerend van in elkaar dook. De anderen voelden het ook, want ze hoorde de lijfwachten verschrikt verwensingen schreeuwen. Cailin snauwde iets tegen Zaelis, die vervolgens stil bleef en haar niets meer toeriep.

Geleidelijk verbreidde het licht in het vertrek zich weer en trok de spanning weg. Lucia kon weer ademen, maar haar handen beefden een beetje. Ze keek achterom naar het piepkleine, breekbare draagtoestel dat haar enige uitweg betekende en besefte voor het eerst dat hulp wel erg ver weg was. Daar stond ze dan, op de rand van een lichtkring van schuine zonnestralen: een tenger meisje van veertien oogsten, gekleed in een vieze, versleten broek en een wit hemd. *Lucia, je bent niet iemands offerlam.* Dat had Kaiku op de eerste dag van de Zomerweek tegen haar gezegd. En toch stond ze hier nu, in het hol van een onkenbare entiteit, als een jonge maagd die door haar eigen vader aan een mythische demon werd geofferd.

Ze dwong zichzelf zich te ontspannen. De stemmen van de andere geesten die ze elke dag hoorde – de dieren, de aarde, de lucht – zwegen hier. Daar werd ze nerveus van. Ze had ze nog nooit hoeven missen en het gevoel van eenzaamheid en verlatenheid dat ze ervoer werd er nog eens extra door versterkt.

De bewoner van de tempel besteedde nu nauwelijks meer aandacht aan haar dan voorheen. Hij sluimerde en was ongeïnteresseerd. Als ze hem moest wekken, zou ze het heel voorzichtig moeten doen.

Het moment was aangebroken. Ze kon het niet langer uitstellen. Ze liep naar de rand van de verhoging en ging met haar gezicht naar de duisternis gekeerd op haar knieën op het koele steen zitten. Ze legde haar handen plat op de grond en boog haar hoofd. En ze luisterde.

Bij actieve communicatie met een geest kwam veel meer kijken dan taal alleen. Dieren stelden Lucia zelden voor een probleem. De meeste geesten waren zich echter grotendeels niet bewust van de wereld die mensen zagen en voelden. Er bestond eigenlijk geen vocabulaire dat mensen en geesten konden gebruiken om zich naar elkaar toe verstaanbaar te maken, want ze deelden niet eens dezelfde zintuigen. Ze moesten op een diep onderbewust niveau contact met elkaar leggen, een oerversmelting aangaan die alleen kon worden bereikt door op te gaan in het wezen van de ander. Er moest voorzichtig een vaag soort eenheid worden gevormd, zoals die tussen een moeder en het kindje in haar schoot.

Nu liet Lucia zich bewust worden van het steen onder haar handen, en omgekeerd werd het steen zich ook van haar bewust. In eerste instantie ging het puur om lichamelijke gewaarwordingen: de koele aanraking op haar huid, de druk van haar handen op het oppervlak. Naarmate ze dieper in haar trance wegzakte werden ze scherper en gedetailleerder: ze werd zich bewust van de eindeloze poriën en lijntjes in haar handen en kon de met het oog onzichtbare barstjes en scheurtjes in het steen voelen.

Ze zat roerloos op haar knieën, haar ademhaling was vertraagd tot een lome zucht en haar hartslag was een dof, traag gebons.

Vervolgens breidde ze het gedeelde gevoel vanuit het contactpunt uit, zodat haar hele lichaam bij de gewaarwording werd betrokken: het ruisen en kloppen van het bloed in haar aderen, het netwerk van haarzakjes in haar hoofdhuid, de wirwar van dood weefsel op haar nek en rug, het maaswerk van spieren in haar rug. Ze openbaarde aan het steen dat ze zich bewust was van haar groeiende lichamelijke rijpheid. Van de maandelijkse cyclus die zich binnenkort in haar lichaam zou voltrekken, van de botten in haar ledematen die langzaam maar zeker langer werden, van alle levens- en groeiprocessen waaraan ze onderhevig was.

Zo liet ze zich verder wegzakken in het wezen van het steen en streek langs zijn oeroude, malende geheugen. Ze voelde de structuur ervan en de zwakke punten, ze voelde zijn oorsprong, waar het was gegroeid en waar het was uitgehouwen, ze wist wat een zwaar, zinloos bestaan het leidde. Er zat niet veel leven in steen dat van zijn berg was gescheiden, dat was losgemaakt uit het bredere wezen van het land waarin het was gevormd, maar er lag nog altijd een indruk in besloten van wat hier was gebeurd, een indruk die door de tijd was achtergelaten in het karakter van deze plek.

Opeens kwam overal om haar heen de tempel tot leven. Ze raakte bijna uit haar trance toen haar waarnemingsveld in één reusachtige klap werd uitgebreid, zodat ze niet alleen het steen, maar ook de volledige structuur van de tempel voelde, een bestaan van een millennium dat in één keer aan haar werd onthuld. Ze voelde de trots en macht van deze plek in de beginjaren, en de verbittering omdat hij in de steek was gelaten. Dit was ooit een belangrijke gebedsplaats geweest en de dagen waarin mannen en vrouwen in de zalen de goden eer hadden bewezen en op de altaren offerandes hadden gebrand waren nog niet vergeten. Toen kende ze een lange leegte en zag de komst van een nieuwe bewoner, waarmee de tempel opnieuw een bolwerk van macht was geworden, hoewel het slechts een verbleekte, holle afspiegeling van zijn vroegere glorie was.

Voorzichtig tastte Lucia om zich heen, reikend naar die nieuwe bewoner met de bedoeling hem van haar bewust te maken. Ondanks haar trance werd ze weer bang. Zelfs de meest terloopse indrukken die ze had doorgekregen over de geest die hier huisde waren verpletterend en angstaanjagend geweest, alsof ze een insect was dat langs de flanken van een kolossaal monster streek.

Langzaam ontwaakte de geest van Alskain Mar.

Lucia kon de verandering om zich heen met haar fijnbesnaarde zintuigen voelen. Het werd donker in de grot, want iets zwarts dat leek op rokerige inkt golfde de lichtkring binnen en sloot Nuki's felle blik buiten. In de verte hoorde ze Zaelis een kreet van afschuw slaken toen ze aan het zicht werd onttrokken. Het beetje warmte dat de zonnestraal had geschonken trok weg en de temperatuur daalde razendsnel. Ze begon te rillen en haar adem kwam als een trage wasem uit haar mond. Het ongemak verstoorde opnieuw haar trance en ze trok zich even van de geest terug om zichzelf te herpakken, zich te ontspannen.

De geest kwam echter achter haar aan. Door haar aanraking was hij wakker geworden en hij wilde haar niet laten gaan voordat hij wist wat het voor wezen was dat in zijn hol was binnengedrongen. Lucia werd heel even overvallen door doodsangst voor die plotselinge agressiviteit, maar toen werd ze opgeslokt en versmolt de geest in één wrede vloedgolf met haar onderbewustzijn.

Heel even werd ze ruw geconfronteerd met een immensiteit die ze met haar menselijke gedachtestructuren onmogelijk kon doorgronden. Toen werd de schok haar dood.

Maar ze bleef leven.

Knipperend opende ze haar ogen. Ze lag op haar buik op de grond van het vernielde vertrek. Haar wang en borsten deden pijn, want daar was ze na haar val op terechtgekomen. Er scheen een lichtblauw, etherisch licht.

Ze duwde zich met haar armen omhoog.

Het licht kwam van de bodem van het meer, zodat haar gezicht van onder griezelig werd verlicht. De hele grot gloeide en hij was nog groter dan ze op grond van haar eerste indrukken had verwacht. Het water wierp glanzende golfjes op de wanden en de restanten van de tempel. Boven haar was de duisternis ondoordringbaar en de schacht waardoor ze in Alskain Mar was afgedaald was nergens te bekennen.

Toen haar bewustzijn volledig werd, besefte ze dat de geest van de tempel nog steeds met haar was versmolten. Ze kon hem voelen, alleen nu heel subtiel. Hij zond een golf van kennis, overgave en iets wat ze als een verontschuldiging interpreteerde uit. De geest had haar per ongeluk gedood, maar dat had maar even geduurd, en die tijd had de geest nodig gehad om het wezen van het meisje in zich op te nemen, haar biologische processen te herstellen en de schade aan haar geestelijke gezondheid te repareren. Hoewel ze was gestorven, had ze hooguit een paar hartslagen gemist. Haar bloed had nauwelijks de tijd gehad om langzamer te gaan stromen.

Tot haar verwondering besefte Lucia dat ze met de geest communiceerde. Of liever, dat hij met haar communiceerde. Ze had geweten dat het haar vermogen ver te boven ging om zichzelf voor zoiets onaards begrijpelijk te maken. Het was echter geen moment bij haar opgekomen dat de geest er wellicht toe in staat zou zijn zichzelf dusdanig te vereenvoudigen dat hij haar als een gelijke tegemoet kon treden. Toch was hij daarin geslaagd: hij had haar wezen in zich opgenomen, begrepen wat haar mogelijkheden en beperkingen waren en een rudimentair contact tot stand gebracht en vastgehouden.

Zwakjes kroop ze, gedreven door een half begrepen instinct, naar de rand van de verhoging en ging daar op haar knieën zitten. Toen keek ze door het water omlaag, en daar zag ze het.

Het meer had geen bodem meer. Hoewel het water nog steeds kristalhelder was, was er nu slechts een eindeloze diepte waar de vreemde gloed uit kwam. En in die diepte, op een afstand waar ze niet eens naar kon raden, beantwoordde de geest haar blik.

Hij had geen vorm. Hij was als een deuk in het water aan de rand van Lucia's blikveld, eerder de suggestie van een vorm dan een tastbare entiteit. Ergens daarin zaten twee ovalen die leken op ogen en die haar met angstaanjagende intensiteit aanstaarden. Door de onzichtbare convectie van het meer flakkerde het beeld. Daardoor leek het alsof het soms een fractie lang naar een andere plek sprong om vervolgens naar zijn uitgangspunt terug te keren, alsof de geest rusteloos heen en weer bewoog terwijl hij tegelijkertijd volkomen roerloos bleef. Hij leek in Lucia's ogen klein en torenhoog tegelijk. Ze kon niet op haar ogen vertrouwen. Het leek alsof ze hem zó zou kunnen aanraken als ze haar hand in het water stak, hoewel hij net zo ver weg leek als de manen. Hij had zijn uiterste best gedaan een verschijningsvorm aan te nemen die ze kon bevatten, maar het wrong aan al haar zintuigen als ze alleen maar naar hem keek. Ze wendde haar blik echter niet af, want ze wist dat hij dat niet wilde.

Ontzag, vreugde en rauwe angst botsten in haar binnenste. Ze had nooit durven dromen dat ze met een geest als deze een verstandhouding zou kunnen opbouwen, maar nu ze dat toch had gedaan, kon ze zich niet zomaar aan het contact onttrekken, en ze had geen flauw idee met wat voor krachten ze te maken had. Hij kon in een opwelling haar geest uitwissen, hij kon haar tot in de eeuwigheid hier vasthouden om hem gezelschap te houden, hij kon iets doen wat haar voorstellingsvermogen ver te boven ging. Ze was nog steeds verdoofd en kwetsbaar als gevolg van de mentale klap na dat eerste contact met de geest en haar vluchtige aanraking met de dood, en ze wist niet of ze sterk genoeg was om datgene wat zou volgen te verdragen.

Ze had nu echter geen andere keus meer. Ze had vragen die ze moest stellen. Langzaam spreidde ze haar handen en legde ze op het koude oppervlak van het meer. Ze ademde traag en bevend uit, en om haar heen steeg een wolk van damp op.

Toen begon ze.

◎ 20 ◎

'Ik ga niet terug!' zei Kaiku terwijl ze met grote passen door de met stenen omringde kom liep waar de reizigers zich schuilhielden. 'Nu nog niet. We weten nog helemaal niets over de wezens die daar rondlopen.'

'We weten inderdaad niets over ze, daarom moeten we juist terug,' wierp Yugi tegen. Hij keek even op naar Tsata, die op zijn hurken op de rand van een platte rots de wacht hield. 'We hebben geen flauw idee waarmee ze zich allemaal kunnen verdedigen. En we hebben er niet de middelen voor om te infiltreren. Wat wil je nu eigenlijk doen, Kaiku?'

'We kunnen niet terug naar de Gemeenschap met alleen het bericht dat zich een leger van afwijkenden in de Breuk schuilhoudt. Dat is niet genoeg,' zei Kaiku. 'Waarom zijn ze hier? Op wie zullen ze worden afgestuurd? Op de Libera Dramach? Op iemand anders? We hebben antwoorden nodig, geen nieuws dat alleen maar meer vragen zal oproepen.'

'Praat niet zo hard,' zei Nomoru kil.

Ze hadden de afwijkenden en de vreemde, weverachtige wezens urenlang bestudeerd voordat ze waren weggegaan bij de rand van de klip die uitzicht bood op de uiterwaard. Bang dat ze in het steeds feller wordende daglicht zouden worden opgemerkt, hadden ze zich teruggetrokken naar een meer beschutte plek waar ze hun verdere plannen konden bespreken. Nomoru had een met kiezels bezaaide kuil gevonden tussen een groep hoge rotsen die naar elkaar toe leunden, zodat het grootste deel van de hemel niet te zien was. Hoewel ze relatief gemakkelijk tot in het hart van het territorium van de wevers waren doorgedrongen, werden ze allemaal steeds nerveuzer. Het ontbreken van bewakers van welke soort dan ook had waarschijnlijk te maken met de barrière waar ze doorheen waren getrokken. Net als bij het klooster op Fo waar Kaiku in het verleden was geïnfiltreerd geloofden de wevers ongetwijfeld dat die onfeilbaar was, dus maakten ze zich om bewaking niet druk. Toch kregen ze zo langzamerhand het gevoel dat hun geluk een keer moest opraken en dat ze iets moesten ondernemen.

'Als we blijven en proberen meer te weten te komen, lopen we het risico dat we worden gevangengenomen of gedood,' zei Yugi, en hij haalde even een hand door zijn haar voordat hij de doek weer om zijn voorhoofd bond. Hij had donkere kringen onder zijn ogen en door de stoppels op zijn wangen zag hij er verwilderd en vermoeid uit. Als de leider van de groep sprak hij echter toch met een zeker gezag. 'Dan krijgen we helemaal geen antwoorden en kunnen we de anderen niet eens waarschuwen voor wat de wevers van plan zijn.'

'Maar wat zijn de wevers eigenlijk van plan?' vroeg Kaiku. Ze was ongewoon geagiteerd. 'Wat weten we nu helemaal?'

'We weten dat ze hordes verschillende soorten afwijkenden hebben,' zei Yugi. 'Allemaal roofdieren of wezens die ervoor zijn gemaakt om te vechten. En het zijn allemaal volwaardige soorten, geen rariteiten.' Yugi haalde zijn schouders op. 'Dat betekent dat ze óf heel zorgvuldig zijn geselecteerd en uit hun natuurlijke omgeving zijn weggehaald, óf dat ze zo zijn gefokt. Dit is wat ze in het geheim met hun aken over de rivieren hebben vervoerd. Dit is het kwaad dat Lucia op de rivier voelde.'

'Ze worden gestuurd,' zei Nomoru. Ze zat tegen de helling van de kuil en de omhoogstekende rotsen wierpen schaduwstrepen op haar gezicht. Ze was haar schitterend uitgevoerde geweer aan het schoonmaken. 'Ze zouden elkaar te lijf moeten gaan. Dat doen ze niet. Dus ze worden gestuurd.'

'Kunnen ze dat?' vroeg Yugi aan Kaiku. 'Kan een wever op die manier zoveel wezens tegelijk beïnvloeden?'

'Nee,' zei Kaiku. 'Zelfs een zuster zou zoveel geesten niet doorlopend kunnen beheersen. Zelfs al waren ze met honderd, dan nog zouden de zusters het niet kunnen, en zij gebruiken het weefsel veel... efficiënter dan mannen.'

'Misschien heb je het mis,' zei Nomoru. 'Misschien kunnen de wevers het wel.'

'Ik heb het niet mis,' antwoordde Kaiku. 'Zelfs al zouden ze het kunnen, dan zou ik het hebben gevoeld. Wat er daarbeneden ook gaande was, het was veel subtieler dan het zou zijn als de wevers die wezens stuurden.'

'En die lieden in het zwart dan?' opperde Yugi. Ze hadden er tien-

tallen gezien die allemaal tussen de massa's afwijkende monsters door liepen. 'Zijn zij de opzichters van de dierentuin?'
'Misschien,' zei Kaiku. 'Maar misschien ook niet.'
'Kun je daarachter komen?'
'Niet op de manier die jij bedoelt. Ik weet niet waar ik mee te maken heb,' zei ze. 'Als ze me erop betrappen dat ik mijn kana gebruik, kunnen de gevolgen rampzalig zijn. Voor ons allemaal.'
'En dat gebouw?' vroeg Nomoru, die langs de loop van haar geweer tuurde. 'Geen idee wat dat is. Moeten we eerst dichterbij komen.'
'Het is een mijn,' zei Yugi. 'Dat is toch duidelijk? Het feit dat de smet tot hier is doorgedrongen betekent dat ze daar ergens een heksensteen hebben. Het betekent ook dat hij al zo lang wakker is dat hij het land heeft kunnen besmetten.'
'Ik denk dat de aanwezigheid van het gebouw afdoende bewijst dat ze hier al een hele tijd zijn,' merkte Kaiku op. 'Toch hebben ze de Gemeenschap nog niet aangevallen. We kunnen er dus van uitgaan...'
'Het is een uiterwaard,' viel Nomoru haar in de rede, voortborderend op haar eerdere gedachte. 'Je kunt toch geen mijn bouwen in een uiterwaard? Dan zou hij steeds onder water komen te staan.'
Tsata had geduldig naar het gesprek zitten luisteren. Het was hem al vanaf het begin duidelijk wat ze moesten doen, maar hij wist ook dat hij de Saramyriërs met eenvoudige overlevingslogica niet zou kunnen overtuigen. Ze moesten en zouden alles veel te ingewikkeld maken. Nu ze een tijdje over het onderwerp hadden kunnen discussiëren vond hij het tijd om in te grijpen.
'Ik weet een oplossing,' zei hij.
De anderen keken op naar de man die op zijn hurken zat en met zijn bleekgroene ogen de afgebrokkelde rotsen die om hen heen stonden in de gaten hield.
'Twee blijven hier en gaan op onderzoek uit,' zei hij. 'Twee gaan er terug.'
'Alleen Nomoru weet hoe we terug moeten komen,' zei Yugi.
'Ik weet ook hoe we terug moeten komen,' zei Tsata. Zijn hele leven was hij al gewend zich een weg door dichtbegroeide oerwouden te banen, dus het relatief open landschap van de Breuk was voor hem gemakkelijk te onthouden. Hij zou zonder moeite een terugweg kunnen vinden en daarbij bovendien de gevaren kunnen vermijden die ze op de heenweg waren tegengekomen.
'Er blijft niemand achter,' zei Yugi.
'Ik anders wel,' zei Kaiku meteen.
'Jij bent de enige die ons door die barrière heen kan krijgen,' zei Yugi op overredende toon.

'Dan breng ik jullie naar de andere kant en ga dan weer terug,' zei Kaiku.

'Ik blijf wel bij haar,' stelde Tsata voor. 'Zij heeft meer aan mij dan jullie.'

'Jullie willen allebei wel erg graag dood,' zei Nomoru met een valse glimlach. 'Maakt mij niet uit. Ik ga met hem mee.' Ze wees met haar duim naar Yugi. 'Veiliger.'

'We gaan allemaal samen terug,' zei Yugi. 'Zelfs met zijn vieren zijn we er maar ternauwernood in geslaagd om hier te komen. Met zijn tweeën...'

Kaiku viel hem in de rede. 'Jíj bent er maar ternauwernood in geslaagd om hier te komen,' zei ze. 'Moet ik je eraan herinneren aan wie je het te danken hebt dat je er nog bent?'

Yugi zuchtte. 'Kaiku, ik kan niet toestaan dat je hier blijft. Juist uit dankbaarheid omdat je mijn leven hebt gered.'

Kaiku veegde het haar weg dat voor haar gezicht was gevallen. Ze was altijd al koppig geweest en nu zette ze haar hakken in het zand. 'Dat bepaal jij niet,' zei ze. 'Ik ben hier als vertegenwoordiger van de Rode Orde, dus je hebt niets over me te zeggen. En Tsata is aan niemand iets verplicht.'

'Je hoort niet eens bij de Rode Orde! Je bent nog maar een leerling! Goden, Kaiku, zie je dan niet hoe gevaarlijk het is?' riep Yugi uit. 'Wat gebeurt er als je wordt gevangengenomen? Je weet hoe bang Cailin is dat een van haar mensen zal worden ontmaskerd. Wat denk je dat er zal gebeuren als een wever jou te pakken krijgt? Dan breng je de hele zusterschap in gevaar! En trouwens,' besloot hij fluisterend nadat Nomoru hem had beduid dat hij stil moest zijn, 'jullie weten allebei waar de Gemeenschap ligt.'

Kaiku was niet overtuigd. 'Iemand moet achterblijven om de rest een seintje te geven als dit leger in beweging komt. Ik ben de enige die dat kan doen, want ik ben de enige die meteen de Gemeenschap kan waarschuwen als de wevers oprukken.'

'Neem me niet kwalijk, maar heeft Cailin communicatie over grote afstanden tussen zusters onderling niet verboden?' merkte Yugi terecht op.

'Ze heeft het niet echt verboden,' antwoordde Kaiku. 'Ze heeft alleen duidelijk gemaakt dat het alleen mag gebeuren als er absoluut geen andere mogelijkheid is. Zoals in dit geval.'

'En jij denkt dat jij daarover kunt beslissen? Denk je echt dat ze er blij mee zou zijn als een leerling zo'n grote verantwoordelijkheid op zich nam?'

'Het kan mij niet schelen waar ze al dan niet blij mee is,' zei Kaiku smalend. 'Ik ben haar bediende niet.' Ze zweeg even, maar ging toen verder. 'Waarom denk je dat ze me samen met Mishani naar Okhamba liet gaan? Ze had iemand nodig die het weefsel kon manipuleren. Als we de spion niet konden meenemen, moest ik haar de informatie doorgeven waarover hij beschikte. Zo belangrijk vond ze het. Zo belangrijk vind ik dit. Dit is onze enige kans om te weten te komen wat de wevers uitspoken.' Ze maakte een gefrustreerd gebaar met haar hand. 'We zijn al die tijd veel te voorzichtig geweest. Cailin is veel te voorzichtig geweest. En kijk eens waar dat toe heeft geleid. De wevers hebben pal onder onze neus een leger bijeengebracht! De Rode Orde had op dit soort dingen moeten letten, maar Cailin is veel te bang dat er iemand wordt betrapt. We moeten nú weten wat er aan de hand is, want straks is het te laat!' Ze keek Yugi ernstig aan. 'Wij zijn hier, zij niet, en als ik terugga, zal Cailin me nooit meer zo dichtbij laten komen dat ik iets kan bereiken.'

Daar draaide het om. Dat was de waarheid. Als ze nu vertrokken, zou Cailin nooit meer toestaan dat ze haar leven op het spel zette en dan zouden ze een mogelijk cruciale kans mislopen om de plannen van de wevers te ontdekken. Ze kon dit niet zomaar laten voor wat het was. Niet zolang haar eed aan Ocha nog steeds in haar gedachten smeulde en de dood van haar familie nog niet was gewroken.

Ocha heeft me al eens beschermd, dacht ze terwijl ze terugdacht aan haar trektocht in de ijzige kou door het Lakmargebergte, vele jaren geleden. Dat zal hij nu ook doen.

'O, je zult best iets bereiken, daar twijfel ik niet aan,' zei Yugi, maar hij klonk verslagen en Kaiku wist dat hij niet verder zou tegenstribbelen. 'Maar of het een ramp of een triomf zal blijken te zijn, kan alleen de tijd leren.' Hij haalde zijn schouders op. 'Ik kan je niet tegenhouden, Kaiku. Met geweld noch met overredingskracht. Ik wil alleen dat je beseft hoeveel levens je in de waagschaal legt.'

'We zijn al veel te lang veel te bang voor de wevers,' zei Kaiku. 'We hebben geen enkel risico durven nemen. We kunnen ons niet eeuwig verborgen houden.' Ze legde een hand op zijn schouder. 'Ik zal voorzichtig zijn.'

'Dat is je geraden,' zei Yugi. Onverwacht grijnsde hij naar haar. 'Ik wil dat je veilig naar de Gemeenschap terugkeert. Dan kan ik je tenminste wurgen omdat ik me zo'n zorgen over je heb gemaakt.'

Het was geforceerde humor en niemand ging erop in.

'Zijn jullie nu klaar?' vroeg Nomoru droog. 'Kunnen we gaan?'

Kaiku keek haar giftig aan, boog toen naar Yugi toe en fluisterde in zijn oor: 'Ik benijd je niet om je gezelschap op de terugweg.'

Yugi kreunde.

Reki tu Tanatsua, de jongere broer van de keizerin van Saramyr, begon er spijt van te krijgen dat hij bij zijn zus op bezoek was gegaan. Hij zat met zijn knieën opgetrokken, zijn voeten tegen de ene stijl en zijn rug tegen de andere op de brede, stenen vensterbank van een gewelfd raam in zijn vertrekken. Hij keek in noordelijke richting uit over de machtige muren van Axekami en de velden die erachter lagen. Aan de linkerkant van het panorama liep de glinsterende Jabaza als een bochtig lint tot aan de horizon en de bergen. Het was een warme, benauwde dag geweest en zelfs het land leek er in het koperen licht loom bij te liggen nu Nuki's oog in het westen weg begon te zakken. Op grote hoogte hingen slaperig zachte wolkenslierten die nauwelijks bewogen. Reki had zijn armen over elkaar geslagen en liet zijn hoofd tegen het venster rusten. Gehuld in zachte roodtinten en schaduwen was hij het toonbeeld van bedachtzaamheid.

Toen hij hoorde dat zijn verzoek om naar de keizerlijke stad te gaan zou worden gehonoreerd, was hij buiten zichzelf geweest van vreugde. Niet alleen omdat dit de eerste keer zou zijn dat hij er zonder zijn familie naartoe zou mogen – hij was toen zeventien oogsten oud, aan het begin van de herfst was hij er achttien geworden – en omdat hij zielsveel van zijn zus hield en haar vreselijk had gemist sinds ze in Axekami was gaan wonen, maar vooral omdat hij dan eindelijk kon ontsnappen aan zijn vader, want de jongen werd de teleurgestelde blikken van barak Goren zo langzamerhand meer dan moe. Het leeftijdsverschil tussen Reki en Laranya, die drieëndertig oogsten was, was aan het zwakke gestel van hun moeder te wijten. Ze had weliswaar een sterk en fel karakter gehad, maar fysiek was ze niet sterk. De geboorte van Laranya had haar bijna het leven gekost, en Goren, die veel van haar hield, wilde haar niet vragen nog een kind te krijgen. Ze zag hoe trots hij op zijn dochter was, maar wist ook dat hij graag een zoon wilde. Niet zozeer vanwege een opvolgingskwestie, want Laranya was zeer geschikt voor de positie van barakesse en in Saramyr erfde het oudste kind, of dat nu een jongen of een meisje was, altijd de titel, tenzij er speciale maatregelen werden getroffen om hem op een ander kind te doen overgaan. Nee, hij wilde graag een zoon omdat hij met zijn nakomelingen zijn mannelijkheid wilde bewijzen, en op een sterke zoon zou hij nog trotser zijn dan op een stokebrand als Laranya.

Na vele jaren kon ze het niet langer aanzien. Ze liet het kruidenbrouwsel dat voorkwam dat ze in verwachting zou raken staan en schonk hem Reki. En dit kind kostte haar wel het leven.

Goren was niet zo onrechtvaardig Reki de schuld te geven van de dood van zijn vrouw. Naarmate Reki ouder werd, werd echter al snel duidelijk dat er genoeg andere dingen waren waar Goren boos om kon worden. Laranya blaakte net als haar vader van gezondheid, maar Reki had de zwakke gezondheid van zijn moeder geërfd, en de schermutselingen die nu eenmaal bij het leven van een opgroeiende jongen horen draaiden er altijd op uit dat hij gewond raakte. Hij werd verlegen en introvert en hield van boeken en geleerdheid: bezigheden die niet veel gevaar konden opleveren. Zijn vader had er weinig mee op.

De witte lok in zijn haar en het litteken dat van zijn linkerooghoek naar de aanzet van zijn jukbeen liep had hij in zijn jeugd opgelopen bij een val van de rotsen, waarbij hij zijn hoofd en gezicht had opengehaald. Zelfs toen al had hij beter geweten dan huilend naar zijn vader te rennen. Hij had zich gewoon ellendig en ineengedoken verborgen gehouden totdat de pijn en de kneuzingen waren weggetrokken.

Zijn relatie met zijn vader was er nooit beter op geworden en Reki was allang opgehouden met zijn pogingen hem te behagen. Deze kans om vanuit het verre Jospa naar Axekami te reizen was voor alle betrokkenen een opluchting geweest. Alles liep echter zo langzamerhand in het honderd en Reki begon zich af te vragen of hij thuis in de woestijn niet beter af zou zijn. En of datzelfde niet ook voor Laranya gold.

De bloedkeizer vertoonde steeds vaker schrikbarend labiel gedrag. Het leek of er geen dag voorbijging zonder dat er een vreselijke ruzie losbarstte tussen Mos en Laranya. Nu waren ruzies voor hen natuurlijk niets nieuws, maar deze waren wel erg hevig. Sinds Reki er in het paviljoen getuige van was geweest dat Mos zijn zwangere vrouw bijna had geslagen, maakte hij zich helemaal ernstige zorgen over haar.

Laranya nam Reki over dit soort dingen altijd in vertrouwen en vertelde hem alles tot in het kleinste detail. Wat hij hoorde maakte zijn bezorgdheid alleen maar groter. De bloedkeizer had last van vreemde dromen waar hij onophoudelijk over praatte en die hij zelfs tegen zijn vrouw gebruikte. Al een paar keer had hij Laranya gevraagd of ze hem soms ontrouw was. Eén keer had hij zelfs gevraagd van wie het kind was dat ze droeg. Nadat ze het al zo lang hadden geprobeerd, was het in Mos' ogen geen toeval dat ze juist rond de tijd dat ze goede vrienden met Eszel was geworden als door een wonder in verwachting was geraakt.

Wat Laranya niet wist, maar Reki wel, was dat Mos al verscheidene keren in een dronken bui Eszel had bedreigd, als de dichter zo onfortuinlijk was bij een van zijn woede-uitbarstingen aanwezig te zijn. Eszel had aan Reki opgebiecht dat hij voor zijn leven vreesde, maar Reki had daar niets over tegen Laranya gezegd. Hij kende zijn zus maar al te goed. Ze zou Mos er meteen mee confronteren en dan zou Eszel zijn leven helemaal niet meer zeker zijn.

Reki had tegen Eszel gezegd dat hij zich voorlopig maar beter uit de voeten kon maken en dat advies had Eszel opgevolgd. Hij was aan een lange reis begonnen om 'inspiratie op te doen' voor zijn gedichten en had wijselijk geen adres achtergelaten waarop hij kon worden bereikt. Reki wist niet of Mos dat al had vernomen, maar Laranya in elk geval wel en ze was diep gekwetst omdat Eszel haar in de steek had gelaten.

Het privé-leven van de bloedkeizer was echter niet het enige wat scheef dreigde te lopen. Zijn adviseurs durfden hem nauwelijks van advies te dienen, maar durfden zonder zijn toestemming ook niets te doen. Er werd dan ook niets ondernomen tegen de groeiende crisis en de berichten dat er in de meest afgelegen nederzettingen van het keizerrijk hongersnood heerste. De hulpkreten van de hooggeplaatste families vonden geen gehoor.

Reki wilde weg en hij wilde dat Laranya met hem mee zou gaan. Ze was hier niet veilig en de omstandigheden waren niet bevorderlijk voor haar ongeboren kind. Ze weigerde echter te gaan, ze weigerde de man van wie ze hield in de steek te laten. En ze had hem gesmeekt bij haar te blijven, want ze had verder niemand op wie ze kon vertrouwen.

Hoe kon hij dat weigeren? Ze was zijn zus, de enige die al zijn hele leven onvoorwaardelijk van hem hield. Niemand was hem zo dierbaar als zij.

Zijn duistere gedachten werden onderbroken door het gerinkel van een belletje aan de andere kant van de deuropening, die met een gordijn was afgesloten. Hij vloekte zachtjes en keek om zich heen, op zoek naar het belletje dat hij diende te luiden om aan te geven dat de bezoeker mocht binnenkomen. Dat was in de woestijn niet de gewoonte en hij vond het maar ergerlijk. Uiteindelijk besloot hij dat hij geen zin had in die formaliteiten, noch om zijn plekje op de vensterbank te verlaten.

'Binnen,' riep hij.

De jonge vrouw die het gordijn opzij trok was adembenemend. Ze was in alle opzichten beeldschoon: haar gelaatstrekken waren fijn en smetteloos, haar figuur was volmaakt en haar gratie overweldigend. Haar donkere huid en diepzwarte haar – dat strak achterover was gekamd en met een ingewikkeld netwerk van met edelstenen bezette pinnen en versieringen op haar achterhoofd was vastgezet, van waaruit het in drie vlechten op haar rug hing – gaven aan dat ze net als Reki uit Tchom Rin kwam. Ze had lichtgroene en blauwe oogschaduw rond haar amandelvormige ogen en een subtiele glans op haar lippen. Een ketting van bewerkt ivoor hing om haar hals. Ze droeg de gebruikelijke kleding voor iemand van het woestijnvolk: een elegant wit gewaad dat haar ene schouder bloot liet en met op de andere schouder een ronde, groene broche als gesp.

'Stoor ik u?' vroeg ze met honingzoete stem.

'Nee,' zei hij, en opeens werd hij zich ervan bewust hoe onbeleefd het was dat hij zo lui op de vensterbank hing. Hij liet zich onhandig van zijn zitplaats glijden. 'Helemaal niet.'

Ze glipte de kamer binnen en liet het gordijn achter zich dichtvallen. 'Wat was je aan het doen?' vroeg ze.

Hij overwoog iets indrukwekkends te bedenken, maar de moed zakte hem in de schoenen. 'Ik zat na te denken,' zei hij, en hij bloosde toen hij hoorde hoe het klonk.

'Ja, Eszel zei al dat je een denker was,' zei ze met een ontwapenende glimlach. 'Daar heb ik bewondering voor. Er zijn tegenwoordig nog maar weinig mannen die nadenken.'

'Kent u Eszel?' vroeg Reki, terwijl hij onbewust met één hand zijn haar naar achteren streek. Toen bedacht hij dat hij de gastheer was en vroeg: 'Wilt u niet gaan zitten? Ik kan wat versnaperingen laten brengen.'

Ze keek naar de banken en de tafel die hij aanwees. Daar stonden op een zilveren schaal een kan van lax en enkele drinkbekers van glas met een krulpatroon in zilver. Om de kan waren enkele zoete gebakjes gerangschikt. 'Er staat al wijn,' zei ze. 'Zullen we allebei een glas nemen?'

Reki voelde zijn gezicht weer rood worden. Er stonden altijd versnaperingen op zijn tafel. Dat was een gunst die hem als belangrijke gast werd verleend. Regelmatig zetten de bedienden een nieuwe kan met koele wijn neer, ook al dronk hij er nooit een druppel van. In het begin had hij zich er een beetje aan geërgerd, maar hij dacht dat het onbeleefd zou zijn om tegen hen te zeggen dat ze ermee moesten ophouden. Inmiddels was hij zo aan hun onopvallende bezoekjes gewend geraakt dat hij was vergeten dat de wijn er stond.

'Goed,' zei hij.

Ze ging op haar zij op een bank liggen met haar benen opgetrokken onder zich. Reki nam slecht op zijn gemak op een andere bank plaats. Alleen al de aanwezigheid van deze vrouw was een kwelling voor hem.

'Zal ik inschenken?' vroeg ze.

Hij gebaarde dat ze haar gang mocht gaan. Hij vertrouwde zijn stem niet.

Ze glimlachte weer naar hem en pakte de kan op. Met haar blik op de wijn gericht zei ze, terwijl ze twee glazen volschonk: 'Je lijkt nerveus, Reki.'

'Is dat zo duidelijk?' wist hij eruit te persen.

'Jazeker,' zei ze. Ze bood hem een glas vol verfijnde, amberkleurige wijn aan. 'Maar daarom heeft Yoru ons wijn geschonken. Om dit soort momenten gemakkelijker te maken.'

'Misschien kunt u me dan maar beter de hele kan geven,' zei Reki, en tot zijn grote verrukking moest ze daarom lachen. Het geluid deed iets warms in zijn borst opbloeien.

'Eén glas tegelijk lijkt me beter,' zei ze. Ze nam een slokje van haar wijn en keek hem verleidelijk aan.

De stilte duurde maar heel kort, maar Reki ervoer het als een eeuwigheid en zocht naarstig naar een gespreksonderwerp. 'U zei dat u Eszel kende,' zei hij uitnodigend.

Ze leunde ontspannen achterover op de bank. 'Een beetje. Ik ken zoveel mensen.' Ze maakte het hem niet gemakkelijk. Sterker nog, ze leek van zijn onbehagen te genieten. Alleen al haar nabijheid riep een reactie op in zijn lendenen en hij moest gaan verzitten zodat ze het niet zou zien.

'Waarom bent u hier?' vroeg hij, en inwendig kromp hij ineen toen hij besefte hoe bot dat klonk. Hij nam een grote slok wijn om zijn schaamte te verhullen.

Ze leek er geen aanstoot aan te nemen. 'Ziazthan Ri. *De parel van de watergod.*'

Reki keek haar verward aan. 'Ik begrijp het niet helemaal.'

'Eszel heeft me verteld dat jij het hebt gelezen en dat je hem op een briljante voordracht hebt vergast.' Ze boog met een schittering in haar ogen een beetje naar voren. 'Is dat waar?'

'Ik heb het uit mijn hoofd geleerd,' zei Reki. 'Zo lang is het niet. De auteur is briljant, niet ik.'

'Ah, maar de passie van de spreker, het begrip van het rijm en de melodie, daarmee komt een voorgedragen gedicht pas echt tot leven.' Ze keek hem met enige verbazing aan. 'Heb je het echt uit je hoofd geleerd? Ik vermoed dat het niet zo kort is als je doet voorkomen. Je moet wel over een opmerkelijk geheugen beschikken.'

'Alleen voor woorden,' zei Reki, en hij had het onbehaaglijke gevoel dat hij zat op te scheppen.

'Ik zou het dolgraag willen horen,' zei ze hees. 'Als je het voor me zou willen voordragen, zou ik je héél dankbaar zijn.'

De toon waarop ze dat zei dwong Reki opnieuw van houding te veranderen om zijn groeiende opwinding te verbergen. Hij bloosde nu hevig en even wist hij niet wat hij moest zeggen.

'Ik zal het uitleggen,' zei ze. 'Ik hang de filosofie van Huika aan: dat je als mens pas compleet bent als je alles een keer hebt meegemaakt. Ik heb een fortuin uitgegeven om een glimp van de zeldzaamste schilderijen op te vangen, ik heb lange, verre reizen gemaakt om de wonderen van de Nabije Wereld te aanschouwen en ik heb me vele vaardigheden eigen gemaakt waarvan de meeste mensen het bestaan niet eens vermoeden.'

'Maar u bent nog zo jong. Hoe kunt u dan al zoveel hebben gedaan?' vroeg Reki. En dat was waar: ze kon niet ouder zijn dan twintig oogsten, iets ouder maar dan hijzelf.

'Zo jong ben ik niet meer,' zei ze, maar ze klonk vergenoegd. 'Maar goed, ik heb Eszel leren kennen voordat hij de keizerlijke vesting verliet, en hij heeft me alles over je verteld.' Ze boog naar hem toe, streek zachtjes met haar hand over zijn gezicht en fluisterde: 'Het meesterwerk van Ziazthan Ri, in jouw hoofd.' Toen liet ze hem los en besefte hij dat hij zijn adem had ingehouden. 'Er bestaan maar zo weinig exemplaren van, zo weinig zuivere versies van het verhaal. Ik zou er bijna alles voor overhebben om zoiets zeldzaams te ervaren.'

'Mijn vader heeft een exemplaar,' zei Reki, die vond dat hij iets moest zeggen. 'In zijn bibliotheek.'

'Wil je het voor me voordragen?' vroeg ze terwijl ze zich van de bank liet glijden en opstond.

'Na... natuurlijk,' zei hij terwijl hij verwoed probeerde zich de woorden te herinneren. Zijn geheugen leek niet goed te werken. 'Nu?'

'Naderhand,' zei ze, en ze stak haar handen naar hem uit zodat hij ze kon vastpakken en trok hem overeind.

'Naderhand?' vroeg hij bevend.

Ze drukte zachtjes haar lichaam tegen het zijne en streek met een vinger over het litteken onder zijn oog. Haar borsten en lichaam waren zo zacht dat zijn erectie er pijnlijk van werd. Hij voelde zich dronken, maar dat had niets met de wijn te maken.

'Ik geloof in een eerlijke ruil,' zei ze. Haar lippen waren nu heel dicht bij de zijne, zodat hij het gevoel had dat hij moest vechten tegen haar welhaast magnetische aantrekkingskracht. Haar adem was geurig, zoals de bloemen in een oase. 'De ene ervaring in ruil voor de andere.' Haar hand ging naar de broche op haar schouder en ze maakte hem los, waardoor haar gewaad als een sluier op de grond gleed. 'Een unieke ervaring.'

Reki's hart bonsde tegen zijn ribben. Een stemmetje waarschuwde hem voorzichtig te zijn, maar hij luisterde er niet naar. 'Ik weet niet eens hoe je heet,' fluisterde hij.

Dat vertelde ze hem vlak voordat ze haar lippen op de zijne drukte. 'Asara.'

De man gilde toen het mes onder de warme huid op zijn wang sneed en door het dunne laagje onderhuids vet naar het vochtige, rode landschap eronder gleed. Weefheer Kakre liet zich als een expert meevoeren op de golven van het gegil en hield het mes een beetje scheef om de vervorming in het gezicht van zijn slachtoffer te compenseren. Hij maakte een snede tot aan de oogkas en bewoog het mes toen naar de achterkant van de schedel. Het gleed soepel door het zachte weefsel en er krulde een driehoekige flap om. Toen hij dat zag, werd hij vervuld door een intens vredig gevoel dat nooit minder leek te worden, hoe vaak hij zijn behoeften ook bevredigde. Hij was in de greep van zijn ontwenningsmanie en hij was weer aan het villen.

Zijn vilkamer had geen ramen en het was er donker en heet, want het enige licht was afkomstig van de kolen in de vuurkuil in het midden van het vertrek. Badend in de rode gloed hingen her en der verspreid aan de muren en aan kettingen aan het plafond zijn andere creaties: vliegers en beelden van huid die met hun lege oogkassen naar hem keken terwijl hij zijn ambacht uitvoerde. Zijn nieuwste slachtoffer lag iets omhooggekanteld met gespreide armen en benen op het ijzeren rek dat zijn schildersdoek was. Dit kunstwerk was hij al sinds de dageraad aan het uitkerven en inmiddels was het een lappendeken, een netwerk van spieren met een huid als een legpuzzel waarvan de helft van de stukjes ontbrak.

Kakre voelde zich vandaag geïnspireerd. Hij wist niet of hij van deze een vlieger zou maken of zich alleen maar op hem zou uitleven, maar hij genoot zo van het snijden dat het er eigenlijk niet toe deed. Het was langgeleden dat hij zich met zijn kunst had beziggehouden, veel te lang, maar de laatste tijd waren zijn weefinspanningen verveelvoudigd en daarmee was zijn behoefte gegroeid.

Hij besefte dat hij al een hele tijd bewonderend stond te kijken naar de huidflap die hij had losgesneden en dat de man ondertussen weer was flauwgevallen. Kakre voelde een steek van ergernis. Hij was er gewoonlijk zo goed in om zijn slachtoffers met kruiden, kompressen en drankjes bij kennis te houden. Zijn snijwerk was ook behoorlijk slordig, zag hij opeens. Hij keek boos naar zijn verschrompelde, witte hand. Zijn gewrichten deden altijd pijn. Zou het daaraan liggen? Dreigde hij zijn vaardigheid met het mes kwijt te raken? Die gedachte was zo verschrikkelijk dat hij er niet eens bij wilde stilstaan. Hij wist natuurlijk in zijn achterhoofd wel dat zijn masker hem van binnenuit verteerde, zoals het ook zijn vorige eigenaars had verteerd, maar hij had er nooit echt bij stilgestaan wat dat precies inhield. Vreemd dat een slimme geest als hij zoiets over het hoofd kon zien.

Een fractie later was hij het alweer vergeten.

Hij legde zijn bebloede mes lusteloos op een schaal bij al zijn andere instrumenten en slenterde naar de rand van de vuurkuil, waar hij ging zitten. Zoals altijd was hij plannetjes aan het smeden.

Verschillende complotten waren al gesmeed. Bloed Kerestyn en bloed Koli waren druk doende een immens leger om zich heen te verzamelen, maar het was nog niet immens genoeg om Axekami te kunnen bedreigen. Over een paar jaar wellicht, maar tegen die tijd zou de bron van de smet inmiddels misschien algemeen bekend zijn. Hij had geruchten gehoord, geruchten die pijnlijk dicht bij de waarheid kwamen en die in de huizen van de hooggeplaatste families stilletjes werden doorverteld. Daar maakte hij zich zorgen over. Binnenkort zou de hongersnood het land tot volslagen wanhoop drijven en dan zouden die geruchten misschien net genoeg zijn om ervoor te zorgen dat de hooggeplaatste families hun woede niet langer op Mos, maar op de wevers zouden richten.

Hij had geen tijd om te wachten. Daarom was Kakre van plan de vijanden van Mos naar zich toe te lokken.

Zijn aanbod aan barak Avun tu Koli was goed ontvangen, maar Avun was een verraderlijke slang, die net zo lief in de hand die hem stuurde zou bijten als in die van de vijand waartegen hij werd ingezet. Geloofde Avun hem wel? En kon hij Grigi tu Kerestyn ook zover krijgen dat die hem zou geloven?

Jullie moeten toeslaan als ik het zeg, dacht hij. Anders is dit allemaal voor niets geweest.

Het meest verontrustende was echter dat er een bericht vanuit de keizerlijke vesting was bezorgd door een koerier die hij niet had weten te onderscheppen. Hij wist niet zeker wie de afzender was, maar hij wist dat Avun de brief had ontvangen en hij wilde heel graag weten wat erin stond. Nog meer verraad? Maar wie probeerde er dan achter zijn rug om afspraken te maken?

Het knaagde aan Kakres gedachten, terwijl hij zelf aan de gedachten van de bloedkeizer knaagde.

's Nachts, als Mos dronken in slaap viel, weefde Kakre dromen voor hem. Dromen over ontrouw en woede, dromen over machteloosheid en razernij. Dromen die erop waren berekend om hem in de richting te duwen die Kakre in gedachten had. Hij nam een immens risico, want als Mos hem ging wantrouwen zou alles verloren zijn. Zelfs de beste wevers konden onhandig zijn – hij moest denken aan zijn pijnlijke gewrichten en vroeg zich af of zijn vaardigheid met het weefsel ook was aangetast – en sporen van zichzelf achterlaten die als een slecht genezen wond zouden gaan zweren, totdat het slachtoffer uiteindelijk besefte wat hem was aangedaan. Als Mos niet zoveel had gedronken en niet zo onder spanning gebukt ging, zou Kakre het misschien niet eens hebben gedurfd. De bloedkeizer was echter lang voordat de weefheer zijn geest was gaan manipuleren al labiel geworden.

Leugens, misleiding, verraad. En alleen de wevers zijn van belang.

Daar zat hij in zijn rafelige mantel van slordig aan elkaar genaaide stukjes huid, bont en botjes, en in gedachten herhaalde hij keer op keer die woorden. Alleen de wevers waren van belang. Alleen de voortzetting van hun werk. En het was Kakres taak – nee, zijn roeping – om deze crisis te gebruiken om hun voortbestaan te garanderen. Hij zag maar één uitweg, maar daarvoor moest het spelletje zo listig en subtiel worden gespeeld dat de kleinste misrekening een ramp kon betekenen.

De schaakstukken stonden klaar. Maar niemand wist nog hoe het spel zou eindigen.

◎ 21 ◎

De belegerde stad Zila stond er als een kromme kroon op een scheve heuvel grimmig en kil bij in het schemerduister. Achter de smalle ramen van de gebouwen die de hellingen rond de vesting op de top bedekten brandden honderden gele lichtjes. Ten noorden van de stad, waar de heuvel gemeen steil was, stroomde de Zan, een zwarte, rusteloze stortvloed met kalkwitte schuimkoppen die als glinsterende vinnen boven het oppervlak leken uit te steken. Neryn was die avond al vroeg, nog voordat de sterren zichtbaar waren geworden, hoog aan de hemel verschenen en overzag in haar eentje haar domein, dat ze in een spookachtig groen licht baadde.

De soldaten hadden vlak buiten de schootsafstand van bogen en kanonnen de stad omsingeld, wat inhield dat ze er een heel eind bij vandaan bleven. Zevenduizend man waren het alles bij elkaar, die vier hooggeplaatste families vertegenwoordigden. Er werden tenten opgezet en mortieren opgebouwd. De belegeringslinie was een donkere strook bespikkeld met kampvuren die glinsterden als juwelen. Hun kanonnen hadden ze aan weerszijden van de Zan opgesteld, op de plekken waar hun linie die kruiste, om te voorkomen dat iemand via het water zou ontsnappen, stroomafwaarts dan wel stroomopwaarts. Ze lieten zich niet afleiden door het feit dat er geen enkele boot aan de steigers lag. Ze namen geen enkel risico. Niemand mocht weg.

Mishani keek vanuit een raam in de vesting naar de troepenmacht die tegen de stad was ingezet. Ze telde de koppen.

'Het zijn er niet zoveel als ik had verwacht,' zei ze uiteindelijk. 'De opkomst is niet best.'

'Ze zijn met meer dan genoeg om de stad te kunnen innemen,' zei Chien somber.

'Dan nog,' zei ze terwijl ze zich van het raam afwendde. 'De hoog-geplaatste families hebben maar een fractie van hun leger beschik-baar gesteld. De meeste manschappen hebben ze achtergehouden om hun eigen bezittingen te beschermen voor het geval er strijd uitbreekt. En er is helemaal niemand van de keizerlijke garde, of van het leger van bloed Batik. Waar blijft de bloedkeizer nu een van zijn eigen ste-den hem uitdaagt?'

De kamer die ze deelden was nogal Spartaans met zijn kale stenen muren en vloer, maar Mishani bedacht dat ze het qua gevangenis een stuk slechter had kunnen treffen. Er waren twee slaapmatten, een ruw vloerkleed en goedkope, zware wandtapijten met eenvou-dige ontwerpen erop. Er stond ook een tafel met kleinere matjes om op te zitten, en het voedsel dat ze de afgelopen dagen hadden ge-kregen was een beetje smakeloos, maar goed eetbaar. De zware hou-ten deur zat op slot, maar buiten stonden twee bewakers die hen naar een ander vertrek konden brengen als ze toilet wilden maken of zich wilden aankleden. Ze werden zeker niet slecht behandeld, al-leen moesten ze in hun kamer blijven.

Er waren ook andere uitstapjes die niets te maken hadden met de noodzakelijke privacy. Bakkara was al een paar keer op bezoek ge-weest en twee keer had hij met Mishani door de vesting gewandeld. Hij verhulde zijn drijfveren nauwelijks: hij wilde verhalen horen over Lucia, en Mishani vermoedde dat hij ondanks zijn ruwe uiterlijk een beetje onder de indruk was van haar omdat ze de erfkeizerin per-soonlijk kende. Mishani buitte haar voordeel zoveel mogelijk uit. Het bood haar de kans nog eens haar kamer uit te komen en bo-vendien moest ze voor zichzelf toegeven dat ze zich vreemd genoeg sterk tot Bakkara aangetrokken voelde. Zijn pure, overweldigende mannelijkheid, die haar cynische kant vrij amusant en een beetje meelijwekkend vond, maakte hem tegelijkertijd aantrekkelijk: zijn gebrek aan beschaving, zijn uitgebluste houding waarmee hij de in-druk wekte dat hij geen zin had om het anderen naar de zin te ma-ken, zijn krachtige lichamelijke aanwezigheid. Het was een tegen-stelling die ze niet eens trachtte te begrijpen. Ze was zich er maar al te zeer van bewust dat het verstand en het hart volkomen onafhan-kelijk van elkaar te werk konden gaan.

Chien was nog niet genoeg hersteld om zijn kamer lang achter el-kaar te verlaten. Zijn verwondingen waren behandeld, maar hij had hoge koorts gekregen, waarschijnlijk als gevolg van de nachtelijke rit naar Zila. Het grootste deel van de dag lag hij op zijn slaapmat, half verdoofd door de hoge doses pijnstillende en koortsverdrijven-de tincturen. Af en toe was hij wakker genoeg om te klagen over de gebrekkige informatie die ze kregen, of om in naam van Mishani te betuigen dat een edelvrouw haar eigen kamer hoorde te hebben. Mishani begon daar ook naar te verlangen. Chien werkte haar zo langzamerhand op de zenuwen. Hij werd vervelend als hij niets kon doen. De belegering was heel langzaam op gang gekomen. De troepen waren op verschillende tijdstippen aangekomen en het duurde een hele tijd voordat ze doeltreffend konden worden georganiseerd. Het was drie dagen geleden dat de eerste legers onder de vlag van bloed Vinaxis waren verschenen. Die familie had ooit de allereerste bloedkeizer geleverd, maar tegenwoordig waren ze nog maar met weinig en van hun oude macht was niet veel meer over. Hun landerijen lagen midden in de besmette Zuidelijke Prefecturen en het grootste deel van hun inkomsten was afkomstig van gewassen die via Zila naar Axekami werden vervoerd. Veel van die gewassen lagen nu binnen de muren van de stad opgeslagen. Geen wonder dus dat barak Moshito tu Vinaxis er als de kippen bij was om ze terug te vorderen.

Mishani had van Bakkara gehoord dat de landvoogd van Zila grote hoeveelheden voedsel had gehamsterd als buffer tegen de dreigende hongersnood, door een deel van de goederen uit de karavanen die over de nabijgelegen Pirikabrug trokken op te eisen. Hij was van plan geweest een klein deel ervan te bewaren voor de stadsgarde en het bestuur en de rest tegen woekerprijzen aan de hooggeplaatste families te verkopen als de honger echt begon te knagen. De stadsbewoners moesten zichzelf maar zien te redden. Toen Xejen, de leider van de Ais Maraxa, dat plan aan het licht had gebracht, was het volk in opstand gekomen en nu hadden de stadsbewoners een voorraad voedsel tot hun beschikking waarmee ze het tot ver na de winter gemakkelijk konden volhouden als ze het zorgvuldig rantsoeneerden. Zolang de muren standhielden en ze de vijand buiten de stad konden houden, zouden ze zich niet zomaar gewonnen geven.

Na bloed Vinaxis was bloed Zechen gekomen, hoewel barakesse Alita zelf er niet bij was, maar zich door generaals liet vertegenwoordigen. Bloed Zechen werd op de voet gevolgd door een symbolische troepenmacht van bloed Lilira, dat veel meer mensen kon missen en waarvan de barakesse, Juun, eveneens schitterde door afwezigheid. Als laatste was barak Zahn vanuit zijn landerijen ten noorden van Lalyara gekomen, aan het hoofd van duizend bereden krijgers van bloed Ikati en duizend voetsoldaten. De groen met grijze vaandels van zijn familie bewogen slapjes in de wind toen ze de stad naderden. Mishani kon de ironie er wel van inzien. Zahn was de reden dat ze naar het zuiden was gereisd en de reden dat ze was gevangengenomen. Nu was hij naar haar toe gekomen maar stonden ze aan weerszijden van een volksopstand. Je kon veel van de goden zeggen, maar ze hadden een vals gevoel voor humor.

Er werd een paar keer snel op de deur geklopt en Bakkara kwam binnen zonder op toestemming te wachten. Mishani kon maar niet wennen aan de deuren in de vesting. Ze vond ze hinderlijk. Ze hadden natuurlijk een defensieve functie, dat snapte ze wel, maar ze hielden de bries tegen die op warme dagen de benauwdheid had kunnen verdrijven. Gelukkig werd dat deels gecompenseerd door de tochtgaten in de stenen muren.

Mishani stond nog steeds bij het raam toen de oude soldaat binnenkwam. Chien zat rechtop op zijn slaapmat met een gezicht dat dik was van de kneuzingen en klam van het koortszweet. Hij keek Bakkara boos aan. De koopman leek een sterke afkeer van de soldaat te hebben, waarschijnlijk omdat de oudere man zo grofgebekt was.

'Je moet meekomen, mevrouw Mishani,' zei hij.

'O, ja?' antwoordde ze droog, en de hooghartige klank in haar stem gaf aan dat ze niet van plan was andermans bevelen op te volgen.

Bakkara sloeg zijn ogen ten hemel en slaakte een zucht. 'Ook goed. Ik ben gekomen om u namens Xejen tu Imotu, leider van de Ais Maraxa, meesterbrein achter de opstand in Zila en maniakale, schuimbekkende fanaticus, om een onderhoud te verzoeken. Zo goed?'

Mishani moest onwillekeurig lachen om deze plotselinge overgang. 'Het kan ermee door.'

'En hoe voel je je?' vroeg hij aan Chien.

'Gaat wel,' antwoordde Chien onbeleefd. 'Mogen we nu eindelijk weg?'

'Dat is aan Xejen,' zei Bakkara, die zich in zijn nek krabde. 'Hoewel ik niet snap waarom je zo'n haast hebt. Als we je laten gaan, zit je nog steeds vast in Zila. Het zal nog een hele tijd duren voordat ook maar iemand voorbij die muren komt, of hij nu naar binnen of naar buiten wil.'

Chien vloekte zachtjes en brak het gesprek af.

'Ga je mee?' vroeg Bakkara aan Mishani.

'Natuurlijk,' zei ze. 'Ik sta al een hele tijd te popelen om met Xejen te praten.'

'Hij heeft het erg druk gehad,' zei Bakkara. 'Het is je misschien opgevallen dat er buiten Zila een klein opstootje gaande is waar we ons allemaal een beetje zorgen over maken.'

Ze lieten Chien alleen zodat hij kon rusten en hij zei hun nors gedag toen ze gingen.

Bakkara nam Mishani mee door gangen waar ze nog nooit hadden gelopen, maar de aankleding was zo goed als identiek aan die van de rest van de vesting: streng en doelmatig, met smalle gangen van donkere steen en weinig versieringen of aandacht voor vloeiende lijnen.

Bakkara vertelde haar dat het was gebouwd naar het oorspronkelijke ontwerp, dat meer dan duizend jaar geleden was bedacht. Dat verklaarde het vreselijke gebrek aan bezieling. Het was een krijgsgebouw dat dateerde uit de tijd waarin de Saramyriërs die zich er nog maar pas hadden gevestigd nog Quralese opvattingen over architectuur bezigden. In Quraal was het klimaat veel minder zacht en was harde degelijkheid veel belangrijker dan iets frivools als esthetiek. Toen Saramyr een eigen identiteit begon te ontwikkelen, gingen de mensen experimenteren met de vrijheid van godsdienst en meningsuiting en de kunst die in Quraal met de opkomst van de Theocratie waren onderdrukt en die hen ertoe had gebracht vrijwillig in ballingschap te gaan. Door de hete zomers en zachte winters waren de kleine, benauwde huizen in Quralese stijl niet prettig om in te wonen. Ze vonden dus zelf nieuwe bouwstijlen uit, die de omgeving bij de woning betrokken in plaats van die buiten te sluiten. Veel oude nederzettingen vertoonden hier en daar nog altijd sporen van de Quralese invloed, maar de meeste overblijfselen uit dat tijdperk waren in verval geraakt, afgebroken en vervangen door modernere gebouwen. Het Saramyrese volk hield niet zo van ruïnes.

Xejen tu Imotu, de leider van de Ais Maraxa, liep onrustig door zijn kamer heen en weer toen ze binnenkwamen. Hij was een onopvallend uitziende man van drieëndertig oogsten met een mager lijf vol nerveuze energie. Hij had een dikke, zwarte haardos, scherpe jukbeenderen, een lange kaak waardoor zijn gezicht er smaller uitzag dan het eigenlijk was en droeg eenvoudige zwarte kleren die strak om zijn pezige lijf spanden. Hij liep haastig door de kamer op hen af om hen te begroeten toen Bakkara aanklopte en naar binnen ging. 'Mevrouw Mishani tu Koli,' zei hij. Hij praatte snel. 'Een eer om u te gast te hebben.'

'Hoe kon ik weigeren na zo'n beleefde uitnodiging?' zei ze met een blik op Bakkara.

Xejen leek niet goed te weten hoe hij daarop moest reageren. 'Ik hoop dat de beperking van uw bewegingsvrijheid u niet te zwaar is gevallen. Vergeeft u me alstublieft. Ik had u veel eerder willen ontvangen, maar het volk van Zila samensmeden tot een troepenmacht die zichzelf kan verdedigen is een taak die al mijn tijd in beslag neemt.'

Hij ging verder met door de kamer heen en weer lopen, waarbij hij dingen oppakte en weer neerzette en papieren op zijn bureau schikte die niet hoefden te worden geschikt. Deze kamer was al net zo Spartaans ingericht als de rest van de vesting: een paar matten, een tafel, een bureau en een rustbankje. Brandende lantaarns hingen aan haken in het plafond en aan de andere kant van het raam ging de schemering langzaam over in volledige duisternis. Als je op zijn hoofdkwartier moest afgaan, kon je Xejen er niet van beschuldigen dat hij net zo goed als de oude landvoogd misbruik van zijn macht maakte.

Mishani besloot er geen doekjes om te winden. 'Waarom ben ik hiernaartoe gebracht?' vroeg ze.

'Naar mijn vertrekken?'

'Naar Zila.'

'Aha!' Hij knipte met zijn vingers. 'Deels uit goedertierenheid, deels vanwege een misverstand. Bakkara, leg jij het maar uit.'

Mishani draaide zich met een geduldig gezicht om naar de soldaat, alsof ze wilde zeggen: ja, leg dat eens uit? Het was een van de weinige dingen waarover hij had geweigerd te praten. Kennelijk wilde hij er eerst zeker van zijn dat hij Xejens toestemming had.

'Nou, ten eerste was er de kwestie rond je vriend Chien,' zei hij terwijl hij aan zijn stoppelige kin krabde. 'Zelfs als jij er niet was geweest, hadden we hem niet zomaar aan zijn lot kunnen overlaten. En toen...'

'Tot zover de goedertierenheid,' viel Xejen hem in de rede. 'Wat u betreft: Bakkara maakte de zeer begrijpelijke fout aan te nemen dat u nog steeds sterke banden met de hooggeplaatste families had en dat u wellicht erg goed van pas zou komen als we bloed Koli ertoe wilden bewegen ons te hulp te komen, zodat onze strijd naar een hoger plan zou worden getild.'

Bakkara keek beschaamd en haalde verontschuldigend zijn schouders op, maar daar maakte Mishani zich niet druk om. Ze vatte het niet persoonlijk op.

'Tegen de tijd dat ik besefte dat u er was, waren de poorten al gesloten en konden we u eigenlijk niet meer laten gaan,' babbelde Xejen verder. 'Natuurlijk besefte ik meteen dat u niet zo waardevol was als Bakkara dacht – neemt u me mijn botte bewoordingen niet kwalijk – want ik wist dat u en uw vader in onmin leefden. En aangezien u voor de Ais Maraxa in zekere zin een heldin bent, was ik natuurlijk niet van plan u als onderhandelingstroef te gebruiken en u aan hem uit te leveren.'

'Dat is een hele opluchting,' zei Mishani. 'Moet ik hieruit opmaken dat heel de Ais Maraxa op de hoogte is van de stand van zaken tussen mij en mijn vader?'

'Alleen ikzelf en een paar anderen,' antwoordde Xejen zodra ze haar zin had afgemaakt. 'Vergeet niet dat velen van ons tot de hogere gelederingen van de Libera Dramach behoorden en dat we erbij waren toen u naar de Gemeenschap kwam. Uw geheim is echter veilig. Ik heb begrepen dat u veel voor de Libera Dramach hebt kunnen betekenen door de illusie in stand te houden dat u nog steeds tot bloed Koli behoort.'

'Voorzover ik weet behoor ik nog steeds tot bloed Koli,' zei Mishani. 'Wettelijk althans nog wel. Mijn vader heeft me nog niet openlijk de rug toegekeerd.' Hoewel hij wél tot twee keer toe heeft geprobeerd me te laten vermoorden, voegde ze er in gedachten aan toe.

'Het nieuwste boek van uw moeder heeft uw leven er niet gemakkelijker op gemaakt, stel ik me zo voor,' merkte Xejen op.

'Dat is nog even afwachten,' zei Mishani. Eigenlijk had ze nog niet eens stilgestaan bij de mogelijke gevolgen van Muraki tu Koli's nieuwste bundel verhalen over Nida-jan.

Xejen schraapte zijn keel en liep rusteloos naar de andere kant van de kamer. Mishani werd een beetje misselijk van die onophoudelijke beweging.

'Ik zal er niet omheen draaien, mevrouw Mishani,' zei hij. 'U zou heel veel voor onze organisatie kunnen betekenen. Een van de redders van Lucia. Iemand die haar goed kent.' Hij keek met een scherpe blik naar haar op. 'U zou wonderen kunnen doen voor het moreel van de stadsbewoners en voor de geloofwaardigheid van de Ais Maraxa.'

'Wat vraagt u precies van me?' vroeg ze.

Xejen bleef even stilstaan. 'Dat u ons uw steun betuigt. Openlijk.'

Mishani dacht even na.

'Er zijn dingen die ik dan eerst wil weten,' zei ze.

'Aha,' zei Xejen. 'Dan zal ik mijn uiterste best doen eventuele vragen die u hebt te beantwoorden.'

'Wat doet u hier in Zila?' vroeg Mishani. Met haar scherpe ogen in haar gezichtje dat werd omlijst door haar dikke, zwarte haar nam ze hem aandachtig op. 'Wat levert dit de Ais Maraxa op?'

'Naamsbekendheid,' was het antwoord. 'Het is al een aantal jaren geleden dat we hoorden over de verhevenheid van erfkeizerin Lucia, en het is ook alweer een tijdje geleden dat we ons hebben afgescheiden van de Libera Dramach, die door zijn...' – hij zwaaide met zijn hand terwijl hij naar het juiste woord zocht – 'wereldlijke kijk op haar niet voor het grote geheel openstond. Intussen heeft de Ais

Maraxa ernaar gestreefd het nieuws te verspreiden dat er iemand bestaat die ons van het kwaad kan verlossen: van de wevers, van de onderdrukking van de boerenstand en van de smet die ons land verwoest.'

Mishani hield hem scherp in de gaten tijdens zijn steeds verhitter wordende toespraak. Ze wist dat Bakkara zijn opmerkingen over Xejen als grapje had bedoeld, maar ze was zich ervan bewust dat er een kern van waarheid zat in wat de soldaat had gezegd. Nu ze Xejen had ontmoet, begon ze te vermoeden dat Bakkara inderdaad wat moeite had met hem als leider.

'Maar het nieuws verspreiden is niet genoeg,' ging Xejen wiebelend met zijn vinger verder. 'De erfkeizerin is een gerucht, een hoopvolle fluistering, maar het volk heeft meer aansporing nodig dan geruchten alleen. We moeten aantonen dat we een dreiging zijn die serieus moet worden genomen. De hooggeplaatste families moeten over ons gaan praten, zodat hun bedienden zien dat ze zich zorgen maken... zodat ze zien dat zelfs de machtigste edelen de volgelingen van Lucia vrezen. Dan zullen ze erin gaan geloven en zullen ze zich achter haar scharen als ze hen oproept, als ze in al haar glorie terugkeert om de troon voor zich op te eisen.'

Hij stond nu door het raam in het nachtelijke duister te staren. Mishani wierp een blik op Bakkara, die hem beantwoordde. Hij sloeg even zogenaamd geërgerd zijn ogen ten hemel en zijn mondhoek krulde in een vage glimlach omhoog.

'Maar hoezeer we ook ons best deden, we slaagden er maar niet in de aandacht van het keizerrijk te trekken,' ging Xejen verder. 'Nu is dat wel gelukt. We hebben lang en hard aan Zila gewerkt en de dreiging van hongersnood heeft voor precies het juiste klimaat gezorgd dat we nodig hadden om iets te kunnen ondernemen. Dat de landvoogd onze hele voorraad voor ons heeft bijeengebracht... Het lijkt wel of Ocha ons hoogstpersoonlijk zijn zegen heeft gegeven. We kunnen het binnen deze muren wel een jaar volhouden. Tegen die tijd zal er in het hele keizerrijk niemand meer zijn die nog nooit van de Ais Maraxa en onze doelstellingen heeft gehoord.'

'Maakt u zich geen zorgen over Lucia?' vroeg Mishani. 'Als ze zo berucht wordt, zullen de wevers immers met hernieuwde vastberadenheid naar haar op zoek gaan. Het is uitsluitend te danken aan het feit dat ze wordt doodgewaand en dat maar weinig mensen van haar gaven op de hoogte zijn dat we erin zijn geslaagd haar zo lang verborgen te houden.'

'De wevers zullen nog steeds denken dat ze dood is,' zei Xejen laatdunkend. 'Ze zullen denken dat we onze tijd verspillen met het instandhouden van loze geruchten. En trouwens, ze vinden haar toch nooit. Maar wat voor voorbereidingen treft de Libera Dramach voor als ze meerderjarig wordt? Helemaal geen! Wij verzamelen een leger voor haar, een leger van gewone mensen, en als ze naar buiten treedt, zullen ze opeens ontdekken dat de hoopgevende geruchten waar zijn en zich in drommen achter haar scharen.'

Het liefst wilde Mishani tegenwerpen: en als ze dat nu niet wil? Goed, dus hij wilde een leger voor Lucia verzamelen, maar liep hij niet erg op de zaken vooruit, gezien het feit dat hij niet eens wist of ze wel behoefte had aan een leger? Ze vroeg zich af of hij ook zo zou praten als hij Lucia net zo goed kende als zij, als hij zou beseffen dat ze geen luisterrijke generaal was, geen engelachtig kind dat was overtuigd van haar eigen lotsbestemming, maar gewoon een jong meisje.

Ze had echter niet de illusie dat ze Xejen van gedachten zou kunnen doen veranderen en bovendien wilde ze hem te vriend houden, dus hield ze haar mond.

'En de belegering dan?' vroeg ze. 'Wat wilt u daaraan doen? Uiteindelijk raakt het voedsel toch een keer op.'

'U weet wat er in Axekami gaande is, mevrouw Mishani,' zei hij. Weer viel hij haar bijna in de rede in zijn haast iets te zeggen. 'De hooggeplaatste families zullen het komende jaar genoeg andere dingen hebben om zich zorgen over te maken. U hebt zelf kunnen zien dat ze niet bepaald op een schermutseling zitten te wachten. Kijk eens naar dat armetierige leger!' Hij maakte een allesomvattend gebaar naar het raam. 'We hebben manieren om met onze agenten buiten Zila te communiceren. Het gepraat over onze benarde toestand en datgene waarvoor we staan is al begonnen. Het nieuws zal zich verspreiden. In een jaar kan er veel veranderen, maar als wij klaar zijn zal iedereen de naam Lucia tu Erinima kennen, wat er ook gebeurt.'

Xejen kwam tegenover hen staan en zijn smalle gezicht zag er in het licht van de lantaarns bleek uit. Er lag nu een intense blik in zijn ogen, een vuur dat door zijn toespraak was ontbrand. Mishani twijfelde er niet aan dat hij een begaafd redenaar was die grote indruk kon maken op zijn publiek. Zijn geloof in wat hij zei was onmiskenbaar.

'Wilt u ons helpen, mevrouw Mishani?'

'Ik zal erover nadenken,' zei ze. 'Maar op één voorwaarde...'

'Natuurlijk, u wilt niet langer worden opgesloten,' maakte Xejen haar zin voor haar af. 'Akkoord. Als teken van goede wil. Dat had eigenlijk al eerder moeten gebeuren, maar ik had te veel andere dingen om me druk over te maken. Ik wil u niet als gevangene. Ik wil u als bondgenoot.'

'Mijn dank,' zei Mishani. 'En ik zal over uw voorstel nadenken.'

'Ik hoef u natuurlijk niet te vertellen dat uw vrijheid ophoudt bij de muren van Zila,' voegde Xejen eraan toe. 'Als u probeert de stad te verlaten, zult u helaas worden doodgeschoten. Ik ben ervan overtuigd dat u geen dwaze dingen zult doen.'

'Ik zal uw advies in beraad nemen,' zei Mishani. Toen nam ze met de voorgeschreven beleefdheden afscheid en ging weg, nadat ze Bakkara had verteld dat ze zelf haar kamer wel kon terugvinden.

Toen ze terugkwam, lag Chien kennelijk te dromen, want hij woelde en mompelde in zijn slaap. Ze deed de deur van hun kamer zachtjes achter zich dicht en ging op een mat zitten om na te denken. In haar hoofd begon zich een plan te vormen. Het was net als vroeger aan het hof. De belangrijkste spelers waren voorgesteld en nu moest ze nadenken hoe ze hen het beste kon gebruiken.

Van déze man, van Chien, begreep ze echter nog niets. Er ontbrak nog een stukje aan de puzzel en dat was al zo vanaf het begin. Totdat ze wist wat dat stukje inhield, totdat ze wist of Chien vriend of vijand was, durfde ze niets te ondernemen.

Ze bestudeerde hem aandachtig, in de hoop in de brede vlakken van zijn gezicht een antwoord te vinden. Hij mompelde en keerde zich van haar af, rolde om op zijn mat en trok zijn dekens strakker om zich heen. Hoewel het een warme nacht was, lag hij te rillen.

'Wat is jouw geheim toch, Chien?' prevelde ze. 'Waarom ben je hier?' Na een tijdje stond ze op om de lantaarn uit te doen, kleedde zich in het maanlicht uit en ging onder haar eigen lakens liggen. Ze dommelde net weg toen Chien begon te zingen.

Ze voelde haar mondhoeken in een glimlach omkrullen. Hij droomde en zijn stem was een eentonig gebrom, te zacht om de woorden goed te kunnen vormen. Ze luisterde en luisterde, en toen zat ze opeens rechtop in bed in het donker naar hem te staren.

Hij ging onverdroten verder met het zingen van zijn liedje.

Mishani's ademhaling was als een huivering. Ze voelde haar keel samentrekken en liet zich toen langzaam met haar gezicht naar de muur weer op haar kussen zakken terwijl ze met haar deken haar gesnik dempte. De tranen kwamen en lieten zich niet tegenhouden. Ze gleden over de brug van haar neus en drupten op de stof van haar kussen.

Ze kende dat liedje en opeens was alles haar duidelijk.

◉ 22 ◉

Bloedkeizer Mos tu Batik stormde met een gezicht als een donderwolk door de met marmer beklede gangen van de keizerlijke vesting. Zijn baard, die hij ooit keurig kort had gehouden, zag er nu
onverzorgd uit en de grijze plukken waren duidelijker zichtbaar. Zijn
haar hing in slordige pieken voor zijn ogen en was vochtig van het
zweet. Hij had wijn op zijn tuniek gemorst en zijn gekreukte kleren
stonken.
Er lag een krankzinnige blik in zijn ogen.
Hij kon geen onderscheid meer maken tussen dagen en nachten. Ze
waren allemaal samengesmolten in zijn eindeloze halfbewusteloos-
heid, zijn onophoudelijke alcoholroes. Slaap betekende voor hem
geen rust, maar vreselijke dromen waarin zijn vrouw wild paarde
met mannen zonder gezichten. Als hij wakker was, werd hij voortdurend geplaagd door achterdocht, en af en toe kreeg hij een woede-uitbarsting die soms tegen zichzelf was gericht, maar meestal op
iemand die op dat moment toevallig in de buurt was. Langzaam
kreeg de waanzin hem in zijn greep, en de enige manier waarop hij
aan de kwelling kon ontsnappen was door veel te drinken. Alcohol
bood hem echter slechts een tijdelijk respijt en naderhand was de
verbittering altijd sterker.
Hij had genoeg moeten verdragen. Nu moest de kogel maar eens
door de kerk. Hij weigerde machteloos toe te kijken terwijl hij werd
bedrogen.
Er moest iemand boeten.
Het was al een hele tijd geleden begonnen, lang voor de komst van
Eszel de zwierige dichter. Dat was hij gaan beseffen tijdens de lange, eenzame nachten waarin de wrok aan zijn ziel had geknaagd. Hij
kon zich andere gelegenheden herinneren waarbij Laranya en hij ie-

der hun eigen gang waren gegaan. Hij had haar altijd haar zin gegeven. Gelegenheden waarbij hij teleurgesteld was geweest dat ze niet op hem zat te wachten als hij na een bijzonder zware dag in de raadskamer terugkwam. Gelegenheden waarbij ze lachend grapjes had gemaakt met andere mannen, die op haar vrolijkheid en levendigheid afkwamen als vliegen op de stroop. Hij herinnerde zich zijn jaloezie op zulke momenten, de zaadjes van verbolgenheid die waren gevallen op vruchtbare aarde en werden gevoed door zijn natuurlijke neiging tot overheersing. Te midden van de wanen en giftige leugens die hij zichzelf tijdens die eenzame uren had aangepraat, had hij enkele onomstotelijke waarheden ontdekt.

Hij was gaan beseffen dat hij twee heel verschillende rollen van Laranya verwachtte en dat ze die onmogelijk allebei kon vervullen. Aan de ene kant was er de vurige, koppige en volkomen ongehoorzame vrouw op wie hij verliefd was geworden, en aan de andere kant de plichtsgetrouwe echtgenote, die er zou zijn als hij haar wilde en wegbleef als dat niet zo was, die hem het gevoel zou geven dat hij een man was, omdat een man in staat moest zijn zijn vrouw onder de duim te houden. Een van de redenen dat hij verliefd op haar was geworden – en was gebleven – was dat ze weigerde zich naar zijn wil te voegen, dat ze nooit volgzaam en onderdanig was. Juist omdat ze hem razend kon maken bleef ze voor hem een uitdaging en bleef ze hem boeien. Zijn eerste vrouw Ononi was het toonbeeld van de volmaakte echtgenote geweest, maar hij had niet van haar gehouden. Laranya was onmogelijk, en hoezeer hij ook zijn best deed, ze zou zich nooit laten temmen. Zo had ze zijn hart gestolen en het tegelijkertijd vergiftigd.

Door het kind was de situatie opeens verslechterd. Jarenlang had Mos die vluchtige momenten van wantrouwen en teleurstelling van zich afgezet, want die gevoelens waren altijd verdwenen zodra hij Laranya's gezicht zag. Nu haalde hij ze echter allemaal weer naar boven en peuterde eraan als een gier aan een karkas. Al die tijd geen kind, en nu was ze opeens in verwachting.

Hij herinnerde zich nog het moment waarop ze het hem had verteld, die vluchtige twijfel die hij had weggewuifd en waar hij zich zelfs schuldig over had gevoeld.

Net als bij Durun, dacht hij. Net als bij mijn zoon en dat konkelende kreng van een vrouw van hem, die hem een kind liet opvoeden dat niet eens van hemzelf was.

De geschiedenis herhaalde zich. Maar deze keer zou Mos het spelletje niet meespelen.

Het was al laat toen hij met grote passen naar de keizerlijke vertrekken liep. Zijn slaapritme was verstoord en had niets meer met de stand van de zon of de manen te maken, en hij was inmiddels zo bang geworden voor de nachtmerries dat hij tot alles bereid was om ze nog iets langer op afstand te houden. Hij was nu al meer dan veertig uur op en had opwekkende kruiden ingenomen om het slaapverwekkende effect van de wijn tegen te gaan. Zijn gedachten gingen in een steeds krapper kringetje rond, totdat hij alleen nog maar kon denken aan de withete bal van woede in zijn binnenste, die er koste wat het kost uit moest.

O, ze was wel naar hem toe gekomen, om te smeken, te eisen of te schreeuwen. Verschillende benaderingen, maar met slechts één doel: ze wilde weten wat hem bezielde, waarom hij zich zo gedroeg. Alsof ze dat niet wist.

Er waren ook anderen. Kakre dook af en toe dreigend in zijn geheugen op met zijn krakerige stem, zinloze verslagen en holle opmerkingen. Adviseurs kwamen en gingen. Heel in de verte was hij zich wel bewust van de staatszaken waarmee hij zich eigenlijk hoorde bezig te houden, maar alles viel in het niet bij die ene belangrijke kwestie: Laranya. Totdat die was opgelost, kon de rest hem niets schelen. De redelijkheid had gefaald. De spionnen die hij opdracht had gegeven zijn vrouw in de gaten te houden hadden gefaald.

Maar er was nog een manier, de enige mogelijkheid die hem nog restte.

Hij smeet het gordijn opzij en stampte de keizerlijke slaapkamer binnen. Door zijn luidruchtige binnenkomst schrok Laranya wakker. Ze kwam met een kreet overeind en klemde in de warme duisternis van de herfstnacht haar lakens tegen haar boezem. Bij de gewelfde doorgang naar het balkon bewoog iets in het bleekgroene maanlicht: een vage gestalte die in een oogwenk was verdwenen. Mos rende onhandig en luidkeels brullend door de kamer achter de gestalte aan. 'Wat is er? Mos, wat is er?' riep Laranya verschrikt.

De bloedkeizer had zijn handen om de stenen balustrade geklemd en keek met woeste blik omlaag naar de noordoostelijke muur van de vesting, die zich als een schuin aflopende, rommelige massa beeltenissen en gravures tot in de diepte uitstrekte. Hij keek om zich heen: naar boven, naar links en naar rechts, en ten slotte boog hij zelfs over de balustrade heen alsof hij onder het balkon wilde kijken. Het had geen zin. Er zaten te veel spleten en gaten in de versieringen, er waren te veel hoge beelden en gewelven waar de indringer zich verborgen kon houden. Goden, wat was hij vlug! Mos had hem maar nauwelijks gezien.

Laranya stond gekleed in haar nachthemd naast hem en raakte angstig zijn arm aan. 'Wat is er toch?' vroeg ze opnieuw.

'Ik heb hem gezien, hoer!' brulde Mos terwijl hij haar hand weg-sloeg. 'Je kunt niet meer doen alsof je van niets weet! Ik heb hem met mijn eigen ogen gezien!'

Laranya liep achteruit terug de kamer in. Ze was in de greep van een emotie die het midden hield tussen woede en angst en die ken-nelijk maar niet kon besluiten welke kant hij op moest. Mos straal-de vanavond gevaar uit en ze had geen idee waartoe hij in staat was.

'Wie? Wie zag je dan?'

'Dat moet jij toch weten? Was het die verwijfde dichter? Of is er ie-mand anders die ik moet kennen en die zich in mijn bed met jou ver-maakt?'

'Mos, ik heb je toch al gezegd... Ik kan het je niet nóg overtuigen-der bewijzen. Er is geen ander!'

'Ik heb hem toch zelf gezien!' brulde Mos terwijl hij met een ver-wrongen, afgetobd gezicht achter haar aan strompelde. 'Hij was er net nog!'

'Er was helemaal niemand!' riep Laranya. Nu was ze echt bang.

'Leugenaar!' zei Mos beschuldigend, en in de groengetinte schaduw kwam hij dreigend op haar af.

'Nee! Mos, je bent dronken, je bent moe! Je moet slapen! Je ziet spo-ken!'

'Leugenaar!'

Ze botste tegen de kaptafel, zodat de parfumflesjes en opmaak-kwastjes alle kanten op vlogen. Ze kon niet verder achteruit.

'Een man kan niet over een keizerrijk heersen als hij zijn eigen vrouw niet eens in toom kan houden!' grauwde Mos. 'Ik zal je leren me te gehoorzamen!'

Ze zag in zijn ogen wat hij ging doen nog voordat hij zijn vuist hief.

'Mos! Nee! Ons kindje!' zei ze smekend, en ze legde beschermend een hand op haar buik.

'Zíjn kindje,' fluisterde Mos.

Laranya had niet eens tijd om hem te vragen wat hij bedoelde voor-dat de eerste klap kwam, en ook later kwam ze er niet achter, toen hij haar alleen op de vloer van de slaapkamer achterliet met een lijf dat overal pijn deed, een gezicht dat bont en blauw was en bloed dat tussen haar benen vandaan sijpelde toen het kindje in haar schoot stierf.

Reki werd gewekt door een dienstbode die voor het gordijn van zijn kamer stond en zijn naam riep. Asara was al wakker en keek naar hem. Ze lag naast hem in bed en toen hij naar haar keek, viel het bleekgroene maanlicht in een vreemde hoek op haar gezicht, zodat haar ogen twee lichtgevende schoteltjes leken, net kattenogen. Toen richtte ze haar blik op het gordijn en was het moment voorbij.

Hij liet zijn ogen even op haar in duisternis gehulde gezicht rusten, niet in staat ze van haar schoonheid los te rukken. Ze had hem inderdaad een unieke ervaring bezorgd, zoals ze had beloofd, maar hoewel hij haar inmiddels met een vlekkeloze voordracht van *De parel van de watergod* had terugbetaald, was ze niet, zoals hij vreesde, weggegaan om nooit meer terug te komen. Tot zijn grote vreugde was ze sinds ze elkaar hadden leren kennen nauwelijks van zijn zijde geweken. De zoete herinnering aan lome dagen en hartstochtelijke nachten speelde door zijn hoofd. Het leek bijna te mooi om waar te zijn, maar hij was niet van plan zijn breekbare geluk te vermorzelen door er vraagtekens bij te plaatsen.

'Wat is er?' vroeg hij met schorre, slaperige stem.

'De keizerin!' antwoordde de dienstbode. 'De keizerin!'

De klank in haar stem deed hem geschrokken overeind veren. 'Momentje,' zei hij, en hij stapte naakt uit het bed om een kamerjas aan te trekken. Asara volgde zijn voorbeeld. Hij was te bezorgd om zelfs maar aandacht aan haar beeldschone lichaam te besteden. Ze deelde nu al enkele nachten zijn bed en hij had haar als een godin aanbeden, maar daar dacht hij op dat vreselijke moment niet aan.

'Binnen,' riep hij, en de dienstbode kwam al pratend gehaast naar binnen. Het was een van Laranya's kameniersters, geen bediende van de vesting, maar een van bloed Tanatsua.

'De keizerin is gewond,' ratelde ze. 'Ik hoorde haar... We hoorden hen ruziën. Toen de keizer weg was, zijn we naar binnen gegaan. We...'

'Waar is ze?' vroeg Reki dringend.

'In de keizerlijke vertrekken,' zei de dienstbode, maar nog voordat ze was uitgesproken, was Reki al langs haar heen de kamer uit gelopen.

Op blote voeten rende hij over de kille laxstenen vloeren door de gangen van de vesting, zonder erbij stil te staan hoe belachelijk hij er in zijn kamerjas uitzag.

De keizerin is gewond.

Keizerlijke gardisten in hun blauw met witte wapenrusting gingen voor hem opzij en bedienden sprongen haastig uit de weg.

'Laranya,' prevelde hij ademloos bij zichzelf, en het klonk als gejammer. 'Suran, maak dat haar niets mankeert. Ik ben tot alles bereid.'

Als de woestijngodin zijn smeekbede had gehoord, gaf ze geen antwoord.

Zijn vertrekken waren niet ver van de slaapkamer van zijn zus. Overal om hem heen ging het leven in de vesting door alsof er niets was gebeurd. Schoonmakers poetsten het laxsteen en stoften de beelden af, bezigheden die voornamelijk 's nachts werden uitgevoerd, als de meeste mensen sliepen en er niets van merkten. Hij was inmiddels bij de deur naar de keizerlijke vertrekken, en hij wist dat alle bedienden die hij tegenkwam hetzelfde moesten hebben gehoord als de kamenierster, maar ze deden alsof hun neus bloedde. Aangezien er in Saramyrese huizen zelden binnendeuren zaten – de wind moest tijdens de bloedhete zomers vrij spel hebben – was er een ongeschreven wet ontstaan die voorschreef dat het hoogst onbeleefd was om gesprekken af te luisteren of door te vertellen wat je per ongeluk had opgevangen. Dat Laranya's kamenierster haar stilzwijgen had verbroken gaf wel aan hoe ernstig de situatie was.

Hij hoorde Laranya al snikken voordat hij het gordijn opzijschoof, en hoewel hij dacht dat het geluid zijn hart zou breken, was hij tegelijkertijd ontzettend opgelucht dat ze nog geluid kon maken.

Ze zat op haar handen en knieën op het bed te midden van een kluwen van lakens waar dunne vegen bloed op zaten die in het maanlicht zwart leken. Huilend woelde ze met haar handen door de lakens, alsof ze iets zocht.

Ze keek naar hem op, omlijst door de kromme, ivoren hoorns die de beddenstijlen vormden, en haar ogen waren bont en blauw en opgezwollen.

'Ik kan hem niet vinden,' fluisterde ze. 'Ik kan hem niet vinden.'

Tranen welden op in Reki's ogen. Hij rende op haar af om haar in zijn armen te nemen, maar ze krijste tegen hem dat hij uit de buurt moest blijven. Ellendig huiverend en niet-begrijpend bleef hij stilstaan.

'Ik kan hem niet vinden!' huilde ze opnieuw. De blauwe plekken en tranen maakten haar lelijk. Hij had haar nog nooit zo gezien. Als ze in het verleden had gehuild, had het hooguit geleken alsof de zon even achter een wolk was schuilgegaan, maar nu leek ze nog maar een schim van haar oude zelf. Alle energie, alle levenskracht was uit haar weggevloeid. Het leek alsof hij haar niet eens kende.

'Wie zoek je?'

Ze graaide weer naar de bebloede lakens. 'Ik voelde hem uit me weggaan, voelde dat hij me verliet!' schreeuwde ze. 'Maar ik zie hem nergens!' Ze raapte iets heel kleins op dat eruitzag als een klompje gedroogd bloed en hield het tegen het licht. Een dunne, kleverige vloeistof sijpelde tussen haar vingers door. 'Is dit hem? Is dit hem?' Met een misselijkmakende schok besefte Reki waar al het bloed vandaan kwam en waarnaar ze zocht. Hij had opeens het gevoel dat hij uit de werkelijkheid was weggerukt, dat hij een hartslag achterliep op de rest van de wereld. Hij kon nauwelijks adem krijgen, zo afschuwelijk vond hij het om zijn zus zo te zien.

'Dat is hij niet,' zei Reki. De woorden leken ergens anders vandaan te komen. 'Hij is weg. Omecha heeft hem nu.'

'Nee, nee, nee,' jammerde Laranya, heen en weer wiegend op haar knieën. Ze had het klompje weggegooid. 'Hij is het niet.' Ze keek met een smekende blik op naar Reki. 'Als ik hem kan vinden, kan ik hem terugstoppen.'

Reki begon te huilen, waardoor Laranya opnieuw de tranen in de ogen sprongen. Ze stak haar bebloede handen naar hem uit, en hij liet zich op het bed zakken en sloeg zijn armen om haar heen. Ze kromp ineen toen ze elkaar omhelsden en in een reflex trok hij zich terug, omdat hij wist dat hij haar pijn had gedaan.

'Wat heeft hij je aangedaan?' vroeg Reki, maar Laranya schreeuwde het uit van verdriet en klampte zich aan hem vast. Hij durfde haar niet stevig vast te houden, maar liet zijn handen licht op haar rug rusten. Tranen van woede en verdriet biggelden over zijn magere wangen.

Na een hele tijd waarin ze geen van beiden iets zeiden, zei Reki: 'Hij moet een naam hebben.'

Laranya knikte. Zelfs ongeboren kinderen hadden een naam nodig, anders kon Noctu ze niet opschrijven. Het deed er niet toe dat ze geen idee hadden of het een jongen of een meisje was geweest. Laranya had het liefst een zoon gewild, voor Mos.

'Pehiku,' mompelde ze.

'Pehiku,' herhaalde Reki, en in stilte vertrouwde hij het neefje dat hij nooit zou leren kennen aan de Weiden van Omecha toe.

Zo trof Asara hen aan toen ze binnenkwam. Ze had even de tijd genomen om zich aan te kleden, maar ze had zich niet opgemaakt en haar zwarte haar hing los over haar ene schouder. Ze glipte zonder toestemming te vragen langs het gordijn naar binnen en bleef zwijgend in het groene maanlicht staan wachten totdat Reki haar zou opmerken.

'Ik vermoord hem,' beloofde Reki met opeengeklemde kaken. Zijn ogen waren rood en hij had een loopneus, zodat hij die af en toe luid moest ophalen. Normaal gesproken zou hij het vernederend hebben gevonden als een vrouw die hij aantrekkelijk vond hem zo zou zien, maar nu was zijn verdriet te zuiver, te gerechtvaardigd.

'Nee, Reki,' zei Laranya, en aan haar vaste stem kon hij horen dat ze weer bij zinnen was. 'Nee, dat doe je niet.' Ze hief haar hoofd en in haar blik zag Reki iets van haar oude vechtlust. 'Dat laat je maar aan vader over.'

Even begreep Reki het niet, maar Laranya wachtte niet totdat het muntje bij hem viel. Ze keek naar Asara.

'Maak die kist open,' zei ze met een gebaar naar een sierlijk, met goud ingelegd kistje dat tegen de muur stond. 'Geef me het mes.'

Asara gehoorzaamde. Tussen de opgevouwen lappen zijde trof ze een met juwelen versierde dolk aan, die ze aan de keizerin gaf.

Reki schrok er een beetje van, want hij wist niet goed wat zijn zus met dat wapen van plan was.

'Ik heb een taak voor je, mijn broer,' zei ze, en haar gezwollen lippen maakten weerzinwekkende smakgeluiden als ze iets zei. 'Het zal moeilijk zijn en de weg is lang, maar omwille van de eer van je familie mag je er niet voor terugdeinzen. Wat er ook gebeurt. Hoor je me?'

Reki werd van zijn stuk gebracht door de ernst in haar stem. Die was op ontstellende wijze in tegenspraak met de toegetakelde vrouw die naast hem op haar knieën op het bed zat. Hij knikte met wijd opengesperde ogen.

'Doe dit dan voor me,' zei ze, en met die woorden draaide ze haar lange haar in een wrong op haar achterhoofd en zette het mes ertegenaan.

'Niet doen!' riep Reki uit, maar hij was te laat. In drie korte halen was het gedaan, en Laranya's haar, dat grofweg ter hoogte van haar kaak was afgesneden, viel weer omlaag. De rest hield ze in haar hand.

Hij kreunde toen ze het afgesneden haar omhooghield. Ze legde er een knoop in en bood het aan hem aan.

'Breng dit naar vader toe. Vertel hem wat er is gebeurd.'

Reki durfde het haar niet aan te raken. Als hij het aannam, zou dat betekenen dat hij de opdracht van zijn zus aanvaardde en het naar zijn vader moest brengen, gebonden door een eed die net zo heilig was als de eed die ze zelf had gezworen door het af te snijden. Voor het volk van Tchom Rin stond het afsnijden van het haar van een vrouw voor wraak. Het gebeurde alleen als hun een vreselijk onrecht was aangedaan en er bloed voor nodig was om het te vergelden.

Als hij dit aan zijn vader gaf, zou bloed Tanatsua de keizer de oorlog verklaren.

Heel even was hij zich er uiterst pijnlijk van bewust hoeveel levens er vanwege deze ene daad zouden worden opgeofferd, hoeveel dood en ellende ervan zou komen. Maar het was slechts een vluchtig moment, want hier speelden belangrijkere dingen dan mensenlevens. Het ging om eer. Zijn zus was bruut mishandeld, zijn neefje was in de moederschoot vermoord. Het leed geen twijfel wat er nu moest gebeuren. En in een laf uithoekje van zijn geest was hij blij dat de last uiteindelijk niet op zijn schouders zou rusten, dat hij alleen maar de boodschapper was.

Hij nam het haar van zijn zus aan en daarmee was de eed afgelegd.

'Ga nu,' zei ze.

'Nu meteen?'

'Nu meteen!' riep Laranya. 'Neem twee paarden mee en rijd zo hard als je kunt. Berijd ze om beurten, zo kom je sneller vooruit. Als Mos erachter komt, als Kakre dit te horen krijgt, zullen ze proberen je tegen te houden. Dan zullen ze proberen dit onder leugens te begraven, dan zullen ze vechten voor elk beetje uitstel dat ze kunnen gebruiken om zich tegen onze familie te wapenen. Ga nu!'

'Laranya...' begon hij.

'Ga nu!' schreeuwde ze, want ze kon het afscheid niet verdragen. Hij schoof haastig van het bed, wierp nog één laatste, betraande blik op haar, stopte het haar in de zak van zijn kamerjas en ging ervandoor.

'Jij niet,' zei Laranya zachtjes, hoewel Asara geen aanstalten had gemaakt om te vertrekken. 'Ik heb je hulp nodig. Ik moet nog iets afhandelen.' Haar stem klonk dof, maar spijkerhard.

'Uw wens is mijn bevel, keizerin,' zei Asara.

'Laat me dan op jou leunen,' zei ze. 'We gaan een eindje lopen.'

Daar gingen ze. Onder de kneuzingen en met een nachthemd dat ter hoogte van haar dijen onder de bloedvlekken zat hinkte de keizerin van Saramyr steunend op Asara's arm door de keizerlijke vertrekken naar buiten, de gangen van de vesting op. De bedienden waren te verbaasd om hun blik op tijd af te wenden. Zelfs de keizerlijke gardisten die bij de deuropeningen op wacht stonden staarden haar vol afschuw aan. Hun keizerin, op wie ze allemaal zo gesteld waren, was een bevend wrak. Het was niet gepast dat een vrouw die zo ernstig was mishandeld zich openlijk vertoonde, maar Laranya deinsde er niet voor terug. Haar trots was sterker dan haar ijdelheid en ze weigerde het zwijgspelletje van de bedienden mee te spelen. Ze weigerde zich stilletjes schuil te houden en te doen alsof er niets was gebeurd. Ze droeg de tekenen van Mos' misdaad op haar lichaam, waar iedereen ze kon zien.

De vesting sluimerde, dus er waren maar weinig mensen in de gangen en niemand waagde het haar tegen te houden, maar desondanks was de wandeling naar de toren van de oostenwind een lange, vermoeiende martelgang. Laranya kon nauwelijks overeind blijven en hoewel Asara ongewoon sterk was, viel het niet mee. Laranya's gedachten werden vrijwel geheel door pijn beheerst, maar toch was ze zich bewust van de mensen die haar vol angst en ongeloof aankeken toen ze hen wankelend passeerde. Asara ondersteunde haar onverstoorbaar en zwijgend en liet zich door Laranya sturen.

De toren van de oostenwind was zoals alle torens met de vesting verbonden door middel van lange, smalle bruggen die vanaf de top uitwaaierden. De toren zelf was een langwerpige naald die hoog boven het platte dak van de vesting uitstak, met erbovenop een bol die uitliep in een punt. Het gladde oppervlak werd hier en daar onderbroken door een klein gewelfd raam. Ver boven de grond, vlak onder het punt waar de bol begon, zat een balkon dat helemaal om de toren heen liep.

De klim viel Laranya erg zwaar. Er leek geen eind aan de wenteltrap te komen en ze weigerde te rusten bij de uitkijkpunten, waar bij de booramen stoelen waren neergezet zodat je naar de stad kon kijken. Pas toen ze het balkon hadden bereikt en de warme nacht binnenstapten stond Laranya zichzelf een rustpauze toe.

Asara ging naast haar staan en keek over de balustrade om zich heen. Vlakbij lag de stad Axekami als een deken van flonkerende lichtjes op de in duisternis gehulde flanken van de heuvel waarop de vesting stond. Daarachter lag de zwarte strook van de stadsmuren en daar weer achter de vlakten en de rivier de Kerryn, die was ontsprongen aan het Tchamilgebergte, maar dat was zo ver weg dat je het niet kon zien. Het was een heldere nacht. De sterren flonkerden fel en voor hen stond de kleine groene maan Neryn als een smetteloze bal die boven een eindeloze afgrond hing laag aan de oostelijke hemel.

'Wat een prachtige nacht,' prevelde Laranya. Ze klonk vreemd genoeg heel vredig. 'Hoe kunnen de goden zo onverschillig zijn? Hoe kan het leven gewoon doorgaan alsof er niets is gebeurd? Betekent mijn verdriet dan zo weinig voor hen?'

'Verwacht van de goden geen hulp,' zei Asara. 'Als ze ook maar iets gaven om menselijk lijden, hadden ze mij nooit geboren laten worden.'

Dat begreep Laranya niet, want ze wist niet met wat voor wezen ze stond te praten: een afwijkende met een verschijningsvorm die zo veranderlijk was als water en die geen eigen identiteit had, een holle cocon die zelfs zichzelf met afgrijzen vervulde.

Asara keek de keizerin met een kille blik in haar mooie ogen aan. 'Wilt u het echt doen?'

Laranya leunde over de balustrade heen en keek naar de binnenplaats ver onder zich, die alleen was te herkennen aan de speldenpuntjes licht van de lantaarns die er stonden. 'Ik heb geen keus,' fluisterde ze. 'Ik weiger te leven met deze... vernedering. En je weet dat Mos me nooit zal laten gaan.'

'Reki zou je hebben tegengehouden,' zei Asara zachtjes.

'Dat zou hij hebben geprobeerd,' zei Laranya instemmend. 'Maar hij weet niet hoe ik me voel. Mos heeft me alles afgenomen, maar mijn geest zal hem vanuit het hiernamaals eeuwig kwellen.' Ze pakte Asara's arm vast. 'Help me erop te klimmen.'

De keizerin van Saramyr klom op de balustrade van het balkon van de toren van de oostenwind en keek neer op Axekami. Met moeite ging ze rechtop staan. Haar besmeurde nachthemd wapperde in het briesje dat haar lichaam streelde. Ze ademde langzaam in. Zo gemakkelijk... Het zou zo gemakkelijk zijn om een eind aan de pijn te maken.

Toen kwam er een windvlaag die de zijde in rimpels tegen haar huid drukte en die haar korte haar uit haar gezicht blies. Ze rook de geur van thuis in de droge woestijnwind uit het oosten. Ze ervoer een overweldigende hunkering, een verlangen naar de uitgestrekte eenvoud van Tchom Rin, waar ze geen keizerin was geweest en waar de liefde haar had beroerd noch zo wreed had verwond. Waar ze nooit een kindje in haar schoot had voelen sterven.

En met die geur kwam een hernieuwde vastberadenheid, een nieuwe kracht in haar verwoeste ziel. Het voelde als de adem van de godin Suran, die haar bezielde en nieuw leven schonk. Waarom zou ze haar leven op deze manier vergooien? Waarom zou ze Mos laten winnen? Misschien kon ze de pijn wel degelijk verdragen. Misschien kon ze de vernedering te boven komen. Ze kon op duizend andere manieren wraak op hem nemen. Ze kon ervoor zorgen dat hij de dag zou berouwen dat hij deze rampspoed over zichzelf had afgeroepen. Het ergste wat er kon gebeuren was dat hij haar vermoordde. Als haar vader Mos de oorlog verklaarde, zou hij zich omwille van haar in een vrijwel hopeloze strijd storten. Dat zou zijn waardigheid van hem eisen. Al die levens... Maar als ze nu van gedachten veranderde, kon ze Asara achter Reki aan sturen om hem tegen te houden. Dan kon ze op andere, geraffineerde en doeltreffende wijze wraak nemen.

'De wind is gedraaid,' zei Laranya nadat ze een poosje op de rand van die afschuwelijke afgrond had gestaan.

'Bedenkingen?' vroeg Asara.

Laranya knikte met een afwezige blik in haar ogen.

'Dat dacht ik niet,' zei Asara, en ze gaf haar een duw.

Heel even wankelde de keizerin van Saramyr, in een moment vol rauw, overweldigend ongeloof waarin de duizenden mogelijke paden die het lot voor haar in petto had tot één enkele doodlopende draad versmolten. Toen stortte ze in de duisternis, en ze bleef gillen totdat ze op de binnenplaats terechtkwam.

◎ 23 ◎

Honderdzeventig mijl van de plek waar de keizerin van de toren van de oostenwind stortte, waren Kaiku en Tsata bij het groene licht van Neryn op jacht.

De Tkiurathi sloop met zijn slachthaken losjes in zijn handen door de beschaduwde luwte van een rij rotsen. Kaiku liep een eindje achter hem, want ze kon zich niet zo snel als hij voortbewegen zonder geluid te maken.

De mengeling van angst en opwinding die Kaiku ervoer als ze op jacht waren, was inmiddels bijna bedwelmend geworden. Al dagenlang vertrouwden ze op hun improvisatietalent en reactievermogen om in leven te blijven en de monsters die binnen de onzichtbare barrière van de wevers rondzwierven één stap voor te blijven. De verlammende angst die ze in het begin bijna doorlopend had gevoeld was minder geworden naarmate ze steeds meer afwijkende roofdieren wisten te ontlopen of doden. Ze had geleerd te vertrouwen op Tsata's vermogen om haar en zichzelf in leven te houden en ze had inmiddels genoeg vertrouwen in zichzelf om te weten dat ze hem niet tot last was.

De scheller bevond zich ergens rechts van hen. Ze kon hem zachtjes in zichzelf horen zingen, een zacht, geruststellend klinkend gekoer als dat van een duif dat absoluut niet paste bij de reus van spieren, tanden en pezen die het voortbracht. Zij en Tsata waren de verschillende soorten afwijkenden namen gaan geven, zodat ze ze in hun gesprekken konden benoemen. Ze hadden er inmiddels vijf, maar er was nog een onbekend aantal soorten waarvan ze tot nu toe slechts een glimp hadden opgevangen. Afgezien van de gierkraaien en de schellers waren er de brute furiën, de verraderlijke skrendels en de gevaarlijkste van allemaal: de reusachtige ghauregs. De laatste twee had Tsata Okhambaanse namen gegeven. De scherpe keel-klanken leken erg goed bij ze te passen.

Aan de andere kant van de rij rotsen sneed er door de steenharde aarde een smalle voor die was begroeid met door ziekte aangetaste struiken en onkruid. De losse steenslag en schalie knerpten onder de poten van de scheller. Zijn rustige, nonchalante tred verontrustte Kaiku. Net als bij de andere wezens die ze waren tegengekomen kon ze maar niet aan de griezelige indruk ontkomen dat hij wachtliep, dat hij niet op zoek was naar voedsel of zijn territorium wilde af-bakenen of iets anders deed wat vanuit een dierlijk instinct te ver-klaren was, maar dat hij als schildwacht diende. Hij bewoog zich traag en alert voort en Kaiku was ervan overtuigd dat ze, als ze hem lang genoeg achtervolgden, zouden zien dat hij naar deze plek zou terugkeren; het zou blijken dat hij keer op keer hetzelfde rondje af-legde, totdat hij terugkeerde naar de uiterwaard en een andere af-wijkende zijn plaats innam.

Ze gedroegen zich niet als dieren. Het hoorde op de vlakte een bloed-bad te zijn met al die gewelddadige roofdieren die op een kluitje za-ten, maar er heerste een onbehaaglijke vrede als tussen vijanden die door noodzaak worden gedwongen elkaars bondgenoten te zijn. Er braken af en toe schermutselingen uit, maar het bleef altijd bij een boze beet of haal, waarna beide partijen zich terugtrokken. Dan wa-ren er nog de volmaakt regelmatige vluchtpatronen die de gierkraai-en overdag volgden en de merkwaardig georganiseerde patrouilles die 's nachts plaatsvonden. Nee, er was hier iets heel onnatuurlijks gaan-de.

Vannacht wilde Kaiku onomstotelijk kunnen vaststellen wat het was. Ze hield haar blik gericht op de Okhambaan die steels voor haar uit bewoog. Als hij zo deed, leek hij zelf ook een beetje op een dier, op een oerwezen dat tot schokkende wreedheid in staat was. Het was een bizar contrast met de stille, bedachtzame man met de vreemde, tegendraadse manier van denken, die met hen was meegereisd over de zee.

Een stukje voor hem uit scheen er een nevelige, bleekgroene mane-straal tussen de rotsen door. Hij keek haar over zijn schouder aan en maakte met zijn getatoeëerde arm een gebaar naar voren en naar boven. Ze begreep wat hij bedoelde. Ze verschikte de riem waaraan haar geweer op haar rug hing en sloop naar de donkere zijde van het obstakel aan hun rechterkant. Ze luisterde, en het zachte gezang van de afwijkende bereikte haar oren, net als het schrapen van zijn klauwen over de grond. Met doelbewuste tred passeerde hij de plek waar zij ineengedoken wachtte.

Met één snelle beweging hees ze zichzelf boven op de rotsen en zette zich met haar voeten schrap in de ongelijke spleten. Ze haalde het geweer van haar rug en keek door het vizier in de voor. Haar bewegingen waren niet zo geruisloos als ze zou hebben gewild, maar het maakte niet zoveel uit. Schellers navigeerden op dezelfde manier als vleermuizen: ze stootten een reeks geluiden van verschillende frequenties uit. Die werden door de gevoelige klieren in hun keel opgevangen en gerangschikt, waarna er op grond van de teruggekaatste frequenties en de tijd die ze nodig hadden gehad om terug te komen een beeld werd opgebouwd. Daardoor waren ze in hun eigen leefgebied uitzonderlijk goede nachtjagers, maar het nadeel was dat hun waarnemingsveld was beperkt tot wat zich voor hen afspeelde. Kaiku hield haar geweer strak op het wezen gericht, maar hij liep zonder haperen door de voor bij haar vandaan naar de opening tussen de rotsen waar Tsata wachtte.

Ze schoot niet. Op haar hurken en pijnlijk zichtbaar in het licht van Neryn hield ze haar zenuwen en de vinger op de trekker in bedwang. Zij diende uitsluitend als vangnet, voor het geval Tsata iets overkwam. Een geweerschot zou alles en iedereen tot mijlen in de omtrek op hun aanwezigheid attent maken.

De schellers waren sierlijke, dodelijke monsters, een onrustbarende mengeling van zoogdier en reptiel, waarbij de voordeligste aspecten van beide soorten waren behouden. In hun afmetingen, beenderstructuur en bewegingen leken ze op een grote katachtige, maar hun huid was bedekt met harde, elkaar overlappende schubben die een natuurlijk pantser vormden. Aan hun starre, snavelachtige bovenkaak zat geen lip, maar eronder staken vlijmscherpe tanden uit donkerrood tandvlees. Ze liepen op vier poten, maar konden steunend op hun staart even op hun achterpoten staan, en aan hun beide voorpoten zat een grote klauw die moeiteloos door spieren en pezen heen kon snijden. Als efficiënte vleeseters hadden ze een plaatsje boven aan de snel veranderende voedselketen van de besmette gebieden in het Tchamilgebergte veroverd, doordat ze met hun scherpe nachtzicht dieren konden opsporen die zich bij het horen van het naderende gezang verstopten. Ze waren snel, gestroomlijnd en dodelijk. Maar dat gold ook voor Tsata.

Hij wachtte totdat het wezen het gat in de rotsen net was gepasseerd voordat hij toesloeg. Als er zo dicht bij zijn lichaam iets bewoog, kon het roofdier dat met een soort perifeer zintuig opvangen, en hij kromde dan ook zijn rug en sperde zijn kaken open om zijn aanvaller op te vangen. Daar had Tsata echter al rekening mee gehouden en hij week naar opzij uit, zodat de tanden slechts naar lucht hapten. Hij ramde het ene uiteinde van zijn slachthaak in de uitgestrekte hals van het beest, vlak achter de kam op zijn kop. Het beest haalde krampachtig naar Tsata uit, maar die was intussen al op zijn rug gesprongen, waarbij hij de slachthaak als handvat had gebruikt, en stak nu zijn tweede mes aan de andere kant in de keel van de scheller. De poten van het monster begaven het en het sloeg wild om zich heen, totdat Tsata allebei de messen naar zich toe rukte, zodat ze door de spieren in de nek sneden en in een fontein van bloed dwars door de ruggengraat naar buiten kwamen. De scheller viel slap op de grond. Het was allemaal in een oogwenk gebeurd.

Kaiku liet zich vanaf haar plekje boven op de rotsen in de voor glijden. Tsata had zijn slachthaken weggelegd en de kop van de afwijkende gedraaid, zodat de kam die erbovenop zat hem niet meer hinderde. Zijn gezicht werd in het zwarte oog weerspiegeld toen hij op de tast iets zocht in het bloed dat in golven langs de hals van het monster stroomde.

'Heb je hem gevonden?' vroeg Kaiku toen ze zich gehaast bij hem voegde. Zijn blote handen en armen waren bedekt met kwalijk riekend bloed dat er in het groene maanlicht zwart uitzag.

'Hier,' zei hij. Kaiku beantwoordde zijn blik. 'Kun jij dit doen?'

'Ik moet het risico wel nemen,' zei ze. 'Omwille van de pasj.'

Hij grijnsde. 'Op een dag zal ik je leren hoe je dat woord moet gebruiken.'

Het vluchtige, kameraadschappelijke moment was te snel voorbij om ervan te kunnen genieten. Ze legde haar handen op de plekken waar die van Tsata lagen en voelde de weerzinwekkende huid van het zwarte, wormachtige wezen dat vlak boven het punt waar Tsata's messen erdoorheen waren gegaan in de kromming van de nek van de scheller vastzat. Dit was de vierde afwijkende die ze met z'n tweeën hadden gedood, en elke keer hadden ze op dezelfde plek diep in het vlees zo'n misselijkmakend ding aangetroffen. Dood.

Dit exemplaar leefde nog, maar dat zou niet lang meer duren. Nu zijn gastheer dood was, stierf ook zijn lichaam af. Ze hadden niet veel tijd, maar het was genoeg.

Kaiku raakte het aan en opende het weefsel. Tsata keek toe terwijl haar ogen knipperend dichtgingen. De stroom donker bloed van de afwijkende werd een dun straaltje dat over haar handen en polsen sijpelde toen het hart ophield met kloppen.

De verbinding was gemakkelijk te volgen als ze hem eenmaal had gevonden. Het wegstervende bewustzijn van het slakachtige ding zat stevig in het lichaam van het afwijkende beest verankerd. Dunne, beïnvloedende tentakels, de haken die het in het lichaam van zijn gastheer had geslagen, trokken zich terug toen het stierf, maar de krachtigste verbinding van allemaal liep dwars door de Breuk heen en zat als een navelstreng vast aan iets in de verte. Ze volgde hem en kwam uit bij een knooppunt waar tientallen vergelijkbare verbindingen als linten om een meipaal samenkwamen en meedeinden met de golfbewegingen van het weefsel.

Ze las de vezels en de antwoorden kwamen vanzelf.

Het knooppunt was een van de lange, in het zwart geklede vreemdelingen. Het waren geen wevers, want ze konden het weefsel niet bewerken en vormgeven. Zij waren de handen die vele leibanden vasthielden, en die leibanden waren met de afwijkenden verbonden via de walgelijke wezens die zich in de buurt van hun ruggengraat hadden ingegraven. Zij waren de menners.

Zo werden de afwijkenden gestuurd, besefte ze. Voorzichtig tastte ze dieper. Ze wist niet goed hoe de verbinding werkte. Wisten de menners precies wat de afwijkenden wisten? Konden ze door de ogen van de monsters kijken? Nee, dat kon haast niet, want als de menners een op een met het bewustzijn van de beesten waren verbonden, zouden ze Tsata en Kaiku's verrassingsaanvallen hebben gezien en zouden de wevers veel feller hebben gereageerd. Ze gaf het gissen maar op, want op dat moment had het weinig zin.

Haar ogen gingen langzaam open en haar irissen waren dieprood. Ze deed een stap achteruit.

'Precies zoals we al dachten,' prevelde ze. Haar blik ging naar Tsata. 'We moeten gaan. Ze zullen zo wel komen.'

Ze glipten samen tegen de wand van de voor omhoog en verdwenen in de schaduwen. Tsata ging met geoefend gemak voorop en Kaiku volgde hem, alert op gevaar. In de verte steeg gejammer en gehuil op, maar tegen de tijd dat de afwijkenden op de plek van de moord waren aangekomen, waren de daders allang gevlucht.

Kaiku's blik dwaalde af naar het masker dat naast haar op de grond lag. Tsata, die op zijn hurken naast haar op het gras zat, zag haar kijken.

'Het dreigt je weerstand te overwinnen,' zei hij zachtjes. 'Nietwaar?'

Kaiku knikte bijna onmerkbaar. Ze pakte haar rugtas en gooide die boven op het masker, zodat ze het spottende gezicht niet meer hoefde te zien.

Het was een warme nacht, maar de koele bries duidde op de komst van de winter. Chikkikii maakten in het donker krakende en knappende geluiden als takken in een brandend kampvuur, een staccato geroffel dat ze voortbrachten door met hun harde vleugelschilden tegen elkaar te tikken en dat het zangerige getsjirp van andere nachtinsecten en het incidentele geroep van een boomdier begeleidde. Neryns gladde gelaat scheen tussen de zacht wiegende boombladeren boven hun hoofden door en wierp op de kleine open plek een rusteloos licht dat speelde over de kromme, taaie wortels die uit de grond staken en het onkruid en de struiken die er groeiden. Een paar maanbloemen knikten loom met hun kopjes waarvan de blaadjes als slaperige grijze sterren waren opengevouwen en richtten zich op het levenbrengende licht.

De open plek lag buiten de misleidende barrière van de wevers, een mijl ten oosten van de plek waar die begon. Ze rustten nooit in het gevaarlijke gebied, zeker niet nu de vijand op zijn hoede was. Sinds de eerste afwijkende schildwacht hen had verrast en ze gedwongen waren geweest om hem te doden, waren de patrouilles intensiever geworden en speurden gierkraaien bij daglicht vanuit de lucht het gebied af. Die keer waren ze er slechts ternauwernood in geslaagd te ontsnappen, want ze hadden kostbare tijd verspild met het bestuderen van het vreemde, slijmerige ding dat aan de nek van de schildwacht vastzat, en het was aan Tsata's instincten te danken dat ze het tiental andere afwijkenden dat op hen was afgekomen hadden weten te ontlopen. Dat was nog een raadsel geweest: hoe konden de andere wezens weten dat een van hen was gedood?

Sindsdien was Kaiku meer dan eens gedwongen geweest hen af te schermen voor de kwaadaardige aandacht van een wever en hen te verbergen terwijl een ongeziene aanwezigheid op zoek naar de geheimzinnige indringers het domein doorkruiste. De wevers vermoedden dat er iets niet klopte, en het feit dat af en toe een van hun wezens werd gedood had gezien de strengere bewaking kennelijk aanleiding gegeven tot zorg, maar ze konden de bron van de onrust maar niet ontdekken.

Ze waren beperkt in hun manier van denken. Ze stelden zich voor dat een eenzame man van een van de volkeren elders in de Breuk op de een of andere manier binnen de barrière was geraakt, er niet meer uit kon en hun een beetje overlast bezorgde. Ze stonden niet stil bij de mogelijkheid dat iemand vrijelijk door hun barrière heen en weer reisde, dus keken ze er nooit buiten. De afwijkenden konden de misleiding uiteraard ook niet doorzien. Kaiku en Tsata maakten gebruik van hun relatieve veiligheid om te slapen en plannen te smeden.

'Ik wil je graag mijn verontschuldigingen aanbieden,' zei Tsata opeens zonder aanleiding.

'O?' vroeg Kaiku mild.

'Ik heb te hard over je geoordeeld,' zei hij. Hij ging in een gerieflijkere houding zitten: in kleermakerszit, een van de weinige gebruiken die Saramyriërs en Okhambanen gemeen hadden.

'Ik was het allang vergeten,' loog Kaiku, maar Tsata kende de gewoonten van haar volk goed genoeg om zich niet voor de gek te laten houden.

'Bij de Tkiurathi's is het noodzakelijk te zeggen wat je denkt,' legde hij uit. 'Aangezien we zelf niets bezitten, aangezien onze gemeenschap op delen is gestoeld, is het niet goed als we dingen opkroppen. Als we boos op iemand zijn omdat diegene bij maaltijden te veel opschept, zullen we dat ook zeggen. We laten het niet gisten. De goedkeuring of afkeuring van de pasj houdt ons in evenwicht, en daaruit leiden we af wat voor het collectief goed is.'

Kaiku keek hem met haar donkerrode ogen onverstoorbaar aan.

'Ik zei dat je om egoïstische redenen aan deze onderneming was begonnen, en dat klopt nog steeds,' ging hij verder. 'Je werkt echter op onzelfzuchtige wijze naar je doel toe. Je offert veel op en vraagt nooit iets van een ander wat je zelf niet zou doen. Daar heb ik bewondering voor. Het gaat lijnrecht in tegen wat ik over het Saramyrese volk weet.'

Kaiku kon niet besluiten of ze zich gevleid of beledigd moest voelen: hoewel hij haar persoonlijk een compliment gaf, gaf hij tegelijkertijd haar landgenoten een sneer. Ze verkoos het positief op te vatten.

'Je bent inderdaad op het brute af eerlijk en steekt je mening niet onder stoelen of banken,' zei ze met een vermoeide glimlach. 'Daar moest ik even aan wennen. Maar ik voel me niet beledigd door wat je hebt gezegd.'

Zijn reactie daarop was onpeilbaar. Ze bleef even naar hem zitten kijken. Ze was inmiddels helemaal aan hem gewend geraakt, van zijn achterovergekamde, met plantensap verstevigde oranjeblonde haar tot zijn ongewoon bleke huid en de krommingen van de lichtgroene tatoeages die van zijn gezicht over zijn blote armen doorliepen tot aan zijn vingertoppen. Hij zag er in haar ogen niet meer uit als een vreemdeling. Hij was alleen vreemd, zoals Lucia ook vreemd was. En hij werd zeker niet gehinderd door een taalbarrière. Hij was erg vooruitgegaan sinds hij voet in haar vaderland had gezet en zijn Saramyrees was inmiddels zo goed als vlekkeloos. Sterker nog, als hij wilde kon hij bijzonder welbespraakt zijn.

'Wat vind je van ons, Tsata?' vroeg ze. 'Van afwijkenden zoals ik?'

Daar dacht Tsata even over na. 'Niets,' antwoordde hij.

'Niets?'

'We kunnen niets veranderen aan de manier waarop we zijn geboren,' zei hij. 'Een sterke man is wellicht als een sterk kind geboren en is misschien altijd beter geweest in worstelen of gewichtheffen dan zijn vrienden. Maar als hij alleen zijn kracht gebruikt, als hij alleen daarop vertrouwt om door anderen te worden geaccepteerd, zal hij in andere opzichten falen. We moeten worden beoordeeld naar hoe we datgene wat we hebben meegekregen gebruiken of overwinnen.'

Kaiku zuchtte. 'Jouw filosofie is zo eenvoudig en duidelijk,' zei ze. 'Maar idealen kunnen soms niet tegen de realiteit op. Was het leven maar zo simpel.'

'Jullie hebben het zelf ingewikkeld gemaakt,' zei Tsata. 'Met geld, bezittingen en wetten. Jullie streven naar dingen die jullie niet nodig hebben, en daardoor worden jullie jaloers, haatdragend en hebberig.'

'Maar dat alles heeft ons ook geneesmiddelen, kunst en filosofie opgeleverd,' antwoordde ze. 'Wegen de misstanden waaronder we in onze maatschappij gebukt gaan zwaarder dan het feit dat we epidemieën kunnen tegenhouden die minder ontwikkelde samenlevingen zoals die van jullie vrijwel zouden uitroeien?' Ze wist dat hij dat niet als een kleinering zou opvatten. Ze had zelfs voor een deel zijn ongezouten manier van spreken overgenomen, waar ze het nog maar een paar dagen geleden veel omslachtiger zou hebben verwoord.

'Jullie eigen filosoof Jujanchi is met de theorie gekomen dat de overlevenden van een dergelijke epidemie het meest geschikt zouden zijn om het ras voort te zetten,' wierp hij tegen. 'Dat jullie godin Enyu op die manier de zwakkere elementen uitroeit.'

'Maar jullie laten je door de grillen van de natuur uitschiften,' kaatste Kaiku terug. 'Jullie wonen in het bos en laten je erdoor beheersen, zoals het ook de dieren beheerst. Wij domineren dit land.'

'Nee, jullie hebben het onderworpen,' antwoordde hij. 'Bovendien hebben jullie het afgenomen van de Ugati, die volgens jullie eigen wetten het recht hadden om hier te zijn. Jullie vonden je eigen land niet meer leuk, dus hebben jullie dat van een ander ingepikt.'

'En onderweg hebben we Okhamba aangedaan, en daar zijn de Tkiurathi's uit voortgekomen,' hielp Kaiku hem herinneren. 'Je kunt me geen schuldgevoel aanpraten over wat mijn voorouders hebben gedaan. Je hebt het zelf gezegd: ik kan niets veranderen aan de manier waarop ik ben geboren.'

'Ik verwacht ook niet dat je je schuldig voelt,' zei hij. 'Ik wil je alleen laten inzien wat die "ontwikkelde" samenleving van jullie allemaal heeft gekost. Jouw volk hoeft zich er niet verantwoordelijk voor te voelen, maar dat jullie doen alsof je van niets weet en het oogluikend toestaan, maakt me doodsbang. Jullie vergeten de lessen uit het verleden omdat die onverteerbaar zijn, net zoals de hooggeplaatste families zich blind houden voor de schade die de wevers aan jullie land toebrengen.'

Kaiku zweeg en luisterde nadenkend naar de nachtelijke geluiden. Ze hadden niet echt ruzie. Ze sprong niet meer zomaar voor Saramyr in de bres, al was het maar omdat de samenleving haar al een hele tijd geleden had uitgespuugd omdat ze een afwijkende was. Het was vooral interessant om zo'n kille, analytische, negatieve mening te horen over de gebruiken die ze altijd als vanzelfsprekend had aangenomen. Ze vond Tsata's standpunt intrigerend, en de laatste paar dagen hadden ze vaak over de verschillen tussen Saramyriërs en Tkiurathi's gepraat. Van sommige aspecten van de Tkiurathische manier van leven kon ze onmogelijk geloven dat ze in de praktijk zouden werken en andere vond ze onbegrijpelijk, maar hun gewoonten kenden ook veel steekhoudende en benijdenswaardige facetten. Ze leerde dan ook veel van die gesprekken.

Nu richtte ze haar gedachten echter op belangrijker zaken. Ze streek het haar weg uit haar gezicht en zette een besliste stem op.

'Er is geen twijfel meer mogelijk,' zei ze. 'De wevers hebben een manier gevonden om de afwijkenden te sturen. We weten niet precies hoe, maar het heeft te maken met de wezens die we in de nek van de afwijkenden hebben aangetroffen.' Ze rolde vermoeid met haar schouders. 'We kunnen ervan uitgaan dat elke afwijkende op die vlakte er een heeft.'

'En we weten dat niet de wevers de touwtjes in handen hebben,' voegde Tsata eraan toe, 'maar die andere gemaskerde wezens.'

'Dat is in elk geval in ons voordeel,' zei ze terwijl ze wat modder van haar schoen schraapte. 'Wat doen we nu?'

'We moeten de hiaten in onze kennis opvullen,' antwoordde Tsata. 'We moeten een van de mannen met de zwarte mantels doden.'

De volgende dag kende een rode dageraad, en de hemel bleef tot ver in de ochtend rood. In de geschiedenisboeken zou worden opgetekend dat de Surananyi na de dood van keizerin Laranya drie dagen achtereen waaide en dat ze onverwacht en zonder waarschuwing toesloeg. Orkanen teisterden de woestijn in het oosten, overal staken zandstormen op en het stof rees achter de bergen als een wolk op en kleurde Nuki's oog zo rood als bloed. Later, toen het nieuws over de tragische zelfmoord van Laranya zich over het keizerrijk had verspreid, zou men zeggen dat de storm was veroorzaakt door de woede van de godin Suran over de dood van een van haar meest gelief-

de dochters en dat Mos in haar ogen voorgoed vervloekt was.
Lucia wist echter niets van dit alles. Ze ervoer slechts een vaag gevoel van onbehagen dat zich die ochtend in haar botten had gevestigd en pas wegtrok toen de Surananyi was gaan liggen. Ze zat bij een met rotsen bezaaid beekje ten noorden van de vallei waarin de Gemeenschap lag met haar blik op het oosten gericht, en ze beeldde zich in dat ze in de verte het woedende, gekwelde gebrul van een onaardse stem kon horen.

Flen zat bij haar. Hij was lang voor zijn leeftijd en slungelig omdat hij midden in een groeispurt zat. Hij had een dikke bos donkerbruin haar die wild voor zijn ogen hing en glimlachte vaak en snel. Vanochtend had hij echter niet veel geglimlacht.

Lucia was veranderd.

Ze had hem pas na haar terugkeer verteld dat ze naar Alskain Mar was geweest, en veel meer ook niet. Natuurlijk vonden de volwassenen allemaal dat hij niet belangrijk genoeg was om alle bijzonderheden te weten, maar Lucia's beslissing om het geheim te houden kwetste hem pas echt. Het was niet helemaal een verrassing. Niets wat Lucia deed was echt ongewoon, want hij had altijd het gevoel gehad dat ze op een heel ander niveau leefde dan andere mensen, en dat maakte haar nu juist zo vreemd en boeiend. Het verontrustte hem echter heel erg dat ze nu zo was veranderd en hij was bang dat ze zich nog meer in zichzelf zou terugtrekken.

Het was iets wat hij niet echt onder woorden kon brengen. Het was slechts een gevoel vanuit het instinct dat tieners gebruikten om de weg naar volwassenheid met succes af te leggen, net als de sluwe, verboden zelfverzekerdheid van een pas ontmaagde die door zijn onervaren metgezellen onbewust werd geëerbiedigd, net als de immer veranderlijke hiërarchie van vriendschappen, leiders en zondebokken die jongvolwassenen was aangeboren zonder dat ze wisten wie hun die regels had opgelegd, zonder zelfs maar te beseffen dat ze aan regels gehoorzaamden.

Haar blauwe ogen stonden nu afstandelijker dan voorheen. Ze had iets afgeworpen en daaronder had zich een nieuwe huid ontwikkeld: ze was iets kwijtgeraakt, maar er was iets voor in de plaats gekomen. Ze had gepraat met een wezen dat maar een klein stapje onder de goden stond. Ze was gestorven, hoe kort ook, en daardoor was haar perspectief verschoven naar een niveau dat Flen niet kon bereiken. Ze leek ouder te zijn geworden, niet uiterlijk, maar in haar manier van doen en spreken. En het enige waaraan Flen kon denken was dat hij zijn beste vriendin dreigde kwijt te raken en dat het allemaal vreselijk oneerlijk was.

Ze bleven een hele tijd naast elkaar zitten met hun rug tegen een grote kei aan de rand van dat met stenen bezaaide beekje. Overal om hen heen groeide hoog gras dat in hun knieholten kietelde. Het beekje sijpelde door een scherpe bocht die werd gevormd door gesteente dat van de rand van de vallei was afgebrokkeld. Libellen vlogen zoemend rond, schoten voor hun gezichten met schokkerige bewegingen van links naar rechts en van onder naar boven en bestudeerden hen niet-begrijpend. De hemel had een roze tint en in dat licht zagen de aflopende plateaus vol huizen rechts van hen er somber en sinister uit, niet langer huiselijk, maar als een massa scherpe randen en gepolijste, afgeronde lemmeten.

Op de vlakke bodem van de vallei in de diepte graasde een kudde banathi's, die in de gaten werden gehouden door een stuk of tien mannen en vrouwen te paard. Flen keek naar de wezens, die loom heen en weer slenterden en met hun brede, rubberachtige bekken gras plukten. Het waren reusachtige dieren, maar ze waren erg mak en het leek alsof ze uitsluitend bestonden om als voedsel voor roofdieren te dienen. De stieren hadden weliswaar enorme, kromme hoorns, maar ze gebruikten ze eigenlijk alleen in de paartijd als ze om de aandacht van de wijfjes wedijverden. In vroeger tijden hadden ze ongehinderd over de vlakten gezworven, maar nu werden ze bijna uitsluitend om hun vlees en melk gefokt.

Terwijl Flen mijmerde over het lot van de banathi's nam Lucia eindelijk het woord, zoals hij wel had verwacht.

'Vergeef me,' zei ze zachtjes.

Flen haalde zijn schouders op. 'Altijd,' zei hij.

Ze pakte zijn arm vast en legde haar hoofd op zijn schouder. 'Ik weet wat je denkt. Dat alles nu anders is.'

'Is dat zo?'

'Tussen ons niet,' antwoordde ze.

Flen ging verzitten om het hen allebei gemakkelijker te maken. Hij had knokige schouders.

'Maar je begrijpt het toch wel?' vroeg ze. 'Er zijn dingen die ik niet kan uitleggen. Dingen waar geen woorden voor zijn.'

'Jij leeft in een andere wereld dan ik,' zei hij. 'Het lijkt net... alsof je achter een deur leeft, en ik alleen door de kieren naar binnen kan gluren. Jij ziet alles in die kamer, maar ik kan er alleen af en toe een glimp van opvangen. Zo is het altijd al geweest.' Hij legde zijn hand op haar magere onderarm, haar breekbare pols. 'Jij bent alleen, en alle anderen zijn buitengesloten.'

Ze glimlachte een beetje. Het was typisch iets voor Flen om haar verontschuldiging om te draaien, zodat het leek alsof niet hij, maar zij degene was die medeleven verdiende.

Ze ging weer rechtop zitten. 'Ik mag je dit eigenlijk niet vertellen...' zei ze. Ze had haar stem laten dalen.

'Maar dat doe je toch,' zei hij met een grijns.

'Dit is heel belangrijk, Flen,' zei ze. 'Je mag er met niemand anders over praten.'

'Dat doe ik toch nooit?' vroeg hij retorisch.

Lucia bleef hem even zitten aankijken. Ze kon mensen vaak op rond-uit griezelige wijze doorzien, maar aan hem hoefde ze niet te twijfelen. Ze wist dat zij voor Flen de allerbelangrijkste persoon van de hele wereld was, en niet omdat hij van haar verwachtte dat ze het land zou genezen of het keizerrijk zou besturen, maar gewoon omdat ze zijn beste vriendin was.

Eén ding had ze echter nooit helemaal kunnen begrijpen: waarom hij nu eigenlijk bij haar wilde zijn. Niet dat ze zichzelf als impopulair beschouwde, integendeel. Ze had een brede vriendenkring, want haar leeftijdgenoten leken zonder dat ze daar zelf moeite voor hoefde te doen op haar af te komen. Ze werden aangetrokken door iets in haar persoonlijkheid waar ze weinig van begreep, want ze was niet bepaald de levendigste, sociaalste mens ter wereld. Flen en zij waren echter zo'n beetje vanaf de dag dat ze elkaar hadden leren kennen onafscheidelijk geweest. Hij zou altijd eerder naar haar toe gaan dan naar iemand anders en had altijd een schier eindeloos geduld met haar nukken en eigenaardigheden gehad. Heel lang had ze hem bijna niets teruggegeven. Ze genoot van zijn gezelschap en vond het prima als hij bij haar was. Ze leefde echter in haar eigen wereldje en had inmiddels geleerd dat het weinig zin had om iemand daar uit te nodigen.

Toch had hij volgehouden. Hij was zelf ook populair en ze vroeg zich vaak af waarom hij zijn tijd niet besteedde aan iemand voor wie hij niet zoveel moeite hoefde te doen, maar zij was altijd het belangrijkst voor hem, en geleidelijk, heel geleidelijk, was ze aan hem gewend geraakt. Van alle mensen die ze ooit had gekend, was hij de enige die haar bijna kon begrijpen, en daarom hield ze van hem. Ze hield van zijn ongekunstelde, onzelfzuchtige inborst en zijn eerlijkheid. Ze mochten dan een vreemd stel zijn, ze waren vrienden, en het was een vriendschap in haar puurste vorm, zoals die alleen kon bestaan voordat de complicaties van volwassenheid haar bezoedelden.

'Ik zal je vertellen wat ik in Alskain Mar heb gehoord,' zei ze.

'Geesten, ik dacht dat je er nooit over zou beginnen,' zei Flen ondeugend. Ze lachte of glimlachte niet, maar ze wist dat hij vaak grap-

jes maakte als hij zenuwachtig of onzeker was, en dat was hij opeens allebei. Lucia's gezicht stond ernstig. Ze moest denken aan de
ontzetting op Zaelis' gezicht toen ze hem had verteld wat de geest
haar had laten zien, en aan de kille blik in Cailins ogen.
'Horen is misschien het verkeerde woord,' verbeterde ze zichzelf.
'Ik heb niets gehoord in de zin dat iemand me een verhaal vertelde. Het leek... alsof ik het me herinnerde en het tegelijkertijd in de
toekomst zag, alsof het iets was wat al was gebeurd, maar tegelijkertijd een voorspelling over de toekomst die al was uitgekomen.
In eerste instantie was het moeilijk te begrijpen... Ik vind het nog
steeds moeilijk om eraan te denken. En het weinige wat ik weet is
niet erg duidelijk.' Ze keek naar de grond en frunnikte aan een gras-
sprietje. 'Het was alsof ik me aan de vin van een walvis vastklampte
en door hem verder naar de diepte werd meegevoerd dan je je kunt
voorstellen, helemaal naar de wonderen op de bodem van de zee.
Alleen kun je onder water niet scherp zien, dus is het allemaal één
groot waas. Je kunt ook niet je mond opendoen om iets te zeggen.
En vroeg of laat bedenk je dat een walvis niet zo vaak adem hoeft
te halen als jij.'
'Wat heeft hij je laten zien?'
'Hij heeft me de heksenstenen laten zien,' zei ze, en opeens lag er
een gekwelde blik in haar ogen.
Toen ze daar een hele tijd niet verder op inging, vroeg Flen: 'En wat
heb je gezien?'
Ze schudde even haar hoofd, alsof ze wilde ontkennen wat ze op het
punt stond te zeggen. 'Flen, ik maak deel uit van iets wat veel groter is dan iedereen dacht.' Ze greep zijn handen vast en keek hem
recht aan. 'Wij allemaal. Het gaat niet alleen maar om een keizerrijk en het doet er niet toe wie er op de troon zit, hoeveel duizenden
mensenlevens er ook op het spel staan. Het Gouden Rijk houdt ons
scherp in de gaten en de goden zelf spelen hun troeven uit.'
'Bedoel je dat de goden zich met ons bemoeien?' vroeg Flen, en hij
kon de sceptische toon niet uit zijn stem houden.
'Nee, nee,' zei Lucia. 'Tenminste, niet rechtstreeks. De goden gaan
veel subtieler te werk. Ze gebruiken avatars en voortekenen om ge-
lovigen naar hun hand te zetten. Er is geen voorbestemming, geen
noodlot. We moeten allemaal keuzes maken. Wij moeten onze eigen
strijd voeren.'
'Maar wat...'
'Kaiku heeft altijd al gezegd dat de heksenstenen leefden, maar ze
had maar half gelijk,' legde Lucia ongewoon gehaast uit. De woorden stroomden over haar trillende lippen en ze kon ze niet tegen-

houden. 'Ze leven niet alleen, ze hebben bewustzijn! Niet zoals de geesten van de rotsen in de aarde, niet zoals de eenvoudige gedachten van de bomen. Ze zijn intelligent en boosaardig, en dat wordt met de dag erger.'

Flen wist niet goed wat hij hier allemaal van moest denken, maar hij kreeg de kans niet om daar een beslissing over te nemen.

'De wevers zijn niet onze echte vijanden, Flen!' riep Lucia uit, en in het ochtendlicht van de in stof gehulde zon was haar gezicht onnatuurlijk rood. 'Zij denken dat ze de touwtjes in handen hebben, maar in werkelijkheid zijn ze zelf de marionetten. Slaven van de heksenstenen.'

'Dat is...' begon Flen, maar Lucia viel hem opnieuw in de rede.

'Je moet me laten uitpraten!' snauwde ze, en van schrik hield Flen zijn mond. Nu pas begon hij te beseffen hoe verschrikkelijk bang Lucia was geworden van wat ze in Alskain Mar te weten was gekomen. 'De heksenstenen gebruiken de wevers alleen maar. Ze denken dat ze hun eigen plan trekken, maar geen enkele wever weet precies wie dat plan heeft bedacht. Ze schrijven het toe aan een collectief bewustzijn, maar dat bewustzijn is de wil van de heksenstenen. De wevers zijn niet meer dan soldaten. Het zijn verslaafden die vastzitten aan hun verlangen naar het heksensteenstof in hun maskers, en ze weten niet eens dat ze zichzelf in ruil voor hun vaardigheden aan een machtige meester onderwerpen.'

Ze keek om zich heen alsof ze bang was dat er iemand meeluisterde, en zo leek het inderdaad, want de libelles waren stilletjes vertrokken en de wind was gaan liggen. 'Die eerste heksensteen, die ene onder Adderach... die heeft de mijnwerkers die hem hebben gevonden in zijn netten verstrikt. Toen was hij nog zwak en hij had duizenden jaren honger geleden, maar zij waren nog zwakker. Ze gebruikten het stof, gedreven door een drang die ze zelf niet begrepen. Op dezelfde manier leerden ze dat ze de steen met bloed moesten voeden. Hij groeide, en daarmee ook zijn macht, en hij stuurde wevers de wijde wereld in om als zijn ogen, oren en handen te dienen. Om nog meer heksenstenen te vinden.'

'Maar wat zijn heksenstenen dan precies?' vroeg Flen.

'De antwoorden lagen voor het oprapen, maar niemand wilde het geloven,' fluisterde Lucia. 'Ik zou het ook niet hebben geloofd, maar datgene wat de geest van Alskain Mar me liet zien ging de waarheid, leugens, feiten en verzinsels ver te boven. Zelfs die geest was niet zo oud dat hij persoonlijk heeft gezien wat er in het verre verleden is gebeurd, maar hij heeft me verteld wat hij wist.'

Ze sloot haar ogen, kneep ze stevig dicht, en toen ze verder praatte gebruikte ze een formelere spreektrant die je gebruikte als je het over de goden had.

'In een tijdperk waarin de beschaving nog in de kinderschoenen stond, brak er tussen de goden strijd los. In die tijd trok het wezen dat wij Aricarat noemen, het jongste kind van Assantua en Jurani, tegen het Gouden Rijk ten strijde, om redenen die voor de geschiedenis verloren zijn gegaan. Hij slaagde er bijna in Ocha van de troon te stoten, maar in een laatste poging hem tegen te houden voerden zijn ouders een leger aan. In een gevecht dat de hemelen verscheurde, wisten ze hem te doden. Op het moment van zijn dood werd zijn aspect in de tapisserie van de wereld – de vierde maan die zijn naam droeg – vernietigd, en brokstukken van de maan regenden neer op de wereld, en dat was de natuurramp waarover Saran ons heeft verteld.' Ze kneep harder in zijn handen. 'Maar hij was niet dood,' fluisterde ze. 'Niet zolang er nog iets van hem over was in de tapisserie... in onze wereld. De maan viel in stukken uit de hemel en een paar stukken hebben de val overleefd. In elk ervan huisde een piepklein fragment van Aricarats wezen. Een sluimerend fragment.'

'Fragmenten?'

Lucia knikte, liet zijn handen los en hief haar hoofd. 'Fragmenten van een verbrijzelde god. Duizenden jaren zijn ze daar blijven liggen, totdat er bij toeval een aan het daglicht kwam op de plek waar nu Adderach staat. Nu gebruikt hij de wevers om andere fragmenten te bereiken, om ze op te graven en met bloedoffers te wekken. Ze zijn net als de wevers als door een web met elkaar verbonden. Elk fragment dat ze opgraven maakt het geheel sterker, en elk fragment geeft de wevers meer macht. Het zijn de verbrijzelde brokstukken van Aricarat, en met elke steen die de wevers redden, komt hij een stap dichter bij zijn herrijzenis.' Haar ogen vulden zich met tranen en haar stem werd zacht en angstig. 'Hij is zo boos, Flen. Ik kon zijn razernij voelen. Nu is hij nog zwak, niet meer dan een schim van zijn oude zelf, machteloos, maar zijn haat brandt als een fel vuur. Hij wil dit land overheersen, hij wil alle landen overheersen. En als er genoeg heksenstenen zijn ontwaakt, zal hij terugkeren en wraak nemen.'

Daar had Flen niets op te zeggen. Het bloedrode licht van Nuki's oog leek hels en wierp een sluier van angst over de vallei.

'Nu al werkt hij Enyu en haar kinderen, de goden en godinnen van alles wat natuurlijk is, tegen,' ging Lucia verder. 'Alleen al met zijn aanwezigheid vergiftigt hij het land, verminkt hij de mensen en dieren die van de gewassen eten. Als hij hier wint, zal hij de strijd verplaatsen naar het Gouden Rijk en oprukken tegen de goden zelf.

Daarom moeten we hem tegenhouden. Want als de wevers en de heksenstenen nu niet worden vernietigd, zullen ze de wereld als een lijkwade bedekken. En dat is nog maar het begin.'

Eén enkele traan drupte uit haar oog en biggelde over haar wang. 'Het is een nieuwe oorlog tussen de goden, die hier in Saramyr wordt uitgevochten. En de hele schepping staat op het spel.'

◎ 24 ◎

Boven Zila hing een grijs wolkendek, zodat het een sombere, staal-grijze middag werd. Een ruiter in het livrei van bloed Vinaxis reed door de massieve zuidelijke stadspoort over de heuvel omlaag naar de plek waar de legerlinies wachtten, overschaduwd door hoge be-legeringstoestellen. Achter hem viel de poort met een doffe dreun dicht.

Xejen keek hem door het raam van zijn vertrek boven in de vesting na met zijn handen gevouwen op zijn rug en tikte zenuwachtig met zijn vingertoppen tegen zijn knokkels. Toen de ruiter uit het zicht was verdwenen, draaide hij zich om naar Bakkara, die aan zijn kaak stond te krabben. Mishani lag op een rustbank die tegen de muur stond, met haar lange haar over haar schouder en ogen die niets ont-hulden.

'Wat vinden jullie?' vroeg Xejen aan hen.

Bakkara haalde zijn schouders op. 'Wat maakt het uit? Ze vallen ons toch wel aan, of we hun een "bewijs van goede wil" geven of niet. Alleen, het kon voor hen wel eens onaangenaam worden als ze zich de woede van enkele laaggeplaatste edele families op de hals zouden halen door hun zonen en dochters bij de bevrijding te laten omko-men, en dat willen ze zichzelf besparen.'

'Bevrijding?' vroeg Xejen met een hoge lach. 'Geesten, je praat als-of je aan hun kant staat.'

'Als ze winnen, zullen ze het een bevrijding noemen,' antwoordde Bakkara onverstoorbaar. 'En trouwens, we hebben toch geen keus? We kunnen hun nu eenmaal geen gijzelaars sturen. Die had het ge-peupel al te grazen genomen toen we de stad overnamen.'

'Met dat nieuws maak je geen vrienden,' zei Mishani terecht.

'Dan weigeren we dus gewoon,' besloot Xejen, en hij knipte met zijn vingers. 'Laat hen maar geloven dat we de gijzelaars hebben. Zoals je al zei: vroeg of laat vallen ze ons toch wel aan. Maar ik heb vertrouwen in de muren van Zila, hoe jij er ook over denkt.' Hij wierp de grijsharige soldaat een scherpe blik toe.

'Dat zou ik je niet adviseren,' zei Mishani. 'Als je ronduit weigert, zullen ze denken dat je koppig bent en niet openstaat voor onderhandelingen. De volgende keer zullen ze zich de moeite niet getroosten. En je zult misschien gedwongen zijn op onderhandelingen terug te vallen als het allemaal niet volgens plan verloopt.'

Bakkara onderdrukte een glimlach. Voor zo'n klein, tenger meisje was ze opmerkelijk zelfverzekerd. Het feit dat ze zichzelf in de afgelopen dagen als de belangrijkste adviseur van Xejen had opgeworpen zonder onomwonden duidelijk te maken of ze al dan niet haar steun aan de Ais Maraxa zou betuigen, was tekenend voor haar grote politieke vaardigheden. Xejen had wanhopig behoefte aan haar hulp, aan Bakkara's hulp, aan de hulp van iedereen die besluitvaardiger was dan hijzelf. Waar het Lucia betrof was hij helder, duidelijk en niet van zijn standpunt af te brengen, maar nu hij een stad had veroverd, wist hij niet goed wat hij ermee aan moest. Hij mocht dan een overtuigend spreker zijn, maar hij wist niets over militaire aangelegenheden. Dat soort zaken liet hij voor het grootste deel aan Bakkara over, die hij na de opstand tot zijn onderbevelhebber in Zila had gebombardeerd.

'Wat zou u dan doen, mevrouw Mishani?' vroeg Bakkara overdreven eerbiedig. Ze deed alsof ze zijn spottende toon niet hoorde.

'Geef hun Chien,' zei ze.

Bakkara lachte verrast, maar hield toen zijn mond. Xejen keek hem boos aan.

'Wat was daar grappig aan? Mis ik soms iets?' vroeg hij.

'Mijn verontschuldigingen,' zei Bakkara droog. 'Ik werd gewoon getroffen door het nobele offer dat mevrouw Mishani brengt. Ze had immers voor haar eigen vrijlating kunnen pleiten.'

Mishani keek Xejen kalm aan en sloeg geen acht op de steek onder water van de soldaat. Ze was geenszins van plan voor haar eigen vrijlating te pleiten. Als ze de stad verliet, zou het nieuws over haar aanwezigheid zich binnen een dag hebben verspreid en zou ze voor de mannen van haar vader een gemakkelijk doelwit vormen. Bovendien wist ze maar al te goed dat Xejen haar nooit zou laten gaan. Ze was veel te kostbaar voor hem, en door hem te laten geloven dat ze zijn overtuigingen en doelen deelde kon ze dat zo houden.

'Stuur hun één gijzelaar als bewijs van goede wil,' zei ze. 'Hij weet niet dat de andere edelen zijn omgebracht. Voorzover hij weet kunnen er een heleboel in de slottorens van de vesting gevangenzitten. Je hebt toch niets aan Chien, en bovendien is hij erg ziek en is je geneesheer niet in staat gebleken iets voor hem te doen.' Ze wierp Bakkara een vluchtige blik toe. 'Hij is onschuldig en verdient het niet om hier vast te zitten.'

'Hij kan hun veel vertellen over onze troepensterkte,' zei Xejen, die met grote passen door de kamer heen en weer liep. 'Hij kan namen noemen.'

'Hij heeft de kamer waarin je hem hebt weggestopt nauwelijks verlaten,' antwoordde Mishani. 'Hij weet helemaal niets over jullie troepensterkte.'

'En wat het noemen van namen betreft,' voegde Bakkara eraan toe, 'dat willen we toch juist?'

'Precies,' zei Mishani instemmend. 'Chien is een belangrijke schakel in de handel en de zeevaart. Als hij gaat praten, zullen zijn schepen het nieuws overal in de Nabije Wereld verspreiden.'

Xejen wiebelde met de vingers van zijn ene hand. Hij had zich duidelijk al laten overtuigen, maar deed alsof hij diep nadacht. Kennelijk dacht hij dat iemand als Mishani zich daardoor zou laten misleiden, zodat ze niet zou denken dat hij het zomaar eens was met alles wat ze zei.

'Ja, ja, dat zou wel eens kunnen werken,' mompelde hij bij zichzelf. 'Wilt u met hem praten, mevrouw Mishani?'

'Ik zal met hem praten,' antwoordde Mishani.

Het bleek echter niet zo eenvoudig te zijn als Mishani had verwacht. 'Ik laat u hier niet alleen achter!' raasde Chien. 'Dat mag u niet van me vragen!'

Mishani was onverstoorbaar als altijd, maar vanbinnen schrok ze oprecht van zijn plotselinge, felle reactie. Toen hun gevangenschap was opgeheven was hij naar een gerieflijker kamer verplaatst. Het vertrek week qua inrichting niet af van de rest van de saaie vesting: er hingen een paar zware wandkleden, er lagen wat vloerkleden, vanwege zijn zwakke gezondheid stond er een comfortabel bed en verder waren er nog wat losse meubels, zoals een tafel en een kist om kleren in te bewaren. Ze had niet overdreven toen ze tegen Xejen had gezegd dat Chien nog steeds hoge koorts had, maar hij voelde zich kennelijk goed genoeg om boos te worden, ook al kon hij nauwelijks op zijn benen staan.

'Houd je gemak!' snauwde ze, en de plotselinge ruwheid in haar stem legde hem het zwijgen op. 'Je gedraagt je als een kind. Denk je soms dat ik niet het liefst met je mee zou gaan? Ik wil dat je gaat omdat je iets voor me moet doen wat alleen jij kunt.'

Zijn haar was wat gegroeid sinds ze in de stad waren aangekomen. Er zaten zwarte stoppels op zijn brede hoofd en hij had kennelijk nog geen zin gehad om ze met een scheermes te lijf te gaan. Hij bedaarde een beetje, keek haar aarzelend aan en vroeg: 'Wat is dat dan, wat alleen ik kan?'

'Je kunt helpen mijn leven te redden,' zei ze. Die opmerking was erop berekend om het laatste restje van zijn verontwaardiging te doen verdwijnen, en het werkte.

'Hoe dan?' vroeg hij. Nu was hij bereid naar haar te luisteren.

'Ik wil dat je een boodschap voor me overbrengt,' zei ze. 'Aan barak Zahn tu Ikati.'

Chien keek haar achterdochtig aan. 'De barak Zahn die deze stad belegert?'

'Die, ja,' antwoordde ze.

'Ga door,' zei Chien.

'Je moet vragen of je hem onder vier ogen kunt spreken. Je mag niemand anders laten weten dat ik hier ben. Als je dat toch doet, zullen de mannen van mijn vader me opwachten zodra ik word vrijgelaten.'

'En wat moet ik tegen hem zeggen?'

Mishani liet haar hoofd zakken en haar dikke, zwarte vlechten deinden mee met de beweging. 'Zeg tegen hem dat ik nieuws heb over zijn dochter. Zeg tegen hem dat ze nog leeft en kerngezond is, en dat ik weet waar ze is.'

Chien kneep zijn ogen samen. 'Barak Zahn heeft geen dochter.'

'Jawel,' zei Mishani effen.

Chien hield haar blik even vast, maar liet toen zijn schouders hangen. 'Hoe kan ik u hier achterlaten?' vroeg hij meer aan zichzelf dan aan haar. 'Er staat een leger voor de poorten, klaar om aan te vallen, en de stad wordt door boeren en kooplieden verdedigd.'

'Ik weet dat je eer van je eist dat je blijft, Chien,' zei Mishani. 'Maar je bewijst me een veel grotere dienst door Zila te verlaten en mijn boodschap over te brengen dan door te proberen me hier te beschermen. Meer vraag ik niet van je. De rest kun je aan barak Zahn overlaten.'

'Mevrouw Mishani...' kreunde hij. 'Ik kan het niet.'

'Zo heb ik de grootste kans om deze belegering te overleven, Chien,' zei ze vastberaden. Ze liep naar de rand van het bed en keek op hem neer. 'Ik weet wie je heeft gestuurd, Chien,' zei ze zachtjes. 'Ze heeft je geheimhouding laten zweren, nietwaar? Mijn moeder.'

Chien deed zijn best om zijn reactie te verbergen, maar bij Mishani had dat geen zin. De flikkering in zijn ogen vertelde haar alles wat ze wilde weten.

'Ik zal niet van je vragen je eed te verbreken,' zei Mishani. Ze ging op de rand van het bed zitten. 'Ze zal wel iets over me hebben vernomen toen ik op weg naar Okhamba door Hanzean kwam. Ik mag van geluk spreken dat het haar mensen waren, en niet die van mijn vader, die me hebben opgemerkt. In de maand waarin ik op zee was, heeft ze contact met je opgenomen. Via een wever neem ik aan, maar ik betwijfel of ze die van mijn familie heeft gebruikt. Ze heeft je gevraagd mij tegen mijn vader te beschermen.'

Ze voelde tranen opkomen, maar drong ze terug, en ze zagen nooit het daglicht. Haar moeder, haar stille, verwaarloosde moeder, was al die tijd achter de schermen bezig geweest haar dochter te beschermen. Goden, stel dat Avun het had ontdekt? Wat zou er dan met Muraki zijn gebeurd?

Chien keek haar zwijgend aan en weigerde iets te zeggen.

'Ze bood je vrijheid,' zei Mishani. 'De verplichtingen aan bloed Koli zijn het enige wat jouw familie al die jaren in de weg heeft gestaan, de prijs voor het huwelijk van je moeder, die als visser voor mijn vader werkte. Als jullie van die schuld werden verlost, zouden jullie mijn familie niet meer de gunstigste prijzen en de beste schepen hoeven bieden om hun goederen te vervoeren. Dan zouden jullie de handelsroute tussen Saramyr en het oerwoudcontinent domineren.' Ze bestudeerde aandachtig zijn gezicht, op zoek naar bevestiging, hoewel ze er al van overtuigd was dat ze gelijk had. Eindelijk waren alle puzzelstukjes op hun plaats gevallen. 'Daar zou je veel voor op het spel zetten, om je familie te bevrijden. Mijn moeder bood je die kans. Buiten Avun is zij de enige die de macht heeft om het contract te vernietigen. En wat het haar ook zou kosten, ze zou het dubbel en dwars de moeite waard vinden als jij me tijdens mijn reis wist te beschermen.'

Chien sloeg beschaamd zijn ogen neer. Hij wilde vragen hoe ze het wist, maar daarmee zou hij toegeven dat ze gelijk had. Mishani wilde hem niet kwellen. Ze begreep het nu. Al die tijd had ze geprobeerd te achterhalen waarom hij het deed, wat hij erbij te winnen had, maar deze mogelijkheid had ze nooit overwogen.

'Er was nog iets,' zei Mishani zachtjes terwijl ze haar haar over haar schouder naar achteren duwde. 'Mijn moeder heeft je iets meegegeven voor het geval er geen andere manier was om me te overtuigen. Ze wist hoe achterdochtig ik zou zijn. Het was een slaapliedje, een liedje dat ze zelf heeft geschreven. Dat zong ze altijd voor me toen ik nog klein was. Het ging over mij. Alleen zij en ik kenden de tekst.'

Ze stond op en ging met haar rug naar hem toe staan. 'Gisteravond zong je het in je koortsdroom.'

Een hele tijd zei Chien niets, maar toen vroeg hij eindelijk: 'Als ik dit voor u doe, zult u haar dan vertellen dat ik mijn eed gestand heb gedaan?'

'Dat zweer ik,' zei Mishani zonder zich om te draaien. 'Want je hebt eervol gehandeld. Vergeef me dat ik je heb gewantrouwd.'

Chien liet zich weer in de kussens zakken. 'Ik zal doen wat u van me vraagt,' zei hij.

'Mijn dank,' zei Mishani. 'Voor alles.' Met die woorden vertrok ze. Ze zagen elkaar niet meer terug voordat Chien door de poorten naar het wachtende leger werd gedragen. Mishani keek hem niet na. Ze stond met haar rug naar het raam. Alleen.

Later bood ze zichzelf aan Bakkara aan, en ze vrijden vurig in zijn kamer.

Ze had niet kunnen uitleggen waarom ze dat deed, want het druiste lijnrecht tegen haar karakter in. Ze had moeten wachten, had zichzelf ervan moeten overtuigen dat het moment juist was. Ze vond hem aantrekkelijk en voelde aan dat hij net zo over haar dacht, maar daarmee hield het op. Verder ging het alleen om politiek en leek het haar gewoon een verstandige zet om zijn minnares te worden. Ze had inmiddels vastgesteld dat Xejen niet zo'n groot leider was als zijn reputatie deed geloven en dat Bakkara voor die rol veel geschikter was. Ze was zich er ook terdege van bewust hoeveel macht een vrouw met haar listen over een man kon uitoefenen, zelfs als ze voor die man slechts een interessante, plezierige afleiding was.

Uiteindelijk had iets anders haar echter naar hem toe gedreven en haar ertoe bewogen subtiliteit voor snelle bevrediging in te ruilen. Het gesprek met Chien had in haar een intense eenzaamheid gewekt die ze nooit bij zichzelf had vermoed, een pijnlijke leegte die ze niet kon verdragen, en ze wilde ervan af, hoe dan ook. De nauwelijks voelbare inmenging van haar moeder in haar leven had haar eraan herinnerd hoe moederziel alleen ze was, hoeveel ze had opgegeven toen ze had besloten tegen de wil van haar vader in te gaan. Ze kon het zich echter niet veroorloven om daarover te treuren. Daarvoor stond er te veel op het spel.

Ze was niet zo dwaas te denken dat ze de pijn voorgoed kon begraven onder intense lichamelijke bevrediging, maar in elk geval kon ze hem even terzijde schuiven.

Naderhand, toen de verraderlijke gloed die haar er soms toe bracht onbedachtzame dingen te zeggen was weggetrokken, lag ze naast haar soldaat. Ze streek met haar kleine handje over zijn met littekens bedekte lijf en liet het grove haar tussen zijn ontwikkelde borstspieren om haar vingers krullen. Hij had zijn arm om haar heen geslagen, waardoor ze bij hem in het niet leek te vallen, maar hoewel ze knokig, hoekig en mager was, voelde ze zich zacht nu ze tegen hem aan lag. Ze was bijna vergeten hoezeer ze de warmte van een mannenlichaam had gemist.

'Jij denkt niet dat Xejen dit kan, hè?' vroeg ze zachtjes. Het was eigenlijk geen vraag, maar een vaststelling.

'Hmm?' prevelde hij slaperig.

'Jij denkt niet dat hij ertoe in staat is deze opstand te leiden en te winnen.'

Hij zuchtte geërgerd met zijn ogen nog dicht. 'Ik betwijfel het.'

'Waarom...'

'Ga je nu de hele nacht vragen stellen?'

'Als ik geen antwoorden krijg wel, ja,' zei ze glimlachend.

Hij kreunde en rolde om, zodat ze met hun gezicht naar elkaar toe lagen. Ze kuste hem licht op de lippen.

'De nachtmerrie van iedere man,' zei hij. 'Een vrouw die haar mond niet wil houden als ze is bevredigd.'

'Ik wil alleen weten hoe groot de kans is dat ik de omstandigheden overleef waar jíj me in hebt geplaatst,' zei ze. 'Waarom ben je hier eigenlijk?'

Hij pakte een dikke lok van het loshangende haar dat tussen hen in lag en wreef er loom met zijn eeltige vingertoppen overheen.

'Ik kom uit de Nieuwlanden,' zei hij vlak. 'Daar rommelde het nogal toen ik jong was. Landgeschillen, handelsoorlogen. Ik was een arme, hardwerkende jongen met veel woede in zijn ziel. Soldaat worden was het beste wat ik kon verwachten, dus sloot ik me aan bij de plaatselijke militie, een piepklein burgerleger bestaande uit dorpelingen. Ik bleek er goed in te zijn. Ik werd gerekruteerd voor het leger van een laaggeplaatste edelman, we wonnen een paar gevechten... Goden, ik begin zelfs mezelf te vervelen.'

Mishani lachte. 'Toe, ga verder.'

'Dat zal ik allemaal maar overslaan. Vele jaren – en ik bedoel vele jaren – later was ik generaal in het leger van bloed Amacha, aan de andere kant van het continent. Ik was intussen een soort huurling geworden, want ik had geen bloedbanden met mijn meesters sinds mijn oorspronkelijke barak zichzelf en zijn hele familie de dood in had gejaagd. Ik was bij de slag om Axekami, vijf jaar geleden.'

Mishani verstijfde nauwelijks merkbaar.

'Maak je geen zorgen,' zei hij grinnikend. 'Ik neem het jou echt niet kwalijk wat je vader heeft gedaan. Zeker niet na wat Xejen me over jou en hem heeft verteld.' Zijn vrolijkheid stierf weg en hij werd weer serieus. 'Bij dat gevecht zijn veel mannen die ik kende omgekomen. Ik mag van geluk spreken dat ik het heb overleefd.' Hij zweeg even, en toen hij verder praatte, was het op berustende toon. 'Maar zo gaat het nu eenmaal als je soldaat bent. Vrienden sterven. Gevechten worden gewonnen of verloren. Ik doe mijn best voor mezelf en mijn mannen, maar uiteindelijk ben ik er maar een van de duizenden. Eén spier. Het brein moet ons allemaal aansturen. Degenen die de touwtjes in handen hebben zijn verantwoordelijk voor dergelijke slachtingen. Sonmaga was een dwaas en je vader was een verrader. En door hen allebei zijn heel veel mensen gestorven.'

Mishani wist niet goed wat ze daarop moest zeggen. Opeens was ze zich er pijnlijk van bewust hoe sterk hij was. Hij kon haar botten als twijgjes doormidden breken als hij de arm die hij om haar schouders had geslagen even aanspande.

'Daarna had ik genoeg van het soldatenleven,' ging hij verder. 'Maar het soldatenleven had kennelijk nog niet genoeg van mij. Meer dan dertig jaar heb ik de oorlogen van anderen uitgevochten, met kameraden rond een kampvuur gezeten zonder te weten of ze er de volgende ochtend nog zouden zijn, in tenten geleefd en door heel Saramyr gemarcheerd. Het klinkt misschien niet erg verheven allemaal, maar het valt niet mee om dat leven helemaal op te geven. Er is een bepaald gevoel tussen soldaten onderling, een verbondenheid waarvan je je niet kunt voorstellen dat je die ergens anders zult vinden. Ik heb geprobeerd me ergens te vestigen, maar het is voor mij te laat. Ik ben inmiddels een soldaat in hart en nieren.'

Mishani ontspande zich een beetje nu ze het gevaarlijkste onderwerp – de misdaden van haar familieleden – achter zich hadden gelaten. Ze volgde met haar vinger loom de lijnen op zijn armen terwijl ze naar hem luisterde.

'Dus ging ik zwerven. Ik zocht een doel, maar kon er geen vinden. Tot op dat moment had ik er nooit een nodig gehad. Ik zat in een bordeel te drinken toen ik voor het eerst van de Ais Maraxa hoorde. Ik weet ook niet waarom, maar dat wekte mijn belangstelling. Daarom ging ik op onderzoek uit, en al snel merkten ze dat en kwamen ze me opzoeken.'

'Je had iets gevonden om in te geloven,' raadde Mishani.

Hij vertrok vol afkeer zijn gezicht. 'Laten we het erop houden dat ik het een nuttig doel vond. Ik ben een volgeling, mevrouw Mishani, geen leider. Ik voer weliswaar het bevel over de manschappen, maar ik begin geen oorlogen, ik verander de wereld niet. Dat is niets voor iemand als ik, dat laat ik aan mensen als Xejen over. Hij weet niets over oorlog, maar hij is een leider. Iedereen binnen de Ais Maraxa zou zijn leven voor hem geven.'

'En jij?'

'Ik zou mijn leven geven voor Lucia,' zei hij. 'Dat lijkt me een stuk zinniger dan alle andere doelen waarvoor ik in het verleden mijn leven in de waagschaal heb gelegd. Die hadden meestal hoofdzakelijk met geld te maken.'

Een tijdje zeiden ze geen van beiden iets. Bakkara begon alweer weg te dommelen toen hij voelde dat Mishani glimlachte.

'Ik weet dat je iets wilt zeggen,' zei hij waarschuwend. 'Dus zeg het nou maar, dan hebben we dat ook weer gehad.'

'Je hebt geen antwoord gegeven op mijn vraag.'

'Welke vraag?'

'Waarom heb je geholpen met de inname van Zila als je dacht dat je de stad niet zou kunnen verdedigen?'

'Xejen acht het wel mogelijk. Hij gelooft erin. Dat is voor mij genoeg.' Hij dacht even na. 'Misschien zal het tij nog keren.'

'Dus je weigert de verantwoordelijkheid op je te nemen? Je weet dat het dwaas is, maar toch volg je hem.'

'Ik heb in mijn leven wel grotere dwazen gevolgd,' mompelde hij. 'En verantwoordelijkheid is een zaak voor filosofen en politici. Ik ben maar soldaat. Je kunt het je misschien moeilijk voorstellen, maar de enige reden die ik kan geven voor wat ik doe, is dat ik het gewoon doe.'

'Of misschien heb je wel een andere reden, maar zie je die gewoon niet.'

'Mens, als je nou niet je mond houdt, zal ik me gedwongen voelen iets te doen om je het zwijgen op te leggen.'

'O?' vroeg Mishani onschuldig. 'En wat mag dat dan wel zijn?'

Dat liet Bakkara haar zien, en daarna liet ze hem slapen, maar zelf was ze klaarwakker en dacht ze na.

Ze kon niet weg uit Zila. Dat zou Xejen nooit toestaan. Ze was echter geenszins van plan hier het komende jaar opgesloten te blijven. Nee, ze had een plan bedacht om barak Zahn in de stad uit te nodigen, zodat ze kon peilen wat zijn gedachten waren over Lucia, de onderhandelingen kon voeren waarvoor ze naar Lalyara had gewild en kon proberen hem te rekruteren voor de Libera Dramach met het bericht dat die groepering haar verborg. In Zila zou haar onderhandelingspositie sterk zijn en zou Zahn naar haar moeten luisteren. Maar opnieuw was Xejen het probleem: als hij wist wat ze van plan was, zou hij haar meteen tegenhouden.

Xejen was een hindernis die uit de weg moest worden geruimd. Bakkara was niet alleen een betere leider en degene die het best in staat was de orde in Zila te bewaren en de stad tegen de vijand te beschermen, bovenal was hij plooibaarder. Daarom zou ze zowel Bakkara als Xejen langzaam bewerken en de positie van de een bij de ander ondermijnen, met als uiteindelijke doel Bakkara – en daarmee haarzelf – de overwinning te bezorgen. Als Bakkara eenmaal de nummer één was, kon ze hem haar eigen ideeën aanpraten. Xejen daarentegen was te onbuigzaam, te onwrikbaar in zijn geestdrift.

Dat was dus haar doel. Het enige wat ze nodig had, was tijd...

Het was donker waar Mos was.

Het stonk naar bloed. Half geziene, monsterlijke gestalten hielden zich dreigend naast en boven hem op. Boven hem klonk het zachte gerinkel van kettingen die door de warme lucht in beroering werden gebracht en tegen elkaar tikten. Het enige licht was de sombere, rode gloed die afkomstig was van de smeulende resten in de vuurkuil. In dat licht verscheen een doods gezicht, een lijkmasker van uitgemergeld vlees dat in een gruwelijke gaap was vertrokken en door een mantelkap in schaduwen werd gehuld. Mos keek er vanaf de andere kant van de vuurkuil naar. Zijn eigen gezicht was hologig en afgetobd, zijn ogen waren gezwollen van het huilen en zijn gelaatstrekken waren slap.

Boven hen staarden de huidvliegers van Weefheer Kakre met niets ziende ogen vanuit de duisternis op hen neer.

'Dus hij is verdwenen?' kraste Kakre.

'Hij is verdwenen.'

'Heb je mannen achter hem aan gestuurd?'

'Hij zal niet ver komen.'

'Dat moeten we maar afwachten.'

Mos keek naar het smeulende vuur alsof hij daar misschien troost zou vinden.

'Wat bezielde me toch, Kakre?'

De weefheer gaf geen antwoord. Hij wist donders goed wat Mos had bezield, maar zelfs hij had niet verwacht dat de keizerin zelfmoord zou plegen. Als ze alleen maar was mishandeld, zou dat voor haar vader al genoeg zijn geweest om in toorn te ontsteken en de legers van de woestijn om zich heen te verzamelen. Het was echter nog beter uitgepakt dan hij had durven hopen. En als Mos Reki zou ontvoeren om de schade tot een minimum te beperken, zou dat helemaal perfect zijn. Dat nieuws hoefde alleen maar uit te lekken – iets wat Kakre gemakkelijk kon regelen – en dan kon hij er zeker van zijn dat Tchom Rin zou terugslaan.

Toen Kakre naar Mos toe was gegaan nadat die zijn vrouw had geslagen, had hij een ellendig, huilend hoopje mens aangetroffen dat hem smeekte om hulp, alsof Kakre iemand was aan wie hij alles kon opbiechten, die hem bijstand kon bieden. Het had toeval geleken, maar Kakre deed maar heel weinig waar hij niet van tevoren diep over had nagedacht. Terwijl hij bij de keizer was kon hij niet weven, want voor weven had hij al zijn concentratie nodig en Mos zou het meteen merken.

Hij was geen getuige geweest van Laranya's laatste ogenblikken, maar er was hem een volmaakt alibi geschonken, dat hem vrijsprak van alle betrokkenheid bij de dood van de keizerin. Zelfs Mos – die arme, arme Mos – had nooit stilgestaan bij de mogelijkheid dat de dromen die hem krankzinnig hadden gemaakt van Kakre afkomstig waren. Daarvoor was Kakre te sluw te werk gegaan: die mogelijke redenatie had hij uit Mos' gedachten gewied, zodat hij nooit tot bloei kon komen.

'Barak Goren tu Tanatsua zal lang voordat Reki hem weet te bereiken het nieuws over de dood van zijn dochter vernemen,' kraste Kakre uiteindelijk. 'En hij zal met alle omstandigheden bekend zijn. Laranya heeft haar toestand niet verborgen gehouden.' Hij bewoog en de schaduw van zijn kap viel over zijn masker. 'Ze had haar haar afgesneden, Mos. Je weet wat dat betekent.'

'Als we Reki in handen krijgen, zal zijn vader misschien aarzelen en tot rede worden gebracht.' Er klonk geen emotie door in Mos' stem. Het kon hem eigenlijk niets schelen wat er gebeurde. Hij deed werktuiglijk wat er van hem als keizer werd verwacht, want verder had hij niets meer om voor te leven.

'Wellicht,' zei Kakre, 'maar toch zullen er voorbereidingen moeten worden getroffen. Na je huwelijk met Laranya hebben de baraks van de woestijn zich lange tijd rustig gehouden, maar nu die band is verbroken, zullen ze fel reageren. Zij hebben altijd de meeste problemen veroorzaakt. Ze zijn veel te onafhankelijk in dat ongebaande zandrijk van hen.'

Mos staarde Kakre een tijdje uitdrukkingsloos aan terwijl het zweet als gevolg van de warmte in de vilkamer op zijn voorhoofd parelde.

'Als ze naar Axekami komen, zullen de andere ontevreden baraks dat als een aanmoediging beschouwen,' zei Kakre tegen hem. 'Stel je voor: een woestijnleger dat door Tchamaska over de Oosterweg naar het noorden trekt om genoegdoening voor Laranya's dood te eisen. Stel je voor hoe machteloos je dan zult lijken.'

Dat kon Mos zich niet echt voor de geest halen.

'Je kunt beter manschappen naar Maxachta sturen,' raadde de weef-heer aan. 'Veel manschappen. Als je toch de confrontatie met hen moet aangaan, doe dat dan in de bergen bij de Juwachapas. Houd hen daar tegen. Voorkom dat ze naar het westen optrekken.'

'Ik heb al mijn manschappen hier nodig,' antwoordde Mos, maar er klonk geen overtuiging in zijn stem door.

'Waarvoor? Voor bloed Kerestyn? Die hebben alleen maar veel ka-baal gemaakt en geen actie ondernomen. Het zal nog jaren duren voordat ze sterk genoeg zijn om een bedreiging voor je te vormen. Op het moment is Axekami voor elke troepenmacht in Saramyr on-neembaar, tenminste, zolang de woestijnbaraks zich niet bij de ba-raks van het westen aansluiten.'

Daar dacht Mos een tijdje over na.

'Ik zal manschappen sturen,' zei hij uiteindelijk, zoals Kakre al had verwacht. Mos luisterde al een tijdje niet meer naar zijn adviseurs en Kakre had de omvang van de troepenmacht die naar aanleiding van de groeiende hongersnood tegen de keizer in stelling werd ge-bracht zorgvuldig gebagatelliseerd. Vanavond zou het signaal wor-den gegeven aan barak Avun tu Koli dat hij de legers moest gaan verzamelen. De keizerlijke troepenmacht zou verdeeld worden en ve-le duizenden zouden Axekami ver achter zich laten om de mogelij-ke dreiging vanuit de woestijn het hoofd te bieden, en tijdens hun afwezigheid zou de hoofdstad aanzienlijk zwakker zijn.

Het spel kan beginnen, dacht Kakre, en achter het masker vertrok hij zijn verwoeste gezicht in een glimlach.

◎ 25 ◎

Kaiku liet zich roekeloos van de schaliehelling glijden, en het scherpe, witte maanlicht deed het stof dat ze met haar schoenen opwierp fel oplichten. Tsata was al onder aan de helling en hief zijn geweer op de golvende kam achter zich, die scherp afstak tegen het reusachtige, gevlekte gelaat van Aurus. Elk moment verwachtte hij dat het licht zou worden tegengehouden door het silhouet van hun achtervolger die achter Kaiku aan omlaag kwam denderen.

De ghaureg brulde, en het geluid hield het midden tussen het grauwen van een beer en het huilen van een wolf. Hij haalde hen snel in. Kaiku rende halsoverkop langs Tsata heen terwijl hij zijn geweer op het punt richtte waar hij verwachtte dat het afwijkende monster zou opduiken. Het land om hen heen was zo goed als verstoken van begroeiing. Het was een en al verbrijzelde stenen en harde, rotsachtige bodem. Kaiku ging af op een plek waar het land glooiend omlaag liep en waar aan de linkerkant een richel verrees. Misschien konden ze daar dekking vinden. Of misschien zou de ghaureg de richel alleen maar gebruiken om hen te bespringen.

Toen was Tsata opeens naast haar en nam de leiding. Ze renden ineengedoken over de glooiing omlaag, waar de richel hen aan het zicht onttrok. De ghaureg brulde weer, angstaanjagend dichtbij. Boven het bonzen van haar hart en het geroffel van hun voetstappen uit hoorde ze het wezen met grote passen naderbij komen, en zijn zware tred herinnerde haar eraan hoe ongelooflijk groot en sterk hun achtervolger was. Als ze binnen het bereik van die armen en die krachtige handen zouden komen, zouden ze aan stukken worden gescheurd.

De afwijkende aarzelde even toen zijn prooi leek te zijn verdwenen. Tsata en Kaiku maakten van de gelegenheid gebruik om de afstand te vergroten. De glooiing werd minder en de grond oneffen, en ze kwamen uit in een brede voor met een vlakke bodem die was bezaaid met rotsen. Aan de overkant stond de natuurlijke wand van een stuk hoger gelegen terrein, die er in het gemengde licht van Aurus en Iridima bleek en grimmig uitzag. De banen van de twee manen waren de laatste tijd steeds dichter bij elkaar komen te liggen, en als de derde zuster zich in de komende nachten bij hen zou voegen, zou er een maanstorm losbarsten.

Kaiku rende in de richting van een groepje rotsen. Ze waren hier te duidelijk zichtbaar. Als ze lang genoeg uit het zicht van het monster wisten te blijven, zou hij het opgeven, daarvan was ze overtuigd. De ghauregs waren weliswaar bruut en gevaarlijk, maar ze waren niet het intelligentste roofdier uit de verzameling van de wevers.

Shintu was haar die avond echter niet gunstig gezind. Ze hadden de schaduw van de rotsen bijna bereikt, toen de afwijkende boven op de richel verscheen. Kaiku ving met een angstige blik iets van zijn gestalte op: hij hield zijn kop laag tussen zijn bultige schouders terwijl hij de voor afspeurde. Toen zag hij hen. Zijn blik kruiste die van Kaiku en er liep een rilling over haar rug. Met een brul sprong hij van de richel naar de bodem van de voor, zeker twintig voet lager. Kaiku kon de bons toen hij landde dwars door de zolen van haar schoenen voelen.

Ghauregs. Het waren de grootste afwijkenden die Kaiku en Tsata tot nu toe in de Breuk waren tegengekomen en veruit de meest valse. Ze leken bovendien verontrustend veel op mensen, en dat baarde Kaiku de meeste zorg. Toen ze voor het eerst hun gebrul had gehoord en hun borstelige silhouetten in het maanlicht had gezien, waren ze haar beangstigend bekend voorgekomen, en pas dagen later besefte ze dat ze zich in het Lakmargebergte op Fo huiverend en ineengedoken in de sneeuw voor dergelijke wezens had schuilgehouden tijdens de eenzame tocht waarbij ze in de voetsporen van haar vader naar het weverklooster was getrokken. Toen waren het spookachtige, geheimzinnige monsters geweest waarvan ze tegen de witte horizon af en toe een glimp had opgevangen. Nu kon ze ze echter in hun volle glorie aanschouwen, en ze waren nog erger dan ze zich had voorgesteld.

Ze waren acht voet lang, alleen liepen ze altijd voorovergebogen, dus als ze zich tot hun volle lengte zouden verheffen, zouden ze nog langer zijn. Ze leken qua uiterlijk een beetje op apen en hoewel ze op vier poten konden rennen, waren hun achterbenen zo groot en sterk dat ze ook op twee poten konden staan, en zo liepen ze over het algemeen, zodat ze nog meer op een grotesk soort mensen leken.

Hun schedel was heel groot en bestond voor het grootste deel uit een kaak die zo zwaar was, dat het geen wonder was dat ze voorovergebogen liepen. Die kaken waren als stalen vallen, bedekt met een ruwe vacht en voorzien van de scherpe voortanden en botte kiezen van een alleseter. De kleine, gele ogen en stompe snuit waren slechts werktuigen waarmee ze hun volgende maaltijd opspoorden. Hun lijf was bedekt met een dikke grijze vacht, maar hun handen, borst en voeten waren bloot en hun huid was zwart en gerimpeld. Ze beschikten niet zoals de andere roofdiersoorten over natuurlijke wapens, maar dat gebrek werd ruimschoots gecompenseerd door hun grootte en brute kracht: ze waren werkelijk weerzinwekkend sterk. En ze waren ook niet bepaald traag.

Kaiku verstijfde heel even toen het monster in de voor landde en op vier poten op hen af denderde, want de aanblik van het reusachtige beest verlamde haar. Toen trok Tsata aan haar arm en vluchtte ze.

Haar kana kolkte in haar binnenste en probeerde zich vrij te vechten terwijl ze door de voor renden. Ze durfde hem niet los te laten. De vorige keer dat ze hem had gebruikt, bij de scheller, was ze alleen onopgemerkt gebleven omdat ze hem op heel subtiele wijze had aangewend. Als ze er iets gewelddadigs mee deed, zoals de afwijkende aanvallen, zouden de wevers het meteen voelen en alles in het werk stellen om haar te vinden.

Nog even en ze zouden echter geen andere mogelijkheid meer hebben.

'Hier!' riep Tsata opeens. 'Deze kant op!'

Met een plotselinge versnelling schoot Tsata langs haar heen en veranderde van richting. Hij rende door de voor naar een plek waar de wand aan de andere kant was gespleten en er een ondiepe scheur in het steen was ontstaan. Tsata hield nauwelijks zijn pas in voordat hij erlangs omhoogklom. Kaiku bereikte de steile wand kort na hem en haar geweer sloeg pijnlijk tegen haar rug toen ze naar de scheur sprong. Dit was niet de eerste keer dat ze tegen een rotswand omhoog moest klimmen – zij en haar broer Machim hadden als kind geprobeerd elkaar ook hierin de loef af te steken – maar bij haar eerste poging vond ze geen houvast. Uit angst verspilde ze nog meer tijd door achterom te kijken. De ghaureg kwam razendsnel op haar af, galopperend op zijn knokkels, en zijn klittende vacht klapperde tegen zijn zware lijf.

'Klim nou!' schreeuwde Tsata, en dat deed ze. Deze keer vond ze iets om zich aan vast te houden. Ze zette haar vingers klem in een spleet en trok zichzelf op totdat ze steun voor haar voet vond. Tsata stak zijn hand al naar haar uit. Te ver weg. Ze vond nog een houvast, ging daar met haar volle gewicht aan hangen en schraapte met haar vrije voet over het steen, op zoek naar een hoger punt om die te kunnen neerzetten.

'Kaiku, nú!'

Met haar tenen vond ze een gat, en ze duwde zichzelf omhoog met haar hand naar hem uitgestoken. Hij pakte haar met een ijzeren greep vast en sleurde haar omhoog, waarbij de aderen in zijn getatoeëerde arm opzwollen. Ze werd over de rand getrokken en viel in zijn armen, een fractie voordat de ghaureg haar kon bereiken, en zijn hand miste haar enkel op een haar.

Er was geen tijd voor opluchting. Kaiku maakte zich los uit de omhelzing van haar kameraad en ze gingen er weer vandoor. De ghaureg kon springen, maar was te zwaar om echt hoog te kunnen komen. De wand in de voor was voor hem te hoog, maar het zou niet lang duren voordat hij een andere weg naar boven had gevonden.

Het werd te gevaarlijk. Hoe de relatie tussen de afwijkenden en de vreemde, gemaskerde menners – die Kaiku de nexussen was gaan noemen – ook precies in elkaar zat, het was wel duidelijk dat de wevers wisten dat er in hun beschermde gebied iets niet klopte en ze hadden besloten er iets tegen te ondernemen. Kaiku en Tsata's strooptochten binnen de barrière waren steeds riskanter geworden. In het besmette, troosteloze land rond de uiterwaard waar de afwijkenden waren verzameld wemelde het nu van de schildwachten. Keer op keer hadden ze zich gedwongen gezien zich lang voordat ze de vlakte hadden bereikt terug te trekken, laat staan dat ze erin waren geslaagd een van de nexussen te bereiken. Tsata's voorstel een van de figuren met de zwarte gewaden te doden zodat Kaiku kon proberen te achterhalen wat ze precies waren en deden, leek steeds minder uitvoerbaar te worden. Het werd hun allebei dan ook snel duidelijk dat ze het onder deze omstandigheden beter niet konden blijven proberen. Vroeg of laat zouden ze worden gevangengenomen of gedood.

Met de ghaureg hadden ze gewoon pech. Gewoonlijk waren ze vrij gemakkelijk te vermijden. Ze waren niet bepaald geruisloos en geen erg vaardige jagers, want ze hadden hun plek boven aan de voedselketen in de besneeuwde wildernis waar ze vandaan waren gehaald uitsluitend aan hun brute kracht te danken. Kaiku en Tsata wilden echter een furie vermijden die hun spoor had opgepikt, en in hun haast om bij die afwijkende uit de buurt te komen hadden ze het pad van een andere gekruist. Dat was een fout waarvan Kaiku was gaan geloven dat Tsata er niet toe in staat was, maar zelfs de Tkiurathi bleek dus niet volmaakt te zijn.

Ze hoopte alleen dat die ontdekking hun niet het leven zou kosten.

'Welke kant moeten we op?' hijgde ze terwijl ze over de oneffen grond renden.

'Recht vooruit,' antwoordde hij. 'We zijn er bijna.'

'Bijna' bleek nog een stuk verder te zijn dan Kaiku dacht en tegen die tijd had de ghaureg hen alweer ingehaald.

Hij zag hen vanaf een heuvel in het landschap, toen zij een stuk vlak terrein moesten oversteken, en met een brul zette hij de achtervolging in. Het viel Kaiku op dat het een gewoonte van de ghauregs was om hoger terrein op te zoeken als ze hun prooi waren kwijtgeraakt, waarschijnlijk omdat ze geen natuurlijke vijanden hadden en dus niet bang waren zich op onbeschutte plekken te vertonen. Ze prentte het zichzelf in, voor het geval ze ooit weer de pech zouden hebben er een tegen het lijf te lopen. Laag en dicht in de buurt van verhullende wanden blijven was de beste aanpak als je deze diersoort wilde vermijden.

Nu was het daar echter te laat voor. Het beest kwam met donderende tred achter hen aan. Ze krabbelden tegen een flauwe helling op, en stenen en zand vielen in minilawines omlaag toen de grond onder hun voeten verbrokkelde. Bovenaan stond een groepje verdorde, besmette bomen scherp afgetekend in het maanlicht, en Kaiku herkende die plaats. Ze hadden de rand van het territorium van de wevers bereikt.

'Het masker, Kaiku!' zei Tsata dringend met een blik achterom naar het vlakke stuk land dat ze zojuist waren overgestoken. De ghaureg kwam plotsklaps in zicht en galoppeerde vastberaden op hen af.

Ze renden verder terwijl Kaiku het masker, dat ze aan haar riem had vastgemaakt, probeerde los te trekken. Ze had het echter te goed vastgemaakt en in de haast bleef de rand achter haar kleren haken. Het masker vloog uit haar handen en viel kletterend en met een lege, plagerige grijns op het gelaat op de grond.

Ze vloekte hartgrondig. Meteen had Tsata zijn geweer in de aanslag om de naderende afwijkende op de korrel te nemen, terwijl Kaiku naar het masker toe rende. De ghaureg had de afstand tussen hen snel overbrugd, en Kaiku wist niet precies hoe ver het nog was naar de barrière en of ze die wel op tijd zouden bereiken.

Dat was de laatste, vluchtige gedachte die door haar hoofd schoot voordat ze het masker van de grond griste en opzette.

Het gevoel van euforie, alsof ze wegzonk in een warm bad, was deze keer krachtiger dan ooit tevoren. De suggestie dat haar vader bij haar was, was ook sterker: de houtnerven leken zijn geur uit te wasemen en susten haar alsof ze weer een kind was dat door hem werd vastgehouden. Het masker paste haar perfect en rustte tegen haar huid als de hand van een geliefde op haar wang.

'Rennen!'

Tsata's stem verbrijzelde het tijdloze moment en ze was weer terug in het heden. Het masker voelde heet aan, dus de barrière moest vlakbij zijn. Ze ging ervandoor, en Tsata liet zijn arm zakken en rende met haar mee. De ghaureg brulde terwijl hij over de verraderlijke helling omhoogschoot, ongehinderd door de onstabiele grond. Hij begroef zijn handen en voeten diep in de aarde en wierp stenen en zand achter zich op.

'Geef me je hand!' riep Kaiku terwijl ze haar hand naar achteren stak. Opeens was daar de barrière en ze besefte dat hij te dichtbij was, en als Tsata niet vlak bij haar liep, zou hij er niet doorheen komen.

Hij reageerde bijna voordat ze haar zin had afgemaakt, sprong naar haar toe en klampte zich aan haar hand vast. De ghaureg was nu nog maar een paar voet bij hen vandaan en blokkeerde het maanlicht met zijn reusachtige gestalte. Kwijl droop van zijn tanden toen hij verwachtingsvol brulde, ervan overtuigd dat hij hen te pakken had.

Het weefsel bloeide rond Kaiku op en de wereld veranderde in een chaos van goudkleurig licht toen ze halsoverkop de barrière binnenstormde. Ze voelde meteen dat Tsata zijn greep verslapte, dat hij naar rechts probeerde te lopen omdat zijn zintuigen voor de gek werden gehouden en hij zijn gevoel voor richting kwijtraakte, maar ze had zijn hand stevig vast en was niet van plan die los te laten. Ze trok hem zo hard mogelijk mee en voelde dat hij struikelde en opzij strompelde toen zijn lichaam in een richting bewoog waarvan al zijn instincten hem vertelden dat die niet klopte. Hij wist zijn evenwicht een paar passen lang te bewaren, maar toen vielen ze met zijn tweeën aan de andere kant door de barrière en ging het weefsel achter hen weer in het niets op.

Tsata zat op handen en knieën en in zijn ogen lag de bekende lusteloze, gedesoriënteerde blik. Kaiku besteedde geen aandacht aan hem, maar hield de ghaureg in de gaten. Het wezen had zich omgedraaid en rende schuin bij hen vandaan, terug naar het hart van het weverterritorium, alsof hij zich er niet van bewust was dat zijn prooi niet meer voor hem uit liep. Ze bleef hem nakijken totdat hij achter een plooi in het grauwe landschap uit het zicht verdween.

Tsata was al snel hersteld en inmiddels had Kaiku met tegenzin het masker afgezet. De laatste tijd voelde ze zich daar vaak schuldig over, alsof het een soort verraad was, alsof ze daarmee de geest van haar vader teleurstelde.

De frons verdween van het voorhoofd van de Tkiurathi. Hij ging op een rots zitten en keek Kaiku aan.

'Dat was echt op het nippertje,' zei hij.

Kaiku veegde het haar uit haar gezicht. 'We zijn onvoorzichtig geweest,' zei ze. 'Meer niet.'

'Ik denk,' zei Tsata, 'dat het tijd is om ermee op te houden. We kunnen niet bij de wevers of de nexussen in de buurt komen. We moeten terug naar de Gemeenschap.'

Kaiku schudde haar hoofd. 'Nog niet. We moeten eerst meer te weten komen.' Ze beantwoordde zijn blik. 'Jij mag wel teruggaan.'

'Je weet dat ik dat niet kan.'

Ze kwam overeind en bood hem haar hand. Hij nam hem aan en ze hielp hem overeind.

'Dan zit je dus nog even met me opgescheept.'

Hij bleef haar een hele tijd staan aankijken en in het maanlicht was de uitdrukking op zijn gezicht onpeilbaar.

'Daar lijkt het op,' zei hij, maar zijn stem klonk warm en ze moest ervan glimlachen.

Chien os Mumaka lag in de ziekentent bij Zila op een veldbed en balanceerde op het randje van bewustzijn. Hij kon maar niet in slaap vallen, hoewel zijn hele lichaam pijn deed en hij het gevoel had dat de uiteinden van zijn botten langs elkaar werden gewreven. Hij was de enige die in de tent lag. Bedden stonden in rijen klaar en zouden snel vol raken als het gevecht begon. Het was koel en schaduwrijk in de tent en hij werd omringd door de gedempte geluiden van een legerkamp: zachte stemmen die aanzwollen en wegstierven als de sprekers langsliepen, het gesnuif van paarden, het geknetter van vuren, gekraak, getik en gesteun dat hij niet kon plaatsen. Hier in de buurt van de kust, op de vlakte ten zuiden van de versterkte stad, waren de nachtinsecten niet zo talrijk en luidruchtig, en het leek een vredige nacht.

Zodra hij in het kamp was aangekomen, was hij toevertrouwd aan de zorgen van een heelmeester, die hem een brouwsel te drinken had gegeven om de koorts te drukken. Chien had zwakjes een gesprek met barak Zahn geëist. In eerste instantie had de heelmeester geen aandacht aan hem geschonken, maar Chien had volgehouden. Hij had verklaard dat hij een zeer belangrijke boodschap had die meteen moest worden overgebracht, en dat Zahn erg ontstemd zou zijn als iemand voor vertraging zorgde. Dat zette de man aan het denken. Chien wist uit zijn koopmansdagen maar al te goed dat mensen eerder bereid waren iets te doen als ze geloofden dat ze verantwoordelijk zouden worden gehouden voor de gevolgen als ze dat níét deden. De heelmeester was er echter niet van gediend dat hem in zijn eigen ziekentent werd verteld wat hij moest doen. Bovendien was Chien erg ziek en sliep Zahn inmiddels al.

'Morgenochtend,' zei de heelmeester kortaf. 'Tegen die tijd bent u voldoende hersteld om bezoek te ontvangen. Dan zal ik de barak vrágen of hij met u wil spreken.'

Daar moest Chien zich noodgedwongen tevreden mee stellen.

Toen hij eenmaal alleen was, dacht Chien na over wat er die dag allemaal was gebeurd. Goden, wat was die Mishani slim. Hij wist niet of hij zich moest schamen of zich er gewoon bij moest neerleggen dat ze uiteindelijk had geraden waar hij mee bezig was. Hij kon immers niets doen aan wat hij in zijn dromen uitkraamde. Sterker nog, hij was geneigd te denken dat de goden er de hand in hadden gehad – om precies te zijn Myen, de godin van de slaap, die hetzelfde verraderlijke bloed in haar aderen had als haar jongere broer Shintu. Wie was hij in dat geval om zich schuldig te voelen?

Ze had bovendien gelijk, dat moest hij met tegenzin toegeven. Hij kon haar het beste helpen door bij haar weg te gaan. Hij was er tot twee keer toe niet in geslaagd haar te beschermen, en ze had de aanslagen door de huurmoordenaars van haar vader slechts ternauwernood overleefd. Hij wist niet wat voor spelletje ze met Zahn speelde, maar hij was blij dat hij er niets meer mee te maken zou hebben zodra hij zijn boodschap had doorgegeven. Dan zou hij zijn verplichtingen hebben vervuld. Zolang Mishani in leven bleef, zou Muraki het aan haar eer verplicht zijn om bloed Mumaka van hun verplichtingen jegens haar familie te verlossen.

Ondanks de pijn en de koorts slaagde hij er even in te glimlachen. Zijn hele leven had hij een ongelijke strijd gevoerd om de vooroordelen te overwinnen die men over hem als geadopteerd kind had. Het feit dat zijn ouders uiteindelijk ondanks de sombere voorspellingen van de heelmeesters toch nog zelf kinderen hadden gekregen, had het er niet gemakkelijker op gemaakt. Elke dag was hij gedwongen geweest zichzelf ten opzichte van zijn broertjes te bewijzen. Maar goed, hij mocht dan niet elegant, verfijnd of goed geschoold zijn, zoals zijn jongere broers, toch kon hij het hoofd trots hoog houden. Niet alleen had hij ervoor gezorgd dat zijn familie was opgekrabbeld uit de put van eerloosheid waar ze door toedoen van zijn ouders in waren beland, hij zou hen nu bovendien bevrijden van de schulden die ze zich op de hals hadden gehaald toen ze de liefde verkozen boven politieke belangen.

Hij zakte weg in bewusteloosheid, die hem tijdelijk verloste van de koorts, maar hij was meteen weer wakker toen er bij de tentflap iets bewoog. Met enige moeite tilde hij zijn hoofd op en tuurde in de duisternis. Hij kon maar niet scherp zien.

Hij zag niemand, maar desondanks was hij ervan overtuigd dat er iemand bij hem in de tent was. Het gevoel bezorgde hem kippenvel. Hij duwde zichzelf op zijn ellebogen omhoog en keek opnieuw om zich heen, op zoek naar de ongrijpbare schim waar hij een glimp van had opgevangen. Hij werd licht in het hoofd. Een hersenschim? De heelmeester had hem gewaarschuwd dat het brouwsel bijwerkingen kon hebben.

'Is daar iemand?' vroeg hij uiteindelijk, toen hij de stilte niet meer kon verdragen.

'Ja, ik,' zei iemand vlak bij Chiens bed, en daar schrok hij ontzettend van. Een zwarte gestalte, die hij door het medicijn in zijn bloed slechts vaag kon onderscheiden, stond naast hem.

'Jij hebt het mijn werkgever bijzonder moeilijk gemaakt,' siste de man, en terwijl hij dat zei, voelde Chien een gehandschoende hand die op zijn neus werd gedrukt. Een houten fiooltje werd tussen zijn lippen gedrukt voordat hij die op elkaar kon klemmen. Hij stribbelde tegen, probeerde te schreeuwen en kokhalsde even door de vloeistof in zijn mond. Toen werd er nog een hand op zijn gezicht gedrukt, zodat hij het spul niet kon uitspugen. Hij slikte in een reflex om zijn luchtwegen vrij te maken en besefte toen pas wat hij had gedaan.

'Braaf zo,' zei de schaduwgestalte. 'Drink maar op.'

Chien hield op met tegenstribbelen en sperde angstig zijn ogen open. Een nieuw soort slaperigheid verspreidde zich door zijn lichaam en veranderde zijn spieren in lood. Zijn ledematen werden te zwaar om op te tillen en zijn hoofd viel slapjes terug op het kussen. Een afschuwelijke slaap overviel hem, zo snel dat hij er niet eens weerstand aan kon bieden.

Binnen een paar tellen lag hij doodstil met zijn ogen open en met pupillen als zwarte schoteltjes niets ziend naar het dak van de donkere ziekentent te staren. De indringer haalde zijn handen van Chiens gezicht en keek toe terwijl de ademhaling van zijn slachtoffer vertraagde tot een oppervlakkig gehijg en uiteindelijk helemaal stopte.

'Ik vertrouw je toe aan Omecha en Noctu, Chien os Mumaka,' prevelde de huurmoordenaar terwijl hij de ogen van de koopman sloot. 'Dat je in het Gouden Rijk meer geluk mag hebben.'

Met die woorden was de schaduwgestalte verdwenen, weggeglipt naar het kamp waar hij zich vermomd als een soldaat uit barak Moshito's leger ophield. Barak Avun tu Koli mocht dan helemaal in het noorden zijn, zijn arm reikte ver.

In de duisternis koelde Chiens lichaam langzaam af, en de volgende ochtend zou zijn dood aan koorts worden toegeschreven. Zijn boodschap zou zijn bestemming nooit bereiken.

Reki tu Tanatsua, aangetrouwde broer van de keizer van Saramyr, zat ineengedoken in een hoekje van een verlaten krot te huilen met het haar van zijn zus tegen zijn gezicht gedrukt.

Hij was bij zonsondergang de Rahn overgestoken, nadat hij de hele vorige nacht aan één stuk door vanuit Axekami was doorgereden. De brug op de Oosterweg was veel te gevaarlijk geweest, maar hij was er zonder al te veel moeite in geslaagd een veerman te vinden die hem naar de overkant wilde brengen. Voor dit meevallertje zou hij dankbaar zijn geweest, als hij nog tot dankbaarheid in staat was geweest. Er was echter alleen maar ruimte voor verdriet, en dus zat hij te huilen in de schaduwen van het oude veldwerkershutje dat hij had gevonden om in te schuilen, omringd door de geur van het rottende hooi in de strozak en de roestige sikkels die tegen de dunne, planken wand stonden. Vlakbij hinnikten de paarden, die zich in de krappe ruimte niet prettig voelden. Hij durfde ze evenwel niet buiten te laten staan en ze waren te uitgeput om echt rusteloos te worden. Ze kauwden op haver uit hun voederzakken en negeerden hem. Hij had de hele dag en het grootste deel van de nacht doorgereden, maar slaap was het laatste waar hij aan dacht. Al zou hij nooit meer slapen, het kon hem niets schelen. Hij geloofde niet dat deze overweldigende bedroefdheid, verbittering en pijn ooit nog zouden overgaan. Wat kon de wereld toch wreed zijn, dat net op het moment dat hij met Asara het grote geluk had gevonden alles hem werd afgepakt en hij het nachtelijke duister in was gedreven, gedwongen zijn zus in de steek te laten en opgezadeld met een vreselijke verantwoordelijkheid. Hij durfde niet te denken aan de meelijwekkende toestand waarin hij Laranya had aangetroffen. Dat was een diepe ontluistering van de persoon die ze altijd was geweest totdat Mos haar zo had mishandeld. Het was zo'n grote kwelling dat hij nauwelijks adem kon halen, en hij klapte dubbel van de pijn in zijn borst en buik.

Op dat moment had hij nog geen idee dat zijn zus al dood was.

Ze zouden naar hem op zoek gaan, had ze gezegd. Ze zouden proberen hem tegen te houden. Mos had een grens overschreden en niemand kon zeggen waar hij nu allemaal toe in staat was. Reki begreep het niet echt, want hij wist niet wat zijn zus van plan was geweest: dat ze haar vernedering aan de bedienden van de vesting zou tonen zodat de geruchten niet konden worden onderdrukt, en dat ze zichzelf van het leven wilde beroven om wraak vanuit de woestijn zeker te stellen. Hij geloofde niet dat Mos het zou wagen hem gevangen te nemen en tegen zijn wil vast te houden. Hoe weerzinwekkend hij zich ook had gedragen, ontvoering was van een heel andere orde.

Dat deed er echter allemaal niet toe. Het zwarte haar van zijn zus was om zijn vuist gewikkeld. Ze had hem opdracht gegeven het aan hun vader te geven. Hij was het aan zijn eer verplicht die opdracht uit te voeren en daarmee de verplichting door te geven aan bloed Tanatsua. En bloed Tanatsua, een van de machtigste families van Tchom Rin, zou de andere families in naam van Suran oproepen om hen te helpen. Reki twijfelde er niet aan dat zijn vader een indrukwekkend leger achter zich kon en zou verzamelen.

De leden van het woestijnvolk leefden traditioneel geïsoleerd. Ze handelden hun eigen zaken binnen hun eigen territoria af en lieten zich niet in met de politiek van het westen. De keizers en keizerinnen lieten hen rustig hun gang gaan. Zelfs met de wevers tot hun beschikking was de woestijn een moeilijk gebied om te besturen, en degenen die op de vruchtbare grond aan de andere kant van het Tchamilgebergte woonden, begrepen maar weinig van de ingewikkelde gewoonten van de volgelingen van Suran. Hoewel ze deel uitmaakten van hetzelfde rijk, was het in een uitgestrekt land als Saramyr vrij gewoon dat aangrenzende samenlevingen elkaar zo goed als vreemd waren.

Reki had de kans op oorlog in zijn hand. Dat was een verantwoordelijkheid die hij niet wilde. Als hij zich eraan onttrok, zou hij daarmee echter zijn zus verraden, die door toedoen van de man van wie ze hield vreselijk had geleden. Zijn eigen verdriet was niets vergeleken bij dat van haar, maar die gedachte troostte hem niet. Het leek of het huilen nooit zou ophouden. Het was een kwellend, krampachtig iets wat nog het meest leek op overgeven en waarmee een eindeloze golf van schaamte, schuldgevoel, haat en verdriet omhoogkwam.

Hij werd zo door zijn eigen ellende in beslag genomen dat hij de deur van het hutje niet open en dicht hoorde gaan en de nieuwkomer die op hem afliep niet zag. Pas toen hij een hand op zijn schouder voelde, krabbelde hij opeens achteruit en drukte zich met zijn rug in de hoek van het hutje, wegdeinzend voor de schaduwgestalte die zich over hem heen boog.

'O, Reki,' zei Asara.

Hij jammerde toen hij haar stem herkende en sloeg zijn armen om haar benen. Opnieuw begonnen de tranen te stromen. Ze ging naast hem op haar knieën zitten, liet toe dat hij haar omhelsde en sloeg zelf haar armen om hem heen. Daar in de duisternis klampte hij zich aan haar vast alsof ze de moeder was die hij nooit had gekend, en zij troostte hem. Een hele tijd bleven ze zo zitten. De paarden mompelden wat in zichzelf en de deur van het hutje trok in de herfstwind rammelend aan zijn hendel.

'Wat doe jij hier?' perste hij er uiteindelijk uit, terwijl hij vol eerbied en verwondering haar gezicht aanraakte alsof ze een genadige godin was die hem te hulp kwam.

'Denk je echt dat je dit alleen kunt?' vroeg ze. 'Ik kon je spoor zo eenvoudig volgen alsof je een routebeschrijving voor me had achtergelaten. Als ik het kan, kunnen anderen het ook. Zonder mij word je voor de volgende maansopgang gevangengenomen.'

'Je bent me achterna gekomen,' snikte hij, en hij omhelsde haar opnieuw.

Ze duwde hem zachtjes van zich af. 'Kalmeer een beetje,' zei ze. 'Je bent geen kind meer.'

Dat kwetste hem, en op zijn betraande gezicht was de pijn duidelijk af te lezen.

'We moeten nu gaan,' zei ze op ferme toon. In de schaduwen was haar silhouet vloeiend, maar in haar ogen schitterde een vreemd licht. 'Het is hier te gevaarlijk. Ik zal je een snellere, minder gebruikte weg wijzen. Ik zal ervoor zorgen dat je je eed aan je zus kunt vervullen.'

Reki kwam moeizaam overeind en ook Asara stond op. Zijn ogen brandden en hij had een loopneus. Beschaamd wreef hij met de rug van zijn hand over zijn gezicht.

'Als je wordt gepakt, word je waarschijnlijk geëxecuteerd,' fluisterde hij.

'Dat weet ik,' antwoordde ze. 'Ik zal ervoor zorgen dat dat niet gebeurt.'

Hij haalde luidruchtig zijn neus op. 'Je had niet moeten komen.'

'Maar ik ben er nu.'

'Waarom?' vroeg hij, want ze had nooit echt antwoord gegeven op zijn eerste vraag.

Ze drukte snel een kus op zijn lippen. 'Dat moet je zelf maar bedenken.'

Ze leidden de paarden naar de plek waar Asara haar eigen paarden had achtergelaten en trokken door het donker verder. Later zou ze hem vertellen dat zijn zus zelfmoord had gepleegd. Voorlopig was het echter voldoende om hem in veiligheid te brengen en hem te beschermen tijdens de lange reis naar het land van zijn vader in het zuidoosten. Ze zou ervoor zorgen dat hij het haar van Laranya hoogstpersoonlijk aan barak Goren zou overhandigen. Ze zou ervoor zorgen dat hij de burgeroorlog in gang zou zetten die er moest komen.

Terwijl ze door de velden en moerassen trokken, verrieden Asara's ogen niets van haar gevoelens. Ze dacht aan de moord op de keizerin.

In eerste instantie was het niet haar doel geweest om Laranya te vermoorden. Ze was door Cailin alleen naar de keizerlijke vesting gestuurd om een oogje te houden op de ontwikkelingen binnen de keizerlijke familie, want er waren geruchten over Mos' krankzinnigheid en Cailin geloofde dat er iets stond te gebeuren. Ze wilde dat Asara in de juiste positie zou zijn om actie te ondernemen als het zover was. Asara was er slechts een paar dagen voor Mos' aanvaring met zijn vrouw in geslaagd in de keizerlijke vesting te infiltreren.

Als spion kende ze geen gelijke, en binnendringen in de vesting – en in het bed van een verlegen jongeman – was voor een wezen als zij een peulenschilletje. Ze was oud, hoewel je dat niet aan haar kon zien, en ze had veel gezien en gelezen. Het was voor haar eenvoudig om zich met haar charmes een plaats te veroveren binnen het kringetje van dichters, toneelschrijvers en muzikanten met wie Laranya zich omringde. Ze wist meer dan de meeste van hen, en dat was opmerkelijk voor een vrouw die er zo jong uitzag. Vervolgens hadden roddels over Eszel en Laranya haar op Reki opmerkzaam gemaakt, dus had ze zich aan hem voorgesteld. Het was niet moeilijk. Hij was nog maar een jongen en had weinig ervaring met vrouwen. Het was kinderlijk eenvoudig om hem te verleiden.

Toen moest de keizerin worden benaderd. Reki had haar verteld over de dromen waardoor Mos werd geplaagd. Asara had dat opgeteld bij de legers van bloed Kerestyn die zich verzamelden, de naderende hongersnood en wat ze vermomd als Saran Ycthys Marul over de wevers te weten was gekomen, en daaruit had ze één ding geconcludeerd, iets wat ze uiteindelijk toch wel zou zijn gaan vermoeden. De wevers wilden Mos gek maken van jaloezie. Ze wilden dat hij zijn vrouw iets zou aandoen.

Ze wilden de woestijnfamilies bij de strijd betrekken. Dus wilde Asara dat ook. Toen ze de kans kreeg, aarzelde ze niet.

Als Asara één ding wist, dan was het wel dat de Libera Dramach, zoals de zaken er nu voor stonden, de wevers niet kon verslaan. Nu niet, over tien jaar niet, waarschijnlijk nooit. Op het moment dat

Lucia zich toonde en openlijk aanspraak maakte op de troon, zou ze worden gedood en zou de Libera Dramach door de wevers in één klap worden vernietigd. Lucia kon het keizerrijk niet veroveren. Maar de wevers wel, en Asara wilde daar best een beetje bij helpen.

◎ 26 ◎

De aanval op Zila kwam in het holst van de nacht.

De wolken die langs de westkust van Saramyr hadden gestreken, hadden zich tegen zonsondergang tot een sombere deken samengepakt en toen de duisternis viel, was die bijna volledig. Er schenen geen sterren, Aurus was volkomen onzichtbaar, van Iridima was niet meer te zien dan een vage, witte veeg aan de hemel en haar stralen werden verstikt voordat ze de grond wisten te bereiken. Toen begon het te regenen: een paar waarschuwende spetters, hier en daar een verraderlijke, dikke druppel die op de straten van de stad viel, en toen barstte de bui los. Opeens wemelde het in de nachtelijke lucht van de geselende druppels die uit de hemel vielen, sissend op toortsen terechtkwamen en afketsten op zwaardgevesten.

Het was een felle, pijnlijke stortvloed, die door de kleren heen drong van de wachtposten die gewapend en met samengeknepen ogen de verre kampvuren van het belegeringsleger in de gaten hielden. Als lichtbakens in een verder ondoordringbare duisternis flakkerden ze in een kring rondom de heuvel waar Zila op stond, maar ze verlichtten niets. Uiteindelijk werden ze gedoofd door de regen.

De regen hield vele uren aan. Zila wachtte af, als een kroon van verlichte ramen en lantaarns die in de door regen geteisterde duisternis leek te zweven.

De man die als eerste merkte dat er iets niet klopte was een kalligraaf met een gedegen opleiding die, zoals zoveel anderen, was meegesleept door de gebeurtenissen in de stad en niet zo goed wist hoe het nu verder moest. Hij was door een gezagsstructuur waar hij niets van begreep als wachtpost aangewezen en had klakkeloos gehoorzaamd. Nu was hij doornat, en voelde zich ellendig. Hij had een geweer in zijn handen waarvan hij niet wist hoe hij het moest gebruiken en verwachtte elk moment midden in het voorhoofd te worden geraakt door een pijl uit de afgrond aan de andere kant van de stadsmuren.

Misschien kwam het wel door die angstige verwachting dat hij die avond op wacht beter oplette dan de anderen. Na een reeks nachten waarin er niets was gebeurd waren ze ervan uitgegaan dat er een lange periode van onderhandelingen en voorbereidingen aan de eigenlijke strijd zou voorafgaan. Het vuur dat de opstand in hun binnenste had doen oplaaien was bekoeld, en de meesten hadden zich neergelegd bij het vooruitzicht van een lange herfst en een lange winter binnen de stadsmuren van Zila. Ze hadden geen andere keus. Ze hadden geen zin om zich aan de genade van het belegeringsleger over te geven, ook al hadden ze weg gekund. Sommigen vroegen zich af of het niet beter zou zijn geweest als ze de landvoogd hadden laten doorgaan met het oppotten van voedsel en de hongersnood maar hadden afgewacht. Hun metgezellen herinnerden hen eraan dat het met een volle buik gemakkelijk praten was, en dat ze niet zo zelfgenoegzaam zouden zijn als ze nu honger hadden. In Zila was in elk geval meer te eten dan daarbuiten.

Net als de kalligraaf vroegen velen zich af hoe ze in deze omstandigheden verzeild waren geraakt en wat ze konden doen om het er heelhuids vanaf te brengen.

Terwijl hij over dergelijke vragen stond te piekeren, drongen er boven het tumult van de regen uit opeens geluiden tot de oren van de kalligraaf door. De wind veranderde steeds volkomen willekeurig van richting, zodat de man van alle kanten met warme druppels werd besproeid, en als de wind naar hem toe stond, meende hij af en toe gekraak te horen, of het piepen van een wiel. Hij was een verlegen man en wilde zichzelf niet voor schut zetten door de anderen die op wacht stonden er opmerkzaam op te maken, dus zei hij een hele tijd niets. Maar hij hoorde de geluiden keer op keer – heel zachtjes, meegevoerd door de wind – en geleidelijk groeide in zijn hart de overtuiging dat er iets niet klopte. De geluiden waren vluchtig genoeg om een product van zijn verbeelding te kunnen zijn, alleen had hij geen verbeelding. Hij was een nuchter, praktisch mens en had nooit last van hersenspinsels.

Uiteindelijk deelde hij zijn bezorgdheid met de man die naast hem op de muur stond. De man luisterde en bracht na een tijdje verslag uit aan zijn meerdere, en zo kwam het de wachtcommandant ter ore. De commandant wilde van de kalligraaf zelf weten wat die had gehoord. Anderen vielen hem bij: zij hadden het ook gehoord. Ze tuurden ingespannen in de duisternis, maar de versluierde nacht was ondoordringbaar.

'Steek een raket af,' zei de commandant uiteindelijk. Dat deed hij niet graag, want hij was bang dat hij zowel zijn eigen leger als de vijand onnodig schrik zou aanjagen. Hij vond de rilling die het gevoel van naderend onheil over zijn ruggengraat liet lopen echter nog veel vervelender.

Even later werd de nachtelijke stilte verscheurd door een indringend gekrijs en het vuurwerk schoot met een boog in de lucht, met een dun sliertje rook dat er als een staart achter hing. Het gefluit stierf weg en toen bloeide er een bal fel licht op, een fosforescerende gloed die de hele heuvel verlichtte.

Wat ze zagen, deed hun de schrik om het hart slaan.

Aan de voet van de heuvel wemelde het van de soldaten, die als een bas-reliëf in het valse zonlicht gevangen leken. Ze hadden zwarte teerkleden over hun leren wapenrusting aangetrokken, zodat hun kleuren niet te zien waren, en aldus vermomd hadden ze hun kampvuren verlaten en waren ze in het geniep het potentiële slachtveld overgestoken waar het volk van Zila hen met pijlen en kanonskogels had kunnen bestoken. Met die teerkleden zagen ze eruit als een horde groteske, uit de kluiten gewassen kevers met glanzende rugschilden, die heimelijk met hun eigen mortieren, ladders en kanonnen naar de muren van de stad kropen. Het was vooral angstaanjagend omdat het beeld zich in één klap aan hen opdrong. Het was alsof ze een verband hadden verwijderd om tot de ontdekking te komen dat de wond die eronder zat wemelde van de maden.

Misschien wel drieduizend mannen klommen over de modderige heuvel naar Zila toe.

Toen het vuurwerk uitdoofde, steeg er een hels kabaal op, dat zowel uit de stad als van de troepen in de diepte afkomstig was. In het laatste licht van de raket wierpen die laatsten de teerkleden van zich af en trokken net zulke kleden van de bewerkte lopen van de kanonnen, die eruitzagen als grauwende honden of schreeuwende demonen. Toen keerde de duisternis weer en werden ze aan het zicht onttrokken. Zila was echter één zee van lichtjes en kon zich nergens verstoppen.

Alarmbellen rinkelden. Stemmen schreeuwden bevelen en waarschuwingen. Mannen stootten bekers vol dobbelstenen of kommen met stoofpot om toen ze haastig de wapens pakten, die ze achteloos tegen de muren hadden gezet.

Toen bulderden de kanonnen.

De duisternis aan de voet van de heuvel trok zich opnieuw terug toen de vlammen uit de vuurmonden sloegen en de soldaten, die de aanval inzetten, kort werden verlicht. Kogels vlogen loom en met een boog over de muren, zwarte, tollende bollen met barsten in het oppervlak waar een chemisch vuur uit drupte. Ze vlogen dwars door de daken van de huizen heen, verbrijzelden de straten en sloegen bressen in gebouwen. Als de klap hard genoeg was, barstten ze open en spatte er een soort gelei uit die ontbrandde als hij met lucht in aanraking kwam. Vlammende sporen verspreidden zich over de geplaveide straten van Zila en de regen kon ze niet doven. Donkere woningen werden plotseling van binnen uit verlicht toen het interieur in vlammen opging. Gillende gestalten van mannen, vrouwen en kinderen strompelden en zwaaiden met hun armen terwijl hun huid tot as werd verbrand.

Het eerste salvo was vernietigend. Het tweede volgde al snel.

Nog voordat het gekrijs van de raket was verstomd, stond Bakkara al naast zijn bed en toen de eerste kanonskogels insloegen, gordde hij net zijn leren wapenrusting om. Mishani was tegelijkertijd wakker geworden, maar ze wist niet wat het vuurwerk te betekenen had. Zodra de eerste ontploffingen klonken, kwam ze zelf echter ook in beweging. Terwijl Bakkara naar het raam liep om de luiken open te gooien, trok ze haar gewaad aan en wond haar lange haar in één dikke vlecht met een knoop onderin.

Bakkara vloekte en tierde toen hij neerkeek op de daken van Zila, waar de eerste vlammen al uit sloegen.

'Ik wíst dat ze het zo zouden aanpakken,' knarsetandde hij. 'De goden vervloeken hen! Ik wist het!'

Hij wendde zich af van het raam en zag dat Mishani haar sandalen aantrok. Normaal gesproken kostte het haar veel tijd om haar toilet te maken, maar als elegantie niet geboden was, kon ze er in een mum van tijd mee klaar zijn.

'Waar denk jij dat je naartoe gaat?' vroeg hij op hoge toon.

'Met jou mee,' zei ze.

'Vrouw, ik waarschuw je, dit is niet het moment om me tot last te zijn.'

Opeens deed een oorverdovende knal de kamer beven, zo hevig dat Bakkara struikelde en zich aan een kast moest vastgrijpen om zijn evenwicht niet te verliezen. De vesting was geraakt. Een kogel uit een kanon kon niet door zulke dikke muren heen dringen, maar over de flank van de vesting sijpelde een beekje van vuur omlaag en vlammen drupten op de binnenplaats in de diepte.

'Ik ben niet van plan hier te blijven, want dit is het belangrijkste doelwit in heel Zila,' zei ze. 'Ga maar. Maak je om mij geen zorgen. Ik houd je wel bij.'

Ze had niet kunnen zeggen waarom ze er behoefte aan had om hem te vergezellen, ze wist alleen dat het angstaanjagend was om zo wakker te worden en dat ze niet alleen wilde achterblijven met de vraag welk lot de stad wellicht wachtte.

'Nee, je hebt gelijk,' zei Bakkara, die even was ontnuchterd. 'Ik weet een veiligere plek voor jou.'

Mishani wilde net vragen wat hij daarmee bedoelde, maar ze kreeg de kans niet. Xejen kwam verschrikt kwebbelend de kamer binnen. Hij was kennelijk nog op geweest, want hij was nog keurig gekleed en zijn haar zat niet in de war. Mishani bestudeerde de leider van de Ais Maraxa nu al een tijdje en ze was tot de conclusie gekomen dat hij aan chronische slapeloosheid leed.

'Wat doen ze nou, wat doen ze nou?' schreeuwde hij. Hij zag Mishani en keek met verbazing naar Bakkara. Kennelijk had hij niet geweten dat ze het bed deelden. 'Bakkara, wat doen...'

'Ze vallen ons aan, sukkel, dat had ik toch voorspeld!' schreeuwde Bakkara terug. Hij liep langs Xejen de kamer uit. Xejen en Mishani gingen achter hem aan toen hij haastig door de vesting liep en onderweg zijn zwaard recht hing. Buiten was het staccato geknal van geweren begonnen nu de mannen op de muren eindelijk georganiseerd genoeg waren om de verdediging ter hand te nemen.

'We zaten midden in de onderhandelingen!' zei Xejen verontwaardigd. Hij moest rennen om de grote passen van Bakkara te kunnen bijhouden. 'Geven ze dan niets om de gijzelaars? Willen ze soms een keizerlijke stad tot de grond toe afbranden?'

'Als dat nodig is wel,' antwoordde Bakkara grimmig.

Als soldaat was hij gewend aan de frustratie als je moest lijden onder de onkunde van je leider, en die had hij geaccepteerd. In de bevelsstructuur kon je het tien keer beter weten dan de man die boven je stond, maar dat nam niet weg dat je de bevelen van je meerdere moest opvolgen. In zijn hart had Bakkara niet geloofd dat de baraks Zahn tu Ikati en Moshito tu Vinaxis zo'n stunt zouden durven uithalen, maar hij had Xejen voor de mogelijkheid gewaarschuwd.

Xejen had niet naar hem geluisterd. Hij geloofde wat hij altijd had geloofd: dat de troepen van het keizerrijk tijd zouden rekken. Ze zouden tijd verspillen aan diplomatie, totdat het volk verveeld, zelfgenoegzaam en ontmoedigd was geraakt en het moreel van de rebellen tot een dieptepunt was gedaald. Dan zouden ze het volk zelf een aanbod doen en op die manier proberen van binnenuit de macht te grijpen. In het allerergste geval zouden ze de muren bestormen, en Xejen geloofde dat ze in dat geval vanaf de hoge muren gemakkelijk op een afstand konden worden gehouden. In zekere zin waren de handen van de bondgenoten van het keizerrijk gebonden: ze wilden de stad niet meer schade toebrengen dan strikt noodzakelijk was en de keizer zou niet willen dat duizenden Saramyrese boeren en stedelingen werden gedood, zeker niet nu de situatie zo explosief was.

Als Xejen ergens goed in was, was het in het bespelen van zijn publiek. Hij wist hoe hij hen moest inspireren of aan het twijfelen kon brengen. Hij was van plan geweest de onderhandelingsperiode te gebruiken om de doctrine van de Ais Maraxa te verspreiden, het volk van Zila iets te geven waarin ze konden geloven, een doel waaraan ze onwrikbaar konden vasthouden. Hij had erop gerekend dat de generaals weinig zin zouden hebben in oorlog, dat ze hun krachten en manschappen wilden sparen voor de burgeroorlog die dreigde uit te breken.

Xejen hield alleen rekening met zijn eigen manier van denken, en had de fatale fout gemaakt aan te nemen dat ieder ander ontwikkeld mens net zo zou denken. Logica was nu eenmaal logica, dat kon iedereen met een beetje verstand toch wel begrijpen? Hij had gedacht dat het op een mentale strijd zou aankomen. Dat had hij verkeerd gedacht.

Ze renden de vesting uit en kwamen terecht in een wirwar van regen, gegil en vlammen. In een reflex doken ze in elkaar toen er een kanonskogel over hun hoofd vloog die aan de andere kant van Zila uiteenspatte en brandende gelei over de daken uitspuwde. Bakkara vloekte hartgrondig en rende de trap af naar de straat. In een mum van tijd was zijn haar drijfnat. Op straat wemelde het van de rennende en schreeuwende mensen die in paniek zochten naar de eerste de beste schuilplaats. Hun angstige gezichten werden van opzij door het vuur belicht.

De trap van de vesting maakte twee wendingen voordat hij op het omringende plein uitkwam. Onderaan stonden enkele schildwachten. Het waren professionele soldaten die wisten dat ze zelfs tijdens een zware aanval als deze hun post niet mochten verlaten. Bakkara legde zijn hand op de schouder van een van hen.

'Ga meer mannen halen!' zei hij dringend. 'Vroeg of laat zullen deze mensen besluiten dat de vesting de enige veilige plek in heel Zila is en zullen ze binnen proberen te komen. Jullie moeten hen tegenhouden. We willen niet dat ze schuilen, we willen dat ze gaan vechten!'

De schildwacht salueerde scherp met zijn arm voor zijn borst en deelde bevelen uit. Bakkara wachtte niet tot hij klaar was. Hij moest naar de zuidelijke muur, waar de eerste gevechtsgeluiden al klonken.

Degenen binnen de Ais Maraxa die een militaire opleiding hadden gehad, wisten van tevoren dat het niet zou meevallen om boeren en ambachtslieden samen te smeden tot een doeltreffend verdedigings-leger, maar zelfs zij hadden niet op zo'n totaal gebrek aan organisatie gerekend. Het strijdplan van de baraks was er speciaal op gericht om verwarring te veroorzaken, en Zila was door de onversneden harteloosheid en bruutheid ervan volledig in paniek geraakt. Kanonnen deden een lukrake regen van kogels op de stad neerdalen – de vijand probeerde niet eens ergens op te richten. Mortieren smeten bommen in de lucht die hele happen uit stenen gebouwen sloegen en ernstige schade aan de muren van de vesting toebrachten. De mannen van Zila waren op een gevecht voorbereid geweest, maar dit was geen gevecht. Dit was een slachting.

Zo leek het althans. In werkelijkheid, zo wisten mannen als Bakkara, waren er veel minder slachtoffers dan de schade deed vermoeden. Het was de bedoeling van de aanvallers om de schade groter te laten lijken dan die was. De regen voorkwam dat de branden zich ver verspreidden en de buitenste muur van de stad was nog even sterk als altijd. De stedelingen konden echter alleen zien dat hun huizen werden vernietigd en dat hun gezinnen doodsbang op de vlucht sloegen, en velen verlieten rennend hun post om te proberen hun geliefden te redden van het ingebeelde gevaar waarin ze verkeerden.

Het duurde lang, veel te lang, voordat de kanonnen van Zila begonnen te bulderen en brandende bressen in de linies van de aanvallers sloegen, zodat de soldaten alle kanten oprenden. Vuurwerkraketten schoten krijsend de lucht in en veranderden in oogverblindend witte toortsen die een spookachtig tafereel aan de voet van de muren van Zila onthulden, waar soldaten met hun schilden boven hun hoofden tegen elkaar door de modder, de pijlen en de geweerkogels zwoegden. In Saramyr werden schilden in de strijd zelden gebruikt, behalve in dergelijke situaties. Ze waren dan ook gemaakt van dik metaal, zodat ze zwaar genoeg waren om geweerkogels te doen afketsen. Aan de flanken van de formaties vielen enkele doden, maar de kern bleef sterk, en onder het beschermende schild werden ladders naar voren geschoven. In de verte was het onheilspellende gepiep en gekraak te horen van belegeringstoestellen die in het donker dichterbij kwamen, en versterkingstroepen die niet aan de eerste aanval hadden deelgenomen verschenen nu ten tonele.

Het ergste gevolg van alle verwarring was echter dat alle ogen op het zuiden waren gericht, en dat niemand naar het noorden keek, naar de rivier.

De duisternis en de regen die de legers van de baraks zo doeltreffend hadden verborgen, deden nu hetzelfde voor de soldaten die de Zan waren overgestoken. Ze klommen over de steile flank van de heuvel in een lange rij langs de trap omhoog die van de kade naar het poortje liep en verspreidden zich vervolgens langs de muur.

De mannen aan de noordkant van de stad hadden hun waakzaamheid niet laten varen. Onder de omstandigheden konden ze echter onmogelijk iets zien en door de chaos die door het bombardement was ontstaan, waren de nerveuzere mannen in paniek geraakt. Het verzoek van de wachtcommandant om ook aan de noordzijde van de stad vuurwerk af te steken was ergens in de wanorde verloren gegaan, en terwijl hij stond te wachten op een antwoord dat nooit zou komen, sloeg het noodlot toe.

Vier soldaten stonden in de stad bij het poortje aan de noordkant op wacht. Het poortje was dik en massief, versterkt met klinknagels en metalen banden en zo goed als ondoordringbaar vanwege de breedte en de compacte afmetingen. De helling die erachter afliep naar de zuidoever van de Zan was zo steil dat het dwaas was om vanaf die kant de aanval in te zetten. De manschappen zouden van de trap gebruik moeten maken – want de grashelling was gewoon te steil, zeker als het zoals nu regende – en zouden een gemakkelijk doelwit vormen voor alles wat de verdedigers van boven op hen wilden laten neerkomen. Eventuele aanvallers zouden zijn gedwongen dicht opeengepakt op het smalle strookje vlakke grond bij de muur te blijven staan, waar ze konden worden overgoten met brandende pek, terwijl een paar soldaten vruchteloos trachtten de poort in te beuken. Er was niet eens genoeg ruimte tussen de poort en de plek waar de helling begon om een stormram te kunnen gebruiken.

Giri stond samen met drie andere schildwachten in de met een lantaarn verlichte wachtkamer te luisteren naar de vernietiging van Zila. Hij was beroepssoldaat, maar had er eigenlijk niet het juiste temperament voor. Hij hield niet van vechten en had niets met de kameraadschap die de andere soldaten zoveel goed deed. Hij bracht zijn tijd vooral door met regelen dat hij zou worden opgesteld op een plek waar de overlevingskans het grootst was. Hij geloofde dat hij deze keer geluk had gehad. Dit was waarschijnlijk de veiligste plek in de hele stad.

Hij begon pas te vermoeden dat er iets mis was toen hij hoofdpijn kreeg. In eerste instantie was het niets om je druk over te maken, gewoon een vage, doffe pijn waarvan hij dacht dat die zo wel zou wegtrekken. Maar het werd alleen maar erger. Hij kneep zijn ogen samen en knipperde snel met zijn wimpers.

'Ben je ziek?' vroeg een van de andere schildwachten.

Giri was echter meer dan ziek. De pijn werd ondraaglijk. Hij klauwde met zijn hand naar zijn rechteroog, want gedreven door een tegennatuurlijk instinct wilde hij de plek waar het pijn deed aanraken, maar het zat ergens in zijn hoofd, alsof een diertje van binnenuit aan zijn schedel krabde. Hij zag dat een andere schildwacht fronste, niet vanwege Giri maar om iets anders, alsof er opeens een gedachte bij hem was opgekomen die zo belangrijk was dat hij hem niet zomaar van zich af kon zetten.

Nu keken ze allemaal zo, heel aandachtig, alsof ze ergens naar stonden te luisteren. Toen draaide de schildwacht die hem had aangesproken zich om en liet zijn zwaard uit de schede glijden.

'Je werkt niet mee, Giri,' zei hij.

Opeens besefte Giri wat er gaande was en hij sperde zijn ogen open. 'Nee, stop! Goden, het is een wever! Er is daar ergens een wever!' Voordat hij nog een woord kon uitbrengen, werd het zwaard in zijn borst gestoken.

Een van de drie overgebleven schildwachten, degenen die niet zo'n negatieve reactie op de invloed van de wever hadden vertoond, doofde de lantaarns en haalde de dwarsbalk van de poort. Ze trokken hem open en keken naar de regen en de duisternis erachter. Daar konden ze met enige moeite een masker van hoekige stukken edelmetaal onderscheiden, een versplinterd, getand gelaat van goud, zilver en brons. Achter de gebochelde gestalte stonden soldaten met zwarte teerkleden en getrokken zwaarden te wachten. Ze doodden de ongelukkige marionetten in het voorbijgaan en dromden toen massaal in de wachtkamer bijeen.

Heimelijk drongen ze verder Zila binnen.

'Breng verslag uit!' brulde Bakkara boven het geraas van vallende balken en de oorverdovende herrie van de ontploffingen uit.

'Ze walsen over ons heen!' riep de wachtcommandant. Hij was een man van middelbare leeftijd met een hangsnor die slap hing door de regen. 'Ze hebben de muren bereikt en zetten nu ladders op. Eén op de drie mannen heeft zijn post verlaten en rent als een kip zonder kop door de stad.'

'Heb je hen dan niet tegengehouden?' vroeg Bakkara ongelovig.

'Hoe dan? Door hen te doden? Wie moet hen dan doden? De stedelingen doen het niet en als de Ais Maraxa in het wilde weg met zwaarden gaat zwaaien, zal het kleine beetje verdediging dat er nu nog is als een kaartenhuis in elkaar storten.' De commandant keek berustend. 'Mensen vechten nu eenmaal niet als ze er niet toe bereid zijn. We hebben een volksopstand veroorzaakt, maar we hebben geen leger gevormd.'

'Maar als ze niet vechten, gaan ze dood!' flapte Xejen eruit.

Net als de anderen schuilde hij onder het houten afdak van een verlaten kroeg bij de zuidelijke muur. Op straat renden mensen voorbij die af en toe door lichtflitsen werden beschenen. Mishani luisterde maar met een half oor naar het gesprek. Ondanks haar onaangedane uiterlijk was ze verstijfd van angst. Het luide gerommel overal om haar heen en de wetenschap dat ze elk moment door vlammen kon worden verslonden matte haar af. Ze wilde niets liever dan teruggaan naar de vesting. Was ze er maar nooit weggegaan. Ze keek door de regen omhoog naar het gebouw dat zich midden in de stad verhief. Hoewel de flanken beschadigd en verschroeid waren en er hier en daar brokken steen af waren gevallen, leek het daar honderden malen veiliger dan waar ze nu was. Angst had haar naar de plaats gedreven waar het allemaal gebeurde, want op dat moment wenste ze niet in een toren te blijven die onder vuur werd genomen. Ze wist echter niets over oorlog en was geschrokken door al het geweld. Twee keer waren ze bijna door een kanonskogel geraakt en verschillende keren waren ze verbrande en uiteengereten lichamen gepasseerd. Mishani had al eerder dergelijke afschuwelijke taferelen gezien, toen ze in het Marktdistrict van Axekami slachtoffer was geworden van een terroristische bomaanslag. Toen was het gevaar echter tot één moment beperkt gebleven en was ze meteen met de vreselijke nasleep geconfronteerd. Hier bleven de bommen maar komen, en vroeg of laat moest een ervan haar toch raken.

De commandant stond Xejen ernstig aan te kijken. 'Er wordt gezegd dat het leven van de mannen zal worden gespaard als we ons overgeven. We kunnen barak Moshito daarbeneden ergens horen.'

'Dat kan niet!' riep Xejen uit.

'Wevers,' zei Bakkara. 'Ze kunnen iemands stem versterken. Dat deden ze toen ik in de Nieuwlanden vocht ook vaak als de generaals de troepen moesten toespreken. Dan waren we met tweeduizend man, maar allemaal konden we de generaal verstaan alsof die vlak voor onze neus stond.'

'Wevers?' herhaalde Xejen nerveus.

'Wat had je dan verwacht?' bromde Bakkara.

'We hebben je op de muur nodig, Bakkara,' zei de commandant. 'Het is daar een bende. Ze weten niet hoe ze met een hevige aanval moeten omgaan.'

'Niemand geeft zich over!' snauwde Xejen opeens. 'Zeg dat maar tegen de mannen! Het kan me niet schelen wat Moshito zegt!' Hij snoof. 'Ik ga zelf wel naar de muur om het hun te vertellen.'

De commandant keek Xejen onzeker aan. 'Wilt u de mannen zelf leiden?' vroeg hij aan Xejen.

'Kennelijk is dat nodig, dus ja,' antwoordde hij.

'Xejen...' begon Bakkara, maar toen hield hij zijn mond. Mishani was echter niet van plan er getuige van te zijn dat hij voor Xejen het hoofd boog, niet hier. Ondanks haar angst besefte ze dat het machtsevenwicht aan het wankelen was gebracht en dat de tijd was gekomen om haar eigen gewicht in de schaal te werpen.

'Goden, Xejen, laat hem toch zijn werk doen!' snauwde ze, en ze liet een kordate, minachtende toon in haar stem doorklinken. 'Hij is degene die het leger moet aanvoeren, niet jij!'

Bakkara trok verrast zijn wenkbrauwen op. Zijn blik vloog van Mishani naar Xejen. 'Ga naar het schuilhuis. Hier kun je niets doen.'

'Ik moet erbij zijn!' wierp Xejen meteen tegen.

Nu was het echter een kwestie van trots geworden. Hoewel hij het tegenover zichzelf nooit zou hebben toegegeven, was Bakkara niet van plan zich in de aanwezigheid van zijn vrouw, hoe weinig toepasselijk die term ook was, terzijde te laten schuiven. Mishani had hem juist ingeschat.

'Lucia heeft er niets aan als jij wordt gedood!' blafte Bakkara. 'En wat jou betreft, mevrouw Mishani, dit is niet jouw strijd. Als je in het strijdgewoel verzeild raakt, zullen ze je doden, of je nu een edelvrouw bent of niet.'

'Ladders!' riep iemand in de verte. 'Er komen nog meer ladders aan!' De commandant keek Bakkara dwingend aan. 'We hebben je nodig!' herhaalde hij. 'Ze proberen de muren te beklimmen!'

'Wegwezen!' schreeuwde Bakkara tegen Xejen, waarna hij zich omdraaide en achter de andere soldaat aan rende.

Xejen en Mishani stonden samen onder het afdak, waar de regen vanaf spatte en op de kasseien stroomde. Bakkara keek niet achterom. Xejen leek even niet te weten waar hij naartoe moest. Mishani, die de uitdrukking op zijn gezicht zag, vermoedde dat alles anders zou worden als ze deze strijd zouden doorstaan. Zonder het te beseffen had Bakkara een grote stap gezet in de richting van het leiderschap over de Ais Maraxa, en Xejen had gezichtsverlies geleden. Dat kwam Mishani goed uit.

'We kunnen maar beter doen wat hij zegt,' stelde Mishani voor. Ze was zelf nog het meest verbaasd dat ze zo kalm klonk, terwijl ze het liefst naar de eerste de beste schuilplaats zou vluchten die ze kon vinden. Bakkara had het al eens eerder over het schuilhuis gehad: een kleine groep ondergrondse vertrekken die de Ais Maraxa had ontdekt toen ze de aantekeningen van de omvergeworpen landvoogd doorbladerden. In deze schuilplaats zouden ze veilig zijn voor de bommen en kanonskogels.

Xejen spuugde gefrustreerd op de grond en liep met grote passen in de richting waar ze vandaan waren gekomen. 'Kom mee!' zei hij. Zijn langwerpige kaak was verstrakt.

Ze liepen gehaast door de grimmige, steile straten van Zila. De hoge gebouwen leken dreigend op hen af te komen toen ze de hoofdwegen verlieten en de smalle steegjes namen die de spaakwegen met elkaar verbonden. Brandend puin had verschillende wegen ontoegankelijk gemaakt, en bij sommige gebouwen die vanbinnen in brand stonden likten de vlammen door de ramen naar buiten. Mensen drongen in tegengestelde richting langs hen heen. Sommigen herkenden Xejen. Een paar spraken hem smekend aan, alsof hij de macht had om hier een eind aan te maken. Hij droeg hun op naar de muren te gaan en te vechten, als ze ook maar iets om hun stad gaven. Ze keken hem verward aan en renden door. Wat hen betrof was de situatie hopeloos.

Met een hoekje van haar geest dat nog tot analyseren in staat was, bestudeerde Mishani Xejen dwars door de angst heen. Hij was woedend over de wending die had plaatsgevonden, voelde zich verraden door de zwakte van de stedelingen en Bakkara. Toch kon ze aan zijn houding zien dat hij nog steeds alle vertrouwen in zijn plan had, dat hij geloofde dat de muren van Zila het zouden houden, hoe slecht het er ook uitzag. Hij vloekte onder het lopen, mompelde woedend voor zich uit als hij mannen zag die hun gezinnen bij brandende gebouwen vandaan leidden, want hij kon werkelijk niet begrijpen dat ze niet inzagen dat ze hun stad moesten verdedigen als ze hun gezin wilden beschermen.

Toen drong pas werkelijk tot haar door dat zijn geloof in zijn doel hem had verblind en dat dat hun ondergang zou betekenen. De Ais Maraxa was gevaarlijk, niet alleen voor het keizerrijk, maar ook voor de Libera Dramach. Dat had Zaelis vanaf het begin geweten. Ze vormden een risico, want in al hun hartstocht handelden ze roekeloos en zonder nadenken en namen ze te veel hooi op hun vork. Het was puur geluk dat ze deze stad hadden gevonden op het moment dat die er rijp voor was om zijn onbekwame heerser omver te werpen. Ze hadden echter middelen noch ervaring genoeg om hem te besturen, laat staan om het op te nemen tegen twee zeer bekwame baraks en een grote groep gepokte en gemazelde generaals.

Ze had geprobeerd een manier te vinden om de chaotische ontwikkelingen in haar voordeel te doen keren en zich een weg naar de vei-

ligheid te banen, maar de gebeurtenissen hadden elkaar te snel opgevolgd. Waar was Zahn? Had hij verkozen haar boodschap te negeren? Goden, besefte hij dan niet hoe belangrijk ze voor hem was?
Als zij deze nacht zou overleven, hield ze zichzelf voor, had ze nog
een goede kans om levend uit Zila weg te komen. Als ze deze nacht
wist te overleven.

Net op het moment dat ze dat dacht, sloeg met een oorverdovend
geraas naast haar een mortierbom in een gebouw, en de hele gevel
zakte op straat in elkaar.

Het was uitsluitend aan Xejens immer snelle reactievermogen te danken dat ze aan de dood ontsnapte. Hij had het projectiel een fractie
voordat het insloeg gezien, en hij greep de kraag van Mishani's gewaad vast en rende door de open deur het tegenoverliggende gebouw
binnen. Op het moment dat ze werd verdoofd door de herrie, de
lichtflits en de luchtverplaatsing die haar wegduwde, werd ze ruw
door de deuropening gesleurd, en ze struikelde over de drempel terwijl de straat waar ze net nog had gestaan werd bedolven onder een
lawine van hout en stenen.

Een stofwolk stoof naar binnen, drong in Mishani's longen en deed
haar verstikt naar adem happen. Met haar tranende ogen kon ze nog
net Xejens gestalte onderscheiden. Toen hoorde ze het geluid van
brekend hout en begon het hele huis onheilspellend te kraken. Net
was het tot haar doorgedrongen dat ze op een haartje aan de dood
was ontsnapt, toen ze boven zich iets hoorde knappen en besefte dat
ze het ergste nog niet had gehad. Haar maag keerde zich om toen
ze hoorde hoe de laatste balk het begaf en het hele plafond op haar
neerstortte.

Bakkara's zwaard zwaaide met een brede boog door de lucht, verbrijzelde het sleutelbeen van de soldaat en sneed bijna zijn hoofd eraf. De greep van zijn slachtoffer op de ladder verslapte en hij viel
boven op de mannen die achter hem stonden, zodat die gillend op
de schilden van hun metgezellen in de diepte stortten. Bakkara en
een andere man grepen de ladder vast en duwden die weg. Hij zwaaide naar achteren, wankelde even, draaide toen een kwartslag en viel
om. De laatste mannen die zich er nog aan vastklampten werden
meegesleurd toen hij neerkwam op de hoofden van de manschappen
die de zuidelijke muur van Zila belegerden.

'Waar is iedereen toch?' riep Bakkara geërgerd terwijl hij naar de
plek rende waar een volgende ladder al met een dreigend gekletter
tegen de borstwering werd gezet. Met maar een tiende van het aantal aanvallers hadden ze deze positie kunnen verdedigen, maar zelfs

aan dat aantal kwamen ze niet. De verdedigers slaagden er maar ternauwernood in te voorkomen dat de soldaten over de muur heen kwamen. Ergens in zijn achterhoofd registreerde Bakkara het feit dat de kanonnen van Zila zwegen, en de troepen van de baraks vielen nu onversaagd aan.

Een man van de Ais Maraxa, een soldaat die net zo verweerd en vermoeid was als hij, gaf antwoord op zijn vraag. 'Ze zijn allemaal bij de muur weggevlucht, de lafaards,' kraste hij. 'Sommigen zijn naar hun gezinnen gegaan, anderen wilden zich overgeven. Ze zullen zich verstoppen totdat dit allemaal voorbij is. Mogen de goden hen laten verrotten.'

Bakkara vloekte. Dit was een ramp. De stedelingen hadden het eigenlijk al opgegeven, volkomen uit het veld geslagen door de aanblik van hun brandende huizen en de op het oog overweldigende overmacht waarmee ze werden geconfronteerd. Ze hadden het best kunnen volhouden als ze bij elkaar waren gebleven. Daar was echter eenheid en discipline voor nodig, en Xejens bijeengeraapte boerenleger beschikte over het een noch het ander.

Hij had geen tijd om er nog langer over na te denken, want hij stond alweer bij de nieuwe ladder, waar twee mannen van bloed Vinaxis de stenen wandelgang hadden bereikt en op hem afrenden. Zijn zwaard kwam omhoog om de slag van de eerste, die onverstandig genoeg zijn zwaard boven zijn hoofd had geheven, op te vangen. Vervolgens stampte hij op de zijkant van 's mans voet en hij voelde hoe de botjes onder zijn hak verbrijzelden. Zijn vijand slaakte een kreet van pijn en greep in een reflex naar zijn enkel, en terwijl hij niet oplette kapte Bakkara zijn hoofd eraf. Hij zakte op de grond en het bloed dat uit zijn afgehakte hals gutste werd door de stromende regen weggewassen.

De soldaat van de Ais Maraxa, die Hruji heette, had al even doeltreffend met zijn tegenstander afgerekend, en samen duwden ze de ladder omver voordat er nog iemand de borstwering kon bereiken. Bakkara keek grimmig langs de muur naar links en rechts. Er waren hier te weinig mannen, veel te weinig. Bijna allemaal waren ze van de Ais Maraxa. De stedelingen hadden hen aan hun lot overgelaten. In het licht van de lantaarns zag hij groepjes soldaten die wanhopig af en aan renden om de oprukkende troepen tegen te houden. Die troepen bleven echter maar komen en zijn mannen raakten vermoeid.

Er waren er niet genoeg om over de hele lengte van de muur de vijand op afstand te houden.

'Bakkara!' riep iemand, en toen hij zich omdraaide, zag hij een verfomfaaide man die over het looppad op hem afrende. Hij kende hem van gezicht, maar kon niet op zijn naam komen.

'Geef me goed nieuws,' zei Bakkara waarschuwend, maar aan het gezicht van de man kon hij al zien dat hij niets goeds te melden had.

'Ze zijn door de poort aan de noordkant binnengedrongen! Ze hebben de noordelijke muur veroverd. De stedelingen geven zich over... Sommigen hélpen hen zelfs. Onze mensen vluchten naar het zuiden, naar het midden van de stad.'

Nu was het genoeg geweest. Dit kon geen uitstel meer velen.

'We trekken ons terug naar de vesting,' zei Bakkara, en de woorden smaakten als as in zijn mond. 'De stad is verloren. Allemaal naar het verzamelpunt. Van daaruit trekken we verder.'

Hruji en de boodschapper salueerden allebei en gingen ervandoor om het bevel door te geven. Bakkara richtte zijn vlakke blik op het verschroeide, beschadigde gebouw dat boven de brandende straten van Zila uitstak en vroeg zich af of zijn beslissing hun ook maar enige uitkomst kon bieden. Hij vermoedde dat hij op deze manier alleen maar het onvermijdelijke voor zich uit schoof.

Even later klonk er een schril, maar helder hoorngeschal dat door de door strijd geteisterde nacht galmde: het signaal om de muur aan de vijand te laten.

De terugtrekking verliep al even wanordelijk als de verdediging. De leden van de Ais Maraxa waren het langst op hun post gebleven, maar het waren niet allemaal soldaten. De ordelijke terugtrekking liep dan ook uit op een wilde vlucht toen de vijandelijke troepen over de verlaten muur de stad binnenstroomden. Gelaarsde voeten spetterden door straten die in ondiepe rivieren vol troebel water waren veranderd en er werden angstige blikken achterom geworpen, waar een golf van zwaarden, geweren en wapenrusting over de borstwering van Zila stroomde. De Ais Maraxa's renden halsoverkop door de gloed die door de straatlantaarns werd geworpen en schoten van het licht naar het donker en weer terug, op weg naar een somber ogend plein dat op het kruispunt van een spaakweg en een zijstraatje lag.

Bakkara stond aan de noordkant van het plein terwijl de haveloze troepen van alle kanten toestroomden en nam hen somber op. Hun gezichten stonden ongelovig en hun vertrouwen in hun doel was beschadigd. Ze hadden er lang in het geheim naartoe gewerkt en hadden zich onverslaanbaar gewaand: ze waren immers rechtgeaarde kruisvaarders voor een door de goden gezegend ideaal. Zodra ze echter voor het voetlicht waren getreden, waren ze door de overmacht van het keizerrijk verpletterd. Het was een wrede les en Bakkara vroeg zich af wat er van de Ais Maraxa zou worden als ze hier heelhuids uit kwamen.

Inmiddels waren er zo veel mensen op het plein samengedromd dat hij het bevel kon geven naar de vesting te trekken. Tussen de branden door die ontstonden omdat er overal om hen heen nog steeds kanonskogels insloegen leidde hij de groep in een draf over de steile, met kasseien bestrate, spaakweg die naar het logge gebouw in het hart van Zila liep. Misschien konden ze de vijand in elk geval even op afstand houden. Dan konden ze nieuwe strategieën bedenken, nieuwe plannen smeden.

Maar wie moest dat doen?

Hij veegde de regen uit zijn ogen en zette daarmee ook de twijfels van zich af. Hergroeperen en verdedigen. Dat was het eerste wat hij nu moest doen en hij dacht niet verder vooruit. Zo was hij nu eenmaal.

Ze hadden het eind van de spaakweg bereikt en kwamen uit op het grote, ronde plein dat helemaal om de vesting heen liep. Bakkara bleef stilstaan en de mannen die met hem mee renden volgden zijn voorbeeld. De bewegingloosheid verspreidde zich naar achteren, totdat zelfs degenen die helemaal achteraan liepen en hem niet konden zien waren opgehouden met dringen, getemperd door een verschrikkelijk voorgevoel.

Voor hen aan de voet van de vesting stonden meer dan duizend man in slagorde opgesteld, twee keer zoveel als Bakkara bijeen had gekregen.

Bakkara haalde diep adem en schatte in hoe groot het probleem was. De ruimte tussen de Ais Maraxa's en de vijandelijke troepen was zo goed als leeg: een donker, glanzend vlak van halvemaanvormige leistenen. Een tweetal uitslaande branden links van hen – waar de gelei uit de kanonskogels ondanks de regen nog steeds brandde – wierp gele glinsteringen op het niemandsland. De troepen waren samengesteld uit soldaten van alle baraks die tegen de opstand in het geweer waren gekomen, maar hij zag ook stedelingen, inwoners van Zila die hun eigen hachje wilden redden door zich bij de indringers aan te sluiten. Hij probeerde afkeer te voelen, maar dat lukte niet. Het leek nu vooral kinderachtig.

Boven hen, op de trap die naar de vesting leidde, zag hij het dof glanzende masker van een wever. Het gelaat van edelmetaal stak ronduit lelijk af tegen de rafelige mantel die hij droeg. Bakkara hoefde niet verder omhoog te kijken om te weten dat de vijandelijke troepen al tot in de vesting waren doorgedrongen.

Achter hem stonden mannen angstig te mompelen. Alleen al bij de gedachte dat ze het tegen een wever moesten opnemen zakte de moed hen in de schoenen. De vijandelijke troepen die langs de zuidelijke muur omhoog waren geklommen kwamen echter met elk moment dat ze verspilden dichterbij. Bakkara voelde aan dat hij nu iets moest doen, anders zou hij zijn mannen kwijtraken.

Als ze gevangen werden genomen, zou dat hun dood betekenen. Dat wist hij met de zekerheid van een man die al vele oorlogen had meegemaakt. Hij wist ook dat er ergere dingen waren dan sterven.

'Ais Maraxa!' brulde hij, en zijn stem reikte tot aan de achterste gelederen. Het klonk als de stem van een ander, als de woorden van een ander. 'Voor Lucia! Voor Lucia!'

Daarop hief hij met een woordeloze kreet zijn zwaard hoog in de lucht, en als één man deden de soldaten achter hem hetzelfde, want hun kortstondige zwakte werd weggevaagd toen ze de naam Lucia hoorden en ze werden herinnerd aan het geloof dat hen hier had gebracht. Bakkara's borst zwol op door een emotie die zo groots en schitterend was dat hij er geen naam aan kon verbinden. Hij zwaaide zijn zwaard naar voren en wees met de punt naar de vijand die hen stond op te wachten met betere wapens, betere geweren en grotere aantallen.

'Ten aanval!' brulde hij.

Geweren knalden en zwaarden kwamen rinkelend uit schedes toen de laatste Ais Maraxa's op de wachtende dood afrenden, en in die laatste momenten wist Bakkara eindelijk hoe het voelde om een leider te zijn.

๏ 27 ๏

Toen Nuki's oog boven de oostelijke horizon verscheen, keek het op een heel ander Zila neer.

In Tchom Rin was de Surananyi, de woede-uitbarsting van de pestilente godin van de woestijn na de moord op de keizerin, inmiddels uitgeraasd, en de ochtenden die volgden waren kil en kristalhelder. Het licht van zo'n ochtend scheen neer op de verwoeste kroon van Zila, met zijn zwartgeblakerde daken, dakspanten die aan de elementen waren blootgesteld en tientallen dikke rookpluimen die door het zachte briesje naar het noorden werden meegevoerd. Het was niet langer een grimmig, uitdagend bolwerk, maar slechts een schim van zijn voormalige trots en glorie, en de stedelingen die over straat liepen, waren beschaamd en doodsbang voor de mogelijke gevolgen van hun opstandigheid.

Het leven kwam maar langzaam weer op gang in de nasleep van de aanval. De mensen gedroegen zich als vermoeide feestgangers die na een festival de rommel moeten opruimen. Naarmate de zon hoger aan de hemel kwam, werden kampementen afgebroken en dichter bij de heuvel weer opgezet. Sommige regimenten vertrokken omdat hun aanwezigheid elders dringend noodzakelijk was. De lijken van neergeschoten, doorboorde en verbrande mensen werden weggehaald bij de voet van de stadsmuren en door de zuidelijke poort kwam een gestage stroom karren naar buiten waarmee de doden uit de stad werden afgevoerd.

Het herstellen van de orde en het uitdelen van straf zou geen kortstondig proces zijn. Zila had het keizerrijk getart, dus er moest een voorbeeld worden gesteld. Dat zou uiteindelijk Xejens ondergang worden. Hij had er geen rekening mee gehouden dat de baraks tot alles bereid waren om in deze tijden de status-quo in stand te houden. Er was een hongersnood op komst, die nu al aan de randen van Saramyr knaagde en zich langzaam een weg naar binnen baande. De samenleving wankelde op het randje van chaos. Onder zulke omstandigheden moest elke vorm van onrust zo meedogenloos mogelijk de kop worden ingedrukt. Alleen door de orde strikt te handhaven kon het keizerrijk zich door de magere jaren heen slaan die in het vooruitzicht lagen. De boerenstand moest leren dat een revolutie niet werd getolereerd. Daarom hadden de hooggeplaatste families Zila aangevallen met een veel grotere troepenmacht dan Xejen en de stedelingen hadden verwacht en hadden ze zich niet druk gemaakt om het aantal slachtoffers onder onschuldige burgers of de structurele schade die aan een van de belangrijkste nederzettingen van Saramyr zou worden toegebracht. Als ze niet voorbij de muren waren gekomen, zouden ze Zila tot aan de grond hebben afgebrand of in puin hebben geschoten.

Rebellie zou niet worden getolereerd. Dat had het volk van Zila nu geleerd en de komende weken zou de les keer op keer worden herhaald. De boodschap zou worden verspreid. Het keizerrijk was onschendbaar.

Barak Zahn tu Ikati had echter het gevoel dat ze probeerden een levenloos karkas nieuw leven in te blazen. Voor hem was het keizerrijk allang gestorven. Hij was de drijvende kracht achter de nachtelijke aanval geweest, maar zijn bijdrage was gespeend gebleven van enige emotie. In tegenstelling tot barak Moshito tu Vinaxis en de generaals die door de andere hooggeplaatste families waren uitgezonden, brandde hij niet van geestdrift om hun manier van leven te beschermen.

Ooit had hij er net zo over gedacht als zij, voordat Mos zich de troon had toegeëigend, voordat Anais tu Erinima was omgekomen. Voordat zijn dochter was gestorven.

Het was middag toen hij door de deuren van de verschroeide vesting naar het plein liep, waar de laatste dode Ais Maraxa's net werden weggehaald, met diepe wonden vol opgedroogd bloed in hun slappe ledematen en gapende gezichten. Het gestolde bloed op de halvemaanvormige leistenen kookte in de felle hitte en wasemde een verstikkende, weezoete geur uit die achter in je keel bleef hangen. De grauwe, vernielde straten van Zila waren alweer opgedroogd en lagen er nu stoffig en stil bij, als een doolhof van fel zonlicht en scherpe, donkere schaduwen waarin ontmoedigde mannen en vrouwen zich schuilhielden en weigerden hem aan te kijken.

Hij was een lange, magere man met smalle gelaatstrekken en pokdalige wangen die de laatste tijd hol en uitgemergeld waren geworden. Zijn korte, vroegwitte baard bedekte ze grotendeels, maar kon de zwarte kringen om zijn ogen niet verbergen, waaraan de tol van zijn lange lijdensweg duidelijk was af te lezen. Meer dan vijftig oogsten had hij meegemaakt, maar de laatste, sinds hij Lucia was kwijtgeraakt, hadden het zwaarst gewogen.

Het moment waarop ze elkaar hadden ontmoet was in zijn geheugen gegrift. Hij wist het nog als de dag van gisteren. Sindsdien had hij het elke dag opnieuw beleefd, had hij steeds opnieuw die diepgewortelde omslag ervaren die in zijn binnenste had plaatsgevonden op het moment dat hij het afwijkende kind had gezien. Opeens was hij zich bewust geweest van een gevoel dat dieper ging dan hij ooit voor mogelijk had gehouden, iets heel primitiefs en onweerstaanbaar krachtigs, en hij had ervaren wat iedere man moest meemaken als hij zijn vrouw aan een kind het leven zag schenken: een overweldigende kennismaking met het mysterie van de prachtige, angstaanjagende band tussen ouder en kind. Hij had haar gezien en het meteen geweten. Elk instinct had hem toegeschreeuwd: dit is jouw kind.

Zij had het ook geweten. Dat kon hij merken aan de manier waarop ze haar armen om hem heen had geslagen, hij kon het zien aan die lichtblauwe ogen en aan de verwijtende blik die erin had gelegen terwijl de tranen begonnen te stromen.

Waar was je al die tijd, leek ze te vragen, en zijn hart werd verscheurd. Het feit dat hij niet had geweten dat hij een dochter had, maakte het voor hem niet gemakkelijker. Natuurlijk sloten haar leeftijd en haar geboortedag keurig aan bij de kortstondige, hevige verhouding die hij jaren geleden met de bloedkeizerin had gehad, maar aan de andere kant had hij geweten dat Anais in die tijd ook met haar man het bed deelde. Toen bekend werd gemaakt dat ze in verwachting was, kon het kind in zijn ogen dan ook onmogelijk van hem zijn. De gedachte was wel even bij hem opgekomen, maar hij had hem meteen weer weggewuifd. Als ze vermoedde dat het kind van Zahn was, zou ze het hem hebben verteld, en anders zou ze het in de moederschoot hebben vergiftigd. Dan zou behalve haar geneesheer niemand hebben geweten dat ze ooit in verwachting was geweest. Daarvan was hij overtuigd. In politiek opzicht waren dat de enige verstandige mogelijkheden. Toen ze het een noch het ander deed, trok Zahn daaruit de conclusie dat hij er niets mee te maken had. De verbittering die hij had gevoeld toen ze een eind had gemaakt aan hun gevaarlijke relatie had hij al van zich afgezet, en nu er een erfgenaam was, was hij blij dat hij ervanaf was. In kinderen had Zahn nu eenmaal geen interesse. Dat dacht hij tenminste.

Op het moment dat ze elkaar hadden ontmoet, was hij echter verpletterd door pijn, verdriet en spijt. Hij had het gevoel dat hij haar in de steek had gelaten.

Verbijsterd door wat er was gebeurd was hij uit de keizerlijke vesting weggegaan, maar hij was nooit van plan geweest lang weg te blijven. Hij had Anais om opheldering willen vragen, ondanks de volksonrust die er op dat moment heerste, ondanks het feit dat hij geen bewijs had, afgezien van de simpele overtuiging dat hij gelijk had. Hij had willen vragen waarom ze Lucia bij hem vandaan had gehouden. Hij had als een jong heethoofd allerlei roekeloze dingen willen doen, maar toen waren Anais en hun dochter omgekomen.

Diep vanbinnen was er iets gestorven toen hij het nieuws hoorde, iets wat nooit meer was aangegroeid. Een belangrijk deel van zijn ziel was verschrompeld en zwart geworden en de wereld was van al zijn kleur beroofd. Hij had geprobeerd zichzelf ervan te overtuigen dat het belachelijk was dat hij zich er zoveel van aantrok. Hij had er immers jarenlang niets van geweten en was daar volmaakt tevreden mee geweest, en hij was nog maar heel kort op de hoogte van zijn ware relatie met Lucia. Hoe kon hij zo verdrietig zijn om het verlies van iets wat hij maar zo kort had gehad?

Het waren echter holle woorden waarvan de echo hem spottend in de oren klonk, en hij hield op met proberen het onberedeneerbare te beredeneren.

Zijn gevoel van ellende verspreidde zich als een kwaadaardig gezwel en deed andere delen van hem afsterven. Hij genoot niet meer van eten. Zijn metgezellen vonden hem zwaarmoedig en melancholiek. Hij toonde weinig interesse in zijn familie en landerijen en veel taken die hij zelf had moeten uitvoeren, liet hij over aan zijn jongere broers en zussen. Als barak was hij nog net zo bekwaam als altijd, maar hij miste het vuur, de ambitie. Hij behartigde de belangen van zijn familie goed genoeg, maar zijn passie voor de politieke spelletjes en het eeuwige gevecht om status die voor de hogere echelons van de Saramyrese samenleving bij het leven hoorden, was verdwenen. Hij kon het hoofd net boven water houden en dat was voor hem genoeg.

Deze ochtend zou er echter iets gebeuren wat in zijn borst een oud, lang vergeten vuur zou doen oplaaien, iets wat hem inmiddels zo vreemd was dat hij zich bijna niet kon herinneren hoe het werd genoemd.

Hoop. Dwaze hoop.

De troepen van bloed Ikati hadden een vrouw gevangengenomen die ze bewusteloos hadden aangetroffen in de resten van een ingestort gebouw. Ze had een steunbalk op haar hoofd gekregen toen het plafond naar beneden was gekomen. Diezelfde balk had haar het leven gered, want hij was schuin op de grond gevallen en had haar beschermd tegen de stenen die overal om haar heen omlaag regenden. Ze was door stedelingen die op zoek waren naar overlevenden uitgegraven en aan de mannen van Zahn overgedragen, samen met een nog veel belangrijkere gevangene: Xejen tu Imotu, die door de stedelingen gretig werd aangewezen als de leider van de Ais Maraxa. Niemand wist wie de vrouw was, maar aan haar dure kleren en kapsel was duidelijk te zien dat ze niet uit Zila kwam en het feit dat ze zo dicht bij Xejen was aangetroffen was erg bezwarend. Ze was bewaakt en verzorgd totdat ze bijkwam, en toen had ze meteen een onderhoud met barak Zahn tu Ikati geëist. Ze beweerde dat ze Mishani tu Koli was.

'Ik zal met haar spreken,' had hij gezegd tegen de boodschapper die hem het nieuws was komen vertellen. Toen herinnerde hij zich zijn manieren en voegde eraan toe: 'Laat haar eerst door mijn bedienden baden en kleden, als ze daaraan behoefte heeft. Ze is van hoge geboorte. Behandel haar als zodanig.'

Zo kwam het dat hij met grote passen door de nu stille straten van Zila naar de plek liep waar Mishani op hem wachtte.

Hij trof Mishani aan bij, maar niet in haar ziekbed. Ze was zwak door al het stof dat ze had ingeademd, had over haar hele lichaam lelijke kneuzingen opgelopen en had een harde klap op haar hoofd gekregen, waardoor ze nog steeds niet scherp kon zien. Ze mocht van de heelmeesters haar kamer niet verlaten. Sterker nog, ze draalden om haar heen uit angst dat ze zou flauwvallen van de inspanning die het haar kostte om uit haar bed te stappen. Toen ze te horen hadden gekregen dat ze een edelvrouw was en bovendien belangrijk voor hun barak, waren ze van aanmatigende en hooghartige mannen in slaafse bedienden veranderd. Toen Zahn de bel liet rinkelen en binnenkwam, stuurde hij hen met een kort handgebaar weg.

De heelmeesters hadden een rij huizen in beslag genomen om hun werk te kunnen doen en de bedden gevuld met gewonde soldaten en stedelingen. Misschien was het toeval of misschien was het aan haar mooie gewaad te danken, maar Mishani was naar de grote slaapkamer van het huis van een rijke koopman gebracht. Het bed was duidelijk duur en de muren waren versierd met houtskoolschetsen en sierlijke aquarellen. In een rijk bewerkte stelling van been stond een patroonbord dat een zeezicht verbeeldde. De dunne laagjes gekleurde inkt leken in een driedimensionaal, eivormig stuk uitgeharde, doorzichtige gelei te zweven. Zahn vroeg zich doelloos af of degene die van dit alles de eigenaar was bij de opstand door het volk was gedood, bij het bombardement van de afgelopen nacht was omgekomen of nog leefde en op straat was gezet. Revolutie was geen pretje.

Mishani tu Koli stond naast het bed, gekleed in een geleend gewaad en met haar lange haar los en keurig gekamd. Er leek haar niets te mankeren, maar Zahn wist maar al te goed dat ze haar verwondingen gewoon niet wilde tonen. Er waren aanwijzingen: ze had haar haar dusdanig geschikt dat het haar wangen bedekte en de schrammen op haar oren verhulde. Op de rug van haar pols, die door de mouw van haar gewaad niet helemaal werd bedekt, was een lichte blauwe plek te zien. En dan was er nog het onthullende feit dat ze dicht bij het bed was blijven staan, voor het geval haar kracht haar in de steek liet. Hij had haar aan het keizerlijke hof meermalen gezien toen ze nog jonger was en zelfs toen was haar zelfbeheersing al opmerkelijk geweest.

'Mevrouw Mishani tu Koli,' zei hij, en hij boog zoals gepast was voor iemand van zijn positie tegen iemand van haar status. 'Ik heb tot mijn verdriet vernomen dat u bij deze ramp gewond bent geraakt.'

Ze beantwoordde zijn buiging met de vrouwelijke variant. 'Ocha zij dank is het niet zo erg als het had kunnen zijn,' zei ze. In haar stem was niets van haar lichamelijke zwakte te bespeuren.

'Wilt u niet zitten?' bood Zahn met een gebaar naar een stoel aan. Mishani was echter niet van plan tegemoetkomingen te accepteren. 'Ik blijf liever staan,' zei ze vlak, wetend dat er maar één stoel en geen zitmatten in de kamer waren. Hij was meer dan een voet langer dan zij en als ze ging zitten, zou hij nog hoger boven haar uittorenen dan nu al het geval was.

'Mijn bedienden hebben me verteld dat u me wilde spreken,' zei hij. 'Dat klopt,' antwoordde ze. 'Ik wil u al spreken sinds ik in Zila werd opgehouden door de Ais Maraxa. Ik vind uw manier om een ontmoeting te regelen overigens een beetje aan de gewelddadige kant.' Zahn glimlachte nauwelijks zichtbaar.

'Mag ik u iets vragen?' vroeg ze.

'Natuurlijk.'

'Wat is er van Xejen tu Imotu geworden?'

Daar dacht Zahn even over na. 'Hij leeft nog, maar daar is alles mee gezegd.'

'Mag ik weten waar hij is?'

'Maakt u zich zorgen over hem?'

'Jazeker maak ik me zorgen, maar om een andere reden dan u denkt,' zei ze.

Zahn keek haar even onderzoekend aan. Ze leek wel een ijsstandbeeld.

'Ik heb hem aan barak Moshito toevertrouwd,' zei Zahn. Hij vouwde zijn handen op zijn rug en liep naar het patroonbord om dat te bestuderen. 'Moshito zal hem ongetwijfeld aan zijn wever overdragen. Ik kan niet beweren dat ik medelijden met hem heb. Ik heb niet veel op met de Ais Maraxa.'

'Omdat ze u aan uw dochter doen denken,' zei Mishani, daarmee zijn onuitgesproken gedachte verwoordend. 'Ze willen u doen geloven dat ze mogelijk nog leeft en dat is zout in de wonde.'

Zahn hief met een ruk zijn hoofd en er laaide woede op in zijn ogen.

'Vergeef me dat ik me zo bot uitdruk,' zei ze. 'Ik was op weg naar Lalyara om u op te zoeken en uw gevoelens jegens haar te peilen. Nu kan ik me de tijd niet veroorloven om het subtiel aan te pakken.' Ze keek hem strak aan. 'Haar leven hangt aan een zijden draadje. Xejen tu Imotu weet waar ze is.'

Zahn legde meteen het verband. Als Xejen het wist, zou de wever het aan hem ontfutselen. En als de wevers het te weten kwamen...

Het ging te snel, het was te veel om zomaar te geloven. Als hij dat accepteerde, moest hij ook accepteren dat zijn dochter nog leefde. Hij schudde zijn hoofd en streek met zijn vingers over zijn bebaarde kin.

'Nee, nee,' prevelde hij. 'Wat steekt hierachter, Mishani tu Koli? Waarom was u hier in Zila?'

'Heeft Chien u dat niet verteld?' vroeg ze.

'Chien? O, de gijzelaar. Het spijt me, maar hij is 's nachts nadat hij uit Zila is opgehaald overleden.'

Mishani hield haar gezicht uitdrukkingsloos. Ze rouwde niet om hem. Hij was gewoon een slachtoffer in een oorlog. Wat haar wel zorgen baarde, was dat de mannen van haar vader kennelijk wisten dat ze in Zila was en waarschijnlijk heel dichtbij waren. Ze moest nu Zahns vertrouwen winnen, hoe dan ook. Het was van het grootste belang dat ze in het geheim de stad zou kunnen verlaten, en dat kon alleen als ze onder Zahns bescherming stond.

'Wilt u antwoord geven op mijn vraag?' drong hij aan. 'Waarom was u in Zila?'

'Pech,' zei ze. 'Ik was naar u op weg, maar ben meegenomen naar Zila. Nu hebben de goden ons echter alsnog samengebracht, zo lijkt het.'

'Dat is al te toevallig,' zei hij. Hij klonk inmiddels een stuk minder beleefd. 'U weet dat uw aanwezigheid hier voldoende reden is om u te laten onthoofden. En u was zeker geen gevangene, want u bent in het gezelschap van de leider van de Ais Maraxa aangetroffen.'

Daar was Mishani al bang voor. Als ze hem in Lalyara had kunnen opzoeken, zou hij geen argwaan hebben gehad, maar nu was ze in een positie gedwongen waarin ze met alles wat ze zei Libera indruk zou wekken dat ze haar hachje probeerde te redden.

'Dat klopt inderdaad,' zei ze. 'Ik ben hier tegen mijn wil naartoe gebracht, maar ze hebben me niet als een gevangene behandeld. Ze zien me als een soort heldin omdat ik heb geholpen uw dochter te redden. Dat betekent nog niet dat ik hun doelstellingen steun.'

'Houd op met die leugens!' schreeuwde Zahn opeens, en hij greep het patroonbord en duwde de benen stelling om. Het patroonbord viel op de grond en spatte in duizenden gekleurde scherven uiteen. 'Lucia tu Erinima is ruim vijf jaar geleden gestorven. Haar vader was Durun tu Batik. Ik weet niet waar je me mee onder druk denkt te kunnen zetten, Mishani, maar je vergist je deerlijk als je denkt dat je je vrijheid kunt bedingen door een geest tot leven te wekken.'

Mishani liet haar triomfantelijkheid niet op haar gezicht doorschemeren, maar ze wist dat ze nu in het voordeel was. Een man als Zahn liet zijn waardigheid niet snel varen. Hij was een begaafd onderhandelaar die ervoor had gezorgd dat bloed Ikati een belangrijke speler aan het hof was gebleven, en zijn woede-uitbarsting gaf aan hoe teer het onderwerp Lucia voor hem was.

'Je kunt me laten executeren,' zei Mishani kil. 'Maar uiteindelijk zul je ontdekken dat ik gelijk had, als de wevers je dochter vermoorden. Zou je daarmee kunnen leven, Zahn? Dat is je de afgelopen jaren ook niet gelukt.'

'Hartbloed, weet je dan niet wanneer je moet ophouden?' riep Zahn uit. 'Ik wil er niets meer over horen!'

Hij was al op weg naar het gordijn in de deuropening toen Mishani opnieuw sprak.

'Zaelis tu Unterlyn was erbij op de dag dat je je dochter ontmoette,' snauwde ze met stemverheffing. 'Hij is degene die de ontvoering van Lucia heeft georganiseerd. Op de dag dat bloed Batik bloed Erinima van de troon stootte, hebben we het kind gestolen en verborgen. Haar lichaam is nooit gevonden omdat er geen lichaam wás, Zahn. Lucia leeft nog!'

Zahns schouders waren gebogen en zijn hand rustte al op het gordijn. Ze had eigenlijk de naam van de leider van de Libera Dramach niet willen noemen, maar de situatie was kritiek. Ze kon hem niet laten vertrekken.

Hij draaide zich naar haar om en zijn gezicht stond opeens weer afgetobd.

'Je gelooft me, en dat weet je best,' zei ze. Opeens werd ze licht in haar hoofd, maar ze vocht ertegen. Het was drukkend warm en ze wist niet hoe lang ze nog kon doorgaan zonder even te gaan zitten. 'Ik kán je niet geloven,' kraste Zahn. 'Begrijp je dat dan niet?' Hij wist hoe slim Mishani kon zijn, hij wist hoe het er aan het hof aan toe ging, en hoewel hij niets liever wilde dan geloven dat Lucia nog leefde, weigerde hij zich te laten manipuleren. Hij stond niet op goede voet met bloed Koli en had geen enkele reden om iemand uit die familie te geloven. Hij wilde zijn dochter niet nog een keer kwijtraken door zichzelf toe te staan te geloven dat hij haar terug zou kunnen krijgen, om vervolgens tot de ontdekking te komen dat het allemaal bluf was geweest. Dat zou hij niet kunnen verdragen. Zijn gevoelens waren al zo lang afgestompt dat de verdoving een schild tegen de rest van de wereld was geworden, en nu het erop aankwam merkte hij dat hij bang was het te laten zakken.

Hij draaide zich weer om om weg te gaan. Deze kwelling kon hij niet verdragen.

'Wacht,' zei Mishani. 'Ik kan het bewijzen.'

Zahn was bijna bang geweest om die woorden te horen.

'Hoe?' vroeg hij met gebogen hoofd.

'Xejen zal worden ondervraagd,' zei ze. 'Daar moet jij bij aanwezig zijn.'

'Wat heb ik daaraan?'

'Hij weet waar ze is, net als ik. Vroeg of laat zal een van ons doorslaan. De wever zal proberen het geheim te houden, het alleen aan de andere wevers door te geven. Hij zal Xejens geest volledig uitkammen en vervolgens besluiten wat hij je wel en niet vertelt. Dat mag je niet toestaan. Dwing hem te delen wat hij te weten komt, zodra hij het te weten komt. Laat hem ervoor zorgen dat Xejen de waarheid spreekt en vraag het dan zelf aan Xejen. De wever kan niet weigeren als je hem beveelt het zo aan te pakken.'

Zahn bleef zwijgend en met zijn rug naar haar toe staan. Mishani wist dat dit een wanhopige zet was, maar ze kon niet anders. Het leven van duizenden mensen hing van haar af. Als ze er niet in slaagde te voorkomen dat de wevers de Gemeenschap vonden, kon ze hen met Zahn aan haar zijde misschien toch op tijd waarschuwen, zodat ze er iets tegen konden doen. Het was een klein kansje, maar beter dan niets.

'Je zult de waarheid vernemen en haar tegelijkertijd ter dood veroordelen,' zei Mishani. 'Maar als ik je er niet van kan overtuigen dat je dit moet voorkomen, dan zullen we die prijs allemaal moeten betalen. Als je weigert te geloven wat je in je hart weet, dan zul je de naam van je dochter uit de mond van een wever horen.'

'Het is voor jou te hopen dat dat waar is,' antwoordde Zahn. 'Want zo niet, dan kom ik terug en laat ik je ter dood brengen.'

'Ik hoop juist dat het niet waar is,' zei Mishani. 'Want ik ben meer dan bereid mijn leven te geven in ruil voor al diegenen die zullen moeten sterven om jou te overtuigen.'

Xejen tu Imotu dacht dat zijn verhaal ten einde was toen het plafond op hem neerkwam, maar hij kwam bij bewustzijn en ontdekte dat er nog een naschrift zou komen dat met helse pijn gepaard zou gaan.

Hij werd in een bed in een slottoren van de vesting wakker, gillend. De pijn in zijn verbrijzelde benen, een waanzinnige, zinloze, razende pijn die hem de adem benam, slingerde hem uit de zalige onwetendheid. Zijn broek was boven zijn knieën afgeknipt. Zijn benen waren reusachtig en blauwpaars, enorm opgezwollen en een en al ernstige kneuzingen. Allebei maakten ze op verschillende plaatsen een vreemde hoek. Er waren geen pogingen ondernomen om de breuken te zetten en de gebroken uiteinden van de botten drukten zijn bont en blauwe huid omhoog.

Hij gilde keer op keer, totdat zijn keel rauw was. Uiteindelijk verloor hij het bewustzijn.

Toen hij weer bijkwam, werd hij met een nieuwe verschrikking geconfronteerd.

Hij voelde dat hij uit zijn bewusteloosheid werd getrokken. Zijn geest werd als een vis aan een haak geslagen en uit de beschermende cocon gesleurd waar hij zich voor de onvoorstelbare pijn schuilhield. Zijn ogen gingen knipperend open. Zacht middaglicht scheen door een tralieraam hoog in de muur door de stoffige lucht naar binnen en viel op zijn verminkte benen en de kale, stenen cel. Hij werd omringd door gestalten, maar een was dichterbij dan de rest, iemand met een masker vol hoeken, met scherpe wangen en uitstekende richels bij de kin en het voorhoofd, soms van goud, soms van zilver en soms van brons. Het was een berglandschap van metaal, vervaardigd door een Meestergrensvader, dat de duistere, zwarte gaten bij de ogen omringde.

Een wever.

Hij ademde in om te gillen, maar een bleke, uitgemergelde hand maakte boven hem een gebaar en zijn keel kneep samen.

'Stil,' siste de man achter het masker.

Er waren nog twee anderen. Hij herkende de baraks: de lange, brood-magere Zahn en de gedrongen, kale, grimmig kijkende Moshito. Ze keken meedogenloos op hem neer.

'Ben jij Xejen tu Imotu?' vroeg Moshito. Xejen knikte woordeloos en met tranende ogen. 'Leider van de Ais Maraxa?' Hij knikte op-nieuw.

Zahn richtte zijn blik op de wever. Deze was in dienst bij bloed Vi-naxis, en als je Moshito's verhalen mocht geloven, was hij een uit-zonderlijk vals en sadistisch monster. Zijn naam was Fahrekh. Zahn had zijn eigen wever op zijn landerijen achtergelaten zodat zijn fa-milie gebruik van zijn diensten kon maken. Hij verafschuwde we-vers, zeker nu hij vermoedde dat de vorige weefheer, Vyrrch, ver-antwoordelijk was geweest voor de staatsgreep waarbij Lucia was verdwenen.

Hij schrok van zichzelf. Nu al paste hij zijn overtuigingen aan het verhaal van Mishani aan. Waarbij Lucia was omgekomen, dwong hij zichzelf te denken. Bloed Koli was een vijand, Mishani was een vijand, en hij wist niet hoe ze achter zijn zwakke plek was gekomen, maar hij was niet van plan die door haar te laten uitbuiten.

Maar goden, stel dat ze de waarheid had verteld? Als Xejen door-sloeg, zouden de wevers noch de keizer rusten voordat Lucia was opgespoord. Was er een manier om dat te voorkomen? Was die er? Hij beet op zijn lip. Waanzin. Dwaasheid.

Lucia was dood.

'Weet je zeker dat hij zal doen wat je hem hebt opgedragen?' vroeg Zahn aan Moshito met een gebaar naar de gekromde gestalte die met een kap over zijn hoofd over het bed gebogen stond.

'Ik heb het bevel van mijn barak verstaan,' zei Fahrekh met een vleug-je minachting in zijn stem. 'Niets zal verborgen blijven. U kunt hem zelf vragen stellen. Ik zal ervoor zorgen dat hij antwoordt en de waar-heid spreekt.'

Xejens blik vloog geschrokken van de een naar de ander.

'Zo is het, Zahn,' antwoordde Moshito. 'Waarom ben je zo achter-dochtig?'

'Ik word altijd achterdochtig van wevers,' antwoordde Zahn, die zijn uiterste best deed zijn onzekerheid en twijfel niet in zijn stem te laten doorklinken. Toch vroeg hij zich af of de wever niet stiekem Xejens geest zou afspeuren en gewoon zou nemen wat hij nodig had, en of er een manier was om dat te controleren. Hartbloed, hoe had het toch zover kunnen komen, dat hij Mishani's verhaal alleen maar

kon controleren door die kennis in handen te laten vallen van degenen die Lucia dood wilden?
Het was gewoon een kwestie van vertrouwen. Kon hij Mishani geloven? Kon hij geloven dat zijn dochter nog leefde? Vroeger had hij
dat misschien wel gekund. Zijn vermogen tot vertrouwen was echter samen met andere delen van zijn ziel afgestorven en hij moest het
zeker weten. Geloof was niet genoeg. Hij moest het zeker weten.
'Begin,' zei Moshito.
Fahrekh keerde zijn glanzende gelaat langzaam naar de gebroken gestalte op het bed toe en het licht van de middagzon sprong in felle
driehoeken van het ene naar het andere vlak.
'Ja, mijn barak,' prevelde hij.
Terwijl de wever zich als een snuitkever in een boom een weg vrat
door Xejens gedachten en wilskracht, merkte die dat zijn keel weer
open was en dat hij kon schreeuwen. Fahrekh vond het altijd pret-
tiger werken als zijn slachtoffers konden reageren.

⊚ 28 ⊚

De wetenschap waarbij de banen van de drie manen werden voorspeld was al eeuwenoud. Maanstormen leken zich met willekeurige tussenpozen voor te doen, maar over een periode van honderden jaren bezien was er een onwrikbare regelmaat te herkennen. Astronomen konden nu bijna exact voorspellen wanneer de drie manen zo dicht bij elkaar zouden komen te staan dat er een maanstorm zou opsteken. Zeevaarders waren sterk afhankelijk van hun vermogen om de banen van de manen in kaart te brengen, zodat ze konden inschatten wat het effect op de getijden zou zijn. Hoewel alleen de geleerden precies wisten wanneer er een maanstorm zou losbarsten, werden de geruchten erover via de boerenstand vaak zo wijd verbreid dat bijna iedereen er van tevoren van op de hoogte was.

Daar hadden Kaiku en Tsata, die zich op volkomen onbeschut terrein bevonden toen de maanstorm toesloeg, echter helemaal niets aan.

Er waren ontwikkelingen geweest sinds die nacht waarin ze op het nippertje aan de ghaureg waren ontsnapt, en inmiddels peinsden ze er niet meer over om naar huis te gaan. Ze hadden de hoop opgegeven dat ze een van de nexussen zouden kunnen vangen of doden. Beter leek het hun de uiterwaard in het oog te houden om te zien of ze meer gegevens konden verzamelen over het smerige, rook uitbrakende gebouw dat dreigend vlak bij de oever van de Zan stond. Ze bleven op ruime afstand, waar zo weinig wachtposten waren dat ze gemakkelijk konden worden vermeden. Het was inmiddels onmogelijk geworden om dicht bij de vlakte in de buurt te komen, want die werd te streng bewaakt.

Kaiku's koppige besluit om te blijven werd sneller beloond dan ze had verwacht. Diezelfde nacht kwamen de eerste aken aan.

Ze had al beredeneerd dat al die afwijkenden via de rivier hiernaartoe moesten zijn gebracht en dat er vanuit het noorden over het water voorraden voor het leger van roofdieren waren afgeleverd, die nu in het vreemde gebouw lagen. Kaiku en Tsata waren van enkele massale voederingen getuige geweest, waarbij grote bergen vlees op platte karren waren aangevoerd door dezelfde makke dwergen die ook bij de wevers van het klooster op Fo in dienst waren geweest. Ze noemde hen *golneri's*, wat in de Saramyrese aanspreekvorm die gewoonlijk voor kinderen werd gebruikt 'kleine mensen' betekende. Ze had kunnen weten dat ze er zouden zijn, want de wevers, berucht om hun langzaam groeiende waanzin als gevolg van het gebruik van de maskers, konden niet voor zichzelf zorgen.

Toch hadden ze tot op dat moment geen enkel vaartuig op de rivier gezien, maar toen de aken uiteindelijk arriveerden, waren het er heel veel.

Ze waren overdag aangekomen, dus toen Kaiku en Tsata die avond door de barrière heen drongen, waren ze al aangemeerd. Ze verdrongen elkaar langs beide oevers van de rivier: zeker veertig grote vaartuigen die rommelig langs de rand van de uiterwaard lagen. Twee nachten lang reed een gestage stroom karren in het maanlicht af en aan, en de golneri's zwermden over de oevers om grote balen en kisten uit te laden. Opeens werd duidelijk waar die op het oog willekeurige aankopen van aken door de wevers goed voor waren geweest: ze hadden afwijkende roofdieren over de rivieren vervoerd en ze hier bijeengebracht. Zo hadden ze hun troepenmacht opgebouwd. Kaiku vroeg zich af wat voor invloed de wevers uitoefenden over de schuitvoerders die over het dek heen en weer liepen, dat ze hen met de kennis over dit geheime leger vertrouwden. Daar moest toch meer dan geld alleen aan te pas komen.

De derde nacht begon het inschepen.

Ze waren al danig geschrokken van het feit dat de uiterwaard halfleeg was toen ze net na zonsondergang aankwamen, maar wat er op de rivier gebeurde, was nog verontrustender. De afwijkenden werden via brede loopplanken in de dikke buiken van de aken geladen. Onder het toeziend oog van de nexussen sjokte een gestage stroom spieren en tanden mak naar de vrachtdekken. Er waren zoveel aken dat ze niet allemaal tegelijk langs de oever konden worden aangemeerd, en naar het noorden hadden ze een lange rij gevormd terwijl ze wachtten op hun vrachtje monsters. Als ze volgeladen waren, voeren ze stroomopwaarts weg. Kennelijk liep de misleidende barrière niet over de rivier door, maar ja, er was toch niemand die zo ver de Zan afzakte. Een klein stukje naar het zuiden begonnen immers de watervallen en daar kon geen rivierverkeer langs. Kaiku en Tsata keken vol verwondering naar de omvangrijke logistieke operatie.

'Ze gaan op weg,' zei Tsata en zijn lichtgroene ogen glansden in het maanlicht.

'Maar op weg waarnaartoe?' vroeg Kaiku zich hardop af.

Toen de ochtend aanbrak en de laatste aken waren vertrokken, trokken Kaiku en Tsata zich achter de barrière terug om te rusten, maar die dag konden ze de slaap moeilijk vatten. In plaats daarvan piekerden ze rusteloos over wat het allemaal kon betekenen en of ze het moesten riskeren om Cailin via het weefsel te waarschuwen. Hiervoor waren ze achtergebleven: om alarm te slaan als de wevers optrokken naar de Gemeenschap. Maar de aken voeren niet die kant op. Ze gingen in de richting van Axekami en van daaruit konden ze doorreizen naar elke willekeurige plaats langs de Jabaza, de Kerryn of de Rahn.

Tsata wees haar erop dat ze via die laatste rivier ook weer de Xaranabreuk konden binnenvaren. De Gemeenschap lag maar een mijl of tien ten westen van de Rahn. Kaiku durfde echter geen bericht te sturen als het niet absoluut noodzakelijk was en ze wisten niet zeker genoeg waar die aken naartoe gingen.

Uiteindelijk spraken ze af dat ze nog twee nachten zouden blijven. Als er tegen die tijd nog geen nieuwe feiten aan het licht waren gekomen, zouden ze een dag lang naar het oosten reizen om zo ver mogelijk bij de wevers vandaan te komen en zou Kaiku vervolgens haar bericht versturen. Ze had geen idee wat voor gevaren dat kon opleveren. Misschien zouden de wevers haar helemaal niet opmerken en was Cailin overdreven voorzichtig geweest toen ze een verbod op communicatie over grote afstanden had afgekondigd. Aan de andere kant was het misschien heel gevaarlijk, alsof een konijn een veld vol vossen wilde oversteken.

De volgende nacht kwam de maanstorm.

Het kwam doordat ze al zo lang geen contact meer hadden gehad met de buitenwereld en in hun eigen gemeenschapje van twee personen hadden geleefd dat ze hem niet verwachtten. Ze waren de Zan overgestoken en lagen op een uitstekende rotspunt aan de westoever, waar veel minder wachtposten waren. Daar reikte het hoogland als een hand met lange vingers naar de oever van de rivier, en vlak bij het water ging het land opeens over in loodrechte rotswanden. Tussen de klippen lagen brede, glooiende valleien die uitkwamen op de oevers. Kaiku en Tsata hadden zich verstopt in een door ziekte aangetaste strook kreupelhout die langs de rand van een hoge, uitstekende rots liep en lagen op hun buik door het kijkglas van Nomoru naar het gebrek aan activiteit in de diepte te kijken. Ze had er met tegenzin in toegestemd om het bij hen achter te laten, na een lange reeks dreigementen over wat er met hen zou gebeuren als ze het niet ongeschonden mee terug zouden nemen.

De manen waren allemaal in een andere windrichting opgekomen – Aurus in het noorden, Iridima in het westen en Neryn in het zuidwesten – zodat er geen enkele waarschuwing aan de storm voorafging, totdat ze hoog aan de hemel bijna waren samengekomen.

Kaiku voelde als eerste de scherpte die in de lucht hing en het vreemde gevoel dat er aan hen werd geplukt, alsof iets hen voorzichtig wilde optillen. Ze keek naar Tsata, en de man met de goudgele huid en de groene tatoeages zag er in het maanlicht uit als een onaards lijk. Het geritsel van de stugge struiken waarin ze zich schuilhielden leek op hees gefluister. Haar zintuigen verstrakten toen ze instinctief een onzichtbare beweging opvingen, als van ratten in de muren van een huis.

Ze keek op en kreeg kippenvel van schrik toen ze zag dat de drie hemellichamen, die allemaal half waren gehuld in een schaduw die diagonaal over hun gelaat lag, langzaam maar zeker naar elkaar toe bewogen. Wolken verschenen uit het niets, kolkend en kronkelend onder de invloed van de tegenstrijdige aantrekkingskrachten.

'Geesten,' mompelde ze met een boze blik op de vlakte in de diepte. 'We moeten schuilen.'

Ze haalden het maar net.

De maanstorm barstte met een oorverdovend gekrijs los op het moment dat ze de schuilplaats vonden die ze zochten. Het was een diep, breed terras in een grote, bolle aanwas van kalksteen met een brede richel als plafond, zodat het leek of een reusachtig dier een hap uit de gladde zijkant van de rots had genomen. Van beneden naar boven liep de rots taps toe, zodat de ruimte smaller werd naarmate je verder naar achteren ging. Zelfs helemaal achterin was er echter genoeg ruimte voor Kaiku en Tsata om ineengedoken te kunnen zitten, hij in kleermakerszit en zij met haar armen om haar opgetrokken knieën.

Na die eerste onaardse kreet begon het van het ene op het andere moment te regenen, en opeens klonk door de voorheen zo stille nacht het vochtige geraas van dikke regendruppels, die de verwrongen steeltjes van de door ziekte aangetaste bladeren deden ombuigen en fel het onwrikbare steen geselden. Kaiku en Tsata bleven lekker droog in hun veilige haventje. De rand van het terras was al snel drijfnat, maar zij waren ruim buiten het bereik van de storm.

Tsata haalde wat koud gerookt vlees tevoorschijn en deelde dat met Kaiku, zoals hij altijd deed, en een tijdje bleven ze zwijgend zitten kijken naar de regen en luisteren naar het zagen en schrapen van de lucht die uiteen werd gereten. Het troosteloze landschap lichtte paars op in de griezelige gloed die met het fenomeen gepaard ging.

Kaiku voelde zich slecht op haar gemak. Ze was altijd al bang geweest voor maanstormen, zelfs als kind. Door de gebeurtenissen in haar verleden brachten ze nu bovendien allerlei slechte herinneringen naar boven. Haar familie was tijdens een maanstorm gestorven, vergiftigd door haar eigen vader, die hen wilde redden van wat de wevers hun zouden aandoen. En zowel tijdens die maanstorm als in de volgende was ze in doodsangst gevlucht voor shin-shins, de schaduwdemonen die door de wevers op pad waren gestuurd om eerst haar en toen Lucia te vangen.

Er lag een blik van bezorgdheid in Tsata's ogen toen hij haar aankeek.

'Het zal niet lang duren,' zei hij sussend. 'De manen kruisen elkaar slechts. Hun banen lopen niet parallel.'

Kaiku veegde het haar weg dat aan één kant voor haar gezicht hing en knikte. Ze vond zijn medeleven niet zo prettig. Waarom had ze hem in vredesnaam verteld wat er met haar familie was gebeurd? Waarom had ze met hem over haar verleden gepraat? Dat was vreemd, want ze was gewoonlijk erg behoedzaam. Ze had het echter gemakkelijker gevonden om met hem over dergelijke dingen te praten dan met anderen – met andere Saramyriërs.

Kaiku wist niet meer precies hoe lang het was geleden sinds ze uit de Gemeenschap waren weggegaan. Een maand? Zo lang al? Het begin van de Zomerweek, Asara die haar vermomd als Saran had verraden: dat leken nu allemaal verre herinneringen en ze had het veel te druk gehad om erbij stil te staan. De herfst begon voelbaar te worden, want het benauwde van de zomer werd steeds meer verjaagd door koele briesjes, hoewel het overdag nog net zo heet was. Het voedsel dat ze hadden meegenomen was allang op, dus joegen ze buiten het terrein van de wevers op wild als ze niet sliepen, of verzamelden ze wortels en planten om stoofpot van te maken. Hun manier van leven sinds Nomoru en Yugi waren weggegaan had iets zuivers. Hun dieet was weinig verfijnd en er zat naar Kaiku's smaak veel te veel rood vlees in, maar ze voelde zich verbonden met het land en dat maakte haar gelukkig.

's Nachts trotseerden ze de afwijkende wachtposten, en Kaiku werd langzamerhand erg goed in alles wat Tsata haar had geleerd. Hij hoefde niet meer bezorgd een oogje op haar te houden als ze door de kreukels en plooien van het verwoeste land slopen. Sterker nog, hij was op haar gaan vertrouwen en haar niet langer als een leerling, maar als een gelijke gaan beschouwen. Ze kon zich geruisloos voortbewegen en zich goed verborgen houden. Bovendien was ze een stuk oplettender en bekwamer geworden dan ze een paar weken eerder was geweest. En in die paar weken hadden ze elkaar heel goed leren kennen, op een manier die zelfs in de beslotenheid van het schip van Okhamba naar Saramyr niet mogelijk was geweest.

Kaiku had lange tijd een hekel aan hem gehad sinds hij haar leven op het spel had gezet door haar in het oerwoud van zijn vaderland als aas voor de maghkriin te gebruiken. Nu ze hem beter begreep, zag ze echter in dat het in zijn ogen een heel logische zet was geweest. Ze wist dat dit waarschijnlijk van voorbijgaande aard was, net als haar vriendschap met de reizigers die hen de eerste keer dat ze de oceaan was overgestoken op de jonk hadden vergezeld, maar op dat moment kon ze zich niet herinneren dat ze zich de laatste jaren ooit zo met iemand verbonden had gevoeld. Hun constante samenzijn, de vele weken waarin ze alles samen hadden gedaan deden haar denken aan de relatie die ze met haar broer Machim had gehad, in die tijd voordat ze had geleerd wat echt verdriet was.

Desondanks waren er nog steeds barrières, alleen bevonden die zich op andere vlakken dan gewoonlijk. Ze had hem tot haar eigen verbazing over haar familie verteld, maar hij had met geen woord over die van hem gerept. Ze wist heel goed waardoor dat kwam: ze had er nooit naar gevraagd. Hij zou niet weigeren over zichzelf te praten als ze het van hem vroeg – Okhambanen, zo had ze geleerd, stonden bekend om hun bereidheid mee te werken – maar juist die wetenschap hield haar tegen. Ze was bang dat ze hem, als ze naar zijn familie zou vragen, zou dwingen te praten over iets waar hij het niet over wilde hebben en dat hij zich door zijn aard verplicht zou voelen om dat voor haar te verdragen. Ze begreep zijn mentaliteit niet helemaal en was extra voorzichtig: ze wilde niet zo onbeleefd zijn als hij soms onbewust tegen haar was.

Misschien kwam het door de vreemde, enigszins onwerkelijke sfeer van de maanstorm of door het plotseling opkomende gevoel dat haar geheimen haar waren ontfutseld terwijl hij de zijne had behouden, maar opeens besloot ze dat ze het risico zou nemen.

'Waarom ben je hier, Tsata?' vroeg ze. En toen die eerste stap eenmaal was gezet, vroeg ze met meer overtuiging: 'Waarom ben je meegegaan naar Saramyr? Goden, Tsata, we zijn al weken zowat elk moment samen geweest, maar ik weet nog helemaal niets over je. Jouw volk is volgens mij over alles heel open. Waarom daarover dan niet?'

Tegen de tijd dat ze was uitgepraat, zat Tsata te lachen. 'Jullie zijn echt een opmerkelijk volk,' zei hij. 'Al die tijd heb ik je gekweld en al die tijd heb je je nieuwsgierigheid bedwongen.' Hij glimlachte. 'Ik wilde wel eens weten hoe lang je dat zou volhouden.'

Kaiku bloosde.

'Vergeef me,' zei hij. 'Je wordt zo in beslag genomen door goede manieren en formaliteiten dat je niet hebt durven vragen naar dingen waar ik zelf niet over begon. Heb je na alles wat je over mij en de Tkiurathi te weten bent gekomen nog steeds niet begrepen hoe belangrijk openhartigheid is?'

'Juist omdat je zo openhartig was, wilde ik niet vragen naar dingen waar je zelf niets over had gezegd,' antwoordde ze, en ze voelde zich beschaamd en opgelucht tegelijk.

Hij lachte opnieuw. 'Daar had ik niet bij stilgestaan. Daar is inderdaad wel iets voor te zeggen.' Hij wierp haar een wrange blik toe. 'Kennelijk ben ik nog niet zo bekend met jullie gewoonten als ik dacht.'

Boven hun hoofd krijsten de hemelen, en een rafelige, vermiljoenrode bliksemschicht verscheurde de verre horizon, zodat Kaiku onwillekeurig ineenkromp.

'Saran was al net zo,' zei Tsata. 'Hij heeft nooit naar mijn drijfveren gevraagd. Hij hoefde het niet te weten. Kennelijk dacht hij dat dat mijn zaken waren, niet die van hem.'

'Haar,' verbeterde Kaiku hem verbitterd. Kaiku had hem de waarheid over Asara verteld, hoewel ze had verzwegen dat ze bijna de liefde met haar had bedreven. Tsata was niet in het minst uit het veld geslagen door het bedrog, of door het idee dat een afwijkende een andere vorm en zelfs een ander geslacht kon aannemen. In Okhamba waren er kikkers die van geslacht konden veranderen, zei hij, en insecten die in een cocon hun lijfje opnieuw konden opbouwen. In de natuur kwam dat soort dingen wel vaker voor, alleen onder mensen niet.

Tsata keek even bedachtzaam voor zich uit. 'Het antwoord op je vraag is eenvoudig,' zei hij uiteindelijk. 'Saran vertelde me over zijn – of haar – missie en over het gevaar dat de wevers voor Saramyr vormden. Hij heeft ook gesproken over wat er volgens hem zou kunnen gebeuren als ze dit werelddeel wisten te veroveren. Dat ze dan andere werelddelen zouden binnenvallen.'

Kaiku knikte. Dat kwam overeen met wat ze al vermoedde.

'Ik ben met hem meegegaan naar het hart van Okhamba om te zien of zijn theorieën ergens op berustten. Toen ik terugkwam, was ik overtuigd.' Hij wreef afwezig over zijn blote bovenarm en streek met zijn vingers langs de krullende, groene tatoeages waarmee zijn lichaam was bedekt. 'Ik heb een verantwoordelijkheid naar de rest van de overkoepelende pasj, mijn volk. Daarom besloot ik naar Saramyr te gaan om met eigen ogen te bekijken of de bedreiging echt zo ernstig was en te zien hoe jouw volk zou reageren. Als ik kon, zou ik met dat nieuws terug naar huis gaan. Ik zal mijn volk moeten waarschuwen, net zoals Saran jullie heeft gewaarschuwd. Daarom ben ik hiernaartoe gekomen en daarom moet ik ook weer weg.'

Kaiku werd opeens bedroefd. Dit was precies wat ze had verwacht, maar ze was verbaasd over haar eigen reactie. Aan dit geïsoleerde bestaan zou eens een eind moeten komen. Dat wist ze best, maar door wat hij zei werd ze eraan herinnerd dat dat niet lang meer zou duren. De terugkeer naar de echte wereld en alle complicaties die ermee gepaard gingen was onvermijdelijk.

'Dat vermoedde ik al,' zei Kaiku met een stem die niet veel luider was dan het geraas van de regen. 'Kennelijk kan ik ook jouw daden en gedachten steeds beter voorspellen.'

Tsata wierp haar een vreemde blik toe. 'Misschien wel,' zei hij peinzend. Hij keek even naar het grimmige, door regen gegeselde landschap en luisterde naar het afschuwelijke lawaai van de maanstorm.

Kaiku verstijfde opeens. Ze kroop snel naar de rand van het rotsterras en keek om zich heen.

'Hoor je iets?' vroeg hij terwijl hij op zijn hurken naast haar kwam zitten.

'De barrière is weg,' zei ze.

In eerste instantie begreep Tsata haar niet.

'De barrière is weg!' herhaalde ze dringend. 'Het misleidende schild. Het is weg. Ik kan de afwezigheid ervan voelen.'

'Dan moeten we terug naar de uiterwaard,' zei Tsata.

Kaiku knikte met een grimmig gezicht. De barrière was weg. De wevers hielden zich niet meer verborgen.

Ze durfde er niet aan te denken wat dat kon betekenen.

Cailin tu Moritats ogen gingen knipperend open en haar irissen waren bloedrood.

'Kaiku,' fluisterde ze ontzet.

Er waren twee andere zusters bij haar in de vergaderzaal. Het was een vertrek op een van de bovenste verdiepingen in het gebouw van de Rode Orde. De muren waren zwart geschilderd en overal hingen rode wimpels en symbolen. Ze hadden op matjes in een kring rond de tafel midden in de kamer zachtjes zitten praten, boven de maalstroom uit die als een gefrustreerd, hongerig beest huilend tegen de luiken sloeg. De gloed van de lantaarns en het kronkelende pad van de geurende rook die opsteeg uit de komfoor die tussen hen in stond, hadden onder de vervormende invloed van de maanstorm een boosaardig tintje gekregen en hun identiek beschilderde gezichten leken smal, sluw en samenzweerderig.

De andere twee keken Cailin aan. Ze hoefden haar rode ogen niet te zien om te weten dat er iets was gebeurd, want ze hadden het langs zich heen voelen strijken, een fluistering in het weefsel die alleen van een van hen afkomstig kon zijn.

Cailin stond opeens op en verhief zich tot haar volle lengte.

'Roep onze zusters bijeen,' zei ze. 'Ik wil dat ieder lid van onze orde dat in de Gemeenschap woont over een uur in dit huis is.'

Ze had nog voordat de anderen overeind konden komen om haar te gehoorzamen de kamer verlaten en liep met grote passen de trap af, de modderige, geïmproviseerde straat op. Het was nog maar net middernacht geweest. Zaelis zou nog wel wakker zijn. Niet dat ze zou hebben geaarzeld om hem wakker te maken. Daarvoor was dit veel te belangrijk.

Ze schreed door de verlaten wegen van de Gemeenschap als een lange, magere schaduw die tussen de regendruppels door leek te glippen, want hoewel het pijpenstelen regende, werd ze maar een beetje nat. Ze was woedend en tegelijkertijd doodsbang, en haar gedachten waren duister.

Kaiku. Goden, hoe kon ze zo roekeloos zijn? Cailin wist niet of ze haar moest prijzen of vervloeken. Ze had zich bijna doorlopend zorgen gemaakt sinds Yugi en Nomoru waren teruggekeerd met het nieuws dat er op de oevers van de Zan een leger van afwijkenden was samengebracht en dat Kaiku had geweigerd terug te gaan. Als Kaiku in de tussentijd gevangen was genomen, zouden de wevers haar brein hebben afgestroopt en alles over de Rode Orde hebben ontdekt wat ze moesten weten. Nu had Kaiku het weefsel gebruikt om over een afstand van meer dan honderd mijl een boodschap te versturen, en dat was een heel eind om een draad te spoelen. Er hoefde maar één wever te zijn die het voelde, de draad vastpakte en zich liet meetrekken naar de bestemming, of hem naar de bron volgde, en dan zou er meteen een eind komen aan de jarenlange verborgenheid van de Rode Orde. Het was al erg genoeg dat de wevers wisten dat er één afwijkende vrouw was die hen op hun eigen terrein kon verslaan: de vorige weefheer Vyrrch had hen daar vlak voordat ze hem doodde voor gewaarschuwd. Dit kon echter worden geïnterpreteerd als een incident, een eenmalige misser van de natuur, net als Asara. Twee die met elkaar communiceerden wees op iets veel belangrijkers: samenwerking, organisatie. Als de wevers ook maar iets opmerkten wat op het bestaan van de Rode Orde wees, zouden ze alles op alles zetten om hen uit te roeien.

De Rode Orde vormde voor de wevers de allergrootste bedreiging, misschien nog wel meer dan Lucia. Tegen hen waren de wevers door het gebruik van hun maskers niet in het voordeel. De Rode Orde kon immers ook weven, en daarbij was hun talent natuurlijk en aangeboren. Daardoor waren ze er beter in dan mannen, die logge hulpmiddelen nodig hadden om in het rijk voorbij de zintuigen door te kunnen dringen.

De zusters waren echter met weinig, te weinig. En Cailin durfde hen niet in de openbaarheid te laten treden tenzij het absoluut noodzakelijk was.

Nu was dat moment misschien aangebroken. Want hoe boos ze ook op Kaiku was omdat die zo'n groot risico had genomen, Cailin was minstens net zo ontzet over haar boodschap. De gebeurtenissen hadden een grimmige wending gekregen. Er moest worden gehandeld, en snel, maar misschien niet op de manier die Zaelis voor ogen had. Cailins allerhoogste prioriteit was het voortbestaan van de Rode Orde. Al het andere was daaraan ondergeschikt.

Hoewel het niet ver was van haar huis naar dat van Zaelis, was de regen opgehouden en de hemel tot rust gekomen tegen de tijd dat ze er aankwam. De manen gleden weer bij elkaar vandaan en de voorheen kolkende wolken dreven nu lusteloos weg en losten op. De storm was kort en hevig geweest en was net zo abrupt geëindigd als hij was begonnen.

De woning die Zaelis met zijn aangenomen dochter Lucia deelde was weinig opmerkelijk en stond te midden van een groep andere huizen die volgens hetzelfde ontwerp waren gebouwd op een van de bovenste plateaus van de Gemeenschap. Het was een eenvoudig gebouw met twee verdiepingen van gepolitoerd hout en pleisterwerk, met aan de oostkant een balkon dat uitzicht bood op de vallei en bij de deur een altaartje met uit hout gesneden beeldjes van Ocha en Isisya, omringd door opgebrande wierookstaafjes, geplette bloemen en gladde, witte kiezeltjes. Buiten brandde één papieren lantaarn, en de schrifttekens op de kap die bezoekers verwelkomden en zegenden werden van binnen uit verlicht. Daarnaast hing een bel waar Cailin op sloeg met het hamertje dat er bijhing.

Zaelis kwam bijna meteen naar de deur en nodigde haar uit om binnen te komen. Het was een eenvoudige kamer met een paar matten en tafeltjes, planten die in hun potten op staanders loom knikten, een paar wapens die voor de sier aan de muur hingen en een landschap in olieverf, door een schilder uit de Gemeenschap die Zaelis kennelijk erg goed vond, hoewel Cailin niets moois aan zijn werk kon ontdekken. Aan het plafond hing een lamp. Dat was de enige bron van verlichting en hij hing bovendien hoog, zodat iedereen die binnenkwam in flatteuze schaduwen werd gehuld. Lucia zat in haar nachthemd in kleermakerszit op een mat kruidenthee uit een aardewerken mok te drinken. Ze keek op toen Cailin binnenkwam en er lag een vaag nieuwsgierige blik in haar ogen.

'Ze kon niet slapen,' legde Zaelis uit. 'Door de maanstorm.' Hij bedacht afwezig dat Cailins twee vlechten eigenlijk druipnat hadden moeten zijn, dat de ravenveren in haar kraag slap hadden moeten hangen van het vocht en dat de verf op haar gezicht had moeten uitlopen. Dat was echter niet het geval.

Cailin had geen tijd voor koetjes en kalfjes. 'Kaiku heeft via het weefsel contact met me opgenomen,' zei ze. Zaelis' gezicht betrok toen hij de toon hoorde waarop ze dat zei. Lucia bleef de zuster over de rand van haar mok onverstoord aankijken, alsof ze iets stond te vertellen wat het meisje allang wist.

'Is het slecht nieuws?'

'Heel slecht nieuws,' antwoordde ze. 'De afwijkenden worden vrijwel zeker door de wevers gestuurd, door middel van de wezens waarvan Yugi al melding maakte en die zij nexussen noemt. Een aantal nachten geleden zijn de meeste met aken in noordelijke richting over de Zan afgevoerd, maar er zijn er nog duizenden achtergebleven. Nu zijn die ook bijna allemaal weg. De wevers hebben de barrière laten zakken en de afwijkenden zijn onderweg.'

'Waarnaartoe?' vroeg Zaelis dringend.

'Naar het oosten. Door de Breuk heen. In onze richting.'

Zaelis had het gevoel dat zijn maag zich omkeerde. 'Hoe lang nog?'

'Ze reizen snel,' zei Cailin. 'Heel snel. Kaiku schat dat we vier dagen en nachten hebben voordat ze ons bereiken.'

'Vier dagen en nachten...' herhaalde Zaelis. Hij keek verdoofd. 'Hartbloed.'

'Ik moet naar aanleiding van dit bericht het een en ander regelen,' zei Cailin. 'En jij ook, neem ik aan. Ik kom over een paar uur terug.' Ze knikte hooghartig naar Lucia. 'Ik denk dat we geen van allen veel zullen slapen vannacht.'

Met die woorden was ze zo snel als ze was gekomen weer weg, terug naar het gebouw van de Rode Orde, waar ze zich moest voorbereiden op de komst van haar zusters. Om haar heen daalden zachtjes de eerste glinsterende vlokjes sterrenval neer, piepkleine ijskristallen die in het groen getinte licht van de drie manen omlaag dwarrelden. Het zou ongeveer een dag lang af en toe van die versmolten ijskristallen regenen. Ze besteedde er geen aandacht aan, want haar gedachten waren op andere zaken gericht. Ze moest inderdaad van alles regelen, en misschien wel het belangrijkste besluit van haar leven nemen.

De Gemeenschap was ontdekt en de wevers kwamen eraan. Ze wist net zo goed als Zaelis dat vier dagen en nachten niet genoeg waren om de hele bevolking van de Gemeenschap dwars door de vijandige Breuk te evacueren, en als hij dat toch probeerde, zouden ze onderweg worden opgejaagd en gedood. Waar konden ze naartoe? Wat konden ze doen? Hij zou nooit alles willen achterlaten waar hij zo hard voor had gewerkt: al zijn wapens, voorraden en versterkingen. Ook zou hij de dorpelingen niet in de steek laten. Hij zou zijn gedwongen hier het gevecht aan te gaan, in elk geval totdat er een haalbaar alternatief kon worden bedacht.

Haar keuze was eenvoudig. Zaelis en de Libera Dramach waren aan deze plek gebonden, maar zij niet. Moest de Rode Orde het samen met hen tegen de wevers opnemen of moesten ze hen aan hun lot overlaten?

Kort daarop kwam Yugi aan bij Zaelis' huis. Lucia had zich aangekleed en was weer op haar mat gaan zitten. Ze had allang moeten slapen, maar ze leek helemaal niet moe.

Zaelis werd te zeer door andere zaken in beslag genomen om er bezwaar tegen te maken. Hij werd geplaagd door duistere gedachten sinds Cailin hem het nieuws had verteld. Hij dacht aan de wevers, aan de goden en aan Alskain Mar. Had de Libera Dramach eigenlijk wel een kans als datgene wat de geest Lucia had laten zien klopte? Als dit inderdaad een conflict tussen de goden was, hoe konden zij de stroming dan weerstaan? Waren ze als een kurk die machteloos op een stormachtige oceaan dreef en niet meer kon doen dan proberen zich drijvende te houden? Hij had het deprimerende gevoel dat zijn levenswerk slechts een illusie was geweest, de dwaasheid van een oude man, dat hij een verzetsgroep had gevormd die zich uiteindelijk nergens tegen kon verzetten. Hij gaf Cailin verbitterd de schuld van het feit dat het zover was gekomen, dat ze hen had afgeremd, dat ze geheimhouding had geadviseerd terwijl ze actie hadden moeten ondernemen. En nu was hun dekmantel op de een of andere manier weggenomen, waren ze ontdekt. Ze waren niet sterk genoeg om het in een rechtstreekse confrontatie tegen de wevers te kunnen opnemen, dat wist Zaelis. Het enige alternatief was echter opgeven en dat weigerde hij pertinent.

Hij besefte meteen dat Yugi amaxawortel had gerookt. Dat kon hij zien aan de glans in de ogen van zijn vriend en aan zijn verwijde pupillen, en hij rook het aan de scherpe geur die nog in zijn kleren zat. 'Goden, Yugi, ik heb niets aan je als je niet helder kunt denken!' snauwde hij in plaats van een begroeting.

'Dan had je me morgenochtend moeten laten komen,' antwoordde Yugi opgewekt. 'Maar ik ben er in elk geval. Wat wil je van me?' Hij zag Lucia zitten en maakte een korte buiging voor haar. Lucia beantwoordde hem vriendelijk met een hoofdknikje.

Zaelis zuchtte. 'Kom binnen en ga zitten,' zei hij. 'Lucia, zou je iets sterks voor Yugi willen brouwen?'

'Ja, vader,' antwoordde ze, en ze liep gehoorzaam naar de keuken.

Zaelis ging tegenover Yugi op de vloermat zitten en nam hem schattend op. Hoe ver was hij heen en hoeveel van wat er werd gezegd zou tot hem doordringen? Yugi's gebruik van amaxawortel was altijd een bron van zorgen geweest, maar hij deed het al toen Zaelis hem leerde kennen en het was nooit tot een verslaving uitgegroeid. Yugi leek over een ongewone weerstand tegen de ontwenningsverschijnselen ervan te beschikken en hield vol dat hij er gemakkelijk af kon blijven als hij wilde. Zaelis was daar heel lang sceptisch over geweest, maar na een tijdje had hij wel moeten toegeven dat Yugi gelijk had. Hij kon weken, zelfs maanden achter elkaar zonder en zijn betrouwbaarheid was nooit in het geding gekomen. Hij zei dat hij het alleen gebruikte om 'zware nachten door te komen'. Zaelis wist niet goed wat hij daarmee bedoelde en Yugi wilde er nooit meer over zeggen.

Zaelis trof hem gewoon net op het verkeerde moment, en hoe ergerlijk hij het ook vond, hij kon niet van Yugi verwachten dat hij op elk moment van de dag klaarstond om in actie te komen. Uiteindelijk besloot Zaelis dat hij maar een beetje verdoofd was en dat hij nog scherp genoeg was om te begrijpen wat er tegen hem werd gezegd. Hij was er in de loop van de jaren goed in geworden om de toestand van zijn vriend in te schatten. Hij legde Yugi uit wat er was gebeurd.

Kort daarop kwam Lucia terug met een brouwsel van lathamri, een bitter, zwart drankje dat het bewustzijn verhoogde en het lichaam stimuleerde. Ze bleef op de drempel van de kamer even staan kijken naar de twee zittende mannen die diep met elkaar in gesprek waren. Haar vader met zijn witte baard en het gewaad dat een mager lijf verborg, het achterovergekamde haar dat opeens dunner leek, en de lijnen in zijn gezicht die dieper waren dan ze zich herinnerde. Yugi, haveloos als altijd in zijn hemd, broek en laarzen, met om zijn voorhoofd die eeuwige lap die zijn weerbarstige, donkerblonde piekhaar in bedwang hield. Opeens drong tot haar door hoe ernstig de situatie was, dat deze twee mannen spraken over het leven of de dood van honderden, zelfs duizenden mensen, en dat allemaal vanwege haar.

Ze komen me halen, dacht ze. Als hier mensen gaan sterven, doen ze dat om mij.

Toen zag Yugi haar staan en gebaarde hij glimlachend dat ze dichterbij moest komen. Hij nam met een dankbaar knikje de mok van haar aan en zei tegen Zaelis: 'Zij moet dit horen. Het gaat haar immers ook aan.'

Zaelis gromde en gebaarde dat ze moest gaan zitten.

'We moeten je naar een veilige plaats brengen, Lucia,' zei hij, en zijn stem was een diep gerommel achter in zijn keel. 'We kunnen op korte termijn niet veel mensen uit de Breuk weg krijgen en we zijn met te veel om ons verborgen te kunnen houden. Maar een paar, misschien een stuk of tien... een escorte... We kunnen je naar het noordoosten sturen, naar Tchamaska. Daar zijn leden van de Libera Dramach die je kunnen verbergen.'

Lucia reageerde nauwelijks. 'En jij blijft hier om te vechten,' zei ze.

Zaelis keek gepijnigd. 'Ik moet wel,' zei hij. 'De Libera Dramach heeft dit dorp bijna eigenhandig gebouwd. Toen we het al die tijd geleden hebben overgenomen... Nou ja, alleen de voorraden zijn al de moeite van het verdedigen waard. Als we deze aanval kunnen tegenhouden, kunnen we tijd winnen om de anderen te laten vluchten en elders opnieuw te beginnen.' Hij legde zijn hand op haar arm. 'De mensen zijn hiernaartoe gekomen omdat wij hen hebben aangetrokken, zelfs degenen die geen deel uitmaken van de organisatie. Ik ben verantwoordelijk voor hen.'

'Je bent ook verantwoordelijk voor mij,' zei Lucia. Yugi keek haar verrast aan. Hij had Lucia nog nooit zo beschuldigend tegen haar vader horen praten.

Zaelis was duidelijk gekwetst. Hij trok zijn hand terug. 'Daarom wil ik je ook naar een veilige plaats sturen,' zei hij. 'Het is maar voor even. Ik kom naderhand weer naar je toe.'

'Nee,' zei Lucia vastbesloten. 'Ik blijf.'

'Je kunt niet blijven,' zei Zaelis.

'Waarom niet? Omdat ik dan misschien wel om het leven kom?' Ze leunde naar voren en haar stem was een woest gesis waar hij vreselijk van schrok. 'Mij wil je wel in de steek laten, maar hen niet. Nou, ik ook niet! Al die mensen, mijn vrienden en de families van mijn vrienden, allemaal zullen ze hier sterven! Omdat de wevers míj willen! De meesten zullen niet eens weten waarvoor ze hun leven geven. En dan wil je dat ik hen achterlaat en me ergens verborgen houd totdat de wevers me weer vinden en er nog meer mensen moeten sterven?' Inmiddels schreeuwde ze. 'Ik ben net zo goed verantwoordelijk voor deze mensen als jij. Je hebt me met die verantwoordelijkheid opgezadeld op het moment dat je hun iemand beloofde die hen van de wevers kon redden. Je hebt al hun levens aan mij gebonden en je hebt me niet één keer gevraagd of ik dat wel wilde!'

Haar laatste woorden galmden na in de stilte. Ze hadden haar nog nooit in haar leven boos en met stemverheffing horen spreken. Na veertien jaar onverstoorbare kalmte verbijsterde deze uitbarsting hen. 'Ik ga niet weg,' zei ze, en haar stem klonk nu weer wat zachter, maar behield de staalharde vastberadenheid. 'Ik blijf hier en zal samen met jou en met alle mensen die je aan me hebt gebonden leven of sterven.'

Yugi keek van Lucia naar Zaelis en weer terug. Opeens zag ze er niet meer uit als een kind, en in haar boze blik herkende hij iets van de hartstocht van haar moeder. Zaelis was stom van verbazing. Uiteindelijk slikte hij moeizaam en sloeg zijn blik neer om dat felle, onbekende meisje dat de plaats van zijn dochter had ingenomen niet te hoeven aankijken.

'Het zij zo,' zei hij op formele, afstandelijke toon. 'Doe wat je wilt.'

Yugi voelde de spanning tot ondraaglijke hoogte stijgen, zelfs onder de verzachtende, plezierige en verdovende invloed van de amaxawortel.

'Weet je nog, dat leger afwijkenden dat deze kant opkomt?' vroeg hij geforceerd luchtig. 'Ik weet niet of iemand interesse heeft, maar ik heb een plan.'

Asara zat met haar armen om haar opgetrokken been en het andere onder zich weggestopt te kijken naar de sterrenval boven het Sazazumeer. Het gras was drijfnat, en het vocht drong door haar kleren heen en maakte haar huid klam. Het water golfde nog in de nasleep van de storm en weerkaatste grillige manenstralen van de ene verre oever naar de andere. Nachtvogels vlogen af en aan en doken naar de vissen die door de piepkleine ijsschilfertjes naar het wateroppervlak werden gelokt omdat ze dachten dat het eten was. De onwerkelijke sfeer trok weg en de wereld werd weer normaal.

In haar eentje staarde ze diep in gedachten verzonken naar het meer. Reki lag te slapen in de schuilplaats die ze hadden gemaakt. Hij was zo uitgeput dat hij dwars door het tumult heen had geslapen. Bij die gedachte vertrokken haar mondhoeken in een glimlach. Arme jongen. Hij was gesloopt door zijn verdriet en ellende, maar toch voelde ze een vreemdsoortige genegenheid voor de leesgrage jonge erfbarak. Bij ieder ander die zich zo in zijn verdriet wentelde zou ze zich hebben gestoord aan zijn zwakte, maar voor hem maakte ze een uitzondering. Het was immers haar schuld.

De afgelopen dagen waren vreemd geweest. Ze had verwacht dat de achtervolging zou worden ingezet, maar Mos' mannen waren óf misdadig onbekwaam, óf helemaal niet naar hen op zoek, en dat vond ze raar. Ze maakte zich nu meer zorgen dan wanneer ze Reki op de hielen hadden gezeten. Ze wisten toch zeker wel wat hij bij zich had en wat dat voor het keizerrijk kon betekenen? Toch was Asara hen moeiteloos voor gebleven. Zoveel geluk was ronduit verdacht.

Reki had het nieuws dat zijn zus dood was niet goed opgenomen en ze waren gedwongen hier een tijdje te rusten, want hij kon zo niet verder. Zijn gejammer zou alleen maar de aandacht trekken. Zelfs als hij stil was, sprak er zo'n verpletterend verdriet uit zijn blik dat men hem niet snel zou vergeten. Achteraf vond Asara dat ze beter had kunnen wachten totdat ze op een veiligere plek waren voordat ze hem over Laranya's zelfmoord vertelde, maar gedane zaken nemen geen keer. Hij zou zich verraden hebben gevoeld als ze het nog langer voor hem geheim had gehouden, en ze wilde dat hij tot over zijn oren verliefd zou blijven.

Ze liet hem slapen om te herstellen van de tragedie. Asara was in haar lange leven van vele drama's getuige geweest en over het algemeen vond ze ze weinig boeiend, maar ze was nieuwsgierig hoe Reki deze test van zijn karakter zou doorstaan. Hij was weliswaar net zo gemakkelijk te manipuleren als iedere andere man, maar hij kon in elk geval zijn onschuld en onervarenheid als excuus aandragen, en ze vond die eigenschappen zo aantrekkelijk dat ze haar belangstelling voor hem niet helemaal hoefde te veinzen.

Zelf kon ze echter niet slapen. Ze moest denken aan een ruzie van enkele weken geleden, en aan Kaiku.

Nadat haar bedrog aan het licht was gekomen, nadat ze vol schaamte bij Kaiku was weggevlucht, was ze naar Cailin toe gegaan. Dat was haar gewoonte: ze rende weg voor alles wat haar kwetste, veranderde van uiterlijk en verstopte zich weer. Cailin zou haar een excuus geven om weg te gaan, zodat ze zichzelf kon voorhouden dat ze daarom was weggegaan en niet om Kaiku.

Ze wist niet precies hoe, maar het was op ruzie uitgelopen. Cailin deed net even te hooghartig, ging er te voetstoots van uit dat Asara wel zou doen wat ze zei en beval haar zowat om naar de keizerlijke vesting te gaan.

'Ik ben je dienstmeisje niet, Cailin!' had Asara gesnauwd terwijl ze zich in de rood met zwarte vergaderzaal in het gebouw van de Rode Orde met een ruk afwendde. 'Dat zou ik maar niet vergeten als ik jou was.'

'Weer zo'n halfslachtige poging tot onafhankelijkheid. Spaar me,' had de zuster kil geantwoord. 'Je weet best dat je weg kunt wanneer je maar wilt. Maar dat doe je niet, hè? Want ik kan je geven wat je het allerliefst wilt.'

Asara had haar woedend aangekeken. 'We hebben een afspraak. Ik heb er niet mee ingestemd jouw ondergeschikte te zijn!'

'Dan zijn we gelijken, als je dat liever wilt,' had Cailin gezegd. 'Dat verandert niets aan de zaak. Je kunt doen wat ik je vraag of je kunt van de afspraak afzien. Maar tot die tijd zul je me helpen mijn doelen te bereiken. Dan zal ik je geven wat je wilt hebben.'

'Kun je dat wel?' had Asara beschuldigend gevraagd. 'Kun je dat echt?'

'Je weet best dat ik het kan, Asara, en dat ik het ook zal doen. Dat beloof ik je.'

'En ik beloof jou,' had ze geantwoord, 'dat ik me zal wreken als je me voor de gek houdt. Je wilt mij niet als vijand, Cailin.'

'Houd op met die dreigementen!' had Cailin gesnauwd. 'Afspraak is afspraak. Er is van beide kanten enig vertrouwen voor nodig, maar dat heb je vanaf het begin geweten.'

Vertrouwen. Daar had Asara hard om kunnen lachen. Vertrouwen werd veel te hoog aangeslagen. Cailin wist echter waar Asara naar hunkerde, waarvoor ze bijna alles op het spel zou zetten. Daarom werkte Asara voor de Rode Orde, deels omdat ze dezelfde doelen hadden, maar voornamelijk omdat het de enig denkbare manier was om haar wens in vervulling te doen gaan.

Een eind aan de eenzaamheid, de leegte, het niets in haar binnenste. Dat zou onvoorstelbaar mooi zijn.

⊚ 29 ⊚

De zon ging onder in de Xaranabreuk, zodat de westelijke hemel was gehuld in rode, zilveren en paarse wolkenbanden. In het gouden licht van de stervende dag zaten Yugi en Nomoru gehurkt op een uitstekende rotspunt die uitzicht bood op een doorgroefd landschap vol kloven en ravijnen waaruit onregelmatig gevormde plateaus, rotsachtige heuvels en tafelbergen omhoogstaken.

In de diepte, verborgen in de plooien van de Breuk, lieten mannen en vrouwen het leven. Het geluid van geweerschoten en af en toe een explosie galmde door de stilte. Rookpluimpjes kringelden als damp uit de kloven omhoog. Af en toe werd hun blik getrokken door vluchtige bewegingen: gestalten die zich snel terugtrokken, achtervolgd door duistere, afgrijselijke wezens. De afgelopen paar uur was het gevecht al een paar keer vanuit de schaduwen in de openlucht doorgedrongen: schermutselingen die zich op de flank van een heuvel of op vlak, met struiken begroeid land afspeelden. Yugi herkende de helft van de groeperingen die hij zag niet, maar hij was ervan overtuigd dat ze niet bij de Libera Dramach of de Gemeenschap hoorden.

'Ze komen dichterbij,' zei Nomoru, en haar toon suggereerde dat het haar eigenlijk niets kon schelen.

'We vertragen ze nauwelijks,' merkte Yugi afwezig op.

'Wat had je dan verwacht?'

Hij haalde zijn schouders op. Hij had nu geen zin om op Nomoru's kribbige pessimisme in te gaan. Hij had belangrijkere dingen aan zijn hoofd.

Kaiku had de snelheid van het leger afwijkenden goed ingeschat. Sinds de nacht van de maanstorm waren er drie dagen verstreken en het leger was met constante, hoge snelheid opgetrokken. Een groep van duizenden monsters zwermde door de Breuk en kwam ongeveer twee keer zo snel vooruit als Yugi en zijn metgezellen op de heenweg naar het weverterritorium. In een oord als de Breuk was dat roekeloosheid die grensde aan krankzinnigheid. Hij vroeg zich af of hun grote aantal genoeg was geweest om de gevaren te overwinnen die ze hadden moeten trotseren: de legers van de verschillende stammen, de ravijnen vol valstrikken, de moerassen die giftige dampen uitbraakten, de spookgebieden. Voor zo'n grote troepenmacht was er geen veilige route. Hoeveel slachtoffers waren er al gevallen? En zou het uiteindelijk wel iets uitmaken?

De verkenners van de Libera Dramach – onder wie Nomoru – hadden nu en dan verslag uitgebracht, maar het leger verplaatste zich gewoon te snel. Het meeste wat ze wisten hadden ze vernomen van bevriende stammen die voor de invasiemacht uit werden gedreven, en de inlichtingen die ze hadden verzameld waren te laat gekomen om er iets mee te kunnen doen. Het leger had elke nederzetting op zijn weg onder de voet gelopen en was vervolgens doorgestroomd. De stammen en groeperingen die zich op en vlak bij de route van de afwijkenden bevonden waren in rep en roer. Sommige vluchtten naar de Gemeenschap in het oosten, want het gerucht ging dat die het laatste bolwerk tegen de vijand zou zijn en dat de inwoners iedereen die zich daar bij hen wilde aansluiten met open armen zouden ontvangen. Het was een gevaarlijke gok om de andere bewoners van de Breuk binnen de versterkingsmuren te halen, maar Yugi wist dat Zaelis geen andere keus meer had.

Andere gemeenschappen – de wraakzuchtige overlevenden uit de nederzettingen waar het leger doorheen was getrokken en mensen die gewoon het gevaar beseften – bestookten de flanken en de staart van de horde. De Xaranabreuk was uitermate geschikt voor snelle uitvallen, en deze mensen woonden er al het grootste deel van hun leven en kenden alle trucjes. De afwijkenden negeerden echter de plaagstootjes aan de randen en trokken onstuitbaar op naar de Gemeenschap, zonder zich om de verliezen druk te maken.

Yugi was in een sombere stemming. Hoe wisten ze het? Hoe waren ze te weten gekomen waar Lucia was? Hij vervloekte de wevers en hun goddeloze methoden. Hartbloed, het was natuurlijk slechts een kwestie van tijd geweest, maar waarom nu? Nog maar een paar jaar, dan zou Lucia oud genoeg zijn geweest om de troon op te kunnen eisen en dan zouden ze een echt leger bijeen hebben gebracht om haar te steunen. Dan zouden ze in de openbaarheid zijn getreden en Mos en de wevers hebben uitgedaagd.

Hij bestookte zichzelf met verwijten toen hij terugdacht aan haar tirade op de avond van de maanstorm. Ze waren zo gewend aan de dromerige, passieve Lucia die zich als een sluier liet meevoeren door de wind, dat ze er niet eens bij hadden stilgestaan wat zij wilde. Ze hadden voetstoots aangenomen dat ze eventuele bezwaren inmiddels wel zou hebben geuit. Haar afstandelijkheid was zo volkomen dat ze waren gaan denken dat ze niet tot een eigen mening in staat was. Yugi voelde zich oprecht schuldig als hij eraan dacht hoe gemakkelijk ze van haar uit waren gegaan. Wat ze verder ook was, ze was nog steeds een meisje van veertien oogsten, met alle moeilijkheden van dien, en haar geduld en verdraagzaamheid waren niet eindeloos. Hij durfde er niet aan te denken wat er zou gebeuren als ze bijvoorbeeld net zo koppig zou worden als Kaiku. Alles hing van haar af.

Een uitzonderlijk harde knal vlakbij bracht hem weer met zijn gedachten bij het heden. Nomoru wreef door haar ruige haardos en trok een boos gezicht.

'Je moet niet te lang meer wachten,' waarschuwde ze.

'Kom mee,' zei hij.

Ze lieten de rotspunt achter zich en liepen omlaag langs een smalle helling die aan weerszijden werd beschut door aarden wallen doorspekt met wortels. Onderaan stond een man klaar om weg te rennen, en hij keek hen vol verwachting aan.

'Ze komen eraan!' riep Yugi. 'Maak je gereed!'

De man salueerde haastig en ging ervandoor, tegen een andere heuvel op die zich rechts van hen verhief. Yugi en Nomoru liepen zonder hun pas in te houden verder omlaag, terwijl hun geweren kletterend tegen hun rug sloegen. Onderweg passeerden ze nog twee boodschappers, die ze met bevelen naar hun respectievelijke bestemmingen stuurden. Yugi betrapte zichzelf erop dat hij dacht hoeveel gemakkelijker en sneller het zou gaan als ze boodschappen hadden kunnen versturen via de vrouwen van de Rode Orde, maar Cailin had geweigerd hen aan de voorhoede toe te voegen. Volgens haar zou het verrassingselement van doorslaggevend belang zijn als ze eenmaal werden ingezet. Ze wilde hen in de Gemeenschap houden. Yugi vroeg zich stiekem af of ze hen eigenlijk wel wilde inzetten.

Ze renden voorovergebogen het open terrein op, de wal links van hen viel weg en ze kwamen uit op een kolossaal terras dat uitzicht bood op een doodlopend ravijn zonder enige begroeiing. Loodrechte wanden van zandsteen opgebouwd uit de afzetlagen van talloze tijdperken kwamen honderden voeten lager uit op een stoffige bodem bedekt met omgewoelde aarde. Onder hen zweefden vogels in het langzaam rood wordende licht op de luchtstromen. Yugi werd even duizelig toen hij opeens de afgrond voor zich zag. De warme wind van de stervende dag raasde om hem heen. Toen zaten ze op hun hurken tussen tientallen schutters die zich met hun geweren achter een berg stenen verderop op het terras schuilhielden, en tot zijn opluchting kon hij daar de afgrond niet meer zien.

'Gebeurt er daarbeneden al iets?' vroeg hij.

'Nee, niets,' zei Kihu, de met littekens bedekte jongeman aan wie Yugi de leiding had gegeven. 'Dat kan ook nog niet. De zon schijnt nog.'

'Je hebt gelijk,' zei Yugi bedachtzaam. 'Jij, jij en jij.' Hij wees twee mannen en een vrouw van middelbare leeftijd aan die allemaal bij de Libera Dramach hoorden. 'Blijf hier op de uitkijk. Als er in dat ravijn iets beweegt voordat wij terugkomen, wil ik het weten. Alle anderen, neem je positie in. Ze zijn onderweg.'

Zijn bevelen werden onmiddellijk en zonder tegenspraak opgevolgd. Hier hadden ze op gewacht. Met een grimmig soort gretigheid verlieten ze hun schuilplaats en liepen verder langs het reusachtige rotsterras. Het liep een eindje naar beneden af en kwam uiteindelijk uit bij een grotere, vooruitstekende rotsmassa die uitstak uit de rotswand rechts van hen, waar ze dicht langs bleven lopen.

Opeens werd het uitzicht weids. Het ravijn dat ze in de gaten hadden gehouden was slechts één arm aan een vertakking, de meest zuidelijke uitloper van een grote splitsing. Naar het westen liep een indrukwekkende kloof die met een bocht te midden van een slordige verzameling tafelbergen uit het zicht verdween. In het oosten liep de kloof verder, maar werd hij iets smaller. Yugi en de schutters renden over de scheiding tussen het zuidelijke en het oostelijke ravijn, een steile, steeds smaller wordende rotswand die aan het uiteinde uitliep in een reeks richels met daarop taaie struiken en armetierige boompjes.

Onder het rennen ving Yugi een glimp op van een van de boodschappers, die met een handspiegel de laatste stralen van Nuki's oog opving om zo een signaal naar de andere kant van het ravijn te sturen. Kort daarop zag hij bevestigende lichtflitsen, afkomstig van verborgen posities langs de tegenoverliggende richel. Op de splitsing wemelde het aan alle kanten van de Libera Dramachs die zich in het verwoeste landschap schuilhielden.

Yugi werd overspoeld door een woeste golf van trots. Niets had de meedogenloze opmars van de afwijkenden tot nu toe kunnen stuiten, maar tot nu toe had ook niemand de kans gehad om zich terdege voor te bereiden. Hij wist nog dat hij had getwijfeld aan de wijsheid van Kaiku's beslissing om bij het leger te blijven. Nu had hij alle reden om er dankbaar voor te zijn. Het was uitsluitend te danken aan het risico dat Kaiku had genomen dat ze op tijd waren gewaarschuwd om maatregelen te treffen. De wevers waren achteloos door de Breuk gestormd zonder zich druk te maken over hun verliezen, maar Yugi was van plan ervoor te zorgen dat ze zich even achter de oren zouden krabben.

'Gierkraaien!' riep iemand, en toen Yugi opkeek, zag hij de eerste enorme, zwarte afwijkende roofvogels door de lucht scheren. Ze klauterden langs de aflopende punt van de scheidingswand omlaag en verstopten zich tussen de richels en de verdroogde planten die zich eraan vastklampten. Nomoru liet zich met haar prachtige geweer stevig in haar magere handen in een wolk van stof naast hem omlaag glijden, en ze gingen naast elkaar op hun hurken in een groepje struiken zitten. De wanden van het oostelijke en westelijke ravijn waren niet zo hoog als die van de zuidelijke arm, en de bodem liep hier ook op, zodat ze op een hoogte van misschien zeventig voet zaten toen ze zich ingroeven. Ze wachtten roerloos af en luisterden naar het rauwe gekras van de gierkraaien die boven hun hoofden cirkelden en als verkenners dienden voor de grote massa afwijkenden die op hen af stroomde.

'Gaat dit lukken?' fluisterde Nomoru.

'Zo niet, dan zal er in elk geval niemand in leven blijven om het verhaal over onze mislukking te verspreiden,' antwoordde hij.

Nomoru kakelde zachtjes van het lachen en spande de haan van haar geweer. Ze gebaarde met haar ogen naar de vogels. 'Wil je dat ik ze omlaag haal?'

Yugi schudde zijn hoofd. 'Je weet wat je doelwit is. Tot die tijd vuur je geen enkele kogel af.'

Hij maakte het zich gemakkelijk en hield de mond van het westelijke ravijn, waar de afwijkenden uit zouden komen, in de gaten. De vijand had zich een beetje verspreid, maar hier kwamen verschillende wegen in één ravijn samen en vormde de Breuk een natuurlijke flessenhals, zodat een groot deel van de afwijkenden nergens anders naartoe zou kunnen. Het enige alternatief was omhoogklimmen en over de open hoogvlakten verder trekken, maar Yugi was ervan overtuigd dat ze daar niet voor zouden kiezen. De roekeloze snelheid van het leger kon maar één ding betekenen: ze wilden de Gemeenschap verrassen, zodat de Libera Dramach niet de gelegenheid zou hebben om Lucia weg te moffelen. Daarom reisden ze ook midden door de Xaranabreuk in plaats van over de effen vlakten aan de randen te trekken. Ze wilden zich niet blootgeven tenzij het strikt noodzakelijk was, aan hun beoogde slachtoffers noch aan de buitenwereld in het algemeen.

Yugi vroeg zich opeens af waarom ze zo'n verpletterende overmacht inzetten in plaats van er huurmoordenaars of wevers op uit te sturen om de verdreven erfkeizerin stilletjes te doden. Misschien hadden ze daar gewoon geen tijd voor, dacht hij. Hij dacht aan het andere leger, dat met aken in noordelijke richting was vervoerd. De wevers hadden hun blik ergens anders op gericht, zo leek het. Ze hadden kennelijk iets af te handelen wat nog belangrijker was dan Lucia.

De zon was bijna verdwenen en het laatste beetje rood aan de hemel stierf weg, toen Yugi de eerste geluiden van het leger opving. De gierkraaien waren nu verdwenen, zoals hij al had verwacht. Kaiku had de verschillende soorten afwijkenden beschreven die ze was tegengekomen en verteld welke zwakke en sterke punten ze had ontdekt. Gierkraaien vlogen nooit in het donker. Ze vermoedde dat ze 's nachts heel slecht konden zien.

Het gestaag aanzwellende geluid zaaide iets van angst in Yugi's borst. In eerste instantie was het een kakofonie in de verte, maar het werd schrikbarend snel luider: een kabaal van gesnater en gejammer, van gebrul en gegrauw dat uitgroeide tot een verstikkende deken van chaos en waanzin. Af en toe werd het overstemd door een geweerschot van de Libera Dramachs en stamleden die af en toe een roofdier uit de flank omlegden.

Yugi omklemde stevig zijn geweer en werd voor het eerst overvallen door twijfel. Hij had het gevoel dat hij in de branding op een verwoestende vloedgolf stond te wachten.

De denderende horde kwam in zicht toen die het westelijke ravijn uit stroomde, en hij verbleekte toen hij zag dat de monsters zich als een olievlek verbreidden en als een golf van verderf die hem de adem benam tussen tafelbergen door en om rotsen heen stroomden. Hij had geen last van de vooroordelen tegen afwijkenden die iedereen in Saramyr met de paplepel ingegoten kreeg – in de liberale wereld van de Gemeenschap kon je bijna vergeten dat die vooroordelen bestonden – maar hij kon zijn walging en angst voor de monsters die nu op hem afkwamen niet onderdrukken. Schendingen van de natuur, een warboel van diersoorten en kenmerken, veranderingen die door de smet van de wevers waren versneld en die spotten met het plan van Enyu.

Hoe kunnen die wezens en Kaiku nu hetzelfde zijn, vroeg hij zich af.

Ze bewogen zich voort met een snelheid die gelijkstond aan een lichte draf, zodat ze onvermoeibaar en zonder veel rust dag en nacht konden doorlopen. Er was geen bepaalde slagorde te bekennen, maar toch slaagden ze erin elkaar niet te vertrappen. Reusachtige ghauregs torenden boven de galopperende, zwijnachtige furiën uit en sjokten onverstoorbaar verder terwijl kleinere afwijkenden zich langs hen heen drongen en vooruitrenden. Skrendels met lange, dunne ledematen trippelden aan de randen mee, aapachtige wezens met lange vingers die uit de buurt van grotere beesten bleven door behendig langs de flanken van tafelbergen omhoog te springen, waar ze fel naar elkaar bliezen. Schellers glipten lenig en sierlijk tussen hun onhandige medestanders door. Ertussenin liepen andere wezens die van zulke grote afstand moeilijk te herkennen waren, en die krijsend en grommend het ravijn in dromden.

'Goden,' mompelde Nomoru. 'Als ze de Gemeenschap weten te bereiken, zijn we allemaal dood.'

'Allemaal honden, maar wie heeft de riemen vast?' vroeg Yugi turend door het gebladerte. 'Waar zijn de nexussen? Waar zijn de wevers?'

Het leger stroomde uit het westelijke ravijn naar de splitsing, waar het een van de twee vertakkingen moest kiezen. De afwijkenden aarzelden geen moment en sloegen naar het oosten af. De gierkraaien die vooruit waren gestuurd hadden al vastgesteld dat de zuidelijke vertakking doodliep, en die kennis hadden ze doorgegeven via de nexuswormen die ze met de nexussen verbonden. Yugi en de andere schutters die zich tussen de richels aan de punt van de scheidingswand schuilhielden durfden nauwelijks adem te halen toen de horde rechts van hen in de diepte voorbijstoof en het gerommel van duizenden voeten, poten en klauwen de aarde deed beven.

'Daar heb je ze,' fluisterde Nomoru meer bij zichzelf dan tegen Yugi. Ze hield rustig en geconcentreerd het ravijn in de gaten, en hij volgde haar blik naar de plek waar de eerste nexussen in het zicht waren gekomen.

Ze bevonden zich vrij ver achterin, verborgen tussen de massa, en reden op beesten die erg op manxthwa's leken, alleen hadden deze geen vacht en waren ze veel sneller. De aanblik van een nexus maakte Yugi misselijk van angst, zelfs op die afstand. Ze leken met hun mantels en maskers te veel op wevers. Toen er nog een in zicht kwam, zag hij dat ze werden omringd door een groep ghauregs die nooit ver afdwaalden en de nexussen met hun omvangrijke lijf afschermden.

'Ze beschermen de nexussen,' zei Yugi boven het kabaal van de passerende afwijkenden uit. 'Zal het lukken, denk je?'

Nomoru wierp hem een minachtende blik toe, maar als ze op het punt had gestaan om een hatelijke opmerking te maken, had ze haar kans gemist. Op dat moment klonk er namelijk een oorverdovende ontploffing die de grond hevig deed beven. Yugi en Nomoru doken instinctief in elkaar toen een regen van kiezelsteentjes en los zand vanaf de richel boven hen op hen neerkwam.

Het was een onvoorstelbare dreun die door de hele breedte van de Breuk galmde en waarmee reusachtige stukken rots werden opgeblazen. Een grote hoeveelheid stof bolde op in een wolk die zich aan beide kanten door het ravijn verspreidde en hoog de lucht in stoof. De Libera Dramach had over de hele lengte van het oostelijke ravijn vlak na de splitsing aan beide kanten explosieven geplaatst. Na de eerste klap regende het stenen, rotsen en keien op de voorste gelederen van het leger afwijkenden en het vallende puin bracht hen slippend en struikelend tot stilstand. Dat was echter nog maar het begin, want even laten klonk het rommelende geraas van schuivend steen, een kolossaal gebulder dat pijn deed aan de oren, en kwamen de wanden van het ravijn naar beneden.

De afwijkenden krijsten, jankten en liepen elkaar onder de voet toen ze verward alle kanten oprenden. Het was echter te laat om de lawine van steen die op hen neerkwam te ontwijken. Met onstuitbare kracht stortte die zich op hun wanordelijke gelederen, verpulverde botten en verscheurde lichamen, verpletterde de beesten als lappenpoppen of rukte hun ledematen af. Degenen die niet recht onder de onvoorstelbaar zware steenlawine stonden werden achteruit in de gelederen gedrukt en geplet. Door het stof dat het ravijn vulde was het zicht nihil. Het was een gele, prikkende wereld vol dierlijk gekrijs. Toch rukten de afwijkenden nog verder op, voortgestuwd door hun eigen voorwaartse impuls, zodat er onbedoeld nog meer soortgenoten tegen de barrière van steen sloegen, waar ze als twijgjes bogen en knapten.

Yugi hief zijn hoofd en grijnsde naar Nomoru. 'Dan zullen we ze nu eens laten zien wat voor gevecht ze te wachten staat,' zei hij.

De schutters openden het vuur.

Er waren er bijna honderd die allemaal hoog boven de indringers rond de splitsing hadden postgevat. Hoewel het kolkende stof in hun ogen prikte en het hun onmogelijk maakte om de bodem van het ravijn te zien, stonden de afwijkenden zo dicht op elkaar dat je eerder je best moest doen om ze te missen dan om ze te raken. Ze schoten willekeurig, trokken na elk schot de haan van hun geweer naar achteren en hielden alleen af en toe even op als het buskruit of de kogels op waren. Een moordend, onontkoombaar spervuur vulde het ravijn met een hagelbui van kogels en reet de afwijkenden aan flarden. De projectielen drongen dwars door chitinepantsers heen en verscheurden huid, vacht en vlees, altijd gevolgd door een fontein van bloed. In het ravijn galmde het van de gekwelde kreten van de beesten, die wild om zich heen keken op zoek naar de vijand die hen aanviel, maar niets vonden.

Yugi, die dichter bij de bodem was dan de mannen en vrouwen op de randen van het ravijn, had ook het vuur geopend. Kihu en de andere schutters die zich tussen de richels verborgen hielden zorgden boven en onder hen voor een onregelmatig staccato van geweerschoten. Af en toe schoot een behendige skrendel die langs de wand van het ravijn naar boven wilde klimmen, uit de stofwolk omhoog om aan het bloedbad te ontkomen, maar Yugi had verder naar beneden twee mannen neergezet die de taak hadden de beesten neer te schieten als ze dat probeerden, en ze kwamen nooit dicht bij de posities van de Libera Dramachs.

Te midden van al dat rumoer zat Nomoru zo roerloos als een standbeeld met haar hand om de loop van haar zwartgelakte geweer over het zilveren inlegwerk te strijken. Het stof trok langzaam op, want nu het land afkoelde stak er een avondbriesje op dat het door het ravijn wegblies. De paniekerig kronkelende gestalten van de afwijkenden werden weer zichtbaar, als vage schaduwen in de zachte gloed van de zon die pas achter de horizon was verdwenen. De hemel was diepblauw, zo donker dat hij bijna zwart was.

'Ze keren om!' riep iemand. 'Ze keren om!'

Inderdaad, de afwijkenden probeerden vertwijfeld aan de dood te ontsnappen, en nu ze beseften dat de weg naar het oosten was versperd, dromden ze het zuidelijke ravijn binnen. Yugi werd overspoeld door een golf van verbeten triomf en vroeg zich af of de nexussen de controle over de troepen kwijt waren of zelf de aanzet tot de koerswijziging hadden gegeven. Het deed er eigenlijk niet toe, want aan het resultaat zou het niets veranderen.

'Blijf op je positie!' riep Yugi. Hun munitie en buskruit begonnen langzamerhand op te raken, maar hij wilde nog niet dat ze zouden stoppen. Niet voordat Nomoru haar kans had gehad.

Alsof ze op die gedachte reageerde, zette ze het geweer tegen haar schouder en zocht door de struiken heen haar doel. Het stof daalde neer en het tafereel op de bodem van het ravijn werd voor de mensen in de hinderlaag zichtbaar. De grond was bezaaid met verbrijzelde lichamen, maar ze waren nauwelijks te onderscheiden door de op hol geslagen kudde groteske wezens die eroverheen denderde.

Op het moment dat ze echter konden zien wat een chaos ze hadden veroorzaakt, merkten ze ook dat de afwijkenden langzamer gingen lopen. Het geweervuur stierf langzaam weg nu de geweren oververhit en de buskruitbuidels leeg raakten. De paniek leek griezelig snel weg te ebben en de wezens renden niet meer halsoverkop het zuidelijke ravijn in.

'Nomoru,' zei Yugi waarschuwend, in het besef dat zijn vraag was beantwoord. 'Ze krijgen ze weer onder controle.'

Nomoru deed alsof ze hem niet had gehoord. Ze keek door het vizier, met een roerloos lichaam dat een gratie uitstraalde die sterk in tegenspraak was met haar uiterlijk en karakter.

In het ravijn stonden de nexussen bij elkaar, omringd door hun lijfwacht van ghauregs. Hun maskers toonden geen emotie, maar Yugi kon de concentratie, de wilskracht waarmee ze de dieren in toom hielden bijna voelen.

Ze haalde de trekker over. De kogel scheerde op een duimbreedte langs de schouder van een ghaureg en raakte een van de nexussen in het gezicht, zodat er een bloederige barst in het gladde, witte masker verscheen. De nexus wankelde in het zadel en viel op de grond. Er volgde onmiddellijk een reactie onder de afwijkenden. Een groepje roofdieren ontstak in razernij, de verschillende soorten vielen elkaar aan en de hysterie verbreidde zich snel. De schutters concentreerden zich op de dieren eromheen.

Nomoru schoot opnieuw. Weer viel er een nexus achterover van zijn rijdier.

Toen liet iemand vanaf de rand van het ravijn een pakket explosieven midden in het strijdgewoel vallen, een bom met een sissende lont, en toen die ontplofte was de chaos compleet. De afwijkenden, die even waren ingetoomd, stormden nu blindelings naar de enige uitweg die ze nog hadden: het zuidelijke ravijn. Nomoru haalde onverstoorbaar een derde nexus neer. De lijfwacht van ghauregs raakte volledig in verwarring. Twee ervan verscheurden het rijdier van een van de nexussen. De chaos verspreidde zich nu de sturende geesten van de nexussen een voor een als kaarsjes uitdoofden. De andere nexussen trokken zich terug en baanden zich zo goed en zo kwaad als het ging een weg terug door het gedrang. Toen het laatste licht wegstierf, liet Nomoru haar geweer zakken en zei: 'Buiten schootsafstand, nu.'

Yugi feliciteerde haar met een klap op haar schouder. Ze keek hem boos aan.

'Tijd om te gaan,' zei hij. 'Het is nog niet voorbij.'

Vergezeld door de rest van de schutters uit hun groep klommen ze terug naar de top van de scheidingswand en keerden zo snel als ze konden op hun schreden terug langs de hoge richel die uitzicht bood op het zuidelijke ravijn. Achter hen klonk nog steeds af en toe een geweerschot, scherpe knallen die hol echoden. Naarmate ze hoger boven het landschap van de Breuk uitstegen, konden ze zien dat het in het schemerlicht geheimzinnig blauwzwart was geworden en dat in het noorden een randje van Aurus net boven de horizon uitkwam. Het was al behoorlijk afgekoeld toen ze een geschikt uitkijkpunt bereikten en gehurkt op de rand van de richel gingen zitten.

In de diepte waren de afwijkenden het ravijn binnen gezwermd en de voorste gelederen hadden bijna het eind van het ravijn bereikt. Ze vertraagden hun pas flink toen ze beseften dat ze geen kant op konden. Nu ze echter geen sturing meer kregen, konden ze dat feit niet doorgeven aan de honderden afwijkenden die hen achteropkwamen, en de monsters die langzamer gingen lopen werden vertrapt door andere, die het gevaar nog niet beseften. De afwijkenden stapelden zich op tegen de wand van het ravijn en de gebroken lichamen vormden een soort braak, als aarde die door een ploeg wordt omgewoeld. Achteraan verdrongen zich er nog meer die aan de geweerkogels bij de splitsing wilden ontsnappen. Toen hun eindelijk duidelijk werd dat de toestand hopeloos was, kwamen ze geleidelijk tot stilstand, zodat het hele ravijn gevuld was met dode en levende lichamen.

Op dat moment werden de overgebleven explosieven tot ontploffing gebracht.

De afwijkenden brulden van angst toen de mond van het ravijn instortte en tonnen gesteente naar beneden kwamen, die een muur vormden met verbrijzelde lijken als mortel. Hun enige uitweg was geblokkeerd en de honderden monsters zaten als ratten in de val.

Er volgde een geladen stilte, een afwachtende sfeer die zelfs de mismaakte dieren konden voelen. Ze slopen en liepen heen en weer, hapten naar elkaar en klauwden naar de onverzettelijke rotsen. Overal braken onder veel gegrauw schermutselingen uit. In de Breuk zwegen de geweren.

De mensen op de randen van het ravijn konden in het slechte licht niet veel zien, maar een enkeling had een kijkglas bij zich, en ze keken naar beneden en wachtten af.

Of de ghaureg als eerste werd gegrepen of gewoon de eerste was die ze zágen verdwijnen, wist niemand, maar voor hun ogen zakte het reusachtige beest opeens zonder waarschuwing in de grond weg.

De afwijkenden bewogen nu onrustig om elkaar heen, want ze voelden wel aan dat er iets niet klopte. Opnieuw werd er een door de aarde verzwolgen, een furie deze keer. Hij had nog net genoeg tijd om een angstige kreet te slaken, maar toen was hij verdwenen.

'Goden,' mompelde Kihu, die ineengedoken naast Yugi zat. 'Dit wordt een slachting.'

Toen gebeurde het opeens overal in het ravijn. Overal verdwenen afwijkenden, die wegzakten in de aarde alsof de grond onder hun voeten opeens was verdwenen. In eerste instantie gingen ze een voor een, maar na een tijdje met een paar tegelijk, en even later werden ze met tientallen tegelijk opgeslokt. De dieren raakten opnieuw in paniek. Ze steigerden, krijsten en brulden en vielen in hun verwarring elkaar aan. De skrendels, verreweg de intelligentste roofdieren, wilden langs de wanden van het ravijn naar boven klauteren. Hoewel ze op die manier wel bij de dodelijke grond vandaan konden komen, hadden ze op het gladde steen echter te weinig houvast om helemaal aan de val te kunnen ontsnappen. Het ravijn werd snel geleegd naarmate steeds meer afwijkenden, zowel dode als levende, door de omgewoelde aarde op de bodem van het ravijn werden verzwolgen. De mensen met kijkglazen konden nu het kielzog zien van dingen die snel vlak onder het oppervlak bewogen: lage bollingen die pijlsnel op hun doelwit af schoten. Zelfs in het donker kon je de bloedplekken zien die vanuit de aarde omhoogsijpelden, nu de grond zo verzadigd was dat hij niet meer alles kon opnemen. De afwijkenden renden en krabbelden over zand dat vochtig was van de lichaamssappen van hun soortgenoten. Ze deden een vruchteloze poging te ontsnappen aan de wezens die in groten getale om hen heen zwermden en hen opjaagden. De skrendels werden van de wanden gerukt door dunne tentakels die opeens met honderden tegelijk uit de grond schoten, zich om hen heen wikkelden en hen in een oogwenk onder de grond trokken. Het leken wel tongen van kameleons die vliegen uit de lucht gristen.

Tegen de tijd dat het helemaal donker was en Aurus aan de hemel een eindje omhoog was geklommen, was het weer stil in het ravijn. Het enige wat erop wees dat de afwijkenden er ooit waren geweest, was de glinstering van maanlicht op de bodem van het ravijn, waar het bloed van de dode wezens langzaam weer in de grond wegzakte.

Yugi floot zachtjes. Sinds hij in de Breuk was aangekomen had hij vele verhalen gehoord over deze plek, en dat er een kern van waarheid in zat was afdoende bewezen door verschillende mensen die geen acht hadden geslagen op de waarschuwingen en hier waren doodgegaan. Hij had echter nooit durven dromen dat de *liha-kiri* – de wroetende demonen – zo vraatzuchtig zouden zijn.

Een vrouw kwam vanaf een hoger punt op de richel naar beneden gerend en bleef voor hen staan. 'Ze keren om, Yugi,' zei ze ademloos. 'Ze trekken zich terug.'

De aanwezigen juichten en Yugi kreeg van alle kanten kameraadschappelijke klappen op zijn schouders en rug. Hij grijnsde kwajongensachtig.

'Nu zullen ze niet meer zoveel haast hebben om bij de Gemeenschap te komen,' zei hij. 'Goed gedaan, allemaal.'

Hij zou hun nog even de tijd gunnen om zichzelf en elkaar te feliciteren voordat hij hen zou bevelen zich terug te trekken. Dat hadden ze wel verdiend. Ze hadden het leger van de wevers vandaag een verschrikkelijke klap toegebracht, maar de volgende keer zouden de wevers niet meer zo roekeloos zijn. Hoewel ze honderden afwijkenden hadden gedood, hadden ze maar een heel kleine bres in de vijandelijke troepenmacht geslagen. Je kon veel over de wevers zeggen – bijvoorbeeld dat ze tactisch niet sterk waren en in een val gelopen waren die iedere ervaren generaal met speels gemak zou hebben vermeden – maar door hun waanzin waren ze onvoorspelbaar en dus gevaarlijk.

Hij beantwoordde de blik van Nomoru, de enige die niet feestvierde, en wist dat zij hetzelfde dacht als hij. Ze hadden wat tijd gewonnen, maar de echte slag zou bij de Gemeenschap plaatsvinden. En dat kon wel eens een strijd zijn die ze niet konden winnen.

⊚ 30 ⊚

Nuki's oog was sinds de slachting onder de afwijkenden alweer opgekomen en ondergegaan, en ver ten westen van de Gemeenschap
hield Iridima aan de bewolkte hemel hof. Kaiku en Tsata stonden
op de westelijke oever van de Zan in de maanschaduw van een groepje tumisibomen die op de een of andere manier waren ontsnapt aan
de ziekte die de nabije heksensteen uitstraalde. Het was warm en stil
die nacht, maar er stond een koel herfstbriesje dat de blaadjes rusteloos in beweging hield.
Aan de overkant van de rivier stond het bizarre gebouw dat de uiterwaard domineerde, de vreemde, rupsachtige hoop gevlochten metaal waarvan ze zich al weken afvroegen waar hij voor diende. Het
gebouw stootte een smerig riekende, olieachtige damp uit en de reusachtige wielen vol puntige uitsteeksels die aan weerszijden ronddraaiden knarsten en kraakten onophoudelijk. Eromheen stonden
kleinere gebouwtjes waarvan het nut al evenmin duidelijk was. Soms
lichtten de metalen banden aan de zijkant opeens van binnenuit op
en klonk er een luid geraas, alsof het vuur in een oven opeens hoog
oplaaide. Dan zetten kettingen zich onverwacht en ratelend in beweging over de reusachtige katrollen en raderen die als pezen van
het ene gebouw naar het andere liepen. Allerlei mechanieken ram-
melden een tijdje grillig, om vervolgens weer stil te vallen. Vanaf deze kant konden ze de monden zien van de twee korte pijpen die onder de grond naar de oever van de rivier liepen, en de roosters die
half boven het traag stromende water van de Zan uitstaken.
Kaiku hield het gebouw met een harde blik in haar ogen nauwgezet
in de gaten. Ze haatte het. Ze haatte het onbegrijpelijke ervan, het
onaardse, het onnatuurlijke kabaal en de stank. Het belichaamde
voor haar de smet, dat ding dat zijn omgeving bezoedelde en gif uit-

braakte. Bovenal haatte ze het omdat het haar dwong hier te blijven terwijl in de Gemeenschap haar vrienden en haar thuis in groot gevaar verkeerden, en hoewel ze zich niet bij hen kon voegen, nooit op tijd terug zou zijn, vrat het aan haar dat ze het niet eens had geprobeerd.

Het leek er echter op dat ze in de tijd die ze met Tsata had doorgebracht was aangestoken met die godenvervloekte Okhambaanse manier van denken, met die vreemde onzelfzuchtigheid die van hen eiste dat ze hun eigen verlangens ondergeschikt maakten aan het overkoepelende belang. Die nacht tijdens de maanstorm, toen de barrière was verdwenen, toen ze hadden gezien hoe de horde roofdieren de uiterwaard verliet en in oostelijke richting naar de Gemeenschap trok, had ze niets liever gewild dan achter hen aan gaan. Het maakte niet uit dat ze hen nooit zou kunnen bijhouden omdat ze veel te snel liepen of dat ze, ook al zou ze erin slagen op tijd bij de Gemeenschap te komen, slechts een van de duizenden zou zijn. De oude Kaiku zou toch zijn gegaan, want dat zat in haar karakter.

Ze was achtergebleven. Ze wist wat Tsata dacht en tot haar verrassing merkte ze dat zij hetzelfde dacht. De uiterwaarden waren nu zo goed als uitgestorven. Er was slechts een minimaal aantal lijfwachten achtergebleven om de basis van de wevers in de Breuk te beschermen. En zij waren de enigen die van die inschattingsfout konden profiteren.

De enigen die bij de heksensteen konden komen.

Tsata hoefde haar niet eens te bepraten. Zo'n kans zouden ze misschien nooit meer krijgen. Hoe de strijd in het oosten ook afliep, ze waren het aan hun metgezellen verplicht om gebruik te maken van de mogelijkheid die hun onverhoeds was geboden. Ze wilden binnendringen in de mijn van de wevers.

'Daar,' mompelde Kaiku toen het in de krochten van het gebouw diep begon te rommelen. Er klonk een reeks harde, metaalachtige dreunen en even later spuwden de pijpen in de rivieroever een stroom brak water uit, zodat de scharnierende bovenste en onderste helften van de roosters openklapten. De stroom hield een hele tijd aan en er werden stukken rots, organisch afval en andere dingen meegespoeld die in het maanlicht niet herkenbaar waren. Alles werd in de Zan geloosd en door het water in zuidelijke richting meegevoerd naar de watervallen. Eindelijk nam de bulderende stortvloed af en er bleef nog maar een dun straaltje over. De roosters, die niet meer door de druk open werden gehouden, zwaaiden dicht. In het sombere gebouw klonken nog een paar zware dreunen en toen was alleen nog het gestage geraas van de rivier te horen.

Kaiku en Tsata kropen onder de struiken vandaan door het hoge gras naar de waterkant. De oevers van de Zan waren niet zo kaal als het hoge land eromheen, want er werd meer dan genoeg vers water aangevoerd, en de dichte begroeiing bood hun welkome beschutting. Samen kropen ze op handen en knieën naar een plek verder stroomopwaarts, waar een kale, verwrongen boomstam lag die in het midden als een kurkentrekker was verdraaid. Die hadden ze de vorige nacht ter voorbereiding naar de oever gerold. De boom was zo zwak geweest dat ze hem zonder al te veel moeite omver hadden kunnen trekken nadat ze een stuk touw om de top hadden geknoopt. Daarna konden ze met de hand de takken eraf trekken, zodat ze een uitstekend vlot overhielden waarmee ze de rivier konden oversteken.

Ze hielden de uiterwaard een tijdje in de gaten. Er waren in het donker gestalten te zien, misschien een stuk of honderd die over de hele vlakte verspreid waren. Sommige dwaalden loom rond, maar de meeste lagen te slapen. De patrouilles, de paar die nog over waren, bleven grotendeels aan de oostkant van de rivier en de indringers koesterden niet veel angst voor de enkele wachtpost die ze op de westoever waren tegengekomen. Achter de vlakte verhieven zich als een dreigende, zwarte muur de klippen. Kaiku moest denken aan de eerste keer dat ze op die rand hadden gelegen en hadden neergekeken op het enorme leger van afwijkenden dat de wevers hadden verzameld, toen ze waren vervuld met doodsangst over de ongelooflijke overmacht die er was samengebracht. Nu was de uiterwaard zo verlaten dat hij bijna spookachtig leek.

Toen ze zichzelf ervan hadden overtuigd dat niets of niemand aandacht aan de rivier besteedde, wachtten ze tot Iridima haar gezicht achter een wolk verborg. Kaiku was dankbaar dat ze niet lang hadden hoeven wachten op de juiste omstandigheden om te proberen de mijn binnen te dringen; het feit dat ze niets kon doen in combinatie met haar angst om haar vrienden werkte haar danig op de zenuwen. Het seizoen was echter in hun voordeel: in de loop van het jaar varieerde het weerbeeld in Saramyr weliswaar niet zo sterk omdat het land dicht bij de evenaar lag, maar in de herfst en de lente was het over het algemeen bewolkter en regenachtiger dan in de zomer en de winter. De gewoonte om het jaar in seizoenen te verdelen hadden ze meegenomen uit het gematigde Quraal en nooit echt losgelaten.

Een gevederde wolkensluier gleed voor het gelaat van de maan. Kaiku en Tsata keken elkaar ter bevestiging even aan. Toen rolden ze de boomstam zachtjes in de rivier en liepen erachteraan het water in.

Het water was verrassend warm, omdat het keer op keer was ver-
warmd door de zon tijdens zijn reis van honderden mijlen vanuit de
ijskoude bronnen in het Tchamilgebergte. Kaiku voelde hoe het water door haar kleren sijpelde en haar als een warme deken omvatte.
Ze schatte de sterkte van de stroming in. De rivier stroomde hier vrij
traag, alsof ze even de pas inhield voordat ze zich naar de watervallen in het zuiden spoedde. Ze klemde de boomstam onder haar
oksels en wachtte totdat Tsata hetzelfde had gedaan. Toen ze in evenwicht waren, zwommen ze naar de overkant.

De oversteek vond in stilte en duisternis plaats. Het enige geluid was
het klotsen van het water tegen de boomstam toen ze langzaam de
oostelijke oever naderden. Ze waren schuin stroomopwaarts ge-
zwommen en vertrouwden erop dat de stroming hen naar de plek
zou voeren waar het bolle pantser van de mijn zich dreigend verhief.
Ze hadden het goed ingeschat en hadden het geluk aan hun zijde,
want Iridima hield zich al die tijd verborgen en de duisternis bleef
ondoordringbaar. Enkele tientallen voeten bij de pijpen vandaan
botsten ze tegen de oever. Ze grepen de tralies van de roosters vast
en lieten de boomstam wegdrijven. Het was te gevaarlijk om hun
vlot hier vast te binden, want als de zon opkwam, zou iemand het
misschien opmerken.

Uiteindelijk hadden de vele weken waarin ze de uiterwaarden in de
gaten hadden gehouden vrucht afgeworpen. Kaiku was erg gefrustreerd geweest over hun onvermogen bij een nexus of het geheimzinnige gebouw in de buurt te komen. Toch waren ze veel te weten
gekomen over wat zich daar allemaal afspeelde en ze hadden veel
wilde plannen bedacht. Het plan dat Kaiku echter het meest in beslag nam had te maken met de regelmatige waterlozingen via die pijpen. Ze kon niet precies inschatten hoeveel tijd er tussen twee lozingen zat, want daar had ze de middelen niet voor. Zij en Tsata
waren het er echter over eens dat ze elkaar met min of meer regelmatige tussenpozen van minstens enkele uren opvolgden. Dat water
moest ergens vandaan komen, had ze beredeneerd. Als ze het juiste
moment afwachtten, konden ze via een van de pijpen naar binnen
kruipen en op onderzoek uitgaan. Ze ging ervan uit dat de roosters
bedoeld waren om te voorkomen dat er puin of dieren vanuit de rivier naar binnen kwamen, en dat betekende dat ze ook ergens zouden uitkomen.

Pas nu ze in de mond van een van de pijpen keek, die door de verhoogde oever verborgen was voor nieuwsgierige blikken vanaf de
vlakte, drong tot haar door wat haar plan precies inhield. Als ze er
eenmaal in zat, zou ze gekluisterd zijn, aan alle kanten ingesloten

door de klamme wanden van de pijp en alleen nog maar voor- of achteruit kunnen. Ze voelde een trilling van angst in haar onderbuik.

Tsata legde zijn hand op haar natte schouder en gaf er een kneepje in toen hij haar aarzeling voelde. Ze keek naar hem om, naar zijn getatoeëerde gezicht dat in het donker bijna onzichtbaar was. Ze kon de vastberadenheid in zijn blik echter voelen en nam daar een deel van over.

Met vereende krachten trokken ze de onderste helft van het rooster open. Er zat een soort veermechanisme in zodat het tegen de druk van het rivierwater in kon dichtklappen, maar het was slecht onderhouden en verzwakt door het roest. Kaiku ging als eerste. Ze ademde diep in, dook onder de bovenste helft van het rooster door en kwam aan de andere kant weer boven. Met haar haar vastgeplakt aan haar wang keek ze door de tralies achterom naar Tsata. De pijp was groot genoeg om in te kunnen staan als ze een beetje bukte en het rivierwater kwam maar tot aan haar middel. Tsata kwam achter haar aan, keek of er niet ergens op het rooster een sluitmechanisme zat en liet het toen dichtvallen.

'Als het nodig is,' zei Kaiku, die zijn gedachten had geraden, 'blaas ik hem gewoon op.'

Tsata wist wat dat betekende. Het was al riskant genoeg geweest om Cailin die waarschuwing te sturen, en hoewel de wevers haar niet hadden betrapt, hadden ze het misschien wel waargenomen. In dat geval zouden ze nu meer op hun hoede zijn. Als ze hier haar kana gebruikte zou dat hoogstwaarschijnlijk hun doodvonnis betekenen, maar toch zou ze het doen als het nodig was. Dat wilde ze hem, en zichzelf, alleen even duidelijk maken. Wat Cailin ook had geadviseerd, het was en bleef háár kracht en die kon ze gebruiken zoals het haar goeddunkte.

Tsata betrapte zichzelf erop dat hij glimlachte. Als deze vrouw zich ooit de gewaden van de Rode Orde zou aanmeten, zou Cailin er nog een hele kluif aan hebben om haar in het gareel te houden.

Ze liepen de pijp in en het zachte geklots van het water dat ze verplaatsten echode boven het gemurmel uit. Andere geluiden bereikten hun oren: geknars, onregelmatig gedreun en geschraap in de verte, dat door de weerkaatsing een griezelige bijklank kreeg. De duisternis, de ondoordringbare duisternis, sloot zich om hen heen en alleen aan de vage, halfronde spleet van de mond van de pijp konden ze een beetje afleiden waar ze zich bevonden. Toen ze een eindje hadden gelopen, bleven ze staan. Tsata pakte de kaars uit die hij in een waterdichte zak aan zijn riem had gehangen.

'Wacht even,' fluisterde Kaiku.

'Je hebt licht nodig,' zei hij. Hij hoefde er niet bij te zeggen dat hij er nog geen behoefte aan had, nog niet althans. Hij zag in het donker zo scherp als een uil, wat hij had geërfd van de rasechte Okhambanen die in het verre verleden samen met de vluchtelingen uit Quraal nakomelingen hadden voortgebracht: de Tkiurathi.

'Wacht even,' zei ze. 'Ik heb wat tijd nodig.'

Haar ogen wenden al zo snel aan het donker dat ze vormen in de duisternis kon onderscheiden: de gladde kromming van de pijp, de veranderlijke contouren van het water.

'Ik kan genoeg zien,' zei ze.

'Zeker weten?' vroeg Tsata verrast.

'Natuurlijk weet ik het zeker,' antwoordde ze geamuseerd. 'Stop die kaars weg.'

Dat deed hij en ze gingen verder. Ze vermoedden dat de pijp niet zo lang zou zijn, aangezien de gebouwen waarop ze waren aangesloten dicht bij de oever stonden, en Kaiku vond het niet zo'n bezoeking als ze had gevreesd. De claustrofobische omstandigheden benauwden haar minder dan ze had verwacht, zolang ze maar niet stilstond bij de mogelijkheid dat ze zouden worden meegesleurd door tonnen snelstromend water. Ze had echter voldoende vertrouwen in de onwrikbare regelmaat van de lozingen en in zichzelf om zich niet door haar gebruikelijke twijfel en angst te laten kwellen.

Met iets van verwondering besefte ze hoezeer ze was gegroeid sinds de Zomerweek. Sinds die tijd was ze door Asara voor de gek gehouden en had ze het in het weefsel van demonen gewonnen. Ze had een stervende vriend puur op instinct genezen en wekenlang onder primitieve omstandigheden geleefd. Ze had afwijkenden gedood en alleen op zichzelf en een vreemdeling met bijna onbegrijpelijke gewoonten kunnen vertrouwen. Diep vanbinnen was ze nog steeds wie ze altijd was geweest, maar haar houding was veranderd. Ze was volwassener geworden en daarmee was er in haar een zelfverzekerdheid gegroeid die ze nooit van zichzelf had verwacht.

Haar nieuwe ik beviel haar wel.

Al snel werd het sporadische gerinkel en gekraak luider. Het leek van alle kanten te komen en er schenen lichtstraaltjes die van vuur afkomstig leken te zijn de pijp in, als piepkleine, roestbruine scherfjes die duidden op wat aan het andere eind op hen wachtte. Toen ze een bocht om liepen die zo flauw was dat ze hem nauwelijks hadden opgemerkt, kwam het eind in zicht.

Kaiku knipperde met haar ogen tegen het felle licht. De pijp leek naar het einde toe breder te worden en kwam samen met de tweede pijp die ernaast liep, zodat er een reusachtige, ovale gang ontstond. De bodem liep omhoog, zodat de pijp boven het niveau van het rivierwater uitkwam waar ze doorheen hadden gewaad. Verderop zag ze alleen iets wat op een muur van dof, bronskleurig metaal leek.

Ze wierp Tsata een vluchtige blik toe. Hij mompelde iets in het Okhambaans, met zijn ogen strak gericht op wat voor hen lag.

'Wat betekent dat?' fluisterde ze.

Tsata leek er een beetje van te schrikken dat ze hem had gehoord. Kennelijk had hij het niet hardop willen zeggen. 'Het is een soort gebed om bescherming,' antwoordde hij.

'Maar jullie hebben in Okhamba geen goden,' zei Kaiku. 'En jullie geloven ook niet dat jullie voorouders voortleven, behalve in jullie herinnering.'

'Het is gericht aan de pasj,' zei hij. Voor het eerst zag ze hem beschaamd kijken. 'Ik vroeg om jouw bescherming en bood je de mijne aan. Het is maar een gebruik.'

Kaiku veegde haar drijfnatte haar uit haar gezicht. 'En wat moet ik antwoorden?'

'Hthre,' zei hij. Kaiku zei het na, een beetje onzeker over de uitspraak. 'Het betekent dat je de belofte aanvaardt en hetzelfde belooft.'

Ze glimlachte. 'Hthre,' zei ze, deze keer met meer overtuiging.

Hij wendde zijn blik af. 'Het is maar een gewoonte,' zei hij opnieuw.

Ze slopen het water uit en verder de breder wordende pijp in. Na al die tijd die ze in het nachtelijke duister hadden doorgebracht, vonden ze de warme, vurige gloed aan het einde verontrustend. Ze liepen heel voorzichtig, bleven dicht bij de vlakker wordende muren en lieten hun vingers over de roestende panelen glijden, die aan elkaar waren vastgemaakt op een manier die Kaiku noch Tsata kon ontdekken. Toen ze het licht naderden, zagen ze dat het ding aan het einde geen muur was, maar een steile helling, een soort stortkoker, en zij stonden aan de voet ervan. Ze gluurden aan het eind van de pijp naar buiten, maar er was niemand. Boven zich zagen ze alleen duisternis en om hen heen waren alleen de wanden van de stortkoker, die uitkwam in de pijp waar ze net uit waren gekomen. De bron van de gloed was niet te zien.

Er was echter wel een metalen ladder aan een van de wanden van de stortkoker bevestigd.

Kaiku klom erlangs omhoog. Er zat niets anders op, want een andere, subtielere weg naar boven was er niet. Tsata bleef beneden staan terwijl het water van zijn leren kleding drupte en om zijn voeten een plas vormde. Opeens wenste ze dat ze haar geweer op de een of andere manier tegen het water had kunnen beschermen, dan had ze het kunnen meenemen. Dat zou een troost voor haar zijn geweest, ook al wist ze dat ze er weinig aan zou hebben als ze werden betrapt.

Ze bereikte de bovenkant van de ladder en haar maag keerde zich om toen ze zag hoe immens de mijn van de wevers was.

In tegenstelling tot wat ze had verwacht, was het bolle dak van het gebouw niet het plafond van een of andere woning, maar een overkapping voor een kolossale schacht die op het oog eindeloos ver omlaag voerde. De schacht ging niet recht naar beneden. De inktzwarte duisternis in de diepte werd aan het zicht onttrokken door stenen uitstulpingen waar de doorgang smaller werd en scherpe rotspunten die tot in het midden uitstaken. Er waren reusachtige richels die eruitzagen als littekens, en zuilen die er in vergelijking met alles eromheen klein uitzagen en als stompe naalden omhoogstaken.

De stortkoker waar Kaiku uit was geklauterd zat vast aan de rand van een grote, halfronde rotslaag van stollingsgesteente. De achterwand liep een heel eind naar boven door tot aan een enorm afvalreservoir dat rechtop op een stellage van gebogen ijzer stond. Daarachter draaiden twee wielen met scherpe uitsteeksels langzaam rond. Met reusachtige tandraderen werden ratelende kettingen opgehesen met schepbakken eraan. Die loosden water in het reservoir om vervolgens in een monotone beweging weer omlaag te zakken en nieuw water op te scheppen.

Kaiku, die zich er vaag van bewust was dat er niemand in de buurt leek te zijn, klom de stortkoker uit en bleef met open mond staan staren, vervuld met ontzag over de enorme afmetingen van deze vreemde plek.

Het licht dat ze vanaf de bodem van de stortkoker had gezien was afkomstig van metalen toortsen en zuilen waar felle vlammen uit kwamen, maar het waren geen gewone vlammen. Ze leken meer op brandende damp. Ze braakten vette rookwolken uit die omhoogdreven en zich verspreidden, om vervolgens als een giftige zwarte damp boven aan de schacht samen te komen. Ze besefte dat het niet door gebrek aan licht kwam dat het boven haar hoofd zo donker was. Het was de kolkende rooksluier die door de gaten in de overkapping drong en zich vermengde met de frisse buitenlucht.

De vele richels en zuilen waren met elkaar verbonden door middel van een netwerk van smalle, breekbaar uitziende looppaden, touwbruggen en trappen, die als spinrag in de schacht hingen. Pijlers en binten van hout en metaal staken uit de muren en markeerden paden voor de mijnkarretjes, en overal in de schacht gaapten grotten die van binnenuit gloeiden. In de diepte draaiden paternosterliften met fel brandende ovens erin, krakend en stoom uitstotend in een eindeloze kring rond. IJzeren hefkranen met hun lading nog aan de haak staken nutteloos uit in de leegte, alsof ze halsoverkop waren achtergelaten. Smalle watervalletjes stroomden vanuit de grotten in de eindeloze diepte, of spatten een eindje verder naar beneden in een wolk van nevel op een rotsrand, om daar vervolgens weer af te sijpelen. Kaiku zag bouwvallige houten hutjes die in groepjes bij elkaar stonden, soms boven op een zuil die door slechts één brug met de rest van de mijn was verbonden. Het was warm in de schacht en er hing een stank die een onprettige, metaalachtige smaak achter op je tong achterliet.

Vol angst en verwondering staarde Kaiku naar wat de wevers hadden geschapen. Ze had nog nooit van haar leven zoveel metaal gezien, en nog nooit meegemaakt dat het in zulke grote hoeveelheden werd verwerkt. Wat voor smidsvuren hadden de wevers eigenlijk? Wat had zich de afgelopen tweehonderd jaar afgespeeld in het hart van hun kloosters, waar de Grensvaders de maskers vervaardigden? Hoe hadden ze die vreemde toortsen gemaakt, en de sissende, stomende apparaten die uit zichzelf bewogen, op het oog zonder dat ze ergens door werden aangedreven?

Ze voelde een aanraking op haar bovenarm, en ze schrok, maar het was Tsata maar.

'We zijn te zichtbaar,' zei hij, en hij liet zijn blik met iets wat afkeer of woede zou kunnen zijn over het tafereel glijden.

Ze rukte zich er maar al te graag van los.

Ze trokken zich langs de rotslaag terug tot aan de wand van de schacht, waar een veilige duisternis heerste. In de mijn zelf stonden niet zoveel enorme metalen toortsen, en hoewel ze een veel groter gebied verlichtten dan een gewone toorts of een lantaarn, waren er nog genoeg plekken waar het pikdonker was. Vanaf hun nieuwe plek namen Kaiku en Tsata hun omgeving aandachtiger in zich op en letten ze goed op of er iets bewoog. Dat was niet zo. De schacht leek verlaten.

'Je ogen,' zei Tsata na een tijdje met een gebaar naar haar gezicht.
Kaiku fronste en maakte een vragend geluidje.
'Ze zijn veranderd. De irissen zijn roder dan eerst.'
Ze keek hem vragend aan. 'Dan eerst? Wanneer dan?'
'Voordat we de pijp ingingen.'
Daar dacht Kaiku even over na, en ze herinnerde zich Tsata's verraste reactie toen ze had gezegd dat ze geen licht nodig had.

'Hoe donker was het daarbinnen?' vroeg ze.

'Zo donker dat jij niets had moeten kunnen zien,' antwoordde hij. Een rilling van ongemak liep over Kaiku's rug. Had ze zich... aangepast? Had ze zonder het te beseffen haar kana gebruikt om haar zintuigen net genoeg aan te scherpen om het gebrek aan licht te compenseren? Ze wist niet eens hoe ze dat zou moeten aanpakken, maar haar onderbewustzijn kennelijk wel. Net als met Yugi, toen ze het gif van de ruku-shai uit zijn lichaam had verwijderd. Hoe vaker ze haar kana gebruikte, hoe vaker hij haar leek te gebruiken. Daardoor had ze het gevoel dat ze hem niet de baas was, maar slechts als geleider diende. Was het voor alle zusters zo? Dat moest ze toch eens aan Cailin vragen als ze terug was.

Als er nog iets over was om naar terug te gaan.

Die gedachte onderdrukte ze meteen. Er was nu geen tijd voor twijfel. De horde afwijkenden had de Gemeenschap nu waarschijnlijk bijna bereikt en daar kon ze helemaal niets aan doen. Ze kon alleen maar hopen dat ze door haar waarschuwing genoeg tijd hadden gehad om zich op de aanval voor te bereiden of te vluchten.

Ze liepen verder langs de rotslaag naar een looppad dat langs de rand van de schacht met een bocht naar de ingang van een tunnel liep. Het looppad, dat boven een onpeilbare afgrond hing, was van ijzer en werd ondersteund door binten die in het steen waren gedreven. Kaiku wilde de balustrade niet met haar blote handen aanraken. In Saramyr werden balustrades van bewerkt hout gemaakt, en heel soms van gepolijst steen. Ze waren echter nooit van zulk roestig metaal dat de schilfers er door de opstijgende stoom afbladderden en er overal bruine, aangetaste plekken in zaten.

Het was een opluchting toen ze het eind van het looppad bereikten. Op steen kon ze tenminste vertrouwen.

De tunnel liep naar het midden en omlaag, en ze volgden hem behoedzaam. Hij was bezaaid met puin – stenen en kiezels, beschimmelde etensresten, kapotte handvatten en houtspaanders – maar het was er net zo uitgestorven als het overal leek te zijn, en er waren weinig aanwijzingen dat er echt mijnwerkzaamheden gaande waren. De wanden waren ongelijk en eeuwenoud.

'Dit is een natuurlijke tunnel,' zei Tsata zachtjes met een kort armgebaar. 'Net als de schacht. Er is hier geen kunstmatig geraamte en de wanden zijn niet geschraagd. Wat ze hebben gebouwd, hebben ze boven op iets bestaands neergezet.'

'Dus ze hebben dit niet allemaal uitgegraven?' vroeg Kaiku. Haar kleren waren door de warmte inmiddels opgedroogd en schuurden ongemakkelijk langs haar huid.

'Nee,' zei hij. 'Dit was er allemaal al heel lang toen de wevers hier kwamen en hun machines bouwden.'

Daar putte Kaiku enige troost uit. In eerste instantie was ze verbijsterd geweest bij de gedachte dat de wevers in slechts een paar jaar zoiets enorms hadden kunnen uitgraven. Door Tsata's opmerkingen leken de wevers weer een beetje meer op gewone stervelingen.

Ze daalden steeds verder af, de tunnel vertakte en leidde hen door vertrekken die werden gebruikt als provisorische keukens en voorraadkamers vol voedsel in vaten en zakken, maar nog steeds was het overal griezelig uitgestorven.

'Denk je dat ze weg zijn?' fluisterde Kaiku. 'Allemaal?'

'En de kleine mannen dan?' vroeg Tsata. 'Zouden die ook weggaan?'

De kleine mannen. Het duurde even voordat tot Kaiku doordrong dat Tsata het over de dwergachtige bedienden van de wevers had. Hij had de naam die ze aan hen had gegeven – golneri's – met het verkeerde woordgeslacht vertaald. Zijn Saramyrees was uitstekend, maar hij maakte zo nu en dan toch nog een foutje. Het was immers niet zijn moedertaal.

De golneri's. Dat was nog een mysterie, net zoals de nexussen, de Grensvaders en de intelligente afwijkenden die ze in de gevangenissen van het weverklooster op Fo had aangetroffen. Hartbloed, dit alles was op de een of andere manier met elkaar verbonden. De wevers maakten al heel lang een afschrikwekkend en onlosmakelijk deel van het leven in Saramyr uit, en toch was er maar bitter weinig over hen bekend. Hoeveel verrassingen hadden ze de afgelopen eeuwen in de krochten van hun kloosters verborgen gehouden, terwijl ze plannen smeedden en zich wentelden in hun zwarte krankzinnigheid?

Wat had het volk van Saramyr voor zijn ogen laten gebeuren?

Kaiku schudde haar hoofd, net zo goed om de enorme reikwijdte van haar eigen vraag van zich af te zetten als in antwoord op de vraag van Tsata. 'De golneri's zullen er nog wel zijn.' Er kwam een gedachte bij haar op. 'Ik denk dat het hier zo verlaten is omdat de wevers niet hadden verwacht dat het hele leger zou moeten vertrekken,' zei ze. 'Dat zou ook de grote voedselvoorraad verklaren. Het grootste deel van het leger is naar het noorden getrokken en de rest is achtergebleven om dit alles te bewaken. Maar de wevers hier hebben op de een of andere manier ontdekt waar de Gemeenschap was, nadat de grote massa al was vertrokken. Wat de aken ook moeten doen, het is kennelijk te belangrijk om ze terug te roepen, dus hebben de wevers alles wat hier nog over was naar de Gemeenschap gestuurd. Er zijn buiten nog genoeg afwijkenden om een kleine groep aanvallers tegen te houden, en vergeet niet dat niemand weet dat dit alles er is. De wevers vinden het een aanvaardbaar risico. Het twee-de leger zal hooguit twee weken wegblijven – dat is genoeg tijd om de Gemeenschap te bereiken en uit te roeien en weer terug te keren – en als het terug is, gaat de barrière weer omhoog en is deze plaats weer ondoordringbaar.'

'Kaiku, misschien slagen ze er niet in de Gemeenschap te veroveren,' prevelde Tsata. 'Geef de hoop nog niet op.'

'Ik probeer gewoon te raden wat zij denken,' zei Kaiku, maar de ge-spannen toon in haar stem verried dat hij een gevoelige snaar had geraakt. Ze sloot zich af voor de visioenen over wat er misschien al op dit moment met haar thuishaven gebeurde.

'Ze hebben niet hun hele leger kunnen inzetten,' zei Tsata. 'Dat geeft ons hoop. Als ze bereid waren zichzelf bijna weerloos achter te la-ten om Lucia te pakken te krijgen, hebben ze hun aandacht kenne-lijk ergens anders op gericht, op iets wat nog belangrijker is.'

Kaiku knikte grimmig. Het was een schamele troost. Ze kon wel ra-den waar die aken naar op weg waren: naar Axekami om de troe-pen van Mos te hulp te schieten. De wevers wilden de afwijkenden gebruiken om Mos' greep op de troon te verstevigen en ervoor te zorgen dat ze tijdens de komende hongersnood zelf aan de macht zouden blijven. Stoottroepen waren het, die ervoor moesten zorgen dat de mannen de angst om het hart zou slaan en hun het laatste restje moed in de schoenen zou zinken, vlak voordat ze aan stukken werden gereten. Het was een machtsvertoon dat erop was gericht om de adelstand en de boerenstand van Axekami weer in het gareel te krijgen.

De wevers waren aan zet in het spel om de macht in Saramyr en Kai-ku kon zich niet voorstellen dat ook maar iets hen kon tegenhou-den. De machtsstrijd die aan de gang was sinds Mos de wevers had toegestaan net als de hooggeplaatste families land en titels te bezit-ten, was in een beslissende fase beland. Goden, het leek wel of de hele wereld samenspande om het de Libera Dramach moeilijk te ma-ken. Als de wevers hun greep op de troon wisten te verstevigen, zou-den ze nooit meer van hen afkomen.

Kaiku begon boos te worden. Was Cailin maar niet zo vervloekt pa-ranoïde geweest, had ze de Rode Orde maar niet zo strak beteugeld en geheimgehouden en hen ervan weerhouden het tegen de wevers op te nemen. Daardoor hadden de wevers zich ongehinderd kunnen verspreiden en waren hun geheimen geheim gebleven, zodat niemand iets tegen hen kon beginnen.

Cailin. Ze was zo gecharmeerd van haar eigen organisatie, net als

Zaelis van de zijne. Zo bang om zichzelf in gevaar te brengen en voor haar idealen te vechten. Ze weigerde de Rode Orde tegen de wevers in te zetten. Ze was egoïstisch, net als Zaelis, net als iedereen. Ze spaarde haar macht op, wachtte af, net zolang tot het te laat was. Waarom had ze zich zo lang op de achtergrond gehouden? Waarom had zo'n sluwe, gebiedende vrouw het zo uit de hand laten lopen?

Kaiku schrok van zichzelf. Waar kwam dat allemaal vandaan?

Het antwoord kwam echter al zodra ze de vraag had gesteld. Ze wantrouwde Cailin. Ze had haar al vanaf het begin gewantrouwd, al bij hun eerste ontmoeting, toen ze haar bedenkingen had gehad bij de op het oog zo onzelfzuchtige uitnodiging van de zuster om zich bij de Rode Orde aan te sluiten. Er was al zoveel tijd verstreken dat ze het bijna was vergeten, dat ze bijna aan Cailin en haar manier van doen gewend was geraakt, maar eigenlijk was er niets veranderd.

Het kwam door haar confrontatie met Asara dat ze eraan was herinnerd, door de diepgaande, fundamentele manier waarop ze was bedrogen. Cailin had geweten wie Saran in werkelijkheid was, maar ze had het geheimgehouden, hoewel ze moest hebben vermoed wat Kaiku voor hem voelde. Asara was ook degene geweest die zich twee jaar lang als haar kamenierster had voorgedaan om haar in de gaten te kunnen houden en te wachten totdat haar kana zich zou manifesteren. Asara was degene geweest die haar naar Cailin toe had gebracht. En vervolgens was Asara degene geweest die vijf jaar van haar leven had gegeven om overal in de Nabije Wereld aanwijzingen te verzamelen die onder duizenden jaren geschiedenis waren begraven.

Wat Tsata echter ook dacht, Asara zette zich niet in voor het grote goed, want ze was door en door egoïstisch. Wat ze ook van plan was, het was in haar eigen voordeel, punt uit. Zij en Cailin waren met zijn tweetjes aan het samenspannen, verborgen achter misleidende sluiers, en waren altijd en eeuwig bezig naar een bepaald doel toe te werken. Iets waar Kaiku niet over was ingelicht.

Intriges, bedrog omgeven door bedrog. Ze was anders dan Mishani. Het bedrog kwam haar de keel uit.

Ze waren gedwongen opnieuw de schacht over te steken toen ze verder afdaalden. De zijtakken in de tunnels die ze kozen, maakten namelijk een bocht en kwamen weer bij het gapende gat uit. Ze staken behoedzaam de onpeilbare afgrond over via een dunne, metalen brug die met heel smalle schoorbalken aan het omringende steen was verankerd. Onderweg kwamen ze zo dicht langs een van de prachtige watervallen dat Kaiku hem had kunnen aanraken, als ze niet zo onredelijk bang was geweest dat er een alarm zou afgaan als ze haar hand in het vallende water zou steken.

Toen ze veilig terug in de tunnel waren en het enorme gewicht van het steen hen weer aan alle kanten omringde, stuitten ze eindelijk op de eerste langverwachte tekenen van leven. Deze tunnel was in de loop van de tijd aangepast, waarschijnlijk omdat hij te oneffen of smal was geweest om als gang te kunnen worden gebruikt, want hij was geschraagd met een metalen geraamte. Hier brandden gewone toortsen, niet die vreemde voorwerpen die ontvlambaar gas uitbraakten en die in de uitgestrekte duisternis van de schacht stonden. Het waren de golneri's. De geur van gebraden vlees en het geluid van zachte stemmen waarschuwden de indringers. Instinctief trokken ze zich in het donker terug om te luisteren naar de golneri's, die in hun onverstaanbare dialect brabbelden. Kaiku vroeg zich af waar ze vandaan kwamen en hoe ze de slaafjes van de wevers waren geworden. Was het een pygmeestam die zich diep in het Tchamilgebergte verborgen had gehouden, maar die jaren geleden was onderworpen, toen de bloeddoop van de eerste wevers voorbij was en ze in de grotendeels ongerepte bergen waren verdwenen? Dat was niet ondenkbaar. Tussen haar oude huis in het Yunawoud en de Nieuwlanden in het oosten was de bergketen driehonderd mijl breed. Van Riri aan de voet van de meest zuidelijke uitlopers en de noordkust die hem in het noorden begrensde, strekte het gebergte zich over meer dan achthonderd mijl uit en verdeelde Saramyr in een oostelijk en een westelijk deel, twee helften die slechts door twee grote passen met elkaar waren verbonden. Er waren in het Tchamilgebergte zulke uitgestrekte gebieden die nooit in kaart waren gebracht dat daar een complete beschaving had kunnen opbloeien zonder dat iemand in Saramyr er iets van merkte. Zelfs duizend jaar nadat het land was gekoloniseerd, was het simpelweg te groot om het helemaal te kunnen bewonen. De verlaten gebieden werden dan ook nog steeds beheerst door de geesten en zij hielden de oprukkende mensheid grimmig op afstand.

Ze zou het waarschijnlijk nooit weten. Wat de golneri's ook waren, of waren geweest, nu waren ze slechts een verlengstuk van de wevers. Ze gaven hun meesters te eten en verzorgden hen als ze door waanzin werden overmand. Kaiku probeerde medelijden met hen te hebben, maar ze had nog maar weinig medelijden over en ze bewaarde het liever voor haar eigen ras.

Ze slopen verder totdat de tunnel overging in een grot, waar het warm en rokerig was en waar de heerlijke geur van gebraden vlees hing. De tunnels waren verre van glad en recht, de wanden waren doorspekt met plooien en natuurlijke uitsparingen, en omdat er slechts hier en daar toortsen in de mijn waren opgehangen waren er tussen de lichtkringen genoeg plekken waar ze zich tot op zekere hoogte konden verstoppen. Ze gingen op hun hurken vlak bij de ingang van de grot zitten en keken naar binnen.

Dieren draaiden aan het spit en groenten kookten in vaten. Repen rood vlees hingen aan haken boven rokende kooltjes en elders brandden grote vuren. Vissen werden onthoofd en schoongemaakt en de glibberige ingewanden werden op de grond gegooid, die was bezaaid met vuil. Er waren tientallen kleine wezentjes aanwezig, met lege ogen en diepe groeven en rimpels in hun vreemd strakke gezichtjes. Ze waren getaand en mager en zagen eruit als mokkende kinderen met die permanente boze frons op hun voorhoofd. In hun vreemde taal gaven ze elkaar kortaf bevelen. Kaiku keek gefascineerd naar hen, gebiologeerd door hun lelijkheid, totdat ze tot haar ontzetting merkte dat er een paar op hun beurt naar haar stonden te kijken. Haar hart maakte een sprongetje van schrik bij de gedachte dat ze waren ontdekt.

'Tsata...' prevelde ze.

'Ik weet het,' zei hij zachtjes. 'Ze hebben scherpe ogen.'

Ze bleven heel stil zitten. Nu richtten de eersten die hen hadden gezien hun aandacht weer op hun werk en merkten anderen hen op. Hun aanwezigheid leek hen niet te storen. Na een tijdje werden ze volledig genegeerd. Kaiku durfde weer te ademen. Ze had na haar ervaringen met het kleine volkje toen ze in het weverklooster op Fo was binnengedrongen half verwacht dat ze zo zouden reageren, maar toch was ze ontzettend opgelucht.

'Ze lijken zich geen zorgen te maken,' merkte Tsata op. Hij wist nog steeds niet zeker of het geen valstrik was.

Kaiku slikte, wat met haar droge keel moeizaam ging. 'Daar boffen we mee,' zei ze. 'De wevers hebben nooit echt behoefte gehad aan lijfwachten. Hun barrières hebben honderden jaren iedereen op afstand gehouden. Ze hoeven al zo lang niet meer bang te zijn dat ze zijn vergeten wat angst is.'

Ze stond op en verliet haar schuilplaats. De golneri's besteedden geen aandacht aan haar. Langzaam kwam Tsata achter haar aan en samen staken ze de ondergrondse keuken over, waarbij ze elk moment verwachtten dat er alarm zou worden geslagen. De golneri's toonden echter geen enkele interesse.

'Daar zou ik niet op rekenen, Kaiku,' zei Tsata. 'Ik denk dat ze hun heksensteen scherp in de gaten houden en ik geloof niet dat ze die taak aan deze kleine mannen of aan de afwijkenden zouden toevertrouwen.'

Inderdaad, dacht Kaiku, en zijn woorden deden haar denken aan iets wat ze al sinds ze aan deze onderneming waren begonnen naar de achtergrond had geprobeerd te dringen. Er waren hier waarschijnlijk nog wevers. Ze mocht dan een demon met haar kana hebben verslagen, maar dat waren mindere wezens. Ze durfde het niet tegen een wever op te nemen, zelfs als die helemaal alleen was. Daarvoor stond er zelfs naar haar mening te veel op het spel.

Toch moesten ze het weten. Ze moesten weten of de verhalen waarmee Asara uit de andere werelddelen was teruggekeerd klopten. Ze moesten weten of de wevers zwakke plekken hadden. Vanwege haar eed aan Ocha, vanwege haar dode familie, vanwege haar vrienden die misschien op dat moment aan de andere kant van de Breuk al het leven lieten, moesten ze de wevers een slag toebrengen.

Ze moesten een manier bedenken om de heksensteen te vernietigen.

◎ 31 ◎

Voor de tweede keer in zijn leven zat barak Grigi tu Kerestyn te paard omringd door een leger naar de stad Axekami te kijken. In het licht van de vroege ochtend zag het er prachtig uit. Nuki's oog kwam pal erachter in het oosten op, en het felle schijnsel werd door de torens en minaretten van de stad in losse stralen gesneden. Een schaduw die deed denken aan een hand met lange, grijpgrage vingers strekte zich uit naar de duizenden mannen die waren gekomen om de stad te veroveren. Er hing een sprookjesachtig waas in de lucht, een breekbare glinstering die een belofte inhield van de naderende winter, als het overdag warm en rustig zou zijn en de nachtelijke hemel kristalhelder.

Axekami. Grigi voelde het verlangen in zijn borst opvlammen als hij de naam alleen maar in gedachten uitsprak. De torenhoge beige muren die hem al eens hadden tegengehouden, de wirwar van straten en tempels, bibliotheken en badhuizen, kades en pleinen. Een chaotische mengelmoes van leven en bedrijvigheid.

Zijn blik gleed naar de heuvel waarop sereen en geordend het Keizerlijke Kwartier lag, onder de klip waar de vesting op stond en die aan de achterkant baadde in het zonlicht terwijl de westelijke helft in schaduw was gehuld. Genietend van de pracht en praal keek hij er verlekkerd naar, naar de tempel van Ocha die er als een kroon bovenop stond en de torens van de winden die als dunne naalden op de hoeken omhoogstaken. In de verte was de Jabaza zichtbaar, die kronkelend vanuit het noorden naar de stad stroomde, en op de Zan, die naar het zuiden vloeide, lagen jonken en aken loom aan de oevers te wachten. Sinds de vorige avond was Axekami volledig afgesloten, zoals altijd als er sprake was van dreiging, en er mocht geen rivierverkeer naar binnen of naar buiten.

Wat verlangde hij naar die stad. Hij hunkerde ernaar alsof het een minnares was die hem doorlopend afwees. De troon was bloed Kerestyn in het verleden ontglipt, maar nu was hij gekomen om zijn familie weer in de oude glorie te herstellen. Hij werd overspoeld door opgetogenheid en de zekerheid dat zijn doel rechtvaardig was. De opstand in Zila had aangetoond hoe zwak Mos' greep op het keizerrijk was. Het feit dat hij de kwestie aan de plaatselijke baraks had overgelaten en zijn eigen leger er niet eens op af had gestuurd, had zijn reputatie geen goed gedaan. Deze keer zou het volk van Axekami Grigi met open armen ontvangen in plaats van zich te verenigen om hem te bevechten, zoals de vorige keer.

En het enige wat hem tegenhield, waren de twintigduizend man die tussen hem en zijn trofee hun kamp hadden opgeslagen.

'De geschiedenis herhaalt zich,' zei hij grijnzend en met een gloed over zijn gezicht, nu zijn droom binnen handbereik was. 'Alleen stond jij vijf jaar geleden in de zomer aan díé kant.'

'Heel even maar,' zei Avun, die de teugels van zijn rijdier stevig in zijn knokige vuist hield. 'Laten we hopen dat de geschiedenis ons deze keer gunstiger is gezind.'

'Na vandaag kunnen we zelf geschiedenis schrijven,' zei Grigi hartelijk, en met een ruk aan de teugels zette hij zijn paard aan tot een draf.

Samen reden ze achter de gevechtslinies langs, de een groot en dik, de ander broodmager en ascetisch. Hun wevers, die als gebochelde gruwelen in hun zadel zaten, reden op een afstandje achter hen aan. Ze bleven in de buurt om eventuele instructies te kunnen doorgeven aan de vele baraks en barakesses die hen met hun troepen steunden. De hooggeplaatste families hadden zich achter de vlag van Kerestyn geschaard omdat zij het enige alternatief voor de onbekwame Mos waren. Als er al twijfels waren geweest, waren die verdwenen op het moment dat keizerin Laranya zich van de toren van de oostenwind had gestort. Lang daarvoor hadden ze al geruchten gehoord over de geestesgesteldheid van Mos. De kennelijke zelfmoord van zijn vrouw nadat hij haar had mishandeld had uiteindelijk echter afdoende bewezen dat de bloedkeizer krankzinnig was. Grigi vertrouwde erop dat zijn bondgenoten trouw aan hem zouden blijven om de doodeenvoudige reden dat er geen alternatief was. Geen enkele andere hooggeplaatste familie, bloed Koli meegerekend, had genoeg macht of steun om een gooi naar de troon te doen. Zelfs als iemand of iedereen besloot hem te verraden, zouden de families zich uitsluitend tegen elkaar kunnen keren in een gelijke strijd die hun eigen vernietiging zou betekenen, en dat wisten ze. Het was Grigi of Mos.

De legers stonden op het geelgroene gras van de vlakten ten westen van Axekami, waar jaren geleden al veel bloed was verspild. Het aantal mensen dat er verzameld was ging het verstand te boven. Het waren er vele duizenden, een onvoorstelbare massa mensen. Iedere man had een ander gezicht, een ander verleden, een andere droom, maar hier waren ze anoniem en slechts van anderen te onderscheiden aan de hand van de kleuren op het leer van hun wapenrusting en de tint van de sjerp die sommigen om hun hoofd hadden gebonden. Ze vormden een grote horde van krijgers die bloedtrouw hadden gezworen aan de families die over hen heersten. Ieder van hen was zelf een wapen dat hun edelman of -vrouw kon hanteren, en in hun hand hadden ze ieder hun eigen wapen. Divisies van schutters, zwaardvechters, ruiters te paard en op manxthwa's, mannen die kanonnen en mortieren konden bedienen – allemaal stonden ze in formaties, ingedeeld naar getrouwheid en specialisatie, allemaal waren ze volmaakt gedisciplineerd en volkomen toegewijd. Ze waren immers soldaten van Saramyr en hun leven was ondergeschikt aan de wil van hun meesters en mevrouwen, en in hun ogen was ongehoorzaamheid of lafheid erger dan de dood.

De verdedigers waren hoofdzakelijk gekleed in rood met zilver, de kleuren van bloed Batik. Gekleed in andere kleuren waren de enkelingen die door hun hardnekkige trouw aan de keizerlijke troon blind waren voor Mos' tekortkomingen of die zich door hun haat jegens bloed Kerestyn gedwongen hadden gevoeld zich tegen hen te verenigen. De keizerlijke garde had Mos in de stad zelf gehouden, maar de rest van zijn troepen had hij naar het slagveld gestuurd. Mos wist dat het einde een kwestie van tijd zou zijn als hij de aanvallers toestond de stad te belegeren nu er hongersnood dreigde en zijn populariteit onder het volk tot het nulpunt was gedaald.

Mos weigerde zich in een hoek te laten drukken. Hij koos er dan ook voor zijn vijand openlijk tegemoet te treden. Zelfs nu zijn leger verdeeld was, was het restant niet veel kleiner dan de verzamelde troepenmacht die Kerestyn tegen hem op de been had gebracht.

Grigi had echter een troefkaart achter de hand. Hij had de weefheer. Goden, wat een spectaculair staaltje verraad. Grigi had werkelijk geen flauw idee hoe Kakre de dood van de keizerin had teweeggebracht, maar Mos was er net genoeg door verzwakt. Al die tijd had Kakre met Grigi en Avun tu Koli samengespannen, geheime afspraken gemaakt, plannen gesmeed om de impopulaire Mos af te zetten en een nieuwe, machtige heerser op de troon te zetten, in de persoon van Grigi. Als een rat die het zinkende schip verlaat en naar een ander schip zwemt.

Natuurlijk maakte die onbetrouwbaarheid de wevers gevaarlijk. Zij waren echter niet de enigen die sluw konden zijn. Als hij eenmaal stevig op zijn rechtmatige plaats zat, zou Grigi het feit dat Kakre Mos had verraden gebruiken om zich voor eens en voor altijd van de wevers te ontdoen. Het volk zou dat eisen. Grigi was niet van plan zijn eigen schip te laten zinken onder het gewicht van alle ratten die aan boord waren geklauterd.

Hij keek naar Avun en zijn kleine oogjes glansden tussen de plooien van zijn gezicht. Avun beantwoordde zonder met zijn ogen te knipperen zijn blik. Alsof ze waren ontboden, kwamen de twee wevers naast hen rijden, de een met het gezicht van een grijnzende demon, de ander met een insectachtig gelaat van edelsteen, een onvoorstelbaar kostbaar masker.

Avun knikte nauwelijks merkbaar naar Grigi. Grigi's stem beefde van opwinding toen hij zich tot de wevers wendde en twee woorden sprak.

'Ten aanval.'

Het aanzwellende gebrul van de legers die op elkaar afstormden steeg hoog op en bereikte de oren van Mos, die vanaf een balkon in de keizerlijke vesting neerkeek op de strijd in de verte. Zijn ogen lagen diep in hun kassen en zijn baard was dun en sprietig. Een zacht briesje dat uit de stad in de diepte leek te komen streek door het haar dat slap op zijn voorhoofd hing. Zijn huid leek nu slap om zijn brede, gedrongen lijf te hangen, en in zijn ene hand had hij een bokaal met donkerrode wijn die hij koesterde alsof het het kind was dat hij had gedood. Zijn blik was echter helder en hoewel het verdriet in zijn gezicht gegroefd was, leek hij meer zichzelf dan de laatste tijd.

Wat leek het allemaal belachelijk, dacht hij. Het landschap rond Axekami was zo vlak dat het geen enkel terreinvoordeel bood, dus was Kerestyn gewoon openlijk naar de stad gemarcheerd, had Mos zijn manschappen naar buiten gestuurd en hadden ze vervolgens een hele tijd staan wachten totdat ze elkaar konden gaan uitmoorden. Dwaze beschaafdheid. Als er enige hartstocht bij was komen kijken, hadden de vijandelijke troepen elkaar verscheurd zodra ze elkaar in het oog hadden gekregen, maar oorlog was van hartstocht gespeend. Zo leek het althans vanaf de plek waar hij stond. Ze stelden hun stukken op ter voorbereiding op de aanval en begonnen pas als iedereen er klaar voor was. Hij zou erom hebben gelachen, als hij nog tot lachen in staat was geweest.

De aanval, toen die eindelijk kwam, deed onwerkelijk aan, alsof postvogels uit hun kooien werden losgelaten. De voorste rangen stormden zodra het aanvalssignaal werd gegeven gewoon lukraak op de vijand af, en hun tegenhangers in het andere kamp deden precies hetzelfde. Het verre gedreun van kanonnen werd voorafgegaan door felle vlammen, en hele groepen soldaten werden geslachtofferd. Schutters schoten, herlaadden, schoten en wisselden van geweer als het buskruit op was. Ruiters te paard reden met een boog op de flanken af. Manxthwa-ruiters denderden dwars door de menigte voetsoldaten heen, en de gewoonlijk zo makke dieren veranderden in de hitte van de strijd in woeste bergen vacht en spieren die met hun gespleten voorhoeven uithaalden terwijl ze hun droevige en misleidend wijs ogende snuiten vertrokken in een grauw. Vanaf deze hoogte was goed te zien hoe de formaties in een trage dans bewogen rond de grote, centrale massa voetsoldaten die elkaar met sierlijke, verfijnde zwaardbewegingen tot bloederige spaanders hakten.

'Je lijkt je helemaal geen zorgen te maken, mijn keizer,' zei Kakre toen hij op het balkon stapte. Mos trok zijn neus op toen hij de geur van de weefheer opving. Hij rook als een zieke hond.

'Misschien kan het me gewoon niets schelen,' antwoordde Mos. 'Wat maakt het nu uit wie er wint of verliest? Het land is nog altijd besmet. Misschien zal Kerestyn mij doden, misschien zal ik hem doden. Ik benijd hem niet om de taak die hij samen met mijn staatsmantel op zijn schouders neemt.'

Kakre wierp hem een bevreemde blik toe. Hij vond de toon waarop Mos sprak verontrustend. Hij klonk veel te luchtig. Sinds de dood van Laranya manipuleerde Kakre de dromen van de keizer niet meer, want hij vertrouwde erop dat zijn moedeloosheid voldoende zou zijn om hem plooibaar te maken, zodat hij niet het risico hoefde te nemen dat met het rechtstreeks beïnvloeden van iemands geest gepaard ging. Even had het gewerkt. Mos had nauwelijks geprotesteerd toen Kakre had voorgesteld een leger erop uit te sturen om de woestijnbaraks op te vangen en had niet eens de moeite genomen zelf na te gaan hoe groot het leger van Kerestyn was. Nu leek het erop dat die moedeloosheid ondanks alles wat hij zei van hem af was gevallen. Misschien was het gewoon fatalisme, beredeneerde Kakre. Daar was immers alle reden voor, nou en of.

Kakres gedachten dwaalden af naar een andere strijd, waarmee op datzelfde moment het laatste obstakel van de wevers op het punt stond te worden verwijderd. Het tij was in hun voordeel gekeerd op het moment dat de Ais Maraxa zo dwaas was geweest in de openbaarheid te treden door in Zila een volksopstand te organiseren. Kakre had Mos beloofd dat hij met de oorzaak van die opstand zou afrekenen, en dat meende hij serieus. Hij had contact opgenomen met Fahrekh, de wever van bloed Vinaxis, en met alle andere wevers in de omgeving, en hun één simpele opdracht gegeven: zorg dat een van de leiders in leven blijft en peuter al het bruikbare uit zijn brein. Het lot had hun Xejen tu Imotu in handen gegeven, maar een van de andere vijf of zes topmannen zou ook prima zijn geweest. De Ais Maraxa zorgde al heel lang voor problemen. Ze hadden zich echter goed verborgen gehouden en Kakre had zichzelf geen tijd gegund om hen op te sporen, omdat hun connectie met de erfkeizerin misschien een vals spoor zou blijken te zijn. Hun fanatisme was echter hun ondergang geworden en nu zou het ook voor hun messias het einde betekenen. Lucia leefde inderdaad nog en bovendien was Fahrekh te weten gekomen waar ze was.

Het moment was niet zo gunstig. Kakre zou liever een nog groter leger afwijkenden naar de Gemeenschap hebben gestuurd dan ze nu op de been hadden kunnen brengen, maar het grootste deel van hun troepenmacht was ergens anders nodig. Toch waren ze met genoeg, meer dan genoeg om een incidentele fout of tegenslag, zoals de slachting in de ravijnen ten westen van de Gemeenschap, te kunnen incasseren.

Kakre had de erfkeizerin ook gewoon kunnen doden, maar hij wilde niet het risico lopen dat de Libera Dramach haar als martelaar zou gaan gebruiken. Hij wilde ook de Libera Dramach uitroeien, die laatste verzetsgroep verpletteren, hun leiders gevangennemen en hun dwingen de namen van hun medestanders te verraden, totdat ook het laatste restje tegenstand de kop was ingedrukt. En als hij geluk had, meer geluk dan waar hij op durfde te hopen, zou hij misschien zelfs dat wevende kreng vinden dat zijn voorganger had vermoord. Vandaag tussen zonsopgang en zonsondergang zouden alle obstakels die de wevers in de weg stonden uit de weg worden geruimd.

Hij was zijn wantrouwen bijna vergeten toen hij op mentaal niveau een andere wever voelde naderen. Sneller dan een synaps kon flakkeren dook hij in het weefsel om hem op te vangen. Hij schoot door de stromingen van de leegte totdat de twee geesten zich in een wirwar van draden in elkaar verstrengelden, knopen legden, draden samenvoegden en informatie uitwisselden, om zich vervolgens terug te trekken. Binnen een mum van tijd kwam Kakre weer tot zichzelf en razernij welde op in zijn binnenste. Hij richtte zijn aandacht weer op de strijd en keek geconcentreerd naar de piepkleine figuurtjes die op de vlakten vochten en sneuvelden.

Een mijl ten noordwesten van het slagveld was een reusachtige, rood met zilveren kluit verschenen die snel op de achterhoede van het leger van Kerestyn afstevende: achtduizend soldaten van bloed Batik die uit het niets waren opgedoemd. Vanuit de keizerlijke vesting konden ze tot aan de horizon vijftien mijl land overzien en tot op dat moment had niets erop gewezen dat er nog een leger in aantocht was.

'Mos!' kraste hij. 'Wat krijgen we nu?'

Mos wierp hem een koele blik toe. 'Zo ga ik Grigi tu Kerestyn verslaan,' zei hij.

'Maar hoe?' riep Kakre uit terwijl hij zijn gekromde vingers als klauwen om de balustrade van het balkon klemde.

'Kakre, je lijkt wel gefrustreerd,' merkte Mos spottend beleefd op. 'Ik raad je aan je agressie niet nog een keer op mij te botvieren. Ik zal misschien nog een hele tijd keizer blijven, ondanks al jouw inspanningen, en je zou er goed aan doen me niet boos te maken.' Hij glimlachte opeens, en het was een vreugdeloze grimas. 'Begrijpen we elkaar?'

Kakre had vol ongeloof staan luisteren, maar nu had hij zijn stem hervonden. 'Wat heb je gedaan, Mos?' vroeg hij schor en op hoge toon.

'Achtduizend mantels met precies dezelfde kleur als het gras op de vlakte,' zei hij. Hij leek in niets op de gebroken man die hij slechts een paar uur eerder was geweest. Nu klonk zijn stem vlak en kil. 'Ik heb mijn leger niet op de woestijnbaraks afgestuurd. En ik heb ze ook niet achter Reki aan laten gaan. Ik heb hun allemaal opgedragen meteen terug te komen. Ik had al zo'n gevoel dat Kerestyn van deze buitenkans zou horen en dat hij wellicht met een groter leger op de proppen zou komen dan ik verwachtte. Voor de dageraad heb ik hen naar buiten gestuurd en hun opgedragen zich onder hun mantels te verbergen en af te wachten. Je zou ze nooit hebben gezien, tenzij je er met je neus bovenop stond.'

In de donkere gaten van zijn masker brandden Kakres ogen van woede. 'En de woestijnbaraks dan?' siste hij.

'Laat ze maar komen,' zei Mos schouderophalend. 'Ze zullen een ontredderde Kerestyn aantreffen en een Axekami waarin ik de onbedreigde heerser ben. En natuurlijk zal ik mijn trouwe wevers aan mijn zijde hebben.' Dat laatste werd op beledigend sarcastische toon gezegd. 'Soms is het beter om anderen niet alles te vertellen, Kakre. Een goede heerser weet dat. En vergeet niet dat ik bloed Batik lang voordat jij jou ontdekte eigenhandig groot heb gemaakt.'

'Ik ben je weefheer!' blafte Kakre. 'Ik moet alles weten!'

'Zodat je het tegen me kunt gebruiken? Dat dacht ik niet,' zei Mos zachtjes en dodelijk. Hij had niets meer te verliezen en zelfs zijn angst voor de wevers kon hem niet meer deren. Ze stonden allebei in de schaduw die de keizerlijke vesting op hen wierp, maar door zijn woede leek Mos nog duisterder. 'Ik ben geen dwaas. Ik weet waar je mee bezig bent. Je hebt het met Kerestyn en Koli op een akkoordje gegooid om je van mij te ontdoen.' Zijn ogen vulden zich met tranen van pure haat. 'Je had moeten volhouden, Kakre. Je had nooit met de dromen moeten ophouden.' Hij boog voorover en ademde de stank van verrot vlees in om zijn vijand te tonen dat hij niet bang was.

'Ik weet dat jij erachter zat,' fluisterde hij.

Het gapende doodsmasker van Kakre staarde hem uitdrukkingsloos aan.

'Ik kan je zó doden als ik wil,' zei de weefheer, en de woorden die uit de spelonkachtige, zwarte mond kwamen dropen van het venijn. 'Maar dat durf je niet,' zei Mos, die weer rechtop ging staan. 'Want nu weet je niet wie er tegen het vallen van de avond keizer zal zijn. En je kunt je vervloekte macht niet gebruiken om mijn gedachten te beïnvloeden, want je weet niet zeker of het wel zal werken. Je hebt één keer een foutje gemaakt, Kakre. Je bent vergeten je sporen uit te wissen toen je wegging.' Hij stond bijna te beven van afschuw. 'Ik weet het nog. Ik weet nog hoe het voelde toen je met je smerige vingers in mijn hoofd peuterde. De herinneringen zijn teruggekomen. Je hebt ze niet diep genoeg weggestopt.'

Hij draaide zich met de tranen nog in zijn ogen om naar het gevecht. 'Maar ik heb je nog steeds nodig, Kakre. Mogen de goden me behoeden, ik heb de wevers nodig. Zonder jullie kan ik niet snel genoeg contact met het koopmansgilde in Okhamba opnemen om hongersnood te voorkomen. Als mensen van de honger beginnen te sterven, kan niets dit land nog bijeenhouden. Dan loopt het uit op chaos, rellen en bloedvergieten.' Hij haalde bevend adem en eindelijk rolden de tranen over zijn wangen, in twee straaltjes die in zijn baard verdwenen. 'Als ik jullie verraad zou bekendmaken, als ik de hooggeplaatste families zou oproepen tegen jullie in opstand te komen en jullie de deur te wijzen, zou ik miljoenen mensen ter dood veroordelen.'

Kakres reactie was onpeilbaar. Hij bleef de keizer een hele tijd aanstaren, maar de keizer wilde nergens anders naar kijken dan naar het gevecht in de verte. Uiteindelijk richtte ook Kakre zijn blik daar weer op.

'Let goed op, Kakre,' zei Mos met opeengeklemde kaken. 'Ik heb nog één troef die ik kan uitspelen.'

Het kabaal van de strijd was onvoorstelbaar, een rauw, onophoudelijk gebrul dat werd benadrukt door het gebulder van kanonnen en dat scherp contrasteerde met het gerinkel van staal tegen staal, het gegil van de stervenden en de korte, droge knallen van de geweren. In het midden, waar de slachting zich concentreerde, worstelden en vochten mannen te midden van vijanden en bondgenoten. Het was één grote wanorde: elk moment kon er een nieuwe aanval volgen en de overlevenden hadden hun leven net zozeer aan geluk als aan hun bekwaamheid te danken. Pijlen vlogen als vogels door de lucht en boorden zich in schouders en dijen. Zwaarden sneden door vlees en brachten op veel gewelddadiger wijze dan in verhalen of de geschiedenis werd verteld de dood met zich mee. Directe onthoofdingen en snelle, dodelijke slagen waren zeldzaam. Slagen ketsten af, waardoor een hap uit een onderarm werd gesneden, het blad half door de knie van een man hakte, iemands gezicht van de linkerwang tot het rechteroor in een fontein van botsplinters werd opengehaald, of een grote ader werd doorgesneden zodat de gewonde man op het gras van de vlakte leegbloedde. Her en der schoten vlammen omhoog als er een kanonskogel openbarstte, en de brandende gelei bleef aan de huid kleven, zodat overal mannen krijsend om zich heen sloegen terwijl hun tong zwart blakerde en hun oogbollen knapten, zodat het vocht sissend over hun gezicht stroomde. De lucht was bezwangerd met rook, bloed en de weezoete stank van verbrande lichamen, en de strijd woedde voort.

'Ik wil dat bloed Nabichi en Gor nu meteen terugkomen!' zei Grigi op bevelende toon tegen zijn wever. Door zijn hoge, meisjesachtige stem leek het of hij in paniek was, maar dat was ver bezijden de waarheid. Grigi liet zich niet zo gemakkelijk van zijn stuk brengen, en de op het oog onverklaarbare verschijning van achtduizend manschappen van bloed Batik achter hen beschouwde hij slechts als een slimme zet die moest worden beantwoord. Hij had al een compagnie erop uitgestuurd om hun opmars te vertragen, terwijl hij zijn kanonnen op hen liet richten. Dit gevecht zou hem wellicht veel meer gaan kosten dan hij had verwacht, maar met sluw leiderschap kon hij het nog steeds winnen.

'Die dwaas Kakre zal hiervoor boeten,' bezwoer hij terwijl hij zijn paard met een ruk aan de teugels wendde. Het kon hem niet schelen dat er andere wevers binnen gehoorsafstand waren, zowel de wever van bloed Kerestyn als die van bloed Koli met zijn masker van edelsteen. 'Waarom heeft hij me niet voor de extra troepen gewaarschuwd? En waar blijft die interventie die hij heeft beloofd?' Hij keek barak Avun boos aan, want hij gaf hem de schuld van Kakres fouten. Kakre had immers via Avun contact met hem opgenomen.

Avun, die met zijn half geloken, slaperige ogen naar de strijd had zitten kijken, draaide zich om en keek Grigi neutraal aan.

'O, er komt wel een interventie,' zei Avun. 'Alleen een andere dan jij verwacht.' Hij maakte een snel gebaar naar zijn wever.

Een stekende pijn in Grigi's borst benam hem de adem. Zijn vele onderkinnen puilden uit toen hij met open mond naar zijn leren borstkuras greep. Een tintelende pijn verspreidde zich via zijn sleutelbeen naar zijn linkerarm en verdoofde zijn hand. Zijn ogen waren groot van ongeloof. Ze schoten naar zijn eigen wever, vol van een wanhopige smeekbede, maar de grimassende demon keek hem meedogenloos aan. Grigi uitte snakkend naar adem een halve verwensing, maar de kracht vloeide snel weg uit zijn ledematen.

'De geschiedenis herhaalt zich inderdaad, Grigi,' zei Avun. 'Maar kennelijk heb je er niets van geleerd. De laatste keer dat we hier waren, heb je me overgehaald om bloed Amacha te verraden, dus je had kunnen weten dat ik niet te vertrouwen ben.'

Grigi's gezicht was rood aangelopen en zijn ogen puilden uit terwijl hij vocht voor lucht die maar niet wilde komen. Zijn hart was als een fel brandende ster van pijn in zijn borst, die vurige tentakels in zijn aderen stak. Het lawaai van de strijd was verstomd en Avuns stem klonk hem ijl in de oren, alsof hij van heel ver weg kwam. Hij greep naar zijn zadel toen de waarheid tot hem doordrong: hij dreigde dood te gaan, hier, op dit moment, omringd door drie onbewogen mannen te paard. Goden, nee, hij was er nog niet klaar voor! Hij had nog niet gedaan wat hij moest doen! Zijn droom was binnen handbereik, maar nu werd die voor zijn neus weggegrist, en hij kon niet eens een geluid uitbrengen om het verraad te beantwoorden!

Zijn wever. Zijn wever werd geacht hem te beschermen. Wevers waren altijd loyaal, altijd. Daar hing het voortbestaan van hun samenleving van af. Als een wever zijn meester niet in alles gehoorzaamde, dan waren de wevers te gevaarlijk om te blijven voortbestaan. Ze doodden zelfs elkaar in dienst van de families die hen steunden. Maar deze liet hem gewoon doodgaan.

Hoe had Avun zijn wever voor zich gewonnen? Hoe?

'Je zult merken dat je bevelen niet bij de beoogde mensen zijn aangekomen,' zei Avun loom. 'En ze zullen waarschijnlijk erg verbaasd zijn als mijn mannen zich tegen hen keren, zodat ze klem zitten tussen de mannen van Koli en Batik in het westen en de grootste troepenmacht van Mos in het oosten. Het zal op een flinke slachting uitdraaien.' Hij trok één wenkbrauw op. 'Dat zul jij natuurlijk niet meer meemaken. Je hart heeft het in de opwinding van de strijd begeven. Niet verwonderlijk als je zo dik bent.'

De pijn in Grigi's lichaam was niets vergeleken met de pijn in zijn ziel, de rauwe, brandende frustratie, woede en angst die zich allemaal vermengden tot een gloeiend heet brouwsel. Zijn zicht begaf het, het werd zwart voor zijn ogen, en hoezeer hij er ook tegen vocht, hoe hard hij ook worstelde om een kreet te slaken, het kleinste geluidje voort te brengen, hij was stom. Slechts een paar meter verderop stonden mannen van bloed Kerestyn, maar ze letten geen van allen op hem, zagen geen van allen wat de wevers deden, dat ze een onzichtbare hand in zijn lichaam hadden gestoken en zijn hart stuk knepen. Zij dachten dat hij gewoon overlegde met zijn adjudanten. Hij hapte weliswaar met een van pijn vertrokken gezicht naar adem, waardoor hij een beetje leek op een vis op het droge, maar ze waren te ver weg om dat te kunnen zien.

Hij keek naar Axekami, en nu was de stad donker en strekten de schaduwvingers zich over het slagveld naar hem uit. Twee keer had hij geprobeerd hem te veroveren en twee keer was het mislukt. De bewusteloosheid kwam als een verlossing. Hij voelde niet dat hij vooroverzakte en uit het zadel gleed, zodat zijn omvangrijke lichaam met een klap op de grond viel. Hij hoorde de verschrikte kreten van Avun niet, noch zijn valse woorden tegen de mannen van Grigi die toesnelden. Hij zag niet dat Avun en zijn wever bij de verzamelde mensen wegglipten om de strijd met hun trouweloosheid een andere wending te geven. Hij zag alleen het groeiende, gouden licht, de draden die met alles leken te zijn verweven en die hem als trilhaartjes zachtjes meevoerden naar wat er aan de andere kant van de vergetelheid lag.

Kakres kap wapperde in de plotseling opstekende wind rond zijn gemaskerde gezicht terwijl hij toekeek hoe de strijd zich ontvouwde. Het was warm in het rechtstreekse zonlicht en Kakres smoorhete mantel was niet geschikt voor dergelijke omstandigheden, maar hij trok zich niet terug. Dat gold ook voor Mos. Aan allebei werd regelmatig verslag uitgebracht: aan Mos via boodschappers, aan Kakre via het weefsel. De ochtend was verstreken en de troepenmacht die onder het bevel van Kerestyn stond werd in de pan gehakt. Van de legers van enkele vooraanstaande families was niets meer over. Bloed Kerestyn zelf, dat bijna al zijn soldaten had ingezet, zou vele tientallen jaren nodig hebben om zich van de klap te herstellen, als hen dat al lukte. Eenmaal verzwakt, zouden ze zich niet meer staande kunnen houden in de felle interne strijd van de adel en worden verscheurd.

Avun tu Koli had het slim aangepakt. Wat voor afspraken hij ook had gemaakt, hij was erin geslaagd ze na te komen zonder dat Grigi het merkte. Niet alleen bloed Koli had zich tegen Kerestyn gekeerd, verschillende andere families ook, zodat de balans ver genoeg in het voordeel van de keizer was doorgeslagen om het bloed Kerestyn zo goed als onmogelijk te maken nogmaals het tij te keren. Gehavende troepen trokken zich inmiddels halsoverkop terug en Grigi's bondgenoten lieten hem in de steek toen ze zagen hoe hopeloos de situatie was. Kakre zag dat het leger van bloed Koli nog zo goed als intact was. Avun tu Koli had ze uit het conflict teruggetrokken en liet anderen de strijd voeren. Hij was er tevreden mee om vanaf de zijlijn toe te kijken en zijn manschappen te sparen.

'Jij was het,' zei Kakre uiteindelijk. 'Nu weet ik het weer. Ik had wel iets vernomen over een boodschap aan Avun tu Koli die uit de vesting afkomstig was, maar ik wist hem niet te onderscheppen.' Hij voelde een steek van bezorgdheid omdat hij er nu pas weer aan dacht. 'Avun tu Koli is altijd een trouweloze hond geweest,' antwoordde Mos. 'Dat maakt hem zo voorspelbaar. Hij zal zich altijd achter de winnaar scharen, ongeacht waar zijn loyaliteit tot op dat moment lag. Ik hoefde hem er alleen van te overtuigen dat ik zou winnen. Kijk eens hoe hij zijn troepen achterhoudt. Hierna zal bloed Koli na Batik de machtigste familie zijn en dat weet hij maar al te goed.' Hij krabde aan zijn baard, die dun en op veel plaatsen wit was geworden, alsof hij door zijn verdriet was verwelkt. 'Je hebt het geprobeerd, Kakre, en het was een verduiveld goede poging. Maar je zit aan me vast, net zoals ik aan jou vastzit. Wat je ook hebt aangericht, we kunnen niet zonder elkaar.'

De woorden bleven bijna in zijn keel steken: wat je ook hebt aangericht. Alsof hij de moord op de vrouw van wie hij hield zo gemakkelijk kon vergeten. Alsof hij ooit nog zou kunnen liefhebben, ooit nog iets anders dan verdriet, haat en schaamte zou kunnen voelen. Hij was met de wevers verstrengeld in een symbiose van wederzijdse walging en zag niets dan kwaad in zijn toekomst, maar omwille van de macht moest het kwaad worden verdragen. Hij was nu zijn zoon, zijn vrouw en zijn ongeboren kind kwijt. Dergelijke dingen zouden sterkere mannen dan hem op de knieën hebben gedwongen. Hij had echter nog neefjes en andere familieleden die de teugels van het keizerrijk konden overnemen als hij er niet meer was en hij had een verplichting jegens zijn familie, jegens bloed Batik. Hij was niet van plan de troon op te geven zolang zijn hart nog klopte.

'Je hebt het mis,' zei Kakre met zijn droge, raspende stem. 'En je boodschappers komen je nu vertellen waarom.'

Toen er achter hen bij de deur van de kamer een schel gerinkel klonk, draaide Mos zich geschrokken om. Hij stapte uit de zon het vertrek binnen, waar de gekleurde laxsteen op de muren, de vloer en de zuilen voor koelte zorgde. Hij bleef op weg naar de met een gordijn afgedekte deuropening staan en keek achterom naar Kakre, die door de gewelfde doorgang achter hem aan kwam.

'Wat krijgen we nu, Kakre?' vroeg hij op hoge toon. Opeens was hij bang. 'Wat krijgen we nu?'

De bel rinkelde opnieuw. Kakres magere, witte hand kwam tussen de plooien van zijn gewaad tevoorschijn en maakte een gebaar naar de deuropening.

'Zeg op!' brulde Mos tegen de weefheer.

De boodschapper vatte dat op als een uitnodiging om binnen te komen, dus schoof hij het gordijn opzij en liep haastig naar binnen. Toen Mos hem een woedende blik toewierp, besefte hij dat hij een fout had gemaakt en werd hij lijkbleek. Hij was echter tóch al doodsbang en gooide zijn boodschap er roekeloos uit, alsof hij zo de betekenis ervan van zich af kon zetten en de afschuw die met zijn woorden gepaard ging kon verdrijven.

'Afwijkenden!' riep hij uit. 'Het stikt op de kades van de afwijkenden. Duizenden! Ze doden alles wat beweegt.'

'Afwijkenden?' brulde Mos, en hij draaide zich met een ruk om naar Kakre.

'Afwijkenden,' zei Kakre heel kalm. 'We hebben ze gisteravond met aken Axekami binnengebracht, en vervolgens heb je de poorten op slot gedaan en ze binnengesloten. Je zult snel merken dat er op de westoever van de Zan nog meer zijn ingezet, die op de soldaten buiten Axekami afgaan. Ze zullen iedereen afslachten die niet de kleuren van bloed Koli draagt.'

'Koli?' Mos kon nauwelijks bevatten wat Kakre allemaal zei. Afwijkenden? In Axekami? De vreeswekkendste vijand van de mensheid in het hart van het keizerrijk? En de wevers hadden hen hiernaartoe gebracht?

'Ja, Koli,' antwoordde Kakre. 'Wat een verraderlijke slang. Altijd bereid om over de lijken van zijn bondgenoten de overwinning tegemoet te treden, als een ware Saramyriër. Hij is mij al die tijd blijven steunen.'

Mos had het afschuwelijke gevoel dat Kakre achter zijn masker stond te grijnzen.

'Laten we onszelf niet voor de gek houden, Mos,' kraste hij. 'De wevers hebben wel in de gaten dat de situatie in Saramyr verandert.

Nog even en je zou proberen je van ons te ontdoen. Het volk zou het eisen. Grigi tu Kerestyn was dat ook van plan. Dat kunnen we niet laten gebeuren.'

De boodschapper was bevend van angst als aan de grond genageld blijven staan. Hij was nog maar een jongeman van achttien oogsten en nu was hij getuige van een ongelooflijk belangrijke gebeurtenis, een waarvan hij nooit had verwacht dat hij hem met eigen ogen zou aanschouwen.

'Op dit moment stromen de afwijkenden van alle kanten toe: uit de bergen, uit onze mijnen, uit de tientallen plaatsen waar we ze hebben bijeengebracht en voor jullie verborgen hebben gehouden. Jij bent zo vriendelijk geweest om mee te werken aan het uitroeien van de staande legers van de adel met die schertsvertoning die zich buiten de muren van Axekami afspeelt. De rest zullen onze afwijkenden wel regelen.'

Even was Mos te verbijsterd om te kunnen verwerken wat de weefheer hem vertelde. Toen sprong hij met een verstikte kreet op Kakre af, terwijl hij een mes trok uit de verborgen schede aan zijn riem. Kakre stak zijn hand op en Mos' aanval ging over in een struikelval toen zijn spieren krampachtig samentrokken. Hij kwam met een klap in foetushouding op de grond terecht. Zijn gezicht was verwrongen, zijn kaak werd opzij gedrukt, zijn vingers staken in de vreemdste hoeken uit, zijn polsen waren naar binnen gebogen en zijn nek was verdraaid, alsof hij een verfrommeld en weggegooid stukje papier was. Zijn ogen rolden verwoed in hun kassen, maar hij kon niet meer uitbrengen dan een schor gegorgel.

De kleine, gebogen maar buitengemeen dodelijke weefheer stond over de keizer heen gebogen. 'Het tijdperk van de hooggeplaatste families is voorbij,' zei hij. 'Jullie einde is gekomen. De wevers hebben jullie eeuwenlang gediend, maar dat is nu afgelopen. Vandaag komt er een eind aan het keizerrijk.'

Hij wuifde met zijn hand en Mos barstte uit elkaar. Bloed spoot uit zijn ogen, oren, neus en mond, uit zijn genitaliën, uit zijn anus. Zijn buik spleet open en zijn verscheurde darmen glibberden en kronkelden in een golf van bloed naar buiten. Al zijn ruggenwervels, van zijn stuitbeen tot aan zijn schedel, werden verpulverd.

In een mum van tijd was het voorbij. Het verwoeste lijk van de keizer lag midden in een spetterpatroon van zijn eigen lichaamssappen op de groene laxstenen vloer.

Kakre hief zijn hoofd en richtte zijn lijkachtige masker op de boodschapper. De uitdrukking van schrik en ongeloof op diens gezicht was lachwekkend. Hij zakte hevig bloedend op zijn knieën.

In de kamer was het stil, maar buiten, op de straten van de stad, waren geweerschoten te horen. Klokken luidden. Er werd alarm geslagen.

Door het felle zonlicht op het balkon leek het in de kamer nog donkerder dan het was. Kakre bestudeerde de lichamen van de mannen die hij had gedood. Een keizer en een bediende, maar uiteindelijk waren ze allebei niet meer dan lege omhulsels.

De afwijkende roofdieren zouden flink huishouden in Axekami, elk teken van verzet de kop indrukken en de bevolking stevig in het gareel brengen. Overal in het noorden van Saramyr kwamen reusachtige legers monsters uit het Tchamilgebergte en verschillende plekken langs de rivieren tevoorschijn, het resultaat van tientallen jaren voorbereiding en slechts vijf jaar onbeperkte bewegingsvrijheid in het keizerrijk, monsterlijke hordes die zich onder de bescherming van de wevers en de nexussen van binnen uit als kwaadaardige gezwellen zouden verspreiden.

Berichten waarin om hulp werd gesmeekt zouden hun bestemming niet bereiken. Wevers zouden verdwijnen en hun meesters vermoord achterlaten. De adel van Saramyr vertrouwde al zo lang op de macht van de wevers om te kunnen communiceren dat ze niet zouden weten wat ze moesten doen. Ze waren zo gewend aan de gedienstigheid van de wevers dat ze zich niet konden voorstellen dat ze in opstand zouden komen. Opeens zouden ze alleen zijn, van de buitenwereld afgesloten in het midden van een enorm land, aan alle kanten door een uitgestrekte leegte gescheiden van degenen die hen zouden kunnen helpen. Tegen de tijd dat ze zich wisten aan te passen, zou het te laat zijn. De hooggeplaatste families zouden ten val worden gebracht.

Het spel was uit en de wevers hadden gewonnen.

Kakre liep langzaam de kamer uit. Als Mos' lichaam werd ontdekt, zou de keizerlijke garde de meest voor de hand liggende conclusie trekken. Tegen die tijd zou hij echter terug zijn in zijn eigen vertrekken en de deur was dik genoeg om de keizerlijke garde net zo lang buiten te houden totdat de vesting was gevallen, als ze naar hem op zoek gingen.

Bovendien wachtte daar een traktatie op hem waarmee hij de overwinning kon vieren, iets wat de vorige avond speciaal voor deze gelegenheid bij hem was afgeleverd. Een jonge vrouw, zacht als zijde, soepel, beeldschoon en volmaakt. En wat had ze een prachtige, prachtige huid.

De Juwachapas lag tussen Maxachta en Xaxai in en overbrugde het

Tchamilgebergte op het smalste punt. Hij liep van het vruchtbare westen naar de woestijn van Tchom Rin in het oosten. Afgezien van de Ririkloof aan de zuidkust was dit de enige goed bereikbare verbinding tussen de twee helften van het verdeelde land. Volgens de legende had Ocha zelf de bergen met één stamp van zijn voet gescheiden, zodat Tchom Rin en de Nieuwlanden voor zijn uitverkoren volk toegankelijk werden, en had hij hen daarmee toestemming gegeven de inboorlingen, de Ugati, te verdrijven. Het was echter waarschijnlijker dat een zware aardbeving verantwoordelijk was geweest voor het honderdvijftig mijl lange slingerende pad dat tussen de bergtoppen was ontstaan. Het leek alsof de bovenste en onderste helft van de bergketen uit elkaar waren gesleept en de grond ertussen strak was getrokken.

Op het breedste punt was de pas twee mijl breed, maar aan de westkant, waar de doorgang werd bewaakt door de uitgestrekte stad Maxachta, was hij maar een halve mijl. De obstakels die er hadden gelegen toen de pas was ontdekt – steenformaties, glazige brokken vulkaangesteente, enorme tanden van zwarte steen: onvolkomenheden die het gevolg waren van de gewelddadige omstandigheden waaronder de pas was gevormd – waren al langgeleden met behulp van explosieven opgeblazen en opgeruimd. Voor behendige eenlingen waren er in de bergen meer dan genoeg passen, maar voor een leger was de Juwachapas de enige haalbare manier om de bergen over te steken, tenzij je de extra vijfhonderd mijl naar Riri in het zuiden wilde afleggen.

Reki tu Tanatsua bereikte halverwege de ochtend de top van de bergkam, toen de felle zon nog laag stond en recht in zijn ogen scheen. Er groeide nu een baard op Reki's smalle gezicht, en het was een verrassend volle baard voor zo'n jongeling. Zijn zwarte haar was ruig geworden en de witte lok was geverfd, zodat die niet zou opvallen. Zijn dure kleren droeg hij niet meer, want hij had ze geruild voor de duurzame reiskleding van een boer. Er lag bovendien een hardere, wijzere blik in zijn ogen, waardoor hij nu minder op een kind en meer op een man leek. Hij legde zwoegend de laatste ellen naar de top af. Het dunne laagje herfstsneeuw dat op deze hoogte op de grond lag knerpte onder zijn voeten. Op de top bleef hij staan en keek achterom.

Asara kwam achter hem aan, gekleed in een bontmantel en kleren die net zo eenvoudig en onverslijtbaar waren als de zijne. Ze droeg haar haar los en haar gezicht was onopgemaakt, maar zelfs als ze er geen moeite voor deed was ze opvallend mooi. De klim had haar niet eens vermoeid. Achter haar, aan de andere kant van de bergtoppen, lag het uitgestrekte Maxachta te midden van de geelgroene velden, en de piepkleine koepels en torentjes schitterden in het zonlicht nu ze onder de strenge schaduw van de bergen vandaan kwamen. Ze waren de stad twee dagen eerder gepasseerd en waren er met een wijde boog omheen getrokken, want ze probeerden bewoonde gebieden zoveel mogelijk te mijden. Daarom hadden ze ook een pad door de bergen ten zuiden van de Juwachapas genomen in plaats van het risico te nemen dat ze in de pas zelf iemand zouden tegenkomen. Het was een zwaardere route, maar wel veiliger, want alle wegen waren nu gevaarlijk.

Reki bood haar zijn hand en ze pakte hem met een glimlach vast. Hij hielp haar het laatste stukje omhoog naar de top van de richel, en van daaruit liepen ze naar de rand en keken omlaag.

De bergkam die ze hadden beklommen lag, gemeten vanaf de westelijke ingang van de pas, tien mijl verder de bergen in, op het punt waar hij een flauwe bocht naar het noorden maakte. Vanaf deze hoogte kon je beide kanten op heel ver kijken. Asara had besloten dat het een verstandige plek was om hun positie in ogenschouw te nemen en te kijken of hun verderop wellicht gevaren te wachten stonden. Reki had zonder morren ingestemd. Hij had al snel geleerd dat hij in dit soort situaties het beste op haar kon vertrouwen. Ze was er tot nu toe in geslaagd hem in leven te houden en voor een vrouw van haar leeftijd was ze verbijsterend bekwaam. Hij verlangde naar haar, maar had tegelijkertijd een heilig ontzag voor haar.

Er was echter nog een reden dat Asara deze klim wilde maken. Ze had een vermoeden dat ze liever niet met Reki wilde delen, en ze wilde er zeker van zijn dat het klopte voordat ze verdergingen. Haar afwijkende ogen waren uitzonderlijk scherp en de piepkleine, cirkelende stipjes die ze in de verte had gezien hadden haar aan het denken gezet. Nu zag ze haar vermoedens bevestigd.

In het oosten kwamen de bergen samen en vormden ze een smalle, grauwe vallei. Die was bezaaid met dode mannen en afwijkende beesten. Aasvogels plukten en trokken aan vlees dat nog nauwelijks de tijd had gehad om te vergaan, of cirkelden geruisloos door de lucht, alsof ze waren overweldigd door het grote aanbod en niet wisten waar ze moesten beginnen met hun feestmaal. Vanaf de plek waar ze stonden vormden de vele duizenden lijken die her en der verspreid en boven op elkaar lagen één onsamenhangend tapijt.

Duizenden woestijnbewoners. Mannen en vrouwen in de uitrusting van Tchom Rin.

Asara schermde haar ogen af en speurde de pas af, waar ze geknakte vaandels en verbleekte kleuren zag. Ze zag de wapens van de steden

Xaxai en Muio tussen die van de hooggeplaatste families. Het duurde niet lang voordat ze het wapen dat ze zocht had gevonden.

Het vaandel van bloed Tanatsua, van Reki's familie, lag gerafeld en gescheurd als een lijkwade over verscheidene lichamen. Ze wist genoeg over de gewoonten van het woestijnvolk om te weten dat het vaandel alleen boven een leger werd geheven als de barak zelf erbij was.

De woestijnfamilies waren toen ze het bericht over Laranya's zelfmoord hadden ontvangen snel opgerukt. Hadden Kakres wevers hier ook aan de touwtjes getrokken en de families gemanipuleerd, net zoals Kakre in Axekami had gedaan? Het leek er in elk geval wel op dat dit leger zich griezelig snel had verplaatst, zelfs als je ervan uitging dat het nieuws over de dood van de keizerin meteen door Kakre was doorgegeven aan zijn verdorven broeders in de woestijn. Een voorhoedeleger misschien? Een soort machtsvertoon? De woestijnsteden zouden niet uitsluitend op grond van wat ze hadden gehoord de oorlog verklaren. Daarvoor zou het bewijs dat Reki bij zich droeg nodig zijn. Nu had het er echter alle schijn van dat zijn taak overbodig was geworden.

Ze keek hem vluchtig aan. Zijn ogen waren niet zo goed als de hare, maar hij kon genoeg zien. Hij bleef een hele tijd zwijgend naar het tafereel staan staren, met een roerloos gezicht en tranen in zijn ogen.

'Ligt mijn vader daar ergens?' vroeg Reki.

'Wie zal het zeggen?' antwoordde Asara, maar ze wist dat hij er lag en dat kon Reki aan haar stem horen. Ze kon zich nauwelijks voorstellen wat er was gebeurd. Kennelijk waren deze mannen in een hinderlaag van afwijkenden gelopen en was zelfs deze gigantische troepenmacht overdonderd door de vloedgolf van monsters die uit de bergen waren toegestroomd. Maar hoe konden de afwijkenden zo georganiseerd, zo talrijk, zo doelgericht zijn geweest? Kon ook dat op de een of andere duistere wijze het gevolg zijn van de ambitieuze inspanningen van de wevers?

Reki veegde met de rug van zijn hand zijn ogen droog. Hij rouwde niet om zijn vader. Hij was immers een eeuwige bron van teleurstelling voor de oude man geweest, en daarover was hij nog verbitterd genoeg om zichzelf wijs te maken dat zijn dood hem niets kon schelen. Nee, hij treurde om de dood van zijn volk. Hij treurde bij die eerste aanblik van de tol die oorlog eiste.

Boven op de bergkam legden ze een vuur aan, zonder zich om de gevolgen te bekommeren, en vervolgens haalde Reki de bos haar die van zijn zus was geweest tevoorschijn en verbrandde die. De bijtende stank werd door het smalle rookpluimpje meegevoerd naar de ochtendhemel toen de uiteinden van het haar opgloeiden, omkrulden en zwart werden. Reki zat er op zijn knieën bij en staarde naar het laatste wat hem nog aan zijn zus herinnerde terwijl het in het hart van het vuur tot as verging. Asara stond vlak achter hem toe te kijken. Ze vroeg zich af wat hij zou denken als hij ooit te weten zou komen dat de vrouw aan zijn zijde zijn zus had vermoord. Ze dacht aan wat er zou gebeuren als zij ooit het doelwit zou worden van de wraak die hij had gezworen.

'De verantwoordelijkheid is op mij overgegaan,' zei hij uiteindelijk. 'Wat het doel van mijn vader zou zijn geweest, is nu mijn doel.'

Asara bestudeerde hem. Hij stond op en beantwoordde kalm haar blik. Er lag een nieuwe vastberadenheid in zijn ogen, die ze daar nooit eerder had gezien.

'Je bent nu barak,' zei ze zachtjes.

Zijn blik verried angst noch trots. Uiteindelijk keek hij over de bergen naar het oosten, alsof hij de uitgestrekte woestijn waar zijn thuis was er dwars doorheen kon zien. Zonder een woord te zeggen liep hij die kant uit en langs de helling aan de andere kant van de richel naar beneden. Asara keek hem na en zag de nieuwe vastberadenheid in zijn schouders en de grimmige lijn van zijn kaak. Toen wierp ze een laatste blik op het westen, alsof ze afscheid wilde nemen, en liep achter hem aan.

⊚ 32 ⊚

Yugi rende langs de barricade, waar een sluier van scherpe, zwarte rook hing. Zijn gezicht was zwart van het roet en gestreept door het zweet. Het scherpe gekletter van geweervuur klonk boven de kreten van mannen en vrouwen uit. De afwijkenden brulden en krijsten terwijl ze met tientallen tegelijk werden neergemaaid, maar ze bleven komen.

Yugi slingerde zijn geweer over zijn schouder en trok zijn zwaard, terwijl hij over het lijk heen sprong van iemand wiens gezicht door metaalscherven was verwoest – hij had zijn wapen oververhit laten raken en het was ontploft – en rende naar de plek waar een skrendel over de barricade heen was geglipt en in gevecht was verwikkeld met Nomoru. Ze hield haar gelakte geweer voor zich uit om de uithalen van zijn schorpioenachtige staart af te weren en trok snel haar hoofd naar achteren toen het wezen zijn lange, gele slagtanden ontblootte en naar haar hapte. Hij voelde Yugi aankomen en ging er met wild maaiende, graatmagere ledematen vandoor toen hij besefte dat hij in de minderheid was. Nomoru was echter sneller en ze greep het beest bij zijn enkel, zodat hij struikelde en languit in het stof viel. Meer tijd had Yugi niet nodig om zijn zwaard tussen de ribben van de afwijkende te steken. Het monster gilde, maakte felle, krampachtige bewegingen en haalde met zijn klauwen naar hen uit, maar Yugi zette zijn volle gewicht achter het zwaard en pinde het aan de grond. Nomoru kwam overeind, mikte rustig en schoot zijn kop aan gruzelementen.

'Ben je gewond?' vroeg Yugi ademloos.

Nomoru keek hem even met een onpeilbare blik in haar ogen aan.

'Nee,' zei ze uiteindelijk.

Yugi wilde nog iets zeggen, maar veranderde van gedachten. Hij rende terug naar de barricade, stopte ondertussen zijn zwaard terug in de schede en zette zijn geweer op scherp, en voegde zich weer bij de andere verdedigers. Die doorzeefden de wezens die door de pas in groten getale op hen afkwamen met kogels. Even later kwam Nomoru naast hem staan om ook mee te helpen.

Er kwam echter geen eind aan de stroom afwijkenden.

De strijd was bij zonsopgang losgebrand. De inspanningen van Yugi en verschillende andere valstrikken en hinderlagen van de Libera Dramach hadden de opmars van het leger van de wevers een beetje vertraagd, maar het had hun slechts één nacht respijt opgeleverd. Toch hadden in die nacht verscheidene stammen, groeperingen en overlevenden van eerdere aanvallen van de afwijkenden kans gezien naar de Gemeenschap te komen en zich bij de Libera Dramach aan te sluiten. Sinds zonsopgang had Yugi zij aan zij staan vechten met dezelfde sekteleden van Omecha die nog maar een paar weken eerder hadden geprobeerd hem te doden. Er waren ook krijgsmonniken, bange geleerden, kreupele en misvormde afwijkenden uit een naburig dorp waar niet-afwijkenden niet werden toegelaten, geestaanbidders, bandieten, smokkelaars van verdovende middelen en nog een stuk of dertig andere typen mensen die of uit de samenleving waren verbannen, of zelf voor ballingschap hadden gekozen.

De inwoners van de Xaranabreuk mochten dan heel verschillend zijn en elkaar doorlopend te lijf gaan, ze hadden één ding gemeen: ze woonden allemaal in de Breuk en dat maakte hen anders. Nu hadden de verschillende groeperingen hun geschillen opzijgezet om te vechten tegen een vijand die hen allemaal bedreigde, en de Gemeenschap was de plaats waar ze het tij zouden doen keren of zich dood zouden vechten.

Ze hadden de afwijkenden aangevallen in het Kluwen, de doolhof van smalle tunnels die ten westen van de Gemeenschap lag. Daar konden de wezens maar met een paar tegelijk doorheen en de plekken die breed genoeg waren om meer dan twee of drie wezens naast elkaar door te laten waren voorzien van explosieven, scherpe draden en brandbommen. Boven op het Kluwen hadden nog meer verdedigers postgevat om de lastige gierkraaien uit de lucht te schieten die als verkenners voor de nexussen fungeerden, en om het hoefijzervormige stuk vlakke steen te dekken dat aan de westelijke zijde van de vallei grensde. De afwijkenden zouden er immers voor kunnen kiezen de nauwe doorgangen te laten voor wat ze waren en over het Kluwen heen te trekken. In de Breuk was het noodzakelijk om bij een gevecht in drie dimensies te denken.

Halverwege de ochtend waren de paden van het Kluwen bezaaid met lijken van afwijkenden, maar de verdedigers werden nog steeds gestaag teruggedreven. Yugi werd op de hoogte gehouden over de gevechten ten noorden en ten zuiden van de Gemeenschap, waar de vijand probeerde het Kluwen te omzeilen en de vallei vanuit het oosten aan te vallen. Dat was de eerste tactische zet die ze hadden gedaan. Daar putte Yugi een beetje moed uit. De wevers hadden geen flauw idee hoe je een oorlog moest voeren. Ze waren van plan geweest iedereen die op hun weg kwam simpelweg onder de voet te lopen, zonder zich druk te maken om de verliezen die ze daarbij zouden lijden. De duizenden afwijkende roofdieren die waren gevallen vormden het bewijs voor hun onbekwaamheid.

Toch leek het erop dat ze uiteindelijk gelijk zouden krijgen, dat ze inderdaad gewoon hun tegenstanders met hun grote overmacht zouden kunnen verpletteren. De verdedigers hadden nog maar heel weinig munitie en het kleine beetje dat nog over was kwam niet op alle plekken waar men het nodig had. Ze hadden tot op dat moment nog maar weinig verliezen geleden, maar als ze het voordeel kwijtraakten dat ze nu hadden met wapens die op afstand konden worden gebruikt en het op een-op-eengevechten aankwam, konden de afwijkenden het evenwicht herstellen.

Al die tijd was er geen spoor van de nexussen of de wevers te zien geweest. Of van de Rode Orde, zo was Yugi opgevallen. Waar bleef in naam van het Gouden Rijk de hulp die Cailin en haar beschilderde zusters hadden beloofd? Het zou al enorm hebben geholpen als ze zich beschikbaar hadden gesteld om de communicatie tussen de verschillende groepen strijders te vergemakkelijken, maar ze waren nergens te bekennen.

Hartbloed, als dat mens ons in de steek heeft gelaten, maak ik haar eigenhandig af, dacht hij.

Ze verdedigden de pas nu al twee uur lang met succes. Het Kluwen kende maar een paar uitgangen en die waren allemaal versterkt met een of meer kanonnen en haastig opgeworpen stenen muren en zandwallen. De zijwanden van de nauwe doorgang liepen aan beide kanten steil omhoog, zodat de afwijkenden gedwongen waren over een oneffen helling van gladde steen omhoog te klauteren om bij de barricade te komen. De zon scheen al de hele ochtend recht in de ogen van de vijand, maar inmiddels stond hij een stuk hoger aan de hemel en het zou niet lang duren of de verdedigers zouden er op hun beurt last van krijgen.

Geweren werden leeggeschoten, ingeruild bij mensen die het kruit en de kogels bijvulden en vervolgens weer aangepakt als het tweede geweer leeg was. In een schaduwrijke spelonk lag een stapeltje rokende geweren af te koelen, zodat ze door het herhaalde schieten niet oververhit zouden raken, want dan kon het buskruit zomaar ontploffen. Drie mannen hielden zich bezig met het kanon achter de barricade, die de vorm had van een luchtdemon met een gestroomlijnd lichaam en een wijdopen, vuurspuwende mond. De helft van de doorgang brandde als gevolg van uiteengespatte kanonskogels, en dikke, zwarte rookwolken stroomden over de verdedigers heen, zodat ze hun ogen moesten samenknijpen. De broeierige stank van kokend vet en verschroeid vlees had achter de barricade nogal eens tot overgeven geleid, en het was een hete middag, waardoor de stank van warm maagzuur inmiddels ondraaglijk was geworden.

'Ze proberen het weer,' zei Nomoru, die de kolf van haar geweer tegen haar schouder zette en richtte. Ze wendde haar blik even van haar doel af om Yugi aan te kijken. 'Was ik nu maar bij Kaiku gebleven,' zei ze met een uitgestreken gezicht. Yugi lachte hard, maar het klonk manisch en wanhopig.

Hoewel de nexussen nog niet waren gesignaleerd, was aan het gedrag van de afwijkenden duidelijk te zien dat ze er waren. Ze vielen in groepen aan, trokken zich terug en hergroepeerden heel geordend, en naarmate de dag vorderde werden hun aanvallen steeds zorgvuldiger en beter georganiseerd. Yugi vermoedde dat de nexussen op de achtergrond bleven nu ze door sluipschutters als Nomoru hadden gemerkt dat het gevaarlijk was om zich te laten zien, maar hun invloed was nog steeds merkbaar.

De aanvallen waren even opgehouden nadat de skrendel erin was geslaagd over de barricade heen te glippen. Dat was een toevalstreffer geweest, iets wat kon gebeuren doordat te veel mensen tegelijk van wapen moesten wisselen en doordat het wezen zo snel en behendig was. Nu rukten de afwijkenden weer op. Duistere gestalten renden om de vlammen en door de kolkende rook heen. Opnieuw knalden de geweren en werden de aanvallers doorzeefd met ijzeren kogels die met hoge snelheid door vlees heen drongen en beenderen versplinterden.

Deze keer vielen de afwijkenden echter niet.

Het duurde te lang voordat de verdedigers beseften dat de wezens gewoon doorliepen. De schutters waren even opgehouden met schieten in de verwachting dat de voorste afwijkenden op de grond zouden vallen, zodat ze degenen die daarachter liepen beter op de korrel konden nemen. Tegen de tijd dat Yugi een bevel had geschreeuwd naar de mannen achter het kanon en een nieuw geweersalvo de aanval nog altijd niet had weten te stoppen, besefte Nomoru eindelijk wat er gaande was.

Ze gebruikten de doden als schild.

Uit de rook doemden zes ghauregs op, die elk een soortgenoot voor zich uit hielden: slappe spierbundels die schokten als lappenpoppen terwijl ze de regen geweerkogels opvingen. De monsterlijke, behaarde, mensachtige wezens renden over de opgestapelde lijken van hun metgezellen heen en vormden in de nauwe doorgang een beschermende linie, waarachter een horde andere afwijkenden oprukte. Nomoru wist er met haar buitengewone schotvaardigheid twee te doden, en een andere werd in de achterpoten geschoten door een paar sneldenkende verdedigers, maar ze waren nog niet gestruikeld of ze werden alweer opgetild door een nieuwe ghaureg en als doelwit aangeboden, zodat de wezens erachter gewoon konden doorlopen. Het kanon bulderde, maar het was haastig afgeschoten en de mannen hadden nog geen kans gezien om het laag genoeg te richten. De kogel kwam weliswaar midden in de horde tot ontploffing en voorkwam dat er nog meer aanvallers door konden, maar er bleven er nog veel te veel over, en die gooiden toen ze de barricade hadden bereikt hun last terzijde en klauterden omhoog.

Geweren werden weggegooid en zwaarden werden getrokken terwijl de verdedigers elkaar verdrongen om de aanval af te slaan. Yugi zag dat een ghaureg een afwijkende vrouw bij haar been vastpakte en haar tegen de wand van de doorgang smeet. Hij kon het gekraak van brekende botten horen toen ze tegen het steen sloeg. Toen viel hij het wezen aan, dook onder een reusachtige, zwaaiende arm door en kapte met zijn zwaard de hand van het beest bij de pols af. Het monster brulde van pijn en maakte een krampachtige beweging toen twee mannen hem van achteren besprongen en hun zwaard in zijn rug staken. Zijn enorme kaak verslapte, het licht in zijn ogen doofde en hij zakte met een rochelende zucht op de grond.

Hij keek om zich heen, op zoek naar Nomoru, maar de pezige verkenner was nergens te zien. Het gezang van een scheller waarschuwde hem een fractie voordat het dier zelf vanaf de barricade op hem af dook. Hij wist de eerste sprong te ontwijken, maar het monster ging op zijn achterpoten staan en haalde uit met een sikkelvormige klauw, die dwars door zijn hemd heen sneed en zijn huid op een haar miste. Hij wilde terugslaan, maar op dat moment klonk links van hem een geweerschot. De kogel drong door het pantser van het wezen heen en het viel met een klap op de stoffige grond. Hij wierp een vluchtige blik op zijn redder, maar hij wist van tevoren al wie het was. Nomoru had hoger op de helling van de pas in een rotsscheur postgevat en legde op haar hurken de ene na de andere afwijkende om. Ze was niet goed in rechtstreekse gevechten.

Van een afstandje was ze veel dodelijker.

Het stelde Yugi gerust dat hij wist waar ze was en hij richtte zijn aandacht weer op de strijd. De barricade had het begeven onder het gewicht van de ghauregs die eroverheen klauterden. De grond was al bezaaid met gesneuvelden, zowel aanvallers als verdedigers. De afwijkenden waren sterk in de minderheid en hun versterkingstroepen waren van hen afgesneden door een muur van vlammen verderop in de doorgang, maar voor elke afwijkende die stierf, gingen er gemiddeld drie verdedigers dood. Yugi sprong over een man met een opengereten keel heen en schoot een andere te hulp, die in zijn eentje tegenover een furie stond. Hij herkende het wezen aan de hand van Kaiku's beschrijving: een soort demonisch everzwijn met meerdere enorme, haakvormige slagtanden, hoeven zo scherp als messen, stekels op zijn rug en een snuit die in een grauw was vertrokken. Zijn poging tussenbeide te komen werd gedwarsboomd door iets wat schijnbaar uit het niets voor hem opdook: een afgrijselijk, krijsend wezen met kronkelende tentakels om een ronde muil en een zwart, haarloos, glanzend lijf. Het wezen was al gewond en krankzinnig van de pijn en hij had het binnen een mum van tijd gedood, maar tegen de tijd dat hij zich weer op zijn oorspronkelijke doel kon richten, was de man al door de furie vertrapt. Hij lag dood en onder het bloed in een wolk van stof op de grond.

Hij wilde net achter het beest aan gaan, gedreven door een onzinnig verantwoordelijkheidsgevoel omdat hij had toegelaten dat de man werd gedood, toen hij achter zich het aanzwellende gejammer van de windalarmen hoorde, een griezelig, droefgeestig gejank dat uit het oosten afkomstig was. Er klonken er steeds meer. De verkenners van de Libera Dramach zwaaiden holle, houten buizen die aan lange touwen vastzaten boven hun hoofd rond, waarmee ze een geluid voortbrachten dat tot mijlen in de omtrek hoorbaar was. Het was een idee dat ze hadden gestolen van de voorzitter van de keizerlijke raad. Daar gebruikten ze een kleinere versie om de vergadering tot de orde te roepen. Yugi had al sinds die ochtend met angst en beven op dat geluid gewacht.

Ergens was de vijand door de verdedigingslinie gebroken. Ze waren in de Gemeenschap en bevonden zich achter de posities van de Libera Dramach. De aftocht werd geblazen.

Hij viel de furie toch aan. Het gevecht was hier nog niet voorbij. Er waren nog maar weinig afwijkenden over en ze werden langzaam maar zeker uitgeroeid, maar de verdedigers moesten er een hoge tol voor betalen. Er zou nog heel wat afwijkend bloed moeten worden verspild, wilden er nog mensen overblijven die zich konden terugtrekken. Yugi dacht aan zijn thuis, dat onder de poten van deze roof-dieren werd vertrapt, en liet zich opfokken door zijn woede en frustratie. Met een kreet wierp hij zich in de strijd.

De buitenste rand van de Gemeenschap was een bolwerk van versterkingen en aan de westkant waren die het sterkst. Als de vijand uit het noorden, zuiden of oosten kwam, konden ze worden aangevallen terwijl ze nog op de bodem van de vallei waren. Daar konden de verdedigers de plateaus in hun voordeel gebruiken en vanuit de hoogte een dodelijke regen op eventuele indringers doen neerdalen. Als iemand echter naar de westelijke rand van de vallei klom, kwam hij boven het dorp uit. De Libera Dramach kon dan zijn artillerie niet gebruiken omdat de kans groot was dat ze hun eigen gebouwen zouden raken. Dat was een doorslaggevend verschil. De indringers konden van die kant als een waterval over de met grotten doorspekte klippen stromen en via de trappen en plateaus naar het dorp afdalen. Daarom werd de westelijke rand het strengst bewaakt, en omdat het afwijkende leger van die kant was gekomen, sloeg het daar het hardst toe.

De eerste verdedigingslinie bestond uit een palissade, drie lagen boomstammen die in gaten waren gedreven die in het steen waren uitgeboord. Het had een enorme inspanning gekost om de funderingen uit te graven, maar in de Xaranabreuk had beveiliging de hoogste prioriteit. Achter de muur was een stellage van kamakoriet gebouwd met looppaden en katrollen. Het was een wirwar van ladders en touwen. Nu wemelde het daar van de mannen en vrouwen en beefde de stellage onder het gewicht van rennende mensen. Vanaf hun posities boven op de muur bulderden de kanonnen, en met ballista's werden stenen en explosieven weggeworpen, zodat ze met een lome, dodelijke boog door de helderblauwe hemel vlogen. Het constante geratel van geweren was oorverdovend en vermengde zich met het sinistere gezang van boogpezen. Overal stonk het naar verbrand buskruit en zweet.

Zaelis tu Unterlyn klom de laatste ladder op naar de rand van de muur, iets wat werd bemoeilijkt door zijn stramme been. Zijn hart klopte in zijn keel, want de chaos om hem heen maakte hem doodsbang. Hij was geen generaal. Hij wist maar weinig over de kunst van oorlogvoering en was nog nooit zo dicht bij het vuur van de strijd geweest. De verdediging van de Gemeenschap was overgelaten aan mensen als Yugi, die wisten waar ze mee bezig waren. Zelf voelde hij zich opeens onbelangrijk en nutteloos. Het viel hem zwaar om de teugels van de organisatie die hij vanaf de grond had opgebouwd uit handen te geven, al was het maar tijdelijk. Daardoor, en door het feit dat zijn dochter opeens volkomen onverwacht tegen hem in opstand was gekomen, voelde hij zich ouder dan ooit. Hij kon er maar slecht mee omgaan.

De afgelopen dagen had hij, als hij zich niet had bemoeid met de strijdplannen van mannen die duidelijk veel deskundiger waren dan hij, vooral ruziegemaakt met Lucia. Hij had haar nog nooit hoeven straffen, dus hij had geen idee hoe hij dat moest aanpakken. Ze was anders dan de andere kinderen die hij in het verleden les had gegeven. In zekere zin durfde hij haar helemaal niet te straffen, omdat ze de bindende kracht achter zijn organisatie was en hij sterk van haar afhankelijk was. Als hij haar van zich vervreemdde, zou de Libera Dramach verdeeld raken.

Hadden ze gelijk, Lucia en Cailin? Gaf Zaelis echt meer om de Libera Dramach dan om zijn eigen dochter? Had hij haar uitsluitend geadopteerd omdat hij dan controle kon uitoefenen over zijn belangrijkste bezit? Goden, hij wilde er niet eens bij stilstaan wat dat over hem zei, maar hij kon het idee ook niet zomaar van zich afzetten.

Alskain Mar. Bij Alskain Mar was het allemaal begonnen, toen hij Lucia had gedwongen haar talent weer te gebruiken, toen hij haar in het hol van een onvoorstelbaar machtig wezen met onpeilbare bedoelingen had laten zakken. Omdat hij bang was voor wat er met de inwoners van de Gemeenschap zou gebeuren, had hij haar leven op het spel gezet. Hartbloed, wat had hem bezield? En toen hij werd gekweld door twijfel over zijn beslissing, had hij toen, bij de afweging van het gevaar, haar alleen maar beschouwd als het kostbare boegbeeld in plaats van als zijn dochter? Ze was zo lang passief en plooibaar geweest dat hij bijna was vergeten dat er achter die afwezige ogen een mens schuilging. Geen wonder dat ze zich verraden voelde. Geen wonder dat ze zich tegen hem had gekeerd.

Hij kon zien dat ze met de dag sterker naar Cailin toe trok. Sinds Alskain Mar. Hij kon echter niet toestaan dat de Rode Orde Lucia's hart veroverde. Ze waren nu al veel te invloedrijk en deelden de toewijding en doelbewustheid van de Libera Dramach nauwelijks. Ze hadden alleen oog voor hun eigen voordeel, hun eigen voortbestaan. En ze hadden geheimen. Cailin had Zaelis geen deelgenoot gemaakt van haar plannen met betrekking tot de invasie en had geweigerd een gezamenlijke strategie uit te zetten. Nu was ze verdwenen, op het moment dat hij haar het hardst nodig had.

Hij was bang om Lucia kwijt te raken, maar er was één ding waar hij nog banger voor was: dat hij haar aan Cailin zou kwijtraken.

Toch werd hij opnieuw gekweld door die ene vraag: van wie hou je meer, van je dochter of van de volgelingen die je voor haar hebt bijeengebracht?

Daar moest hij nog steeds aan denken toen hij op het looppad stapte en over de palissade naar het westen keek, maar wat hij daar zag, verdreef alle gedachten uit zijn hoofd en deed de kleur uit zijn gezicht wegtrekken.

De afwijkenden waren overal. Het was een reusachtige, zwarte horde die tot aan de palissade reikte, een angstaanjagende massa tanden, spieren en gepantserde huid die schreeuwde om bloed. Ze waren toegestroomd vanuit de doolhof van smalle tunnels en ravijnen die omlaag liepen naar het Kluwen en hadden zich op de palissade geworpen, waar ze werden afgeslacht. Zwarte rookkolommen stegen op van de plekken waar uiteengespatte kanonskogels de aanvallers tot as hadden verbrand. Ontploffingen verschroeiden het steen en gebroken lichamen werden alle kanten uit geslingerd als een ballista weer eens zijn doel had gevonden.

Onder aan de muur lagen honderden verpletterde lijken en er vielen er steeds meer bovenop, zodat er langzaamaan een berg van bloed, vlees en botten ontstond. De aanvallers richtten hun inspanningen op meerdere plaatsen tegelijk en probeerden een berg te creëren die zo hoog was dat ze over de muur konden klimmen. Hun koppige, suïcidale vastberadenheid was angstaanjagend, maar het ergste was dat ze niet te stuiten waren.

Naast Zaelis pakten vier mannen een ketel vol gesmolten metaal aan die vanaf de grond omhoog was gehesen en goten de inhoud op de wezens die zich onder aan de muur verdrongen, maar hun dierlijke gekrijs gaf slechts aan dat er weer een laag werd toegevoegd aan de glibberige hoop die al tot halverwege de palissade reikte.

'Steek ze in brand!' riep iemand. 'Ga olie halen en verbrand ze! Laat het vuur niet doven!'

Zaelis keek naar de man die met grote passen over het looppad langs de muur op hem afkwam. Yugi. Hij zat onder het vuil en bloed, en het haar achter de lap om zijn voorhoofd was warrig als altijd, maar hij grijnsde breed toen hij Zaelis zag en begroette hem warm. Hij stuurde een boodschapper langs de linie op de palissade om het bevel, dat afkomstig was van de generaal die de leiding had over de verdediging aan de westkant, te verspreiden. Toen nam hij Zaelis van top tot teen op.

'Hartbloed, je ziet er verschrikkelijk uit,' zei hij.

'Jij bent er niet veel beter aan toe,' kaatste Zaelis terug. Hij krabde aan zijn bebaarde hals, die jeukte van het zweet. 'Ik ben blij dat je

heelhuids achter de muur hebt weten te komen.'
'Zaelis, wat gebeurt er toch? Waar is de Rode Orde? We hebben hen nodig om de boel goed aan te sturen. Het duurt te lang om berichten van de ene plaats naar de andere te krijgen.'
'Dat weet ik, Yugi, dat weet ik,' zei Zaelis hulpeloos, en hij deed een stap opzij toen iemand met een gemompelde verontschuldiging langs hem heen drong. 'Maar je weet hoe ze zijn.'
Yugi knikte grimmig. 'Waar is Lucia?' vroeg hij.
'In een schuilplaats,' zei Zaelis. 'Met bewaking. Ze wilde niet weggaan. Meer kon ik niet doen.'
'Ze is je dochter!' Yugi was verbijsterd.
'Ik kon haar moeilijk dwingen,' antwoordde Zaelis. 'Ze is niet zoals andere kinderen.'
'Jawel, juist wel,' zei Yugi. 'Ze is veertien oogsten oud, en die monsters daar schreeuwen stuk voor stuk om haar bloed! Denk je soms dat ze niet bang is? Je mag hier helemaal niet zijn. Je moet bij haar blijven.'
Zaelis wilde tegenwerpingen maken, maar Yugi wilde er niets van weten. 'Breng me naar haar toe,' zei hij terwijl hij de oudere man bij zijn arm pakte.
'Jij moet hier blijven!' zei Zaelis.
'Als ze moet worden bewaakt, doe ik dat liever zelf.' Hij trok Zaelis met zich mee naar een ladder. 'Er lopen wevers rond, Zaelis. Als ik één ding heb geleerd van deze hele toestand, dan is het wel dat je niets lang voor hen verborgen kunt houden.'

Het was warm en donker in de kelder van Flens huis. Het beetje licht dat er was kwam door de kieren tussen de vloerplanken naar binnen: smalle strepen daglicht die naar binnen schenen en lijnen wierpen op de gezichten van de twee jonge mensen die zich daar schuilhielden.
Zoals in de meeste kelders in Saramyr was het er te droog voor vocht en schimmel, en hoewel het een eenvoudig vertrek was, werd het net zo keurig schoon en opgeruimd gehouden als de rest van het huis. Vaten en kisten waren netjes opgestapeld en vastgezet met netten van hennep. Flessen wijn lagen in hun rekken en in het schemerlicht waren de contouren ervan maar half zichtbaar.
Een vaste trap liep naar een luik in het plafond, dat een uur geleden achter hen was gesloten. Sindsdien hadden ze op vloermatjes tegen elkaar zitten fluisteren, af en toe een slokje genomen uit de kan bessensap die voor hen was neergezet en het in waspapier verpakte eten dat erbij lag genegeerd. Boven zich hoorden ze de krakende voet-

stappen van de lijfwachten die heen en weer liepen en soms het licht tegenhielden, zodat het leek alsof er een grote schaduw door de kelder schoof.

Ze hielden zich stil, wachtten af en luisterden naar het gedreun van kanonnen in de verte.

'Ik hoop dat hem niets overkomt,' zei Flen voor de zoveelste keer. Zijn gedachten kwamen steeds weer op hetzelfde uit als er een lange stilte viel.

Lucia vertoonde geen teken van ongeduld, maar ze gaf ook geen antwoord. Ze was al bang geweest dat hij er weer over zou beginnen. Een paar minuten geleden had ze het onplezierige gevoel gekregen dat Flens vader – het onderwerp van zijn bezorgdheid – was gedood. Ze kon het niet met zekerheid zeggen, maar het zou absoluut niet de eerste keer zijn dat haar intuïtie haar iets had verteld wat ze op geen enkele andere manier had kunnen weten. Misschien had ze het onbewust opgevangen uit het onontcijferbare gemurmel van de geestenstemmen die haar omringden, een flard met een half begrepen betekenis die net genoeg had onthuld. Ze had immers veel aan Flens vader zitten denken.

Flen keek naar haar op, want hij verwachtte dat ze hem zou geruststellen, maar dat kon ze niet. Verdriet welde op in zijn ogen. Ze aarzelde even, maar schoof toen dichter naar hem toe en sloeg haar armen om hem heen. Hij beantwoordde haar omhelzing en staarde over haar schouder naar de duisternis die hen omringde, en zo bleven ze een tijdje zitten op hun eilandje van schaars licht. De strepen zonlicht vanboven benadrukte de contouren van hun schouders en gezichten.

'Ze worden allemaal gedood,' fluisterde ze. 'En dat is mijn schuld.'

'Nee,' siste Flen nog voor ze was uitgesproken. 'Het is niet jouw schuld. Wat de wevers hebben gedaan is niet jouw schuld. Het is hún schuld dat jij met die talenten bent geboren. Het is hún schuld. Jij kunt er niets aan doen.'

'Ik heb het allemaal in gang gezet,' zei ze. 'Ik heb Purloch een lok van mijn haar gegeven. Ik heb hem terug naar de wevers laten gaan met het bewijs dat ik een afwijkende ben. Als ik dat niet had gedaan... zou moeder misschien nog leven... en zou nu ook niemand sterven...'

Flen drukte haar steviger tegen zich aan. De behoefte om haar te troosten deed hem zijn eigen zorgen vergeten. Hij streek over haar haar en zijn vingers gleden over de verbrande, bobbelige, gevoelloze huid onder aan haar nek.

'Het is niet jouw schuld,' herhaalde hij. 'Jij kunt er niets aan doen dat je zo bent.'

'Hoe ben ik dan?' vroeg ze, terwijl ze zich losmaakte uit zijn omhelzing. Bij ieder ander meisje zou hij hebben verwacht dat ze tranen in haar ogen had, maar haar blik was helder en vreemd. Ervoer ze spijt en schuldgevoel, net als andere mensen? Werd ze er echt verdrietig van? Of gaf ze zichzelf niet de schuld, zoals hij had gedacht, maar stelde ze gewoon een feit vast? Hij kende haar al zo lang, maar hij zou haar nooit echt begrijpen.

'Je hebt het zelf gezegd. Je bent een avatar.'

Lucia nam hem aandachtig op, maar gaf geen antwoord, dus legde hij het uit.

'Het is precies zoals jij zei,' zei hij. 'De goden willen Aricarat niet terug, maar ze willen zich er niet rechtstreeks mee bemoeien. Daarom hebben ze mensen zoals jij op de wereld gezet. Mensen die dingen kunnen veranderen. Weet je nog dat de Kinderen van de Manen je kwamen redden toen je door de shin-shins werd achtervolgd? Weet je nog dat Tane zijn leven voor je gaf, terwijl hij een priester van Enyu was en afwijkenden eigenlijk hoorde te haten?' Hij wrong zijn handen, want hij was er niet van overtuigd dat hij het allemaal goed verwoordde. Hij kon zich voorstellen dat Lucia niet aan Tanes offer wenste te worden herinnerd, maar hij hield zichzelf voor dat ze niet altijd reageerde zoals hij verwachtte. 'Hij moet hebben beseft dat zijn godin wilde dat je zou blijven leven, ook al druiste dat lijnrecht in tegen alles waar hij in geloofde, en wel omdat Aricarat het land vermoordt en de wevers Aricarat dienen. Hoewel je een afwijkende bent – nee, juist omdát je een afwijkende bent – vorm je een bedreiging voor de wevers. Daarom wilden de maanzusters ook dat je zou blijven leven: zodat je het tegen hun broer zou kunnen opnemen.'

Hij pakte ernstig haar handen vast terwijl hij haar probeerde duidelijk te maken wat voor hem zonneklaar was. 'Als jij niet zo was geboren, zou er geen Libera Dramach zijn. Dan zou er geen Saran zijn geweest en zouden we niets over Aricarat hebben geweten, totdat het te laat was. De goden zijn weliswaar al sinds de eerste wevers verschenen in dit gevecht verwikkeld geweest, maar pas nu weten we waarom we eigenlijk vechten.'

'Misschien,' gaf ze toe. Ze glimlachte vaag, maar er sprak geen vrolijkheid uit. 'Ik ben geen messias, Flen.'

'Dat heb ik ook niet gezegd,' antwoordde hij. 'Ik heb alleen gezegd dat je om een bepaalde reden op de wereld bent gezet. Ook al weten we nog niet precies wat die reden is.'

Ze leek op het punt te staan iets te zeggen en haar lippen vormden al de woorden van haar antwoord, toen haar uitdrukking opeens veranderde. Ze gebaarde met gekromde vinger scherp dat hij stil moest zijn en haar ogen sperden zich open. Op hetzelfde moment klonk boven hen een zucht en een bons. Flen keek op, maar kromp knipperend met zijn ogen in elkaar toen er tussen de kieren van de vloerplanken door iets op zijn wang drupte. Hij veegde het werktuiglijk van zijn gezicht en maakte een zacht, angstig geluidje toen hij zag dat er bloed aan zijn vingertoppen kleefde.

'Wevers,' fluisterde Lucia.

Er klonk boven nog een bons, en toen nog een paar. Het geluid van lijfwachten die op de grond vielen. Flen had geen idee hoe de wevers hier waren gekomen. Wat voor afschuwelijke listen hadden ze gebruikt om tot in het hart van de Gemeenschap binnen te dringen, terwijl de afwijkenden de muren bestormden? Hadden ze de geesten van de soldaten gemanipuleerd, zodat ze er in hun ogen anders uitzagen? Hadden ze openlijk door de straten van de Gemeenschap kunnen lopen, gehuld in een mantel van illusie? Wie kon zeggen wat de wevers allemaal konden, wat ze al die eeuwen in het geheim hadden geoefend, wat hun ontwakende god hun allemaal had geleerd? Het had echter geen zin om daarnaar te gissen. Ze waren er nu en ze wilden Lucia.

'Wees niet bang,' zei hij tegen haar, hoewel hij veel banger was dan zij. Ze kropen weg tegen de muur tegenover de trap, waar ze gevangenzaten in een traliewerk van licht en aan alle kanten werden omringd door warmte en duisternis.

Boven aan de trap verscheen een rechthoekig lichtvlak, en tegen het oogverblindende daglicht staken drie silhouetten af. Stofdeeltjes zweefden in de zonnestralen die langs hen heen drongen, maar zelf waren ze zwarte schaduwen met rafelige randen.

'Lucia...' fluisterde er een schor.

Ze stond op. Flen volgde haar voorbeeld. Hij probeerde een uitdagende houding aan te nemen, maar het resultaat was lachwekkend, want hij was zo bang dat hij nauwelijks op zijn benen kon staan.

De wevers kwamen langzaam en onhandig de trap af, want hun door reuma en gezwellen geplaagde lichamen waren zwak. Naarmate ze het licht verder achter zich lieten en de duisternis binnentraden, kon ze ze beter zien: drie maskers, een van gekleurde veren, een van snippers boombast en een van uitgehamerd goud.

'Ik ben Lucia tu Erinima,' zei ze met zachte, maar vaste stem. 'Ik ben degene die jullie zoeken.'

'Dat weten we,' zei een van de wevers. Ze kon niet vaststellen welke. Ze hadden nu de voet van de trap bereikt. Flen keek schichtig om zich heen naar de donkere kelder, alsof hij zocht naar een uitweg. Hij stond nu bijna te snikken van angst. Lucia leek wel een standbeeld.

De wever met het verenmasker hief een witte, met zweren bedekte hand en stak een lange vingernagel naar Lucia uit.

'Je laatste uur heeft geslagen, afwijkende,' fluisterde hij.

Het dreigement werd echter niet uitgevoerd. Als één man deinsden de wevers krijsend terug en keerden Lucia en Flen met een ruk hun rug toe. De kinderen liepen voetje voor voetje bij de kronkelende, schokkende wezens vandaan, die gekweld gilden terwijl hun ledematen verkrampten. Er klonk een misselijkmakend gekraak toen de arm van een van de wevers brak en het bot tegen zijn mantel van lapwerk drukte. Kort daarop braken zijn beide benen: zijn knieën werden met afschuwelijke kracht naar achteren gedrukt en hij viel krijsend op de grond. Een van de anderen lag op zijn zij en boog langzaam maar zeker achterover, alsof onzichtbare handen hem wilden dubbelvouwen. Hij schreeuwde het uit terwijl zijn ruggenwervels een voor een tegen elkaar aan werden gedrukt, totdat zijn wervelkolom het begaf. De wevers schokten en kronkelden toen het ene na het andere bot in hun lichaam brak en ze keer op keer aan martelende pijn werden blootgesteld. Bloed sijpelde onder hun maskers vandaan en ze bevuilden zichzelf, maar ze bleven krijsen, ze bleven leven. Het duurde een hele tijd voordat het voorbij was, en tegen die tijd waren ze niet eens meer als menselijke wezens herkenbaar, maar waren er nog slechts bloederige hoopjes botten en vlees over onder hun mantels en maskers, die gelukkig veel verhulden.

Flen had zich vol afschuw afgewend en was ineengedoken met zijn handen over zijn oren in een hoekje weggekropen. Lucia had onaangedaan naar het tafereel staan kijken.

Cailin stapte in de lichtstraal die door het luik naar binnen scheen en de ogen in haar beschilderde gezicht waren bloedrood. Ook de andere zusters kwamen uit hun schuilplaats tevoorschijn. Ze waren in totaal met zijn tienen, en allemaal hadden ze dezelfde rood met zwarte driehoekjes rond hun lippen, dezelfde rode halvemanen op hun oogleden en wangen. Allemaal droegen ze hetzelfde soort zwarte gewaad dat bij de Orde hoorde.

Cailin keek neer op Lucia en de uitdrukking op haar gezicht, dat half in schaduwen was gehuld maar waarvan de contouren door het felle daglicht scherp werden benadrukt, was niet te onderscheiden.

'Goed gedaan, Lucia,' zei ze.

Lucia gaf geen antwoord.

De wevers waren in de val gelopen toen ze op Lucia's aanwezigheid in het weefsel af waren gekomen. Als ze hadden geweten wat wijlen de Weefheer Vyrrch had geweten, zouden ze hebben beseft dat Lucia gewoonlijk niet waarneembaar was, dat haar krachten zo subtiel waren dat ze ze tijdens hun tochten door de eindeloze gouden draden niet konden opvangen. Met behulp van de zusters had ze zich aan hen getoond. De verleiding was onweerstaanbaar gebleken. De zusters waren nu opgetogen en keken elkaar trots aan. Cailin was de enige van hen die het eerder tegen een wever had opgenomen. Nu hadden ze allemaal hun bloeddoop achter de rug. De oneindig korte worsteling in het weefsel, die erop was uitgelopen dat ze de lichamen van de wevers waren binnengedrongen en hun botten als houtjes hadden doen knappen, was in hun tijdsbeleving een lange, uitputtende strijd geweest. Wat voor Flen en Lucia slechts een oogwenk was geweest, had voor hen een eeuwigheid geleken. Ondanks hun grote meerderheid was het geenszins een ongelijke strijd gebleken. Toch hadden ze het er allemaal zonder kleerscheuren vanaf gebracht, en de verbrijzelde lichamen aan hun voeten bewezen dat ze in staat waren het tegen deze wezens op te nemen en nog te winnen ook.

Lucia stond te luisteren naar de schorre, onrustige gedachten van de raven in de verte. Ze had ze weggestuurd, zodat ze haar verblijfplaats met hun aanwezigheid niet zouden verraden en de wevers niet zouden afschrikken, maar nu waren ze gek van bezorgdheid over wat er kon zijn gebeurd. In dit geval was ze gedwongen geweest hun een rechtstreeks bevel te geven, iets wat ze zelden deed. Ze stuurde een golf van geruststelling naar hen toe en hun verwarring verdween als sneeuw voor de zon.

'Jullie hebben het allemaal goed gedaan,' zei Cailin iets harder, zodat ook de zusters haar konden horen. 'Maar dit was nog niet jullie grootste beproeving. We hebben kunnen voorkomen dat ze de andere wevers waarschuwden, wat betekent dat we in elk geval voorlopig nog van het verrassingselement kunnen gebruikmaken. Laten we ons voordeel niet verspillen. Nu begint de echte strijd!'

De zusters prevelden goedkeurend, liepen de trap op en stapten door het luik naar buiten. Boven zich hoorde Lucia rennende voetstappen en stemmen.

'Daar zijn Zaelis en Yugi,' zei Cailin. Ze wierp een blik op Flen, die nog steeds angstig in een hoekje zat, overweldigd door de afschuwelijke dood van de wevers.

'Ik ben je vanuit de grond van mijn hart dankbaar, Cailin,' zei Lucia, en ze klonk ouder dan haar veertien oogsten. 'Je hoefde niet te blijven om voor de Libera Dramach te vechten.'

Cailin schudde langzaam haar hoofd en boog naar Lucia toe, die inmiddels niet veel kleiner was dan zij. 'Ik vecht voor jou, kind,' zei ze, en met die woorden gaf ze Lucia een kus op haar wang, een teder gebaar dat volkomen in tegenspraak was met haar karakter. Toen rechtte ze haar rug en liep statig de trap op.

Buiten Lucia's blikveld werden enkele woorden gewisseld, en toen verschenen Zaelis en Yugi, die steeds langzamer gingen lopen toen ze de trap afkwamen en vol ontzetting naar de overblijfselen van de wevers keken.

'Je bent te laat, vader,' zei Lucia kil.

Hij kreeg niet de kans om daarop te antwoorden, want op dat moment klonk voor de tweede keer die dag het treurige gejammer van de windalarmen. De adem die hij voor zijn antwoord had willen gebruiken, kwam er als een verwensing uit.

De muur was gevallen. De afwijkenden waren de Gemeenschap binnengedrongen.

◎ 33 ◎

Kaiku en Tsata waren al uren verdwaald toen ze op de wormenkwekerij stuitten.
De mijn onder de uiterwaard was groter dan ze ooit hadden kunnen dromen. Het was een doolhof van tunnels en grotten die met de
reusachtige centrale schacht waren verbonden, en die op willekeurige plaatsen bochten maakten, splitsten en weer samenkwamen.
Sommige delen waren in onbruik geraakt of waren zo te zien nooit
bewoond of gebruikt, maar andere delen waren volgestopt met voorraden, gereedschappen en allerlei mijnwerktuigen. Toch was er nergens in de buurt iets wat kon worden gedolven. Ze hadden explosieven gestolen uit de voorraadkamers, en explosieven waren er
genoeg. Ze waren gevaarlijk hoog opgestapeld en verder werd er niet
meer naar omgekeken, zodat overal brandbare stoffen uit sijpelden.
Ze hadden wel verwacht dat ze uiteindelijk explosieven zouden vinden – daar hadden ze zelfs een beetje op gerekend, want dat was de
enige manier die ze konden bedenken om een heksensteen te vernietigen – maar niet dat ze in zo slechte staat zouden verkeren. Eén
vonkje in een van die grotten en de halve mijn zou instorten. Kaiku
moest er niet aan denken dat het zou gebeuren terwijl zij er nog waren. Voorzichtig wikkelden ze wat ze nodig hadden in lappen en
stopten het weg in een zak die Tsata had meegenomen.
Af en toe zagen ze golneri's, maar de kleine mensjes negeerden hen
altijd en gingen gewoon verder met waar ze mee bezig waren. Ze
vonden ook een paar afschuwelijk verminkte dode golneri's, slachtoffers van de lusten van de wevers. Naarmate ze verder in de duisternis van de krakende, dampende mijn afdaalden, zagen ze steeds
meer tekenen die op de aanwezigheid van wevers wezen. Er waren
vreemde beelden uit het steen gebeiteld, voortbrengsels van een

krankzinnige geest waar Kaiku zich niets bij kon voorstellen. Tunnels waren beklad met schrifttekens in allerlei talen, maar ook met tekens die helemaal niets leken te betekenen, onzinnige vegen waarin ze af en toe, met een koude rilling, ineens een begrijpelijke flard kon onderscheiden die wees op duistere, waanzinnige mijmeringen. In een van de grotten die haar het meest verontrustte, hingen tientallen golnerivrouwen aan hun enkels aan een stelsel van katrollen, touwen en ringen. Hun keel was doorgesneden en hun bloed bedekte de grond met een schilferig bruin patijn. Kaiku bedacht dat de golneri's niet alleen elke keer als ze deze grot passeerden met de slachting werden geconfronteerd, maar bovendien het complexe touwenstelsel zelf moesten hebben gemaakt. Alsof je een gevangene zijn eigen strop liet knopen. Ze vroeg zich opnieuw af hoe de golneri's vroeger waren geweest en waardoor hun trots zo was geknakt dat ze achteloos dergelijke gruwelen konden verdragen.

Niet lang daarna stuitten ze voor het eerst op een wever.

Kaiku kon hem al voelen voordat ze hem zag. Hij zat te weven, alleen niet op een voor haar herkenbare, structurele wijze. Zijn bewustzijn wapperde als een vaandel aan de reling van een schip. Het ene uiteinde zat stevig vast, maar het andere, gerafelde uiteinde golfde mee met het weefsel. Later hoorden ze zijn gemompel en gegil, een ijl, schril geluid dat door de tunnels naar hen toe leek te zweven. Hoewel Kaiku vermoedde dat het niet nodig was, keerden ze op hun schreden terug om hem te ontwijken. Ze had dat soort wevers ook in het Lakmar-klooster gezien. Ze waren hun verstand verloren, versleten als het was door het jarenlange gebruik van een masker, en dwaalden doelloos rond terwijl hun gedachten vrij door de gelukzaligheid van het weefsel zwalkten en nog slechts met een dun, wreed draadje geestelijke gezondheid aan hun lichaam vastzaten.

Kaiku was ervan overtuigd dat het buiten al licht was. Maar aangezien ze nu diep onder de grond zaten, kon ze het niet controleren. Hoe verder ze afdaalden, hoe meer raadsels ze tegenkwamen. Grote ruimten met stomende apparaten die ratelden en pompten. Enorme, zwarte ovens die de grotten vulden met een rode gloed. Golneri's met vuile, bezwete gezichten die af en aan draafden om kolen op het vuur te gooien. Het lawaai was oorverdovend, weerzinwekkend, en Tsata en Kaiku legden hun handen over hun oren en maakten zich uit de voeten. Ze kwamen langs immense paternosterliften die hoog boven hen in de duisternis leken te verdwijnen, met water dat over de randen van de schepbakken klotste en in de eindeloze afgrond viel. Aan de muren van de grotere grotten en aan metalen stijlen hingen toortsen met ontvlambaar gas, die dreigend naar hen leken te grommen terwijl ze rokende vlammen uitbraakten. Af en toe zagen ze mijnwerkzaamheden: golneri's die op metalen steigers in het steen stonden te hakken en beitelen. Kettingen ratelden en katrollen piepten terwijl de lading langs de steigers werd vervoerd, omlaag werd gelaten of in stortkokers werd gegooid. Steenkool om de ovens mee op te stoken. Maar waar waren de ovens voor?

Kaiku had zich meermalen afgevraagd waarom zo'n uitgestrekte mijn zo verlaten was, maar uiteindelijk had ze beredeneerd dat het geen klooster of bolwerk was. De wevers wilden maar één ding in deze mijn: de heksensteen. En die lag heel diep onder de grond. Er waren gewoon te veel grotten, verbonden door mijlenlange natuurlijke tunnels, om ze allemaal te kunnen gebruiken. Ze moesten de grote hoeveelheden voedsel opslaan die ze voor hun staande leger nodig hadden, ze moesten de golneri's, de wevers en de nexussen huisvesten, ze moesten brandstof voor de ovens delven en alle machines en apparaten ergens onderbrengen, maar zelfs daarvoor hadden ze slechts een fractie van het ondergrondse netwerk nodig. Bovendien was er bijna niemand meer nu de legers naar het noorden en het oosten waren getrokken.

Eén vraag had ze echter nog niet kunnen beantwoorden: waar kwamen alle nexuswormen vandaan? Het antwoord vond ze in de wormenkwekerij.

Ze kwamen in de grot op een donkere, metalen galerij uit die eigenlijk niet meer was dan een roestig looppad dat aan de wand was vastgeklonken en een brug vormde tussen twee rotsspleten. Het plafond van de grot was laag en breed. Hij werd verlicht door gastoortsen op palen, die door middel van kronkelende metalen koorden met elkaar waren verbonden. De indringers lieten zich op hun hurken zakken en keken naar het tafereel dat zich voor hen ontvouwde. Een zacht, oranjegeel licht benadrukte de rondingen van hun wangen en de contouren van hun armen.

De bodem van de grot was bedekt met zwarte, wriemelende dingen, en de onophoudelijke beweging ging gepaard met een misselijkmakend geluid alsof honderden mensen hun natte, ingezeepte handen stonden te wringen. Nexuswormen. Ontelbare duizenden nexuswormen. Aarden wallen sneden met dat voor de wevers zo typische gebrek aan orde en regelmaat door de massa, en daarover liepen tientallen golneri's die af en toe midden in het gedrang van slijmerige lijfjes sprongen om een soort poederachtig voedsel voor de wormen uit te strooien of emmers water over ze heen te gieten. De golneri's waren echter niet de enigen die over de wallen liepen. Er waren ook nexussen, die werden vergezeld door soepel lopende schellers.

De monsters kwinkeleerden en zongen zachtjes terwijl ze hun meesters als hondjes aan de voet volgden. De vlammende palen wierpen een glinstering op de vochtige ruggen van de wormen: duizenden halvemaantjes, zodat het leek alsof de ondergaande zon op een zee van olie scheen.

'Goden...' fluisterde Kaiku gebiologeerd.

Toen ze een tijdje hadden zitten kijken, beseften ze dat er niet alleen nexuswormen op de grond lagen. Afgaand op wat ze hadden gezien bij de afwijkenden die ze hadden gedood, hadden Tsata en Kaiku vastgesteld dat de wormen glad waren en verder geen zichtbare kenmerken hadden, afgezien van een ronde, tandeloze mond om zich te voeden – met kleine bultjes langs de randen – aan de ene kant en een opening voor ontlasting aan de andere. De wezens scheidden een soort zuur speeksel uit waardoor ze zich in de huid van hun slachtoffer konden ingraven, waarna ze zich vastzetten met behulp van honderden ragfijne draden die uit de bultjes rond hun mond kwamen. Dat had Tsata ontdekt toen hij een dode worm wilde lostrekken van zijn gastheer: het wezen had met een dikke tros fijne draadjes stevig vastgezeten. In Saramyr was bij lange na niet genoeg kennis aanwezig om te kunnen begrijpen wat ze deden nadat ze zich hadden ingegraven, maar het resultaat was duidelijk: ze onderwierpen hun gastheer aan hun wil, en zelf werden ze op hun beurt gestuurd door iets anders: de nexussen.

Nu zagen ze echter ook andersoortige wezens. Er waren enkele platte, smalle beesten met korte staarten. Boven hen wuifden als een duistere wolk vele ragfijne tentakels, die af en toe naar beneden kwamen om de wormen die zich om hen heen verdrongen te strelen. Ze waren ongeveer zo lang en breed als de onderarm van een volwassen man en de wormen gedroegen zich als biggen rond een zeug: ze kronkelden over elkaar heen in hun pogingen dichterbij te komen. Er was ook een derde soort die veel groter was dan de andere twee: wezens die leken op naaktslakken, maar dan twee of drie voet hoog, met giforanje, vlekkerige strepen op hun glinsterende zwarte huid. Ze leken voor het grootste deel te bestaan uit enorme, rubberachtige muilen omringd door een sluitspier, zodat ze nog het meest leken op zakken die je met een koord kon dichttrekken. Sommige waren groot en moddervet, maar andere zagen er verschrompeld en ondervoed uit. Tsata zag dat de platte, smalle wezens wel de muilen van de vette wezens in en uit glibberden, maar de magere soort links lieten liggen. Ze kropen helemaal naar binnen, drongen diep door tot in de ingewanden – of wat ervoor moest doorgaan – en werden later samen met een stroom dampende gal weer uitgespuugd. Er viel

Kaiku ook iets anders op: een van de dunste slakachtigen boerde een kronkelende berg wormpjes zo klein als maden uit, die meteen in hun eigen sappen begonnen te wriemelen en vervolgens op het poederachtige voer afgingen dat de golneri's hadden uitgestrooid.

Ze bleven een hele tijd in het donker op dat looppad zitten kijken, maar toen zei Tsata: 'Ik heb het. Drie geslachten.'

Kaiku keek hem vragend aan.

'In Okhamba hebben we iets vergelijkbaars,' legde hij uit. 'Kijk maar wat er gebeurt. De nexuswormen zijn de mannetjes. Ze verdringen zich om de vrouwtjes te bevruchten – dat zijn die langere wezens. Het derde geslacht is in feite niet meer dan een baarmoeder. De vrouwtjes kruipen door de mond naar binnen en leggen daar hun bevruchte eitjes. De eitjes komen uit en voeden zich met wat de baarmoeder hun biedt. Die vette wezens hebben enorme voorraden, en naarmate de zwangerschap vordert en hun reserves opraken, worden ze dunner. Als de larven voldragen zijn, worden ze uitgebraakt en groeien ze uit tot volwassen dieren van een van de drie geslachten. Zo gaat de cyclus verder.'

Kaiku knipperde met haar ogen. Ze had in Saramyr nog nooit gehoord van een diersoort met drie geslachten. Aan de andere kant, zo hielp ze zichzelf herinneren, kwamen deze wezens waarschijnlijk ook uit Saramyr. Een onontdekte diersoort misschien, die onder invloed van de heksenstenen op deze manier opnieuw gestalte had gekregen? Of waren ze er altijd al geweest, verborgen in de uitgestrekte, onontdekte gebieden in de bergen, waar ze tientallen, misschien zelfs honderden jaren geleden door de wevers waren ontdekt en vervolgens toegepast?

'Ik vermoed dat de vrouwtjes met de mannetjes verbonden zijn,' zei Tsata. 'Een soort bijenkorf met vele koninginnen en een groepsbewustzijn. De mannetjes zijn dan een soort darren.'

Meer hoefde Kaiku niet te weten. Ze kon zich voorstellen hoe de wezens te werk gingen: de mannetjes beslopen in het wild slapende dieren of afwijkenden, groeven zich in, onderwierpen hun slachtoffer en maakten ze tot hun slaven. De mannetjes en die baarmoederdingen leken vrij stompzinnig, maar de vrouwtjes waren zo te zien veel intelligenter. De mannetjes dienden er slechts voor om een verbinding met de vrouwtjes tot stand te brengen, maar de vrouwtjes stuurden het onderworpen dier. Was er een betere manier denkbaar om je nest te beschermen dan door relatief reusachtige, vervangbare slaven als schildwacht te gebruiken? Of een betere manier om voedsel te vergaren, aangezien de nexuswormen zelf in lichamelijk opzicht hulpeloos waren?

Uiteindelijk waren het echter de nexussen die de mannetjes aanstuurden. Hoe was dat mogelijk? In elk geval niet via het weefsel. Het was van het grootste belang dat ze daarachter kwamen, anders zouden ze er nooit in slagen de verbinding te verstoren.

Alle gedachten verdwenen uit Kaiku's hoofd toen er op de bodem van de grot een zangerig gegil klonk, dat steeds hoger werd, totdat het pijn deed aan de oren. Even later voegde een tweede stem zich erbij, en een derde. De schellers keken allemaal naar de plaats waar Kaiku en Tsata zaten, en nu hadden de nexussen hun uitdrukkingsloze gezichten ook die kant op gedraaid.

'Ze hebben ons gezien!' siste Kaiku, en pas toen herinnerde ze zich dat de schellers helemaal niet hoefden te kunnen zien, dat duisternis voor hun sonische navigatiesysteem geen enkel obstakel vormde.

'Tijd om elders te zijn,' mompelde Tsata, en ze gingen ervandoor.

Misschien gaf het feit dat ze er allebei voor kozen om verder te rennen in plaats van terug te gaan wel aan hoe vastberaden ze waren: ze kozen voor onbekend terrein, niet voor de grotten die ze al waren gepasseerd. Ze renden over het looppad, dat rinkelde onder hun voeten, en schoten aan de andere kant de tunnel in. Het gejammer van de schellers kwam nu van alle kanten. Het alarm verspreidde zich.

'Houd vast,' zei Tsata, en hij duwde de kleine zak vol explosieven in Kaiku's armen. Ze slaakte een verschrikte kreet omdat hij er zo ruw mee omging.

Ze renden door een kale, onopvallende tunnel die hier en daar met behulp van toortsen aan de wanden werd verlicht, maar de meeste waren uitgegaan. De gastoortsen werden alleen gebruikt in grote grotten en in ruimtes waar het licht van gewone toortsen niet voldoende zou zijn. De toortsen wierpen flakkerende schaduwen op de ruwe, ronde wanden van de tunnel, waar heel vroeger bij een aardbeving waarschijnlijk magma doorheen had gestroomd. Tsata rende voor Kaiku uit en ze zag dat hij zijn beide slachthaken had getrokken. Goden, had ze haar geweer maar bij zich. Ze had alleen maar een zwaard, dat ze bedroevend slecht kon hanteren. Dat en haar kana, maar als ze die gebruikte, zou elke wever in de mijn op hen afkomen.

De scheller kwam met een sprong uit het niets op Tsata af toen die rechtsaf een bocht om rende die de rest van de tunnel aan hun blikveld onttrok. Tsata's reflexen waren echter aangescherpt door het leven in het oerwoud, waar je vaak veel minder duidelijk werd gewaarschuwd voordat de dood je overviel. Hij liet zich vallen, rolde onder de poten van de scheller door en zijn messen sneden door de ongepantserde buik van het monster en reten hem van zijn keel tot aan zijn staartbeen open. Hij viel in een poel van zijn eigen ingewanden aan Kaiku's voeten op de grond en klauwde in zijn doodsstrijd hulpeloos naar de grond.

De scheller was echter niet alleen geweest. Er kwamen er nog twee aangerend, vergezeld door een nexus. Kaiku voelde een trage rilling over haar rug lopen toen ze naar het wezen keek, dat zeven voet lang en graatmager was en was gehuld in een zwarte mantel met een kap. Het gladde masker verborg het helemaal. Ze zette de zak met explosieven neer en trok haar zwaard.

'Blijf uit de buurt,' zei Tsata zonder zijn ogen van de vijand af te wenden. Hij had zich iets door zijn knieën laten zakken, klaar om aan te vallen. 'Jij kunt hier niets doen.'

Hij had gelijk, maar toch vond ze het vreselijk dat hij het zonder haar moest opnemen tegen drie vijanden, en het verbaasde haar hoe hevig haar prangende angst en schuldgevoel waren. Onbewust bereidde ze haar kana al voor. Wat het ook zou kosten, ze zou hem niet door die wezens laten doden.

De twee schellers vielen hem tegelijk aan, soepel als jachtluipaarden. Een ervan verhief zich op zijn achterpoten om met de sikkelachtige klauwen van zijn voorpoten toe te slaan. Tsata gebruikte dat moment echter om snel buiten zijn bereik te komen en de tweede scheller aan te vallen, die met zijn kaken vol vlijmscherpe tanden naar zijn buik hapte. Hij wist de beet maar ternauwernood te ontwijken, en de gladde, beenachtige kam op de kop van het wezen stootte tegen zijn dij, zodat zijn mes afketste op de rugschubben in plaats van in het zachte plekje in de keel vlak bij de langwerpige schedel te verdwijnen. De eerste scheller haalde uit met zijn andere klauw, maar leunde daarbij te ver naar voren. Tsata gromde toen de klauw in zijn arm sneed, maar hij draaide naar binnen en dreef zijn slachthaak in de borst van het steigerende beest. Zijn weeklagende doodskreet was oorverdovend en leek de andere scheller in verwarring te brengen, want die bleef opeens doodstil staan toen zijn geluidsgevoelige klieren overladen werden. De eerste scheller had de grond nauwelijks geraakt of Tsata had zijn beide slachthaken al in de nek van het tweede wezen gestoken en dwars door de nexusworm heen gesneden die zich daar vastklampte. De afwijkende huiverde en viel slap op de grond, omlaag getrokken door Tsata's gewicht.

Kaiku had de Tkiurathi de afgelopen weken vaak genoeg zien vechten, maar zijn dodelijke gratie bleef haar verbazen. Nu keek hij de nexus over de lijken van diens schellers aan. Uit zijn blote linkerarm

sijpelde bloed over de goudgele, getatoeëerde huid van zijn onderarm, en vanaf zijn pols drupte het omlaag.
Er volgde een korte aarzeling. De nexus was een onbekende factor. Ze hadden geen idee waartoe hij in staat was.
Tsata maakte een korte, felle beweging met zijn goede arm en zijn slachthaak scheerde door de lucht. Misschien was de nexus niet snel genoeg om uit de weg te kunnen springen of misschien verkoos hij gewoon dat niet te doen. Hoe dan ook, het wapen begroef zich met een misselijkmakende klap in zijn lijf, en zijn knieën begaven het. Geluidloos zeeg hij op de vloer.
De Tkiurathi verspilde geen tijd. De kreten van de andere schellers kwamen dichterbij. Hij trok de slachthaak al uit de nexus toen Kaiku op hem afrende.
'Je bloedt,' zei ze.
Tsata schonk haar een van zijn onverwachte glimlachjes. 'Dat was mij ook al opgevallen,' antwoordde hij. Toen bukte hij en trok het masker van het gezicht van de nexus. Kaiku snakte naar adem toen ze zag wat eronder verborgen was.
Het gezicht was lijkbleek, zag er door de vele dunne, paarse haarvaatjes uit alsof het gebarsten was en was zo uitdrukkingsloos als het masker dat Tsata had weggegooid. De mond was een dunne, tandeloze spleet die half openhing. De ogen waren groot en helemaal zwart, en Kaiku zag haar eigen spiegelbeeld toen ze er vol afschuw in keek.
Toch was het duidelijk het gezicht van een kind.
Onder de geaderde huid liepen over het voorhoofd en de ingevallen wangen vele dunne tentakels, die uitkwamen bij de lippen, oren, ogen en keel: tientallen bolle lijnen die langs de contouren van de schedel uitwaaierden.
Tsata tilde het hoofd van de nexus op en trok de kap van zijn mantel naar achteren. Begraven in het vlees van de scalp, verzonken in de huid, zat een nexuswormvrouwtje, een glinsterend, zwart, ruitvormig wezen. De staart liep langs de nek omlaag en verdween tussen de schouderbladen, waar hij in de ruggengraat was gestoken.
'Nu weten we het,' zei Tsata.
Kaiku stopte haar zwaard in de schede en ging op haar hurken naast het gevallen wezen zitten, zo ontzet over wat ze zag dat ze het nauwelijks kon bevatten. De nexussen waren menselijke symbioten wier wilskracht was gekoppeld aan die van de nexuswormvrouwtjes die hun lichaam deelden. De vrouwtjes stuurden de mannetjes aan, die op hun beurt de afwijkenden beheersten. De wevers waren in de bergen waarschijnlijk jarenlang bezig geweest met het vangen van roof-

434

dieren voor hun leger. Misschien hadden ze de dieren met hun maskers verdoofd voordat ze de wormen hadden aangebracht. Beschaafde mensen hadden nooit voor de wevers willen vechten, dus moesten ze een troepenmacht opbouwen uit roofdieren, monsters die waren voortgekomen uit de smet die de wevers zelf hadden veroorzaakt. En met de nexussen stuurden ze dat leger.

Maar waarom kinderen? Waarom gebruikten ze kinderen voor de vrouwtjeswormen? Was dat de enige manier om de noodzakelijke samensmelting te bewerkstelligen: door de vrouwtjes al in een vroeg stadium aan te brengen? Verklaarde dat de bizarre ontwikkeling die de kinderen hadden doorgemaakt?

Kaiku klemde met tranen in haar ogen haar kaken op elkaar.

Het kind had geen tong. Er was alleen nog een stompje van over. Dit deden ze met kinderen.

Tsata pakte haar bij de arm. 'Er is geen tijd om om hen te treuren, Kaiku,' zei hij. Hij trok haar overeind en gaf haar de zak met explosieven.

Ze renden weer verder. De kreten van de schellers kwamen nu zowel van voor als van achter. De tunnel kwam uit op een driesprong die bezaaid was met afgedankte metalen onderdelen van een of ander half afgebouwd apparaat. Tsata aarzelde niet, koos een tunnel en rende erin, zonder enige aandacht te besteden aan de wond in zijn arm, waar nog steeds bloed uit sijpelde. Uit de nieuwe tunnel, die oneffen en ruw was, kwam niet zoveel lawaai. Alles wees erop dat hij weinig werd gebruikt en dat betekende dat het onwaarschijnlijk was dat iets of iemand hen daar tegemoet zou komen. De toortsen werden steeds schaarser, dus griste Tsata er een van de muur en nam die mee. Kaiku ging iets verder achter hem lopen, want ze wilde de vlam niet te dicht bij haar gevaarlijke last in de buurt laten komen.

Het gevoel dat er ergens wevers actief waren sloeg als een statische golf over haar heen: een duistere, kwaadaardige aanwezigheid kamde de mijn uit. Iemand was naar hen op zoek. Kaiku maakte hen zorgvuldig onzichtbaar voor de zoekende wever door hun aanwezigheid met het weefsel te laten samensmelten. Dat was een van de eerste dingen die Cailin haar had geleerd toen ze haar krachten onder controle had gekregen, en hoewel ze geen beste leerling was geweest, was ze er na vijf jaar oefenen erg goed in geworden. De aandacht van de wever schoot als een prikkeling over hen heen en verdween in de doolhof van tunnels en grotten. Kaiku liet haar voorzichtigheid niet varen. Nu wist ze dat er minstens één wever was die nog genoeg bij zijn verstand was om gevaar op te leveren.

Ze keek achterom. De geluiden van de achtervolgers echoden nu door het deel van de tunnel na de driesprong. Ze geloofde niet dat de schellers goede speurders waren, maar er waren in deze tunnels maar weinig schuilplaatsen en Tsata moest ergens rusten zodat hij zijn wond kon verzorgen. Er kwam een zorgwekkende hoeveelheid bloed uit, dat een heel duidelijk spoor achterliet.

Ze begon bang te worden. De demonen die ze in het moeras had verslagen, de genezing van Yugi, de weken waarin ze met Tsata op jacht was geweest, dat alles had ertoe geleid dat ze zich een beetje onkwetsbaar was gaan voelen. Ze had een grotere beheersing over haar krachten en zichzelf gekregen, en meer vertrouwen in haar keuzes. Nu werd ze zich echter opeens van hun situatie bewust, en het drong tot haar door dat ze midden in een weverhol zaten, omringd door vijanden, en dat ze er misschien nooit meer uit zouden komen. Haar kana was zo goed als nutteloos omdat ze het niet tegen een wever durfde op te nemen en Tsata, die toch een bekwaam strijder was, verliet zich vaak op het verrassingselement om het gevecht te winnen. Hij mocht dan drie schellers en een nexus hebben gedood, het was kantje boord geweest en hoewel hij nooit zou klagen, was hij ernstig gewond.

Ocha, wat heb ik mezelf op de hals gehaald? Had ik naar Cailin terug moeten gaan toen ik de kans had?

Die gedachte deed haar echter alleen maar denken aan wat zich op dat moment wellicht in de Gemeenschap afspeelde, en voor haar geestesoog verschenen schrikbeelden van slachtpartijen en angst.

Ze zette haar twijfels van zich af. Het was nu te laat voor spijt en bedenkingen.

Tsata bleef opeens staan. Kaiku kwam bij hem staan en haar steeds roder wordende ogen dwaalden nerveus af naar de toorts in zijn hand. 'Daarbeneden,' zei hij wijzend. Vlak boven de grond zat een spleet in de rotsen en er bewoog iets doorheen wat de gloed van zijn toorts als wervelende vuurvliegjes weerkaatste. Het duurde even voordat Kaiku besefte dat het water was.

Ze aarzelde toen ze zag hoe smal de spleet was, want ze had een onredelijke angst voor kleine ruimtes, maar toen klonk achter hen het gezang van hun achtervolgers, dichterbij dan ooit, en dat maakte de keuze gemakkelijker. Ze liet de zak met explosieven liggen en liet zich met haar voeten naar voren door de spleet glijden. Het was te donker om te kunnen zien waar die uitkwam, maar het water gaf een beetje aan waar de grond zou moeten zijn. Ze schoof zo ver als ze kon door de spleet heen, totdat haar benen over de rand bungelden, en liet zich toen vallen.

Tijdens haar korte val voelde ze een felle pijn toen iets haar onder-rug openhaalde, en vlak daarna kwam ze met een dreun die haar knieën deed knikken op de grond terecht. Het water was hooguit een duim diep.

'Kaiku?' klonk Tsata's stem boven haar.

Ze legde haar hand op haar rug en voelde nattigheid.

'Het is veilig,' zei ze. 'Maak de toorts uit. En kijk uit voor de rotsen, want die zijn scherp.'

Tsata gaf voorzichtig de zak met explosieven aan en schoof door de spleet heen. Toen hij naast haar stond, doofde hij de toorts in het water, en overal om hen heen werd het donker. Het geluid van de schellers en de rennende voetstappen leek opeens luider.

'Kun je iets zien?' fluisterde Tsata.

'Nee,' zei Kaiku, terwijl ze zich afvroeg of haar ogen zich net als de vorige keer zouden aanpassen. 'Je zult me moeten leiden.'

Ze voelde zijn hand om de hare, en die was nat en warm. Bloed sijpelde over zijn pols tussen hun handen en welde op tussen haar slanke vingers. Hij gebruikte zijn goede arm om de explosieven te dragen en zij had zijn gewonde arm vast. Dat stootte haar niet af. Ze vond het juist een heel intiem, zij het ietwat vreemd idee, dat hun verbondenheid met levenssappen werd bezegeld. Het bezorgde haar een volkomen ongepast genotsgevoel.

Toen kwamen ze weer in beweging. Hij leidde haar door de duisternis en het water spetterde zachtjes onder hun voeten. Het was hier koud en klam, als een diepe, ondergrondse adem, en na een tijdje besefte Kaiku dat er een licht briesje stond en dat Tsata ertegenin liep. Tot haar verrassing verontrustte het haar niet dat ze niets kon zien. Ze was immers niet alleen en ze vertrouwde Tsata blindelings. Ooit zou het niet eens bij haar zijn opgekomen haar leven toe te vertrouwen aan deze man, deze vreemdeling met zijn vreemde ideeën, die haar ooit zonder aarzeling had gebruikt als lokaas voor een moorddadige jager. Ze vroeg zich af of hij dat nu nog steeds zou doen. Zou de intimiteit die tussen hen was gegroeid hem ervan weerhouden nog eens op zo'n nonchalante wijze haar leven op het spel te zetten? Dat zou ze niet kunnen zeggen. Maar ze begreep zijn gewoonten nu beter, zijn bereidheid om het individu ondergeschikt te maken aan het algemene belang, en ze wist dat hij haar onder de omstandigheden nooit alleen zou achterlaten, dat hij zijn leven voor haar zou geven als dat voor hen allebei beter was. De rauwe eenvoud daarvan had iets aandoenlijks.

Ze kon inmiddels de randen van de tunnel een beetje zien, en de rimpeling van het water dat langs hun voeten stroomde. In eerste instantie ging het zo geleidelijk dat ze niet zeker wist of haar brein haar soms voor de gek hield, maar toen werd het verschil zo duidelijk dat ze het niet langer kon afdoen als zinsbegoocheling. Langzaam maar zeker kreeg de kleurloze wereld om haar heen vorm, totdat ze zo duidelijk kon zien alsof Aurus boven hen aan de hemel stond.

Na een tijdje, toen de geluiden van de achtervolgers achter hen waren verstomd en het leek alsof ze helemaal alleen in de mijn waren, bleef Tsata staan op een plek waar de wand van de tunnel terugweek van het stroompje en de vloer boven het water uitkwam. Kaiku kon voelen dat de wever hen nog steeds zocht, maar zijn tastende aanwezigheid was ver weg.

'Daar is een droge plek,' zei Tsata.

'Ik zie het,' antwoordde Kaiku.

Tsata keek naar haar om en wierp toen een vluchtige blik op hun verstrengelde handen. Kaiku besefte dat hij haar een hele tijd had geleid terwijl ze prima zelf haar weg had kunnen vinden. Ze wilde die geruststellende aanraking gewoon niet missen.

'Ik moet iets aan die wond doen,' zei hij. 'Hij wil maar niet dichtgaan.'

Pas toen leerde Kaiku echt begrijpen hoe verschillend de volkeren van hun respectievelijke continenten waren. Het milieu van Okhamba had een taai, veerkrachtig volk voortgebracht terwijl de adel in Saramyr met al zijn luxes veel minder gehard was. Ze keek toe terwijl hij de wond in het donker verzorgde. Ze beet op haar lip toen hij de punt van zijn slachthaak gebruikte om een stukje klauw dat in de wond was afgebroken eruit te peuteren en kromp ineen toen hij met een dunne naald van glad hout en een vezelig soort draad de randen bijeen naaide. Hij weigerde haar hulp – die ze had aangeboden zonder te weten wat ze kon doen – en hechtte efficiënt zijn eigen wond, en alleen een zacht gesis tussen zijn tanden wees er af en toe op dat hij pijn had.

Toen hij klaar was, haalde hij een piepklein potje met pasta uit een buidel aan zijn riem en smeerde dat op de nog altijd bloedende wond. Zijn lichaam verstrakte opeens, zo plotseling dat Kaiku ervan schrok. Hij vertrok zijn gezicht in een uitdrukking van hevige pijn en de aderen op zijn armen en keel tekenden zich scherp af tegen zijn huid. Van de wond steeg een klein kringeltje smerig riekende rook op.

Kaiku moest opeens denken aan wat Asara, vermomd als Saran Ycthys Marul, had gezegd: 'In Okhamba zijn er maar weinig milde geneesmiddelen.' De pasta leek de wond letterlijk dicht te schroeien. Ze keek hulpeloos toe en kon alleen maar luisteren naar Tsata's gekreun vanwege de afschuwelijke kwelling van het genezingsproces, maar uiteindelijk werd zijn ademhaling weer rustig. Hij waste de pasta met water uit het stroompje van zijn huid. De wond bloedde niet meer en er zat nu een lelijk, bobbelig litteken.

Kaiku wilde net iets troostends zeggen toen ze de zangerige kreet van een scheller door de tunnel hoorden galmen. De nexussen hadden de achtervolging niet gestaakt. Ze hadden hun prooi weer gevonden.

Kaiku sleurde Tsata overeind en hees de zak met explosieven over haar schouder. Ze renden ervandoor.

De tunnel liep met een bocht omlaag en op het hellende vlak stroomde het water sneller, zodat de vloer glibberig werd. Het lawaai van de schellers had zich inmiddels vermenigvuldigd. Kennelijk hadden ze het spoor van Tsata's bloed gevolgd naar de spleet waar zij en de Tkiurathi doorheen waren geglipt en hadden ze beseft waar de indringers waren gebleven. Opeens gleed de aandacht van de wever weer als een wrede, afschrikwekkende blik over hen heen. Ze werd erdoor verrast en slaagde er maar net op tijd in zichzelf en Tsata te verbergen. Omdat ze daar zo ingespannen mee bezig was, merkte ze het nieuwe licht aan het eind van de tunnel nauwelijks op. Pas toen de wever zijn aandacht ergens anders op had gericht, kwam ze weer tot zichzelf en besefte ze dat Tsata langzamer was gaan lopen.

De tunnel was afgesloten met een rooster dat rood was uitgeslagen van het roest, een ondoordringbare rij dikke, vierkante stangen waar het water doorheen stroomde naar de grot die erachter lag. Aan de andere kant van het rooster scheen een vuil, onrustig licht dat hen in een vreemde gloed hulde. Ze hoorde het geratel van de apparaten van de wevers. Aan weerszijden van de tunnel zaten verschillende verticale barsten en openingen, maar die waren allemaal met tralies afgesloten en onverlicht.

Tsata was blijven stilstaan en keek achterom naar de tunnel, waar het kabaal van de achtervolgers steeds luider werd. Kaiku rende langs hem heen naar het rooster. Ze herkende dat afgrijselijke, onnatuurlijke licht. Het stond in haar geheugen gegrift als een nachtmerrie die maar niet wilde vervagen.

Ze keek door het rooster, en daar was de heksensteen.

Ze waren eindelijk op de bodem van de schacht aanbeland, de naaf van het netwerk van ondergrondse gangen dat de wevers voor zichzelf hadden opgeëist. De tunnel kwam hoog in de wand van de schacht uit en bood uitzicht op een gigantisch ondergronds meer met een zacht kabbelend, zwart oppervlak. Twee watervallen kwamen van grote hoogte omlaag en zonden nevelwolken omhoog die een waas over het tafereel wierpen. Er staken kale, rotsachtige eilandjes somber boven het water uit, en taps toelopende spiesen van kalksteen reikten naar de duizelingwekkende hoogte, waar in de verte lichtjes boven aan metalen gastoortsen brandden.

Overal om hen heen klonk het lawaai van machines en overal was beweging. Reusachtige, half ondergedompelde tandraderen dreven schepbakken aan die aan één stuk door rondwentelden en water uit het meer schepten dat boven ergens in reservoirs werd gegoten. Pijpen waren verticaal aan de wanden van de schacht bevestigd. Ze staken uit het water omhoog en kwamen uit in vierkante bouwsels van zwart ijzer die stoomden en brulden, en door de spleten in de zijkanten scheen een helse rode gloed naar buiten. Van daaruit liepen nog meer pijpen omhoog, die verdwenen in de duisternis. In de wanden van de schacht waren sluisdeuren gebouwd. Op de platste eilanden stonden hutjes. Overal hingen looppaden van metaal in een wankel driedimensionaal web dat de eilanden en de machines met elkaar verbond, en eroverheen holden golneri's om onbegrijpelijke taken te verrichten.

In het midden lag, op zijn eigen rotseiland, de heksensteen. Hij was ruwweg ovaal van vorm, twintig voet in doorsnee en zwaar beschadigd: het oppervlak vertoonde diepe gaten, grote bulten en duizenden smalle geultjes. Net als de heksensteen die ze eerder had gezien, was deze vertakt op een manier die voor gewone stenen onmogelijk was. Tientallen dunne, kromme bogen van steen staken uit de zijkant en verdwenen in het water, of hadden zich als wortels in de omringende aarde geboord; ze vertakten zich zoekend naar de verre wanden van de schacht en vormden bruggen naar omliggende eilanden. De steen leek nog het meest op een groteske spin die op zijn achterpoten stond, en de gloed die hij uitstraalde maakte Kaiku onpasselijk en wierp verontrustende schaduwen op de wanden.

Nu begreep ze het. De grote schepbakken die in een eeuwige kring omhoog en omlaag gingen, de pijpen die uitkwamen in de rivier, de machines, de ovens en de afschuwelijke, olieachtige rook. Nomoru was een hele tijd geleden per ongeluk al op het antwoord gestuit, maar pas nu Kaiku het meer zag, besefte ze het.

Je kunt toch geen mijn bouwen in een uiterwaard? Dan zou hij steeds onder water komen te staan.

In deze mijn ging het echter niet om het winnen van grondstoffen, maar om het verwijderen van water. Het water uit de Zan lekte doorlopend door de dunne wand die de schacht van de rivier scheidde, en als de rivier buiten zijn oevers trad, werd dat alleen maar erger. Deze hele mijn had waarschijnlijk duizenden jaren onder water gestaan, al sinds de schacht was ontstaan. De machines vormden een uitgestrekt drainagesysteem, een manier om het water langs de schacht omhoog te voeren en in de rivier te lozen, zodat de wevers bij de heksensteen konden komen die er al die tijd had gelegen. Ze voerden een constante strijd om het water sneller uit de schacht te pompen dan het er weer in kon lopen, om de heksensteen boven water te houden zodat ze hem bloedoffers konden brengen. Die ovens en ratelende apparaten dreven het hele systeem kennelijk aan: het was een kwaadaardige kunst waar Kaiku niets van begreep.

Goden, het was verbijsterend te zien hoe ver hun vastberadenheid ging.

'Kaiku...' prevelde Tsata.

Ze keek hem aan en volgde toen zijn blik.

In de zijtunnels, achter de tralies, bewogen gestalten. In de verte klonk gehuil en gekreun, en vreemd gekakel en gegorgel. In de tunnel waar zij doorheen waren gelopen klonk het luide geroep van de schellers, die hen bijna hadden ingehaald. En achter hen zat het rooster.

'Kaiku,' zei hij zachtjes, 'we zitten in de val.'

⊚ 34 ⊚

De verdedigers dreigden de strijd om de Gemeenschap te verliezen. In het westen slaagde men er nog net in stand te houden, maar aan de noordzijde van de vallei waren de strijdkrachten onder de voet gelopen. Met een beetje geluk zouden ze de afwijkenden wel op een afstandje hebben kunnen houden, ware het niet dat de wevers ten tonele waren verschenen. Ze staken hun verraderlijke, onzichtbare vingers uit naar de mannen en vrouwen van de Breuk en beïnvloedden hun zintuigen en gedachten, zodat ze overal waar ze keken vijanden zagen. De verdedigers raakten onderling slaags. Broeders doodden elkaar, leden van verschillende stammen en groeperingen keerden zich tegen elkaar en raakten verwikkeld in een bloedige onderlinge strijd. Sommigen vluchtten doodsbang weg omdat ze geloofden dat de afwijkenden al door de versterkingen heen waren gebroken. Het duurde niet lang of hun verkeerde veronderstelling werd werkelijkheid.

Toen de wanorde onder de verdedigers op zijn hoogtepunt was, zwermden de behendige skrendels over de palissade en begonnen met hun lange, wurgende vingers en wrede tanden te moorden en verminken. Te midden van de chaos vonden er een paar de weg naar het kleine poortje in de noordelijke muur, waar de meeste bewakers al dood op de grond lagen. Met hun behendige vingers gristen ze de sleutels weg van een van de lijken en maakten de poort open. De ghauregs, die brullende spierbundels, stroomden als eersten naar binnen en scheurden de overgebleven verdedigers aan stukken in een aanval van bloeddorst en razernij die je het bloed in de aderen deed stollen. De afwijkenden stroomden de vallei binnen, maar toen werd de echte artillerie van de Gemeenschap in stelling gebracht.

Het grote voordeel van het feit dat de Gemeenschap op een smalle helling vol stoepjes en plateaus was gebouwd, was dat het dorp aan drie van de vier zijden uitstekend kon worden verdedigd. Het landschap fungeerde als een trechter waar de aanvallers doorheen moesten om in de vallei ten oosten van de gebouwen te komen. Als een vijand uit die richting aanviel, was hij in het nadeel omdat hij geen enkele bescherming had tegen het volledige wapenarsenaal van de Gemeenschap.

Het draaide uit op een adembenemende slachtpartij.

Enkele tientallen kanonnen vuurden een salvo af op de horde die zich op de bodem van de vallei verzamelde, waardoor de olie die daar was uitgegoten ontbrandde. Een groot deel van de vallei ging in helse vlammen op en veranderde alles wat er rondliep in een brandende fakkel. Een kakofonie van dierlijk gekrijs steeg op. De aanval werd gestaakt en overal wemelde het van de beesten die wild kronkelden en om zich heen sloegen terwijl hun vlees kookte en hun bloed borrelde. Twintig ballista's werden afgevuurd en er werden explosieven de lucht in geslingerd, losse pakketten die in de lucht uiteenvielen, op de horde neerregenden en overal fonteinen van verbrijzelde lichamen omhoogzonden.

De afwijkenden bereikten de oostkant van het dorp, waar de hoge onderste treden een natuurlijke, ondoordringbare muur vormden die slechts werd onderbroken door met poorten afgesloten trappen. De liften die werden gebruikt om goederen die te groot waren voor de smalle trap naar boven te hijsen waren omhooggetakeld, waar de roofdieren er niet bij konden. Tweehonderd schutters, zowel mannen als vrouwen, waren langs de rand van de reusachtige, halfronde treden opgesteld, en zij maaiden de afwijkende roofdieren als oogstrijp koren neer. De afwijkenden stortten zich op de muur en de poorten, maar de muur was te hoog en de poorten waren zo massief dat ze het zelfs onder het grootste gewicht niet begaven. Een rookpluim kolkte als een zwarte lijkwade omhoog uit de vallei toen de kanonnen en ballista's nog meer brandende gaten in de gelederen van de afwijkenden sloegen. In de lucht cirkelden en scheerden luidkeels krassende gierkraaien. Na een tijdje begaven ook de verdedigingswerken aan de zuidkant van de Gemeenschap het en zwermden er nog meer afwijkenden op het dorp af, waar ze in groten getale werden afgeslacht.

De Gemeenschap was nu echter omsingeld en de afwijkenden bleven maar komen.

Opnieuw deden de wevers vanaf hun uitkijkpunten hun invloed gelden. Het kon hen niet schelen hoe groot de verliezen waren die ze leden. De wezens waren vervangbaar en ze waren ervan overtuigd dat ze elke barrière konden overwinnen door de geest van de verdedigers te beïnvloeden, zoals ze al eerder hadden gedaan.

Hun zelfvertrouwen was echter misplaatst. Deze keer werd hun aanval gepareerd door de zusters van de Rode Orde.

Het eerste contact was in feite een hinderlaag. De wevers waren brutaal, want ze waren hun hele leven al gewend zonder tegenstand door het weefsel te kunnen bewegen. Sterker nog, als die vreemde, walvisachtige kolossen er niet waren geweest die in de verte aan de rand van het bewustzijn voortgleden, zouden ze hebben geloofd dat het glinsterende rijk hun exclusieve domein was. Ze waren echter overmoedig. Vergeleken met de zusters konden ze het weefsel slechts op onhandige, ruwe wijze beheersen, want ze moesten de natuur met behulp van hun maskers dwingen hen te gehoorzamen en lieten een spoor van geknapte en gerafelde draden achter. In vergelijking met hen gingen de vrouwen glad en zacht als zijde te werk.

Cailin en haar zusters waren langs de oprukkende draden van de wevers in een spiraal naar de bron geschoten en hadden het vlechtwerk van beschermingsmaatregelen al zowat ontrafeld voordat de wevers beseften wat er gebeurde. In paniek trokken ze zich terug en verzamelden hun krachten om deze nieuwe vijand terug te drijven. De zusters hadden echter in groten getale toegeslagen en vielen hen als een school piranha's aan. Aan alle kanten tegelijk knabbelden ze aan hen. Ze maakten schijnbewegingen en rukten aan de draden, ontwarden hier een knoop, pulkten daar een draad los en zochten een weg naar het binnenste van de wevers, waar ze pas echt fysieke schade zouden kunnen toebrengen. Cailin schoot heen en weer, deelde de ene na de andere steek uit, danste van de ene vezel naar de andere en liet overal spookachtige echo's van haar aanwezigheid achter om de vijand te vertragen en in verwarring te brengen. Ze sneed draden door, ontwarde knopen en opende paden die haar zusters konden verkennen.

De wevers repareerden wanhopig de scheuren die de zusters maakten en sloegen hun belagers weg, maar het was hopeloos. De zusters werkten als één vrouw samen, want ze konden moeiteloos met elkaar communiceren, waardoor ze hun inspanningen volmaakt op elkaar konden afstemmen. Ze waren zich van al hun medestanders in de strijd bewust en wisten waar ze waren en wat ze deden. Een aantal voerde telkens aanvallen uit op onneembare posities, zodat anderen stilletjes door minder goed beschermde plekken heen konden dringen terwijl de wevers werden afgeleid. Anderen belaagden de vijand met verwarrende, vluchtige trillingen terwijl hun zusters netten knoopten om de wevers in te verstrikken.

Cailin ontweek de grijpende tentakels waarmee de wevers in de tegenaanval gingen met achteloos gemak en glipte als een aal tussen hun vingers door. Ze sloeg onbevreesd toe. Ze had al eens een wever gedood en vergeleken met hem stelden zij niets voor. Wel was ze bezorgd om haar zusters, die minder ervaring hadden dan zij. Ze verdedigde hen tegen de aanvallen van de wevers door verwarrende obstakels of ingewikkelde knopen te maken die de vijand zou vertragen als ze toevallig te dichtbij zouden komen.

Toen de bescherming van de wevers het begaf, bleef er ook niets meer van over. Cailin had zorgvuldig delen van het weefsel verzwakt, zo voorzichtig dat de vijand zich niet eens van haar bewust was geweest, en op haar bevel sloegen de zusters op al die plekken tegelijk toe. Het weefsel week voor hen uiteen, zodat er gapende gaten vielen in de verdedigingsmuur. De zusters zwermden door de beschadigde barricades van de wevers naar binnen, hechtten zich aan het weefsel van hun lichamen en verscheurden de banden die ze bijeenhielden. De wevers krijsten toen ze in vlammen opgingen, en verspreid over het slagveld lichtten zes nieuwe vuren op, waarvan de gloed zich voegde bij die van de brand die grote delen van de valleibodem verslond.

De zusters konden nu echter niet langer gebruikmaken van het verrassingselement. Minstens twee wevers hadden voor hun dood de tegenwoordigheid van geest gehad om via draden die te verspreid waren om te kunnen onderscheppen een noodbericht door het weefsel te zenden: een stilzwijgende smeekbede aan hun broeders die elders in de Gemeenschap in strijd verwikkeld waren om hen te hulp te schieten, en een waarschuwing.

De aanzwellende verontwaardiging, de woede van de wevers omdat er ook maar iets bestond wat hun hegemonie in het weefsel kon bedreigen, was bijna tastbaar. Woede en angst. Ze herinnerden zich de laatste noodkreet van Weefheer Vyrrch voordat hij meer dan vijf jaar geleden was gestorven.

Wees op uw hoede! Wees op uw hoede, want er is een vrouw die het weefsel bespeelt!

Draden verspreidden zich kronkelend, tastend en zoekend door het onzichtbare rijk. En terwijl mannen, vrouwen en zowel menselijke als dierlijke afwijkenden overal in de vallei vochten, worstelden en stierven, werd er op een plaats die zij niet konden waarnemen een andere strijd gevoerd. Eindelijk had de Rode Orde zichzelf onthuld.

Aan de westkant van de Gemeenschap kreunde de palissademuur onder het gewicht van de lijken die ertegen waren opgestapeld.

Ademhalen was moeilijk door de stank van verbrand en brandend vlees. Nomoru's ogen traanden toen ze haar geweer wilde richten, en nadat ze een paar keer vergeefs met haar wimpers had geknipperd gaf ze het op. De lucht werd verstikt door een mist van zwarte rook en verkoolde huidschilfertjes. De pogingen van de afwijkenden om van hun eigen doden een helling te bouwen waren even gestaakt toen het volk van de Gemeenschap olie over hen heen had gegoten en in brand had gestoken, maar dat had niet lang geduurd. Na een tijdje klommen de wezens gewoon weer verder en offerden zich gillend en brullend op. Sommige bergen lijken waren nu zo hoog dat de indringers over de muur heen konden komen. Ze sprongen er badend in vlammen overheen, vielen van het looppad en kwamen beneden op de grond terecht, waar ze smeulend bleven liggen, of ze stortten zich zwaaiend met hun ledematen op de zwaarden van de Libera Dramach. Met hun onvermoeibare vastberadenheid hielden ze de verdedigers echter constant bezig, en de olie kwam niet op alle plaatsen waar die nodig was. Her en der doofden er al vuren en sommige afwijkenden konden inmiddels over de muur heen klimmen zonder in brand te vliegen.

Verderop waren enkele tientallen wezens erin geslaagd een paar mannen te overweldigen, en ze waren de straten van de Gemeenschap al in gevlucht voordat er genoeg zwaardvechters te hulp konden schieten om de bres te dichten. Het gebeurde steeds vaker dat er vijanden door de verdediging heen braken. Het afwijkende leger was er kennelijk helemaal niet opuit om met de mannen en vrouwen op de muren te vechten. Ze wilden alleen naar het hart van het dorp.

De linie zou niet lang standhouden. Dat wist Nomoru met een zekerheid die haar tot op het bot verkilde.

Ze wist wat de sleutel tot de oplossing was. De nexussen. Ze herinnerde zich hoe de monsters in de ravijnen op hol waren geslagen toen ze een paar menners had neergeschoten. De nexussen hadden hun lesje echter geleerd en bleven nu uit het zicht. Ze stuurden de strijd vanuit de verte aan. Deze voetsoldaten neerschieten was pure verspilling van munitie. Ze moest de generaals zien te bereiken.

Een afwijkende man met een bol, uitstekend voorhoofd en knipperende membranen voor zijn ogen rende langs haar heen, bleef staan en draaide zich om. Ze keek hem brutaal en afwachtend aan.

'Waarom vecht je niet? Heb je geen munitie meer? Hier, pak aan.' Hij gaf haar een buidel vol kogels en rende verder, zonder te wachten op het bedankje dat hij toch niet van haar zou krijgen.

Nomoru volgde hem met haar blik en besteedde geen aandacht aan het onophoudelijke kabaal van geweerschoten, gegil en het geknetter van vlammen. Afwijkenden die tegen afwijkenden vochten. Als de mensen in de steden en dorpen dit zagen, zouden ze misschien gaan twijfelen aan de diepgewortelde, ingesleten vooroordelen die ze jegens de slachtoffers van de verderfelijke weverkunst koesterden. De wevers, degenen die om te beginnen die haat hadden gezaaid, gebruikten de vruchten van hun schepping nu om andere afwijkenden te doden. De scheidslijn lag niet tussen mensen en afwijkenden, maar tussen mensen en dieren. De enigen die in geen van beide categorieën thuishoorden waren de wevers. Vroeger waren ze misschien menselijk geweest, maar zodra ze hun masker hadden opgezet, hadden ze hun menselijkheid als een slangenhuid afgeschud.

Nomoru was niet bijzonder op afwijkenden gesteld, maar ze haatte hen ook niet. Ze haatte de wevers. Vanwege die haat verwierp ze al hun leerstellingen, en daardoor waren de afwijkenden en de Libera Dramach haar natuurlijke medestanders. Ze wist het niet, maar ze had veel gemeen met Kaiku en met veel andere mannen en vrouwen in de Gemeenschap. Ze vocht uit wraak.

Haar lichaam was bedekt met vele tatoeages die stonden voor bepaalde momenten in haar jeugd, die al even haveloos en smerig was geweest als zijzelf. Ze was het kind van een bendelid uit het Armenkwartier van Axekami. Haar moeder was verslaafd aan amaxawortel en ze wist niet precies wie haar vader was. Ze werd opgevoed door wie er op dat moment toevallig in de buurt was. Ze maakte deel uit van een gemeenschap die werd geregeerd door geweld, waarin leden kwamen en gingen en waarin elke dag wel iemand werd gerekruteerd of gedood. Stabiliteit bestond niet in haar leven en ze leerde zich op niemand te verlaten. Iedereen om wie ze ooit had gegeven was doodgegaan. Haar eerste liefde, haar vrienden, zelfs haar moeder, voor wie ze een onlogische loyaliteit had gekoesterd. Het was een wrede, geïsoleerde wereld. Ze dankte dan ook alles aan haar talent om zich onopvallend voort te bewegen en haar uitzonderlijke scherpschutterskwaliteiten te danken. Anders was ze het zoveelste slachtoffer geworden van de verdovende middelen, de bendeoorlogen, de ziekte en de honger die mensen aanzette tot diefstal en in de slottorens deed belanden.

De tatoeages stonden voor afspraken die ze had gemaakt, schulden die anderen bij haar hadden en die ze had opgeëist, en toonden haar solidariteit met de leden van haar bende. Ze bedekten in een ingewikkelde wirwar van inktstrepen haar armen, schouders, kuiten en schenen. Maar midden op haar rug stond er een die prominenter was dan alle andere, en die voor haar belangrijker was dan alles wat ervoor of erna was gekomen. Die stond voor een pure walging die elke dag in haar binnenste brandde en hield een wraakbelofte in die krachtiger en bindender was dan de heiligste liefdeseed.

Het was een waar masker, dat maar half af was, want de ene helft bestond slechts uit lijnen die nog moesten worden ingevuld als ze haar wraakoefening jegens de wevers had afgerond. Het was het bronzen aangezicht van een krankzinnige, oeroude god. Het masker van Weefheer Vyrrch.

Ze wist het niet, maar het was bovendien het gelaat van Aricarat, de lang vergeten broer van de maanzusters.

Ze was maar iets ouder geweest dan Lucia nu was toen ze was ontvoerd. Dergelijke verdwijningen waren in het Armenkwartier aan de orde van de dag. Ze maakten deel uit van het leven en gewoonlijk merkte niemand er iets van, behalve degenen die de ontvoerde na stonden. De adel moest de monsters die in hun huizen woonden voeden en tevreden houden en daarvoor kozen ze de behoeftigen, de armen, de mensen die zij als waardeloos beschouwden. Ze had altijd geloofd dat ze slim genoeg was om hun een stap voor te blijven, maar op een avond had ze te veel amaxawortel gebruikt – zonder zich er druk om te maken dat ze haar moeder achternaging – en was aan de tussenpersonen van de wevers verkocht door een man van wie ze dacht dat ze hem kon vertrouwen. Ze was met samengebonden handen en voeten bijgekomen in de vertrekken van Weefheer Vyrrch, in het hart van de keizerlijke vesting.

Ze had geen idee wat voor lot hij voor haar in gedachten had gehad. De knopen waren echter zwak, dus ze was erin geslaagd zich los te wurmen, en vervolgens had ze dagen achtereen doodsbang geprobeerd de weefheer te ontlopen en een uitweg uit zijn vertrekken te vinden. Ze vocht om weggegooide voedselresten met de hongerige jakhals die door de kamers sloop en moest als een beest leven om te voorkomen dat ze zou verhongeren, of van de dorst zou sterven in de broeierige hitte. Al die tijd hield ze haar oren gespitst, wachtend op het geluid van een sleutel in het slot van de deur, de enige deur, want ze wist dat ze aan onvoorstelbare martelingen zou worden onderworpen als de weefheer haar te pakken kreeg. Ze had nog nooit met zo'n constante, onophoudelijke angst hoeven leven.

Het was pas over toen de weefheer te midden van de ontploffingen die de vesting deden beven dood neerviel. Later kwam ze tot de ontdekking dat zijn dood het werk was geweest van Cailin tu Moritat, maar op dat moment had dat haar niets kunnen schelen. Ze had de sleutels van zijn lijk gepikt en was in de verwarring rond de staatsgreep ontsnapt, terwijl Lucia werd gered door Kaiku en haar metgezellen.

Nomoru was sindsdien maar één keer teruggegaan naar het Armenkwartier, maar ze had de man die haar had verraden niet kunnen vinden. Daarom was ze naar de inkttekenaar gegaan en die had het masker op haar rug getekend, en op haar bovenarm een kleiner symbool voor de man die haar aan de wevers had verkocht.

Ze had Axekami verlaten en iedereen gemeden die ze ooit had gekend. Dat ze aan de wevers was uitgeleverd was de laatste druppel geweest. Ze weigerde ooit nog iemand te vertrouwen. Dus was ze gaan zwerven, en toen ze geruchten had gehoord, was ze uiteindelijk op grond daarvan naar de Libera Dramach en de Gemeenschap gegaan, waar mensen woonden die de wevers niets dan slechts toewensten. Dan hadden ze in elk geval een gemeenschappelijk doel.

Ze knipperde snel met haar ogen toen een verstikkende rookwolk in haar gezicht walmde, en met haar snelle geest nam ze de ene na de andere mogelijkheid onder de loep, om die meteen weer te verwerpen. Ze was absoluut niet van plan hier in de Gemeenschap te sterven terwijl ze nog zoveel te doen had. Er moest een oplossing zijn, een manier om bij de nexussen te komen en hun greep op het leger te verstoren. Ze waren echter gewoon te ver weg en te goed verborgen.

Een warme windvlaag blies de rook opzij en liet het zonlicht door. Ze schermde haar ogen af en keek omhoog. In de hemel boven de Gemeenschap cirkelden en scheerden de krassende gierkraaien. Ze bleef er een tijdje naar staan staren.

De gierkraaien. Die waren de sleutel.

Ze slingerde haar geweer over haar schouder, rende over het looppad en klom langs de ladders naar beneden. De westelijke muur zou niet lang meer blijven staan. Ze hoopte dat het lang genoeg zou zijn.

Yugi haastte zich met zijn geweer in de aanslag door de Gemeenschap. Elk krom steegje, elke bocht in de laantjes met aangestampte aarde beschouwde hij nu als een bedreiging. Achter hem liepen Lucia, Flen en Irilia, een van de zusters van de Rode Orde, een blonde vrouw met een smal gezicht die hun door Cailin als geleide was toegewezen. Achteraan kwam Zaelis, die met zijn slechte been onhandig hinkte en zelf ook een geweer vasthield.

Roofdieren liepen los over straat. Ze waren er al op één gestuit, die ze hadden gedood, en ze waren verscheidene gewonde en verminkte mannen en vrouwen tegengekomen die het bewijs vormden dat de berichten juist waren. Hoewel de verdediging nog altijd standhield, waren er via de westelijke muur enkele monsters binnengedruppeld en dat betekende dat de plateaus en richels van het dorp geen veiligheid meer konden bieden.

Er waren wel noodplannen gemaakt, maar die waren veel te laat ten uitvoer gebracht. De kinderen werden samengebracht in de grotten boven de Gemeenschap, waar een netwerk van tunnels was dat bergen munitie en voorraden bevatte. Yugi had er al voor de aanval voor gepleit om dat plan uit te voeren, maar Zaelis wilde er niets over horen. Er waren te veel ingangen en die waren veel te groot. Het netwerk van tunnels was onmogelijk te verdedigen en als de kinderen er eenmaal in zaten, zouden ze geen kant meer op kunnen. Hij wilde voor de kinderen de mogelijkheid openhouden om door de vallei naar het oosten te vluchten en verspreid de Xaranabreuk in te trekken, in de hoop dat het leger er tevreden mee zou zijn om het dorp in te nemen en zich niet zou verspreiden om op individuen te jagen. Dat was op zichzelf al gevaarlijk genoeg – de Breuk was geen goede plek om als kind alleen doorheen te zwerven – maar het was beter dan de zekerheid dat ze zouden worden afgeslacht. Dat ze dergelijke laatste redmiddelen overwogen gaf wel aan hoe wanhopig ze waren.

Doordat de barricades in het noorden en het zuiden waren doorbroken, was dat plan nu onmogelijk uit te voeren, want de Gemeenschap was omsingeld. Door de kinderen naar de grotten te sturen stelden ze het onvermijdelijke alleen maar uit, maar ze moesten toch íéts doen om hen te beschermen.

Yugi ging hen voor over een houten brug die boven de daken van een dicht opeengepakt groepje Nieuwlandse huizen uitstak, en ze kwamen een gezin van afwijkende dorpelingen tegen die om onverklaarbare redenen de tegengestelde richting opliepen. De verder wolkeloze hemel werd door dikke, zwarte rookwolken bijna geheel aan het zicht onttrokken. Lucia hoestte aan één stuk door met haar hand voor haar mond, en Flen bleef dicht bij haar in de buurt en wierp haar bezorgde blikken toe. De zuster volgde hen, maar was er met haar aandacht maar half bij: overal om haar heen voelde ze de trillingen van de strijd die haar metgezellen leverden, en hoewel ze bang was, verlangde ze er tegelijkertijd hevig naar om zich bij hen te voegen. Cailin zou Lucia het liefst zelf hebben beschermd, maar ze moest het gevecht tegen de wevers leiden, dus had ze een van haar minder ervaren zusters achtergelaten om voor de verdreven erfkeizerin te zorgen. Irilia was nog maar net leerling-af, maar ze had veel talent en het zou haar niet veel moeite kosten om af te rekenen met eventuele afwijkende wezens die op hun pad kwamen.

Ze haastten zich over een brede, stenen trap naar een hoger plateau en sloegen af naar een smal kronkelweggetje waar de rommelige, willekeurig geplaatste gebouwen dicht langs stonden. Overal stonden altaren met zacht rokende wierook en stapels offerandes. Bij de meeste stonden mensen te bidden, die ervan overtuigd waren dat het onvermijdelijke alleen nog door de goden zelf kon worden afgewend.

Toen ze halverwege de straat waren, sprong er uit een steegje voor hen een wezen met zes lange poten te voorschijn, een broodmagere, uitgemergelde verschrikking met het gezicht van een aap, dat er echter verontrustend menselijk uitzag. Yugi had binnen een mum van tijd zijn geweer gericht en afgevuurd, maar de kogel ging ver naast en de afwijkende verdween zo snel als hij was verschenen in een ander steegje. De mensen bij de altaren schoten alle kanten op, op zoek naar de eerste de beste schuilplaats die ze konden vinden.

Zaelis keek vol ontzetting om zich heen en een groot verdriet drukte op zijn hart. Voor het eerst werd hij geconfronteerd met de totale vernietiging van alles waarvoor hij zo hard had gewerkt. Al die jaren waarin hij mensen had verzameld, georganiseerd en verenigd, al die jaren die de mensen zelf hadden besteed aan het bouwen van deze huizen en aan het opbouwen van hun leven. Afwijkende mensen hadden zij aan zij gewerkt met mensen die hadden geleerd hen te haten, maar de verschillen waren overwonnen, vooroordelen waren tenietgedaan en de Gemeenschap was opgebloeid. De mensen hier waren, net als Zaelis, razend trots op de samenleving die ze hadden opgebouwd. Dit dorp had eens en voor altijd bewezen dat er wel degelijk een andere manier van leven mogelijk was, zonder de wevers en zonder het keizerrijk.

Nu stortte alles echter als een kaartenhuis in. Zelfs als ze deze dag zouden overleven, zou het met de Gemeenschap gedaan zijn. Nu de wevers wisten waar het dorp lag, zouden ze keer op keer terugkomen totdat het was vernietigd. Bij die gedachte kreeg hij een brok in zijn keel die te pijnlijk was om weg te slikken.

En dan was er nog Lucia. Hij ervoer haar daden als verraad. Ze had met Cailin onder één hoedje gespeeld en een val opgezet voor de wevers, waarbij ze zichzelf als lokaas had gebruikt. Hoe kon ze? Ze wilde wel luisteren naar de Rode Orde, maar niet naar de man die haar de afgelopen jaren had opgevoed. Het was heel goed mogelijk dat ze hier zou sterven omdat ze had geweigerd zich naar een veilige plaats te laten brengen. Deed ze dat alleen om hem te kwellen? Was dit slechts de opstandigheid van een opgroeiend meisje? Het was moeilijk te zeggen als het om Lucia ging. Maar één ding wist hij wel: ze wilde hem straffen omdat hij haar naar Alskain Mar had gestuurd, omdat ze geloofde dat hij de Libera Dramach belangrijker vond dan haar, dat hij haar als een middel zag om zijn doel te bereiken, en niet als zijn dochter.

Had hij dat verdiend? Misschien wel. Maar geesten, hij had nooit kunnen bevroeden dat het zoveel pijn zou doen.

Ze liepen door naar het volgende plateau en naderden nu de plek waar de grotten waren. Vrouwen duwden hun kinderen haastig voor zich uit, balancerend op het randje van paniek. Alsof de grotten ook maar enige bescherming zouden bieden als de muren vielen...

De zuster bleef opeens midden op straat staan en Zaelis botste bijna tegen haar op. Yugi bleef ook staan en stak zijn hand omhoog om aan te geven dat de kinderen zijn voorbeeld moesten volgen. Hun gezichten waren bezweet en zaten onder de roetvegen, en op Yugi na stonden ze allemaal te hijgen van inspanning.

'Wat is er?' vroeg Yugi, die iets in de houding van de zuster ontwaarde wat hem niet aanstond.

Ze speurde de balkons van de huizen aan weerszijden van de straat af, waar nog bezoedelde vlaggen wapperden. Alles om hen heen leek te zijn stilgevallen en het kabaal om hen heen vervaagde tot een gezoem in de verte.

'Wat is er nou?' siste Yugi opnieuw. Er groeide een angstig voorgevoel in zijn binnenste.

De blik van de zuster viel op een haveloze vrouw die met haar kind langzaam op hen afkwam, en haar irissen kleurden donkerrood.

Zaelis zag de furiën niet eens aankomen. Ze schoten als kanonskogels door een open deur naar buiten, stormden op hem af en stootten hem met hun kop opzij, zodat hij met een dreun op de grond viel. Yugi draaide zich met een kreet en met zijn geweer al in de aanslag naar ze om. De enorme, zwijnachtige monsters kwamen snel op hem af, maar hij haalde de trekker over en raakte er een midden tussen de ogen. Het beest struikelde over zijn eigen poten toen die slap werden. Het had echter zo veel vaart dat het als een bal over de grond rolde en op Yugi afkwam. Die probeerde eroverheen te springen, maar hij was niet snel genoeg. Zijn schoenen bleven erachter haken, en hij maakte een koprol in de lucht en kwam op zijn rug terecht met een klap die alle lucht uit zijn longen dwong.

De tweede furie had het niet op Yugi gemunt. Hij stoof op Flen af. De jongen was verstijfd, te laat om weg te rennen, te zwak om te vechten. Het wezen was veel en veel zwaarder dan hij, en bovendien bij de schouder bijna net zo groot als hij. Het monster, een compacte, brute spiermassa met aan de voorkant een wirwar van lange, gekromde slagtanden, denderde tegen hem op en wierp hem tegen de grond. Hij schoof met slappe ledematen over straat, draaide een paar keer om zijn as en bleef uiteindelijk doodstil liggen met zijn warrige bruine haar voor zijn gezicht.

De furie richtte zijn kleine, zwarte oogjes op Lucia. Lucia beantwoordde kalm zijn blik.

Er stak opeens een luid gegil en gekrijs op, en de lucht zelf leek te veranderen in een krioelende massa veren, snavels en klauwen. De raven stortten zich op het afwijkende monster. Ze doken als bommen vanuit de rokerige lucht op hem neer, grepen hem met hun klauwen vast en staken naar hem met hun snavels. Het wezen had een dikke huid, maar binnen een mum van tijd waren zijn ogen uitgepikt en was zijn snuit aan bloederige flarden gereten. Het beest worstelde en gilde terwijl het snel verdween onder een massa klapperende vleugels, en uiteindelijk zeeg hij op de grond ineen en bleef moeizaam ademend liggen.

Toen vielen alle raven opeens allemaal tegelijk dood uit de lucht.

Yugi was verbijsterd. Hij kon zijn ogen niet geloven toen de laatste vogels op de grond vielen. Ze waren allemaal tegelijk doodgegaan, gewoon uit de lucht gevallen. Toen hij eindelijk weer lucht in zijn longen kon krijgen en overeind kwam, nam hij het tafereel in zich op: Zaelis die moeizaam overeind kwam, Flen die bewegingloos op de grond lag, twee furiën, een dode en een die zo erg was toegetakeld dat hij op het randje van de dood balanceerde, Lucia die daar stond met op haar gezicht een kalme uitdrukking die eigenlijk nog erger was dan de afschuw die ze had moeten tonen, en overal om hem heen tientallen ravenlijkjes.

Toen keek hij om, op zoek naar Irilia, en besefte hij dat het nog niet voorbij was.

Ze lag een klein eindje verderop languit op haar buik op de grond met haar hoofd helemaal naar achteren gedraaid. Naast haar lag een vies kind bij wie bloed uit de ogen en neus stroomde. Nu kwam de vrouw die Yugi kort daarvoor had gezien, een schuifelende, hinkende bedelaar, op hem af.

Terwijl hij stond te kijken gebeurde er iets met zijn zicht, alsof het beeld heel plotseling met een ruk verschoof, en in plaats van de vrouw zag hij een wever met een masker dat bestond uit blikkerende hagedissenschubben met alle kleuren van de regenboog. Het dode kind was ook in een wever veranderd. Irilia had niet tegen hen allebei op gekund, maar was er in elk geval in geslaagd er één met zich mee de dood in te sleuren. Eén was echter niet genoeg en zelfs de raven van Lucia konden hen nu niet meer redden. De mensen op straat – die niet snel genoeg hadden gereageerd om te kunnen ingrijpen toen de furiën aanvielen – gingen ervandoor toen ze de gestalte op straat zagen.

Yugi's bloed stolde. De Rode Orde was niet onfeilbaar, zo leek het, en de wevers waren slimmer dan ze dachten. Deze twee waren erin geslaagd langs de zusters heen te glippen.

Hij hoorde Zaelis scherp inademen. Lucia stond omringd door de dood naar de wever te kijken.

De wever beantwoordde haar blik, maar onder de kap van zijn lappenmantel waren zijn ogen niet te zien.

Yugi zag vanuit zijn ooghoeken dat Zaelis in beweging kwam. Het geweer van de oudere man zwaaide omhoog.

'Zaelis, nee!' riep hij, maar het was veel te laat. De wever richtte zijn masker op de leider van de Libera Dramach en stak zijn hand uit, met de witte vingers als klauwen gekromd. Zaelis' poging het geweer te richten werd zo plotseling tegengehouden alsof iemand de loop had beetgepakt. Op hetzelfde moment voelde Yugi dat zijn spieren verstijfden. Zijn hele lichaam verkrampte pijnlijk, zodat hij als aan de grond genageld bleef staan. Zijn starende ogen waren wijdopen, maar zijn lichaam deed niet wat hij wilde. Hij kon zelfs niet schreeuwen.

Zaelis richtte langzaam het wapen op zichzelf. Aan de afschuwelijke uitdrukking van volslagen ontzetting op zijn gezicht was te zien dat het geen vrijwillige beweging was, maar toch draaide de loop van het geweer langzaam maar zeker naar hem toe. Yugi kon niets anders doen dan versteend toekijken. Lucia stond erbij met een afwezige blik in haar ogen en verroerde zich niet.

Ze konden het bloedvat in Zaelis' keel zien kloppen van inspanning, want hij probeerde ertegen te vechten, maar het was tevergeefs. Hij had het geweer nu zo vast dat de loop onder zijn kin tegen zijn behaarde keel drukte.

Hij kan niet bij de trekker, dacht Yugi met een sprankje valse hoop. Het geweer is te lang.

De trekker begon langzaam uit zichzelf te bewegen. De hand van de wever balde zich tot een vuist.

'De goden vervloeken jullie, onmenselijke bastaards,' kraste Zaelis, en toen ging het geweer af en spatte zijn hoofd uit elkaar.

Het schot echode door de straat en vermengde zich met het kabaal van de strijd in de verte. De kreet van verdriet die in Yugi's hoofd galmde bleef steken in zijn keel. Lucia bleef roerloos en zwijgend staan. Druppels bloed van haar vader hadden strepen op haar gezicht achtergelaten. Ze stond met haar mond een klein stukje open te beven en er welden tranen op in haar ogen.

Zaelis viel op zijn knieën en zakte toen zijwaarts op de grond. Een traan maakte zich los van Lucia's wimpers en rolde over haar groezelige wang.

De wever deed alsof Yugi er niet was en richtte zijn geschubde gelaat op Lucia.

'Tranen, Lucia?' kraste hij. 'Daar heb je niets aan. Helemaal niets.'

Yugi maakte een verstikt geluid: laat haar met rust! Neem mij! Maar zelfs met al zijn wilskracht kon hij niets tegen de macht van de wever uitrichten. Hij kon wel gillen om zijn eigen hulpeloosheid, maar zelfs dat werd hem niet toegestaan.

Toen de wever een stap in haar richting deed, werd zijn masker versplinterd.

Een fractie later bereikte de knal van een geweer hun oren. De wever bleef even staan alsof hij niet begreep wat er was gebeurd en viel toen achterover op de grond.

Meteen verslapten Yugi's spieren en hij viel happend naar adem op zijn knieën. Een windvlaag blies een dikke rookwolk over hem heen, zodat er een mistige lijkwade over de straat leek te hangen, en hij hoestte reutelend, maar de tranen in zijn ogen hadden niets met de vervuilde lucht te maken. Het waren tranen van opluchting dat hij van de pijnlijke greep van de wever was verlost. Hij snikte één keer toen de schrik, de angst en het verdriet van die laatste momenten hem overspoelden, maar toen slikte hij, haalde bevend adem en veegde zijn ogen droog met de lap om zijn voorhoofd.

Lucia.

De wind veranderde van richting. De rook steeg op en verdween alsof hij door de lucht omhoog werd gezogen, en daar stond Nomoru, die op Lucia af was gerend en nu vlak bij het meisje haar pas inhield. Haar rijk bewerkte geweer rustte op haar arm. Ze nam het tafereel emotieloos op en haalde een hand door haar slordige haardos.

Yugi liep langzaam op hen af. Afgezien van een vage, zeurende pijn waren zowel zijn lichaam als zijn geest verdoofd. Hij keek Nomoru aan.

'Ik was de raven gevolgd,' zei ze.

Hij staarde haar aan, niet in staat iets te zeggen. Toen ging hij op zijn hurken voor Lucia zitten en legde zijn handen op haar schouders. Ze stond te trillen als een espenblad en keek langs hem heen terwijl de tranen over haar wangen biggelden.

'Is dat Zaelis?' vroeg Nomoru.

Yugi kromp ineen van die botte vraag. 'De jongen. Ga eens kijken hoe het met hem is.'

Nomoru deed wat haar werd opgedragen. Nu kwamen er ook andere mensen over straat aangerend om te helpen, en ze snakten naar adem bij de aanblik van de dode wevers, maar ze waren veel te laat om iets te kunnen uitrichten. Waar waren ze toen we hen echt nodig hadden, vroeg Yugi zich verbitterd af.

'Lucia?' zei hij voorzichtig. Ze keek hem niet aan, leek hem niet eens te hebben gehoord. 'Lucia?' herhaalde hij.

Toen was Nomoru terug. Hij keek naar haar op en ze schudde haar hoofd. Flen had het niet overleefd.

Yugi beet op zijn lip. Het verdriet was bijna te groot om te beteugelen. Hij stond op en wendde zich af, bang dat hij zich in Lucia's bijzijn zou laten gaan. Moord was hem niet vreemd – er waren in zijn verleden veel dingen die hij het liefst zou vergeten. Maar goden, al die doden...

Achter zich hoorde hij Nomoru.

'Lucia? Lucia, kun je me horen? Zijn er nog meer vogels? Zijn er nog meer raven?'

Hij stond op het punt zich met een ruk om te draaien en tegen haar te schreeuwen dat ze dat arme kind met rust moest laten, dat ze genoeg had geleden, maar toen hoorde hij dat ze met een klein stemmetje antwoord gaf.

'Ja, er zijn er nog meer.'

Yugi draaide zich om, zag de verkenner die er wat ongemakkelijk bij stond en het slanke, beeldschone meisje dat naar haar opkeek met een onbevattelijk verdriet in haar gelaatstrekken geëtst. Hij kreeg er tranen van in zijn ogen.

'We hebben ze nodig.'

'Nomoru...' begon Yugi, maar ze stak haar hand omhoog en hij hield zijn mond.

Lucia drong krachtig, maar zonder boosheid langs Nomoru heen. Ze liep naar Zaelis toe en keek op hem neer. Toen stapte ze over de vogellijkjes heen en liep naar de plek waar Flens gebroken lichaam lag, met zijn gezicht omhoog en met niets ziende ogen die op het hiernamaals waren gericht. Een hele tijd bleef ze naar hem staan kijken, alsof ze verwachtte dat hij elk moment kon opstaan, kon ademhalen, kon lachen.

Ze keek achterom met een onnatuurlijk kalme uitdrukking op haar betraande gezicht, alsof er een laagje glazuur op haar huid was aangebracht.

'De raven staan tot je beschikking,' zei ze, en haar stem klonk zo kil en scherp als een mes. 'Wat wil je dat ik doe?'

☉ 35 ☉

((laat ons eruit))
Kaiku keek werktuiglijk in de richting van het geluid, maar toen besefte ze dat er helemaal geen geluid had geklonken. De stem klonk in haar hoofd via een vorm van weefsel-communicatie die leek op wat de Rode Orde gebruikte, maar dan veel minder verfijnd.

Tsata stond in gevechtshouding klaar om de naderende schellers op te vangen, want ze kwamen door de tunnel op hen af en hun gezang kondigde hun komst aan. Hij kon alleen maar een donkere, stenen muil zien, want zijn nachtzicht werd gehinderd door het bederfelijke licht van de heksensteen dat achter hen door het rooster naar binnen scheen.

'Kaiku, als je nog briljante ideeën hebt, zou dat nu erg van pas komen,' zei hij met iets van zwarte humor.

((laat ons eruit))
De stem was een indringend, schor, haperend gefluister. Het was afkomstig van de wezens die achter de tralies in de zijtunnels bewogen. Ze bleven aan de rand van de lichtkring, zodat ze wel iets van hun gestalte kon zien, maar niet veel. Wat ze zag was echter verontrustend genoeg. Ze hadden geen gewone vormen. Hun lichamen waren asymmetrisch en gekromd, sommige hadden vele ledematen en andere tentakels of klauwen, andere hadden zelfs stekels op hun rug of rudimentaire vinnen. De meeste hadden aanhangsels die ze niet eens kon benoemen.

Ik ken ze, dacht ze. Ik heb ze al eens eerder gezien.

In het weverklooster in het hart van het Lakmargebergte was ze ook dergelijke wezens tegengekomen, die ook gevangen werden gehouden. Ze hadden geprobeerd haar aan te vallen omdat ze dachten dat ze een wever was, een begrijpelijke vergissing omdat ze zich als wever had vermomd. In de Gemeenschap was veel gespeculeerd over wat voor wezens het waren, maar veel verder dan wilde theorieën kwam niemand.

Ze deinsde instinctief terug voor het wezen dat haar had aangesproken. Via het weefsel had ze vastgesteld uit welke richting het gefluister afkomstig was. Hij kwam dichterbij.

Ze kon echter niet bij de ene kant weglopen zonder dicht bij de andere kant te komen en de tunnel was hier erg smal. Iets kouds en slijmerigs greep stevig haar hand vast.

Ze slaakte een kreet en draaide zich met een ruk om. De tentakel die haar had vastgepakt liet haar los en verdween weer achter de tralies. Tsata draaide zich verschrikt om en zag dat ze stond te staren naar de plek waar de tentakel was verdwenen. Er kwam iets naar de tralies toe, een klein, verwoest ding.

Het licht viel erop en Kaiku trok bleek weg.

Het was een wangedrocht, een kromgetrokken massa armen en benen die vastzaten aan een torso dat nauwelijks als zodanig herkenbaar was. De vergeelde huid was strakgetrokken over een hopeloos verminkt geraamte en het wezen bewoog zich met spastische, schokkerige bewegingen voort terwijl zijn vele ledematen alle kanten op zwaaiden. Ergens in het midden zat een soort hoofd zonder nek, maar het was niet meer dan een bolle kluit waar wat gelaatstrekken op te onderscheiden waren.

Het gezicht was echter dat van Kaiku.

De schok bracht haar aan het wankelen. Het was alsof ze in een verwrongen spiegel keek, of naar een standbeeld van zichzelf waar aan alle kanten aan was getrokken en dat half was gesmolten. Overtollige huid hing onder de oogkassen, de mond was opzij getrokken alsof er een onzichtbare haak aan zat en haar tanden stonden in vele rijen achter elkaar... maar toch was het onmiskenbaar een benadering van háár uiterlijk.

((laat ons eruit)) klonk het opnieuw dringend.

((wat zijn jullie?)) vroeg ze, want door haar afschuw was ze vergeten hoe gevaarlijk het was om haar kana te gebruiken.

Het wezen dat haar uiterlijk had aangenomen had zich in de schaduwen teruggetrokken en ze wendde zich tot degene die haar op de een of andere manier had aangesproken. Het wezen was bij de tralies gaan staan. Het was een meelijwekkend ondermaats ding met slappe stekels die als een zeil over zijn rug liepen en ledematen die allemaal totaal verschillende afmetingen hadden. Kleverige, vreemdkleurige ogen keken haar vanuit een scheef gelaat strak aan.

((wat zijn jullie?)) vroeg ze opnieuw, want ze kon dit niet bevatten.

458

((grensvaders)) antwoordde het wezen, en Kaiku werd bestookt met beelden, taferelen en sensaties die haar als een duizelingwekkende golf overspoelden en in een fractie door haar geest schoten. Grensvaders. Degenen die de maskers maakten die de wevers droegen. Ze pikte verwarde herinneringen op aan smidsvuren en ateliers die diep onder de grond in de kloosters waren gebouwd volgens de krankzinnige ideeën van de wevers over architectuur, en toen, verder terug, een herinnering aan een gezin – o goden, dit was ooit een mens geweest, een ambachtsman – en hij was ontvoerd door wevers die als boze geesten in het holst van de nacht waren gekomen om hem weg te grissen uit zijn piepkleine dorpje in de bergen. Nu werkte hij aan één stuk door en vervaardigde maskers, zij aan zij met andere mannen – nooit vrouwen – die kunstenaars waren geweest. Zij waren beeldhouwers, ijzersmeden, en altijd was er het stof, het stof van de heksenstenen dat ze in hun maaksels verwerkten om ze de macht te geven die de wevers wilden, en hij keek om zich heen en kon zien wat het stof met al die mannen deed, wat het met hem deed. Het begon als een plekje met schubben op de muis van zijn hand, en toen groeide er iets op zijn rug, en toen kwamen de veranderingen, de afschuwelijke verminkingen die ontstonden doordat ze dag in, dag uit met puur, onbehandeld heksensteenstof werkten, en als ze te zeer waren veranderd werden ze niet gedood – hartbloed, waarom werden ze niet gewoon gedood? – maar gevangengehouden, en ondertussen bleven de veranderingen maar doorgaan, zelfs nu ze niet meer met het stof in aanraking kwamen, en soms, zoals nu, zaten de gevangenissen overvol en werden ze naar een andere gevangenis gebracht, want het was gevaarlijk om er te veel bij elkaar te zetten, want sommigen – zoals deze – konden dingen doen, vreemde dingen die het gevolg waren van de meedogenloze en onstuitbare mutatie, en anderen – zoals die – konden dingen van anderen stelen en ze nabootsen zonder dat ze er iets aan konden doen en

((LAAT ONS ERUIT!))

De mentale kracht van de boodschap bracht Kaiku aan het wankelen. Als een golf spoelde hun gekwelde geest over haar heen.

'Kaiku!' zei Tsata dringend. De schellers hadden hen bijna bereikt. Ze nam een besluit. Haar irissen werden donkerrood toen ze haar kana volledig en zonder voorbehoud losliet, en haar haar golfde om haar gezicht alsof er een spookachtige wind was opgestoken. De kracht sprong gretig naar buiten, wikkelde zich om de gouden draden in de lucht en vervlocht met het metaal van het rooster dat hen van de heksensteen scheidde. Met een luid gekraak werden twee stangen losgerukt die tollend in het meer vielen, waardoor er een gat

ontstond dat groot genoeg was om doorheen te kruipen. De Grensvaders begonnen te brullen.

((NEE! NEE! LAAT ONS ERUIT!))

'Tsata! Deze kant op!'

De Tkiurathi had zich omgedraaid toen hij het geluid van scheurend metaal hoorde, en nu hij een vluchtweg zag, rende hij eropaf. Voor Kaiku bleef hij even staan en ze keken elkaar in de ogen: die van hem bleekgroen, die van haar duivels, afwijkend rood. Ze duwde de zak met explosieven in zijn armen.

'Jij eerst,' zei ze.

Hij vroeg niet waarom. Hij sprong gewoon naar buiten en vertrouwde erop dat het water diep genoeg zou zijn om zich veilig in te laten vallen.

Kaiku hoorde de plons toen hij erin viel. De eerste scheller kwam de hoek van de tunnel om gerend en stoof met katachtige passen op haar af. Kort daarop volgden er nog een paar.

Ze maakte een handgebaar, en de tralies van de zijtunnels werden weggerukt en vielen kletterend op de stenen vloer. De Grensvaders brulden verrukt en stroomden hun cellen uit, maar tegen die tijd was Kaiku al gesprongen en viel ze omlaag naar het meer. De schellers vielen de Grensvaders aan, die ver in de meerderheid waren en woest in de tegenaanval gingen. Het was een woedende, krankzinnige massa, en ze gaven niets om hun eigen leven. De rest van de schellers en de nexussen die later aankwamen, stonden opeens tegenover tien-
tallen gedrochten die schreeuwden om bloed.

Hun einde was net zo onplezierig als het leven van de Grensvaders was geweest.

De overwinnaars stormden door de tunnel, verspreidden zich over de grotten en zaaiden overal dood en verderf. Ze waren op moord en wraak belust en lieten een spoor van vernielingen achter.

De temperatuur van het water dreef de lucht uit Kaiku's longen. De kreten van de Grensvaders werden opeens dof en laag toen ze in het meer stortte en haar oren werden gevuld met het geraas van lucht-
belletjes. Toen haar neerwaartse snelheid minder werd, zwom ze om-
hoog in de richting van de smerige gloed van de heksensteen. Hap-
pend naar adem kwam ze aan de oppervlakte met haar haar vastgeplakt aan haar ene wang. Het tumult leek opeens weer oorverdovend.

Tsata zwom al bij haar vandaan met één arm om de zak met ex-
plosieven geklemd. Ze riep zijn naam, maar hij stopte niet, dus ging ze achter hem aan. Achter zich hoorde ze de schellers jammeren toen ze werden verscheurd door de monsters die ze had vrijgelaten. Som-

mige gedrochten vielen door het kapotte rooster naar buiten en tui-
melden log door de lucht het meer in, waar ze zwommen of ver-
dronken, afhankelijk van de ernst van hun mutatie en de bouw van
hun lichaam. Twee waren er alweer uit het water geklommen en kropen als spinnen langs de wand van de schacht omhoog. De golneri's
vluchtten doodsbang alle kanten op bij de aanblik van de Grensvaders, en hun schoenen kletterden op de looppaden die boven Kaiku's hoofd kriskras door elkaar liepen. De nexussen en afwijkenden
die onder in de schacht hadden rondgelopen waren weggegaan toen
Tsata en Kaiku in de wormenkwekerij waren ontdekt en er alarm
was geslagen, dus er was niemand om de kleine wezentjes te beschermen, en ze raakten in paniek. Er heerste complete chaos.

Kaiku kon beter zwemmen dan Tsata en ze haalde hem in toen hij
op een kleine rotsbult klom van waaruit een wankele brug over het
water naar het centrale eiland liep, waar de dreigend uitziende heksensteen lag. Op de achtergrond bleven de grote schepbakken onverstoorbaar water scheppen en ophijsen, en vlakbij waren reusachtige pijpen die water oppompten. Ze greep hem bij zijn goede
arm toen hij wilde wegrennen en hij draaide zich naar haar om. Zijn
getatoeëerde gezicht, dat door het griezelige licht werd beschenen,
stond grimmig.

'We moeten...' begon ze, maar hij schudde zijn hoofd. Hij wist wat
ze wilde zeggen: dat ze zich moesten verbergen, weg moesten voordat de wevers hiernaartoe kwamen, aangetrokken door haar kana.
Zich verstoppen was voor hem echter geen optie.

Hij klakte met zijn tong en wees. Over een looppad hoog boven hen
hobbelde een gemaskerde gestalte met een kap op, gehuld in een lappenmantel.

'Houd hem tegen,' zei Tsata. Toen rende hij over de brug naar de
heksensteen en hij nam de doorweekte zak met explosieven mee.

Kaiku had geen tijd om tegenwerpingen te maken, ze had zelfs geen
tijd om erbij stil te staan dat de verminkte Grensvaders die in het
water rondspetterden voor haar en Tsata wellicht net zo goed een
bedreiging vormden als voor de anderen. De wever, die zag dat de
Tkiurathi de afschuwelijke steen naderde, zond een massa tentakels
door het weefsel om hem te verscheuren. Kaiku reageerde zonder erbij na te denken, en haar kana schoot naar buiten om ze te onderscheppen. Haar bewustzijn botste met dat van hem en alles om haar
heen werd van goud.

Ze was een massa draden die botsten en verstrengeld raakten met
die van de wever, en ze gebruikte haar minimale verrassingsvoordeel
om zo diep mogelijk binnen te dringen voordat de wever zich als een

vuist omdraaide en zichzelf sloot, zodat ze allebei vastzaten in een soort bal waarin ze elkaar verwoed bevochten. Terwijl ze probeerde zichzelf los te maken en door te stoten, verschenen er vlak voor haar onontwarbare knopen, die ze soms probeerde los te peuteren en soms wist te omzeilen. Haar geest had zich opgesplitst in ontelbare stukjes bewustzijn, een leger van gedachten die in de ziedende lichttapisserie elk hun eigen strijd voerden. De woede van de wever golfde over haar heen. Het was niet zo overweldigend als de onpeilbare kwaadaardigheid van de ruku-shai, maar wel veel persoonlijker: de vrouw was het terrein van de man binnengedrongen en daarvoor zou ze zwaar moeten boeten.

Toen keerde haar blik plotseling en met een schok naar binnen en doofde het diorama uit. Ze bevond zich in een gang, een lange gang vol diepe schaduwen. Paarse bliksemschichten wierpen door de luiken heen felle, korte lichtflitsen naar binnen die vreemde patronen op de muren veroorzaakten. Maanstormbliksem, zoals op de laatste dag dat ze deze plek had gezien. Op de tafels stonden vazen vol guyabloesems in het zachte briesje met hun kopjes te knikken. Het regende. Ze kon het niet horen, maar ze kon het merken aan al het warme vocht in de lucht. De stilte deed pijn aan haar oren en ze hoorde alleen het ruisen van haar eigen bloed.

Het was het huis van haar vader in het Yunawoud, het huis waar haar familie was gestorven en waar de demonische shin-shins haar hadden beslopen. Ze was nooit helemaal van de nachtmerries afgekomen waaruit ze zwetend wakker werd, nog geplaagd door de vervagende herinnering aan gangen en ongeziene wezens met steltachtige poten die zich achter deuropeningen en om elke hoek verborgen hielden.

Dit was echter geen droom. Het was op een onmogelijke manier echt.

Ze keek naar zichzelf en zag haar vermoedens bevestigd: ze was weer een kind in een nachthemd, helemaal alleen in een leeg huis. En er zat iets achter haar aan.

Ze voelde zijn duistere aanwezigheid snel naderen. Het was iets wat bestond uit razernij en wrok en het kon haar elk moment bespringen, dat reusachtige monster dat haar met één hap van zijn grote muil zou verslinden.

Ze was een kind, dus rende ze weg.

De duisternis leek echter wel dikke, kleverige pek die haar ledematen tegenhield. Ze kon niet wegrennen zonder het naderende monster de rug toe te keren en ze kon het ook niet ontvluchten. Toch sloeg ze op de vlucht, want dat onzichtbare kwaad boezemde haar een ongelooflijke angst in en het liefst zou ze smeken, huilen en bidden dat het zou weggaan, maar de wetenschap dat ze het op geen enkele manier kon tegenhouden verstikte haar.

Ze rende op haar blote voeten, maar het ging tergend langzaam. De guyabloesems keerden hun met bloemblaadjes omkranste kopjes naar haar toe en bekeken haar met onheilspellende belangstelling. Het einde van de gang leek met elke twee passen die ze deed een pas verder bij haar vandaan te bewegen. Achter haar kwam het wezen steeds dichterbij. Het denderde door de droomdoolhof van haar huis en ze had steeds het gevoel dat het haar elk moment zou grijpen, dat hij niet dichterbij kón komen zonder haar te bereiken, maar toch bleef dat afschuwelijke gevoel van nabijheid maar groeien, totdat de tranen over haar wangen stroomden en ze geluidloos gilde. Nog steeds vluchtte ze, en het einde van de gang naderde met een traagheid die haar al snel het leven zou kosten.

De wever! Dit doet de wever!

Haar gedachten maakten zich los uit het kind, waar ze even in verwarring waren geraakt. Ze hielp zichzelf er krachtig aan herinneren dat ze zich in het weefsel bevond, dat haar lichaam druipnat op een eilandje in een ondergronds meer onder aan een enorme aardschacht stond. Maar waar was de gouden wereld gebleven die ze zo goed kende, het landschap dat haar kana gebruikte om de weg te vinden? Waar waren de draden?

Toen wist ze het opeens. De wever had de regels van het spel veranderd. Cailin had haar verteld dat de wevers zelf een beeld van het weefsel creëerden om er een vorm aan te geven die ze konden begrijpen en waarmee ze konden werken. In tegenstelling tot de zusters konden ze immers niet met het pure element omgaan zonder zichzelf te verliezen in het gevaarlijke, hypnotiserende geluksgevoel. Haar tegenstander had haar in een visualisatie van haar eigen nachtmerrie gevangen, had de onbewuste angst opgevangen die uit haar bewustzijn lekte omdat ze te onervaren was om hem te beteugelen, en had die in zijn voordeel gebruikt. Ze zat hier vast als een zwak, hulpeloos kind dat het moest opnemen tegen een onvoorstelbaar sterk monster.

Hoe kon ze hem hier bestrijden? Hoe kon ze het winnen van een wever? Het was zelfmoord om het tegen een wever op te nemen! Zij beheersten dit rijk als geen ander, terwijl zij alleen maar een paar basistechnieken en haar intuïtie had om op af te gaan. Hoe kon ze haar vijand verslaan als hij het spel beheerste, als hij de regels bepaalde?

Ze werd overvallen door wanhoop, want ze was een klein meisje dat was verdwaald in een nachtmerrie en een volwassene die in een hopeloze strijd was verwikkeld en geen kant op kon. De wever zou haar grijpen en doden, in het beste geval. En daarna zou hij Tsata doden.

Die gedachte, en alleen die gedachte, weerhield haar ervan zich helemaal over te geven.

Ik kan niet vluchten. Mijn leven is niet het enige wat op het spel staat.

De zuiverheid van dat besef versterkte haar. Het was geen kwestie van zelfovertuiging, het was iets wat ze gewoon moest doen, puur en simpel. Ze had zichzelf en Tsata beschouwd als bondgenoten, als metgezellen, zelfs als vrienden, maar op een bepaald moment in de afgelopen dagen was dat veranderd. Ze vroeg zich af of 'vriendschap' wel de juiste term was om de band die er tussen hen was gegroeid te beschrijven, dat vreemde, voorzichtige wederzijdse begrip, dat blindelingse vertrouwen dat nodig was om in leven te blijven te midden van de dodelijke afwijkende roofdieren waarop ze hadden gejaagd en waardoor ze waren achtervolgd. Er was een soort verfijnde osmose van woorden en daden tussen hen ontstaan, en ze was hen beiden gaan beschouwen als een symbiotisch wezen, alsof de een niet zonder de ander kon, alsof zij als onafhankelijke mensen tot één entiteit waren versmolten. Als zij hier stierf, zou hij ook sterven. Hij had zijn leven in haar handen gelegd toen hij haar had opgedragen de wever tegen te houden terwijl hij probeerde de heksensteen te vernietigen. Kaiku had geen idee hoeveel tijd er in Tsata's wereld was verstreken – daarvoor ging ze te veel op in haar eigen wereld – maar elk moment dat ze hem kon schenken kon het verschil maken tussen leven en dood, tussen het volbrengen van hun taak en een mislukking.

Dit was pasj, de Okhambaanse idee van saamhorigheid en onzelfzuchtigheid, waarbij het individuele belang ondergeschikt werd gemaakt aan het grotere goed. Nu begreep ze het, en het schonk haar moed.

Ze bleef stilstaan. Het eind van de gang leek een uitnodigend sprongetje in haar richting te maken om haar ertoe over te halen door te rennen. De opmars van de wever haperde en nu was ze zich bewust van zijn aanwezigheid vlak achter haar, zo dichtbij dat ze hem zou kunnen aanraken, en de haartjes in haar nek gingen rechtop staan toen ze zijn intense honger voelde. Ze was er bijna, bij de hoek die haar aan die hatelijke blik zou onttrekken.

Ze keerde de hoek echter de rug toe. Terwijl ze zich omdraaide, doorliep ze in een oogwenk twintig jaar en groeide uit tot een volwassen

Kaiku met bloedrode irissen, die zich richtten op het wezen waarin de wever was veranderd.

Het vulde de hele gang: een reusachtige, kwijlende, beestachtige man met zes armen die hoog boven haar uittorende. Zijn hete adem stonk naar rotte lijken. Hij had klauwen aan zijn voeten en handen, maar de rest van zijn lichaam was menselijk en enorm gespierd, en op zijn borst en lendenen groeide dik zwart haar. Zijn huid was rood en glom van het zweet en zijn gelaat was een en al snuit, hoorns en slagtanden. Giftige dampen lekten tussen de scherpe tanden door, zodat hij in rook leek te zijn gehuld. Er lag een woeste glans in zijn kleine oogjes.

Het was een demonische overdrijving van het beeldje van Jurani dat haar vader in zijn werkkamer had gehad en waarvoor ze als kind vreselijk bang was geweest. De zesarmige god werd altijd op twee manieren afgebeeld: als goedaardige schenker van leven, de bron van licht en warmte enerzijds, en als een woeste vernietiger anderzijds. Voor dat laatste beeldje was Kaiku als heel klein meisje doodsbang geweest sinds haar moeder haar had verteld dat Jurani in de berg Makara woonde, en dat de rook die er altijd uit opsteeg de stoom was die uit de neusgaten van de god kwam.

De wever had een fout gemaakt. Angst voor de gapende duisternis en voor lege gangen waar een naamloze verschrikking huisde... dat waren dingen waar ze altijd last van had gehad, een subtiel oerinstinct van het soort dat kinderen nooit van zich af konden schudden, hoe oud ze ook werden. Haar angst voor Jurani had ze echter al heel lang geleden overwonnen en zijn verschijning hier was ongerijmd en bracht haar bij haar positieven. De wever gebruikte haar angsten tegen haar, maar hij kon alleen echo's en herinneringen opvangen, en deze angst was allang verdwenen.

Ze stortte zich op het monster, greep het vast, en opeens veranderde de wereld weer in een wirwar van gouden draden. De illusie van de wever viel uiteen.

Nu zag ze echter wat haar vijand had gedaan terwijl zij zich door zijn list had laten afleiden. Hij had de tijd die zij had verspild met vluchten gebruikt om door haar bescherming heen te zagen en knopen door te knagen, totdat de barrière die hem de toegang tot Kaiku's lichaam ontzegde aan alle kanten rafelde en op het punt stond het te begeven. Verwoed danste ze van de ene streng naar de andere om de gaten te stoppen en nieuwe draden door het slagveld te weven. De wever viel agressief aan in een storm van steken en schijnbewegingen die haar moesten afleiden van de echte schade die hij toebracht, maar Kaiku had door dat het een list was en negeerde de valse trillingen. Ze schoot snel van de ene naar de andere kant, bouwde muren weer op en legde knopen, vallen en strikdraden om haar tegenstander te vermoeien.

De wereld veranderde weer en werd een lange, donkere tunnel met aan het eind iets wat razendsnel op haar afkwam, maar nu wist ze wat het was, en ze rukte zich los en verplaatste haar bewustzijn weer naar het weefsel. Het tafereel verdween. Hier werd ze, in tegenstelling tot de wever, niet gehinderd door de noodzaak om het gouden rijk te interpreteren. Ze kon met het pure materiaal werken. Dat was in haar voordeel, want daardoor was ze sneller dan haar tegenstander.

Ze was echter nog vreselijk onervaren en de wever was slim. Ze was in de verdediging gedrongen en hoe snel ze ook was, ze kon hem niet eeuwig op afstand houden. In de tegenaanval gaan was ondenkbaar zolang hij haar zo sarde.

Je moet gewoon wat tijd zien te winnen, dacht ze.

Toen zag ze het: een opening, een gat in de barrière van de wever dat was gaan rafelen omdat het niet was onderhouden en doordat de draden eromheen uit elkaar werden getrokken. De wever had al zijn aandacht op haar gericht en dacht niet aan zijn eigen verdediging. Hij baande zich net een weg naar een onoplosbare doolhof die Kaiku had aangelegd om hem op te houden. Dat zou hem lang genoeg bezighouden en het gaf Kaiku de kans...

Ze had geen tijd om er verder over na te denken. Ze verdichtte haar bewustzijn tot een scherpe punt en schoot als een speer langs de glinsterende tentakels van de wever het gat binnen.

Tegen de tijd dat ze besefte dat het een valstrik was, was het te laat. Het gat sloot zich achter haar en er viel een gordijn vol ingewikkelde klitten en knopen voor om te voorkomen dat ze zich terug zou trekken. De omringende vezels werden als een net om haar heen strakgetrokken. Ze vocht er wanhopig tegen, maar de koorden braken niet zo gemakkelijk en er kwamen telkens nieuwe bij, zodat ze zich voelde als een vlieg die door een spin in een cocon wordt gewikkeld. Met een ander deel van haar geest voelde ze dat de wever uit de valstrik dook die ze voor hem had geplaatst, en ze besefte dat hij al die tijd al had geweten dat het een valstrik was, maar haar gewoon de gelegenheid wilde bieden om in zíjn val te lopen. Hij begon weer aan haar bescherming te plukken en trok die langzaam uit elkaar, en ze had niet genoeg bewegingsruimte om er iets tegen uit te richten. Ze was te gretig geweest, had een beginnersfout gemaakt, en nu zou het haar nooit meer lukken om zich op tijd los te maken en hem tegen te houden. Die fout zou haar het leven kosten.

Ze spartelde, gilde geluidloos, probeerde zich verwoed los te worstelen, en ondertussen omzeilde de wever het laatste obstakel dat ze had opgeworpen en stak zijn afschuwelijke tentakels in haar lichaam, in haar vlees.

Toen begon het weefsel opeens hevig te schudden, en een woordeloze, hersenloze kreet sloeg als een vloedgolf over Kaiku en de wever heen, sleurde hen mee in een onstuitbare getijdestroom en liet hen tollend achter in de kolken die in zijn kielzog waren ontstaan.

Kaiku voelde dat de tentakels van de wever met een ruk werden teruggetrokken en dat ze uit haar cocon werd bevrijd nu alle verdedigingswerken door de krachtige verstoring werden weggevaagd. Duizelig en niet-begrijpend wachtte ze totdat haar zintuigen het oorverdovende geschal hadden geïnterpreteerd.

De heksensteen. De heksensteen!

Hij verkeerde in nood.

De wever was verlamd, verdoofd door de kracht van de kreet, die meteen zijn aandacht had getrokken. Zijn eerste prioriteit was altijd het welzijn van de heksensteen in zijn beheer geweest. Het was niet zomaar een taak, het was het doel van zijn bestaan. Hij begreep niet waar de drang die hij voelde vandaan kwam, kende de oorsprong niet van de groepsgeest die de wevers aanstuurde. Hij wist niet dat hetgeen hij bewaakte niet alleen de bron was van de macht van de wevers, maar bovendien een fragment van de maangod Aricarat. Toen hij de kreet van de heksensteen hoorde, reageerde hij als een moeder met een jong dat wordt bedreigd, en opeens was niets belangrijker dan het beschermen van die steen. Zelfs zijn eigen veiligheid niet.

Hij besefte niet eens dat Kaiku hem aanviel, totdat ze door zijn verwaarloosde barricade was gedrongen en de kern van zijn wezen had bereikt. Ze was een tollende naald die langs het diorama van het weefsel schoot en in zijn binnenste opbloeide, waar ze zich verankerde totdat haar greep stevig genoeg was.

Vanaf het allereerste begin was ze in staat geweest haar kracht met één primitief doel te gebruiken: vernietiging. Ze reet de wever uiteen.

Ze richtte haar blik weer op de werkelijkheid, net op tijd om te zien dat de gemaskerde gestalte op het looppad in een regen van brandend botweefsel en bloed uit elkaar spatte, en dat vlammende restjes van zijn mantel, masker en huid door de lucht dwarrelden en sissend in het donkere water van het meer vielen. Een afschuwelijke vermoeidheid overspoelde haar en ze werd door het gewicht ervan op handen en knieën gedwongen. Haar doornatte haar viel voor haar gezicht en haar rug rees en daalde terwijl ze grote happen lucht nam. Ze had het gevoel dat er iets in haar binnenste kapot was, alsof de wever toch iets had weten te beschadigen. Ze voelde zich zo bezoedeld door zijn aanraking dat ze moest overgeven, en de schaarse inhoud van haar maag spetterde op de gladde rotsen tussen haar handen. Ze was zich vagelijk bewust van het geraas van de watervallen, het galmende gekreun en gebrul van de Grensvaders, het gekletter van het metaal onder de schoenen van de golneri's die langs de schacht naar boven vluchtten.

Toen drong het opeens tot haar door, een gedachte die haar deed beven van triomf en ongeloof. Ze had het tegen een wever opgenomen en ze had gewonnen.

De vreugde verdween echter snel. Ze had zichzelf uitgeput, want ze had te veel van haar kracht gebruikt, zoals ze altijd had gedaan voordat Cailin haar had geleerd er spaarzamer mee om te springen. Haar kana was zo goed als opgebrand en haar lichaam ook, dus nu was ze vreselijk kwetsbaar en het gevaar was nog lang niet geweken. Ze kreeg het nauwelijks voor elkaar om haar hoofd op te tillen en naar het middelste eiland te kijken waar de heksensteen lag, dat afschuwelijke ding dat onbedoeld haar leven had gered.

Het krioelde er van de Grensvaders die er met stenen en gereedschap tegenaan sloegen en er met hun blote klauwen aan krabden. Ze hadden hun tanden en nagels op het oppervlak gebroken en hun bebloede vuisten en muilen gaven aan met welk een krankzinnige woede ze de aanval hadden ingezet. Ze brachten zichzelf veel meer schade toe dan de heksensteen, die maar weinig onder hun aanvallen te lijden had. Ze kon zijn jammerende noodkreet nog steeds voelen: hij gonsde door het weefsel en reikte onvoorstelbaar ver. Als hier nog wevers waren, zouden ze al op weg zijn naar de grot, en Kaiku kon er niet nog een bestrijden.

Toen zag ze Tsata. De Tkiurathi zat aan de voet van de heksensteen, ramde er explosieven onder en drukte er modder vanonder de waterlijn tegenaan. De Grensvaders negeerden hem zo te zien, en zelf had hij nergens anders aandacht voor. Had hij eigenlijk wel gemerkt wat een strijd ze had moeten leveren om zijn leven te redden? Bij die gedachte voelde Kaiku verontwaardiging in haar binnenste opwellen, en die gebruikte ze om zich op te krikken: om de vermoeidheid die in haar lichaam was geslopen te overwinnen en overeind te komen.

Ergens boven haar op het netwerk van looppaden vochten Grensvaders, schellers en nexussen met elkaar. Ze was te uitgeput om ergens op te letten terwijl ze over de brug naar het middelste eiland strompelde, naar Tsata toe. De schepbakken gingen in het rond, de pijpen pompten en de ovens sisten, stoomden en rommelden eindeloos en doelmatig door, zonder zich om haar te bekommeren. De heksensteen ziedde in zijn smerige gloed, en de lucht leek te knetteren toen ze dichterbij kwam. Haar maag kromp ineen en begon te borrelen. Struikelend voegde ze zich bij haar metgezel, hopend dat de Grensvaders haar niet zouden lastigvallen, en ging vermoeid op haar hurken naast hem zitten. Zijn toch al bleke huid was nog geler dan gewoonlijk. De verderfelijke nabijheid van de heksensteen had duidelijk ook op hem zijn weerslag. Hij wierp haar een vluchtige, zijdelingse blik toe en concentreerde zich toen weer op zijn taak. Ze wist nu hoe hij dacht. Voor hen allemaal was niets zo belangrijk als de vernietiging van de heksensteen. Daarom was al het andere voor Tsata van ondergeschikt belang. Maar geesten, besefte hij wel wat ze net had gedaan? Een felicitatie, een dankwoord, meer had ze niet nodig. Al liet hij maar zijn opluchting blijken dat ze er nog was. Maar hij was te geconcentreerd en zijn prioriteiten waren te onwrikbaar.

'De lonten zijn nat,' zei hij toen de laatste explosieven op hun plaats lagen. 'Ik kan ze niet aansteken.'

Het duurde even voordat zijn woorden tot Kaiku doordrongen, en pas daarna besefte ze wat ze inhielden. De boosheid die ze had gevoeld over zijn achteloze houding maakte plaats voor een nieuwe emotie.

'Tsata, nee,' zei ze ontzet. Ze wist wat hij dacht. Ze wist wat een Tkiurathi zou doen.

Hij keek haar aan. 'Jij moet gaan,' zei hij. 'Ik blijf wel hier en zorg ervoor dat de explosieven afgaan.'

'Je bedoelt dat je hier blijft om dood te gaan!' riep ze uit.

'Het is de enige oplossing,' zei Tsata.

Ze greep hem ruw bij zijn schouders en draaide hem naar zich toe. Zijn roodblonde haar hing in natte pieken op zijn voorhoofd en zijn getatoeëerde gezicht was kalm. Natuurlijk was hij kalm, dacht ze woedend. Al zijn keuzes waren al voor hem gemaakt. Diezelfde godenvervloekte filosofie van onbaatzuchtigheid die mede haar leven had gered betekende nu dat hij het zijne ging weggooien, vanwege het 'overkoepelend belang'.

'Ik laat je zo niet sterven,' siste ze tegen hem. 'Vijf jaar geleden is een man gestorven omdat hij om mij betrokken raakte bij iets waar hij zich nooit mee had moeten bemoeien, en zijn dood drukt nog steeds op mijn geweten. Ik wil jouw dood er niet óók nog eens bij hebben!'

'Je kunt me niet tegenhouden, Kaiku,' zei hij. 'Het is heel eenvoudig. Als ik wegga, kunnen we de heksensteen niet vernietigen en is dit allemaal voor niets geweest. Het gaat niet om ons. Het gaat om de miljoenen mensen die in Saramyr wonen. We hebben de kans om een enorme klap uit te delen, en mijn leven betekent niets vergeleken met alle levens die we kunnen redden.'

'Maar het betekent wel iets voor mij!' riep ze uit, en daar had ze meteen spijt van. Maar het was nu eenmaal gezegd en kon niet meer worden teruggenomen.

Ze deed er meteen het zwijgen toe. Ergens wilde ze het liefst doorgaan, uitleggen wat ze in haar binnenste voelde opwellen, dat ze in deze man iemand zag die ze blindelings kon vertrouwen, iemand die haar nooit zou kunnen verraden zoals Asara had gedaan, iemand bij wie ze zich zonder angst kon blootgeven. Maar na al die wonden was haar hart niet van het ene op het andere moment te genezen, en hoewel ze wist dat ze de pijn niet zou kunnen verdragen als ze toeliet dat hij zichzelf opofferde, wist ze ook dat ze het niet hardop durfde uit te spreken.

Hij keek haar teder aan. 'We hebben geen tijd,' zei hij, en er klonk iets van spijt door in zijn stem. 'Ga nu!'

'Dat kan ik niet!' zei ze. Ze slikte de gal in die omhoogkwam doordat haar maag reageerde op de straling van de heksensteen. 'Ik ben te zwak. Ik heb je hulp nodig.'

Even flakkerde er twijfel op in Tsata's ogen, maar die verdween al snel en maakte plaats voor vastberadenheid. 'Dan zul jij ook moeten blijven.'

'Nee!' krijste ze. 'Geesten, die onbaatzuchtigheid die je zo koestert maakt me soms misselijk! Ik weiger mezelf hieraan op te offeren en ik laat jou die keuze niet voor mij maken! Jij bent de enige die de boodschap over het gevaar dat de wevers vormen aan jouw volk kan overbrengen. Een Saramyriër zullen ze nooit geloven. Het is egoistisch als je jezelf hier opoffert! Je denkt alleen aan mijn pasj, niet aan de jouwe, niet aan je eigen volk! Als dit hun niet wordt verteld, zijn zij de volgenden zodra Saramyr is gevallen, en jij bent de enige levende ziel die hen kan waarschuwen! We weten niet wat er zal gebeuren als we deze heksensteen vernietigen, maar we weten wel wat de wevers met jullie land zullen doen als ze daar aankomen, en als de Tkiurathi onvoorbereid zijn, zullen ze allemaal sterven! De wereld is niet zo zwart-wit als jij denkt, Tsata. Er zijn meer manieren om te doen wat je juist acht.'

Ze kon aan Tsata's gezicht zien dat hij aarzelde, maar toen hij eindelijk iets zei, sprongen de tranen van frustratie haar in de ogen.

'Ik moet hier blijven,' hield hij vol. 'De lonten zijn nat.'

'Dat kan ik wel doen!' gilde ze tegen hem. 'Ik ben verdomme een afwijkende! Ik kan ze van veraf aansteken.'

Tsata keek haar onderzoekend recht in de ogen. Hij was wijs genoeg om te weten dat ze alles zou zeggen om hem daar weg te krijgen. 'Echt waar?'

'Ja!' antwoordde ze meteen. Maar was dat wel zo? Ze had geen idee. Ze wist niet hoe ver haar krachten reikten en of ze wel genoeg kana overhad. Ze had nog nooit zoiets geprobeerd en ze was zelden zo uitgeput geweest. Maar ze keek hem recht aan en loog tegen hem. Ik wil je niet kwijt. Niet zoals Tane.

'Dan moeten we nu gaan,' zei Tsata, en hij sprong overeind en trok Kaiku met zich mee. Ze snakte naar adem van opluchting en pijn – wat de wever haar ook had aangedaan, het deed pijn als ze te plotseling bewoog – en liet zich meetrekken naar het meer, en vervolgens het water in. Ze had nauwelijks genoeg kracht om te zwemmen, maar Tsata ondersteunde haar met zijn ene arm en gebruikte de andere om te zwemmen. Ze liet zich door hem meevoeren, zonder zich te bekommeren over de vraag waar ze naartoe gingen. Het enige wat telde was dat ze weggingen, dat hij haar had geloofd. Of ze kon doen wat ze had beloofd was een andere kwestie, maar ze stond zichzelf niet toe zich daar nu zorgen over te maken. Ze klampte zich aan hem vast en hij liet haar niet los.

Overal om hen heen hoorden ze schellers die op de looppaden vochten met de op hol geslagen Grensvaders. Sommige hadden nu bijna het middelste eiland bereikt. Het gebrul van de machines dat haar oren vulde werd steeds luider, en toen ze opkeek, zag ze Tsata's roekeloze plan.

Een paar meter voor hen uit kwamen de reusachtige schepbakken uit het meer omhoog en verdwenen in de duisternis van de schacht. Tsata zwom er recht op af.

'Niet bang zijn,' prevelde hij toen hij haar gezicht zag. Toen kwam een van de schepbakken vlak voor hun neus uit het water, en met een paar stevige slagen trok Tsata hen naar de plek waar de volgende elk moment omhoog kon komen.

Kaiku liet zich meevoeren. Ze vertrouwde hem. Een andere keus had ze niet.

Ze zakte een stukje weg, iets sloeg van onderen tegen haar enkels en ze viel in de enorme metalen bak die om haar heen omhoogkwam. Ze werd onder water getrokken en sloeg even wild om zich heen, waarbij ze hard met haar hand ergens tegenaan stootte. Toen zwom ze recht omhoog en kwam aan de oppervlakte. Ze stegen langzaam op en onder hen werd het meer steeds kleiner. Af en toe klotste er wat water over de rand van de schepbak, terug naar de bron. Achter hen aan kwamen al nieuwe schepbakken omhoog. Kaiku raakte bijna in paniek toen haar maag zich door de snelle stijging omkeerde, maar daar vond ze de bak te wankel voor, dus verstijfde ze.

Ze stegen op langs het netwerk van looppaden, langs Grensvaders die vochten met roofdieren, langs loeiende bouwwerken, gloeiende ovens en reusachtige, ronddraaiende tandwielen. Een nexus viel geluidloos langs hen heen omlaag, brak zijn rug op een balustrade en stortte in het meer. Een scheller viel een golneri aan, want nu zijn menner er niet meer was, werd het dier wild. Het was één grote chaos en niemand sloeg acht op de schepbak die met zijn lading omhoogbewoog naar de peilloze duisternis en de uitnodigende, rokerige vlammen van de gastoortsen in de verte.

Ze voelde Tsata naast zich en zijn geruststellende hand op haar schouder.

'Nu, Kaiku,' zei hij.

Ze sloot haar ogen en zocht in haar binnenste naar het beetje energie dat ze nog overhad. Ze had alleen maar een vonkje nodig, meer niet. Ze buitte haar pijnlijke lichaam uit, scharrelde haar reserves bijeen, verzamelde haar kana.

Alleen deze ene keer nog, smeekte ze in gedachten, en ze besefte dat ze het tegen Ocha had, de Godenkeizer aan wie ze de eed had gezworen die haar op dit pad had gebracht. Ik heb maar een klein beetje hulp nodig.

En daar was het. Ze had het gevonden, voelde het branden in haar schoot en buik, en ze dwong het omhoog naar haar borst en van daaruit haar lichaam uit. Het was een mager sprankje energie dat haar op weg naar buiten leek te verschroeien. Haar ogen vlogen open, ze ademde bevend in en de wereld had weer plaatsgemaakt voor het weefsel. Ze zag de convectie van de draden in het meer, het kolkende, goudkleurige, vezelige bloed op de looppaden, de kronkelende stoomwolken die uit de machines opstegen. Ze koos een draad en volgde die naar het meer en vervolgens langs het oppervlak, en daar vond ze de heksensteen.

Het was een zwarte, ziedende knoop, een kern van verderf die zo afschuwelijk was dat ze er niet naar kon kijken. Hij leek te kronkelen van rusteloze woede en zijn noodkreet schalde als een orkaan door het weefsel. Hij leefde, hij gonsde van de kwaadaardige levenslust en hij straalde haat uit, de razernij van een kreupele god.

Hij kon haar echter niet tegenhouden. Voortgedreven door een laatste opwelling van moed vond ze de modder die onder de heksensteen was gestopt, en ze schoot erdoorheen naar de zorgvuldig aangebrachte staven explosieven. De draden waaruit ze bestonden waren strak opgewonden en dodelijk, en ze pulseerden van de ingehouden energie.

Ze vond een vonk en liet die los.

⊚ 36 ⊚

De strijd in de Gemeenschap had zich uitgebreid naar de lucht. De raven waren overal vandaan gekomen – de daken, verre bomen, koloniën in de veilige rotsen in het oosten – en waren opgestegen in een wolk die net zo dicht was als de rookwolken die uit de vallei opstegen. In hun kleine, dierlijke geest was de roep van Lucia als het geschal van een klaroen. Ze beschouwde hen als haar vrienden en voorheen zou ze hun leven nooit op het spel hebben gezet. Nu was alles echter anders en riep ze haar gevleugelde hoeders op, die ze met één eenvoudig bevel op pad stuurde: dood de gierkraaien.

Zwarte gestalten tolden krijsend door de door as verduisterde middaghemel en kwelden de veel grotere en sterkere afwijkende vogels. De raven waren legio en de afwijkenden waren sterk in de minderheid. De gierkraaien krabden en pikten terwijl ze gedragen door hun rafelige vleugels door de lucht scheerden en zwenkten. De raven waren echter behendiger, en ze doken op hun vijanden af en krabden ze met hun klauwen of pikten ze met hun snavel voordat ze er bedekt met bloed snel weer vandoor gingen. Bloederige plukken veren kwamen omlaag en vielen op de ongelijke daken van het dorp, en voor elke drie raven sneuvelde er één gierkraai, die verdoofd uit de lucht kwam vallen en op de grond te pletter sloeg.

Cailin tu Moritat was zich vaag bewust van de strijd die zich boven haar hoofd afspeelde, maar haar aandacht werd opgeslokt door de grotere strijd in het weefsel. Ze stond op de rand van een van de hogere plateaus, geflankeerd door twee zusters en bewaakt door twintig mannen die angstvallig uitkeken naar roofdieren. Onder hen liep de slordige massa richels en plateaus van het dorp af tot aan de barricade en de horde daarachter. Die stortte zich zinloos op de oostelijke versterkingsmuur terwijl de kanonnen en schutters hen met honderden tegelijk uitmoordden. De rook verhulde vaak het tafereel, maar af en toe kon je een glimp opvangen van de straten, waar steeds meer afwijkenden doorheen renden. De muur in het westen stond op het punt het te begeven en de wezens druppelden in een constante stroom naar binnen om de vrouwen en kinderen op te jagen die nog niet hun toevlucht hadden genomen tot de grotten.

De strijd in de lucht werd weerspiegeld in het weefsel. De zusters scheerden er als kometen doorheen en sloegen hard toe, waarbij ze de stuntelige pogingen van de wevers om terug te slaan ontweken. Ze knoopten netten en werkten samen met een soepelheid en een gemak waaraan hun mannelijke tegenstanders met geen mogelijkheid konden tippen. De zusters waren nu in de meerderheid en aan de winnende hand.

De meer ervaren wevers hadden wanhopig standgehouden totdat de krachtige verstoring hen had overspoeld. Cailin wist wat die verstoring was en het vervulde haar met woeste vreugde: het was de noodkreet van een heksensteen. Vanaf dat moment begonnen de wevers fouten te maken, want ze waren dusdanig afgeleid dat ze niet genoeg aandacht aan de details schonken om de zusters te kunnen tegenhouden. Twee sneuvelden er vlak na elkaar: ze gingen in vlammen op toen de zusters bij hen binnendrongen en hun draden uiteenrukten.

Een derde wever stond op het punt het af te leggen toen Cailin een verschrikkelijke kilte voelde, alsof ze haar eigen dood voorvoelde. Ze zette zich schrap en een fractie later werden ze geraakt door een schokgolf die zo krachtig was dat de noodkreet van de heksensteen erbij in het niet viel. Zelfs de structuur van de werkelijkheid raakte verwrongen toen de rollende golf van vervorming vanuit het epicentrum naar buiten schoot en over hen heen trok. Toen was alles opeens weer kalm. Instinctief ging Cailin op onderzoek uit: ze volgde de draden die door de ontploffing waren ontstaan terug naar de bron.

Het westen. Het westen, waar Kaiku was.

Toen begreep ze het, en het was een triomfantelijk moment. De heksensteen in de Breuk was vernietigd. Ze zond een bemoedigende kreet uit naar haar zusters en ze vielen met hernieuwde energie aan.

De wevers hadden het opgegeven. Hun bezieling had hen in de steek gelaten. Als zwakke spookverschijningen dreven hun verdoofde geesten af, verbijsterd door de ramp die hen was overkomen. De zusters aarzelden, want ze vreesden een val en verwachtten tegenstand, maar die aarzeling duurde maar even. Als wolven verscheurden ze hun vijanden, als gewonde konijntjes.

Toen was het voorbij. De zusters zweefden als onstoffelijke geesten tussen de zacht wiegende draden van het weefsel. Ze waren alleen, afgezien van de enorme, walvisachtige gestalten die aan de rand van hun blikveld voorbijgleden en die nu opeens geagiteerd waren. Ze hadden de schokgolf gevoeld en waren erdoor verontrust.

Langzaam maar zeker voelde Cailin steeds meer vreemde trillingen die door het weefsel trokken. Het duurde even voordat ze begreep wat dit nieuwe verschijnsel was. Het waren echo's van de onaardse taal waarin ze elkaar aanspraken: doffe, korte bastonen en plofjes die door haar hele wezen galmden. Vol verwondering luisterde ze ernaar. De verre wezens hadden nooit een teken gegeven dat ze zich van de mensen in het weefsel bewust waren, afgezien van het feit dat ze schijnbaar moeiteloos buiten het bereik van de nieuwsgierigen wisten te blijven, maar nu reageerden ze op de doodsklok van de heksensteen.

Cailin lachte ademloos toen haar zintuigen weer terugkeerden in de wereld van zicht en geluid. Ze zou het liefst zijn gebleven om te luisteren naar de stemmen van de mysterieuze bewoners van het weefsel, maar er was nog veel te veel te doen. Hoewel ze de wevers in de Gemeenschap hadden verslagen, was het misschien te laat om het tij te keren.

Ze keek naar de zusters links en rechts van haar en zag de nauwverholen glimlach om hun beschilderde mond, de felle glans in hun rode ogen, en ze was ongelooflijk trots op hen. De paar zusters in de Gemeenschap vormden slechts een fractie van het volledige netwerk, want ze had het zoveel mogelijk verspreid en gedecentraliseerd uit angst dat haar kwetsbare, ontluikende organisatie zou worden weggevaagd. Hier hadden ze echter bewezen dat ze zo sterk waren als ze had gehoopt. Ze hadden hun bestaan aan de wevers onthuld en hen op hun eigen terrein verslagen. Op dat moment voelde ze zich werkelijk met hen allemaal verbonden, met elk kind dat met kana was geboren en van de dood was gered. Ze had altijd al geloofd dat ze beter waren dan gewone mensen, een superieur ras met een afwijking die hen boven de rest van de mensheid uit had getild, maar nu wist ze het zeker.

Kaiku, die dierbare Kaiku. Zij had hun wellicht allemaal het leven gered. Uiteindelijk was Cailins vertrouwen in haar dus toch niet misplaatst geweest.

Ze zond razendsnel een groot aantal bevelen uit door het weefsel, waarmee ze haar zusters naar de plaatsen stuurde waar ze het hardst nodig waren, en schreed toen weg. Een knagend gevoel van bezorgdheid bekroop haar en temperde haar uitgelatenheid. Tijdens het vechten had ze geen tijd gehad om erop te letten, maar nu besefte ze dat zuster Irilia, die ze met Lucia had meegestuurd om haar te bewaken, niet meer communiceerde.

De laatste paar gierkraaien werden in de lucht afgeslacht toen Lucia zich tot Nomoru wendde en vroeg: 'Wat nu?'
Yugi keek haar diep bezorgd aan. Ze reageerde heel anders dan je van een kind van veertien winters zou verwachten. Haar vader en haar beste vriend waren net voor haar ogen vermoord – geesten, ze zat nog onder Zaelis' bloed en had niet eens geprobeerd het weg te vegen – maar de paar tranen die ze had geplengd waren opgedroogd en haar met roet besmeurde gezicht was als een masker van ijs. Haar ogen, die ooit zo zacht en dromerig hadden gestaan, leken nu wel messcherpe kristallen en er lag een verontrustend doordringende blik in.
Hij keek snel om zich heen naar de straat. Ze stonden nog steeds op de plek waar de wevers hen hadden aangevallen. De lichamen van Zaelis en Flen lagen onaangeroerd naast de dode furiën, de wevers, zuster Irilia en tientallen raven. Lucia stond in het midden van al die dood. Ze had geen aandacht besteed aan de smeekbedes van Yugi, die haar naar een veilige plaats wilde brengen: deels omdat hij met haar meeleefde en deels omdat hij het niet kon aanzien dat Zaelis, zijn vriend en leider, daar dood in het stof lag. Na een tijdje waren er soldaten gekomen, en die had Yugi overal om haar heen laten postvatten. Als ze niet weg wilde, zou hij haar hier moeten beschermen.
Hij had geraden wat Nomoru wilde doen, hoewel ze zoals gewoonlijk erg terughoudend was geweest toen hij ernaar vroeg. De gierkraaien hadden tot op dat moment niet aan de strijd deelgenomen, maar hadden hoog in de hemel rondgecirkeld, waar ze buiten bereik waren. Achteraf was hun rol overduidelijk. Zij fungeerden als de ogen van de nexussen. Dat was althans de redenatie achter Nomoru's plan: ze wilde de nexussen verblinden door hun ogen uit te schakelen, zodat ze in het nadeel zouden zijn. En dan...
'Zoek ze,' zei Nomoru vlak.
Lucia antwoordde niet, maar boven hun hoofden veranderde het vluchtpatroon van de raven. De vogels die niet druk bezig waren de laatste, her en der verspreide gevleugelde afwijkenden uit te schakelen, verspreidden zich over het slagveld, zoekend naar de nexussen.
Met haar ogen dicht luisterde Lucia naar het gekwebbel van de raven. Nomoru hield haar nerveus in de gaten. Er kwam een boodschapper van de westelijke muur, die meldde dat delen ervan op het

punt stonden in te storten omdat ze waren verzwakt door het vuur en het gewicht van de lijken die ertegen opgestapeld waren.

Yugi hoorde het nieuws grimmig aan. Als de muur het begaf, was alles verloren. Zelfs als ze de nexussen konden vinden, geloofde hij niet dat ze hen zouden kunnen bereiken. Misschien zouden ze er met een laatste, gezamenlijke aanval in slagen door de horde afwijkenden heen te dringen en hun menners te bereiken, maar hij betwijfelde het. Toch zou dat beter zijn dan hier ineengedoken achter verzwakte muren op de dood te wachten en zich te verstoppen totdat de vijandelijke golf van klauwen en slagtanden hen overspoelde.

Overal klonk het gekletter van geweren die werden geschouderd toen er aan het eind van de straat een zwarte gestalte verscheen. Het was echter Cailin maar, die met grote passen onverstoorbaar als altijd op hen afkwam. De lijfwachten lieten hun wapens zakken en Cailin liep hen voorbij zonder hen een blik waardig te keuren. Ze nam het tafereel in zich op en richtte toen haar rode ogen op Yugi.

'Is ze gewond?'

'Nee, ze is niet gewond,' antwoordde Yugi.

Lucia opende haar ogen.

'Cailin,' zei ze, en ze gebruikte een gebiedende aanspreekvorm die ze nooit eerder had gebruikt. 'Help me.'

Cailin liep naar haar toe. 'Natuurlijk,' zei ze, en toen Yugi van de een naar de ander keek, dacht hij even dat ze moeder en dochter hadden kunnen zijn, zo treffend was de gelijkenis tussen hun stemmen en houding. 'Wat kan ik voor je doen?'

'Ik heb iets gevonden.'

'De nexussen?' vroeg Nomoru gretig.

'Die heb ik een hele tijd geleden al gevonden,' zei ze met een gemene grijns, die zo slecht bij haar engelachtige gezicht paste dat Yugi ervan schrok. 'Maar ik heb iets beters.'

In tegenstelling tot de zusters van de Rode Orde waren de nexussen niet bang om dicht bij elkaar te blijven. Ze hadden een eindje ten zuiden van de Gemeenschap postgevat, ver van het strijdgewoel, en wisten zich omringd door een lijfwacht van honderd ghauregs die hen onkwetsbaar maakte voor alles wat de Gemeenschap tegen hen kon inzetten. De incidentele aanvallen van kleine, onafhankelijk opererende groepjes werden met groot gemak afgeslagen en het enige leger dat groot genoeg was om hen te kunnen bedreigen zat vast in de Gemeenschap. Desondanks hadden ze geleerd dat het verstandig was om enige afstand te bewaren. Daarom hadden ze zich zo ver als hun communicatiebereik het toeliet teruggetrokken en stuurden ze hun soldaten vanuit de verte aan.

Het verlies van de wevers deed de nexussen niet zoveel, want ze beschikten niet over de nodige emotie om op de dood van hun meesters te reageren. Wat ze verontrustender vonden, was het bloedbad dat onder de gierkraaien was aangericht, want dat waren gespecialiseerde verkenners. De nexussen konden niet door de ogen van al hun beesten kijken. Ze moesten per verbinding bepaalde prioriteiten stellen, want er waren grenzen aan de hoeveelheid gegevens die ze konden verwerken.

Ze waren nu overgeschakeld op de skrendels. Die hadden ze opgedragen zo hoog mogelijk te klimmen zodat ze het slagveld konden overzien, maar ze konden de gierkraaien niet vervangen.

De plek die ze hadden uitgekozen was een halvemaanvormig, verzonken stuk grasland dat in het westen, zuiden en oosten werd begrensd door een heuvelkam. Vanuit die richtingen werden ze aan het zicht onttrokken, en zolang ze hun ghauregs niet boven op de richel lieten klimmen zou niemand die van belang was er ooit achter komen waar ze waren, daarvan waren ze overtuigd. Bijna tweehonderd nexussen waren daar verzameld, en ze vormden een griezelige massa met hun identieke zwarte mantels met kappen en uitdrukkingsloze witte gezichten die allemaal naar het noorden waren gericht. Toen het leger op weg was gegaan, hadden ze de afwijkende roofdieren maar net in bedwang kunnen houden, want elke nexus kon maar een beperkt aantal sturen. Nu het aantal roofdieren door de grote verliezen echter drastisch was teruggebracht, was de werklast een stuk minder geworden. Ze konden het nu gemakkelijk aan.

De ghauregs slopen rusteloos om de stille gestalten heen. Ze bleven laag bij de grond en zwaaiden met hun zwaar behaarde armen.

De ghauregs beschikten niet over de gevoeligste radar en hetzelfde gold voor de nexussen. Daarom kwam het pas toen het veel te laat was bij hen op om te reageren op het gestaag aanzwellende gerommel in het zuiden. Tegen de tijd dat de ghauregs met een vragend gegrom blikken begonnen te werpen op de richel aan die kant, had het geluid zich al uitgesplitst, zodat het herkenbaar werd, en een fractie voordat er een nieuw, onverwacht leger in zicht kwam, beseften ze pas wat het was.

Het geroffel van paardenhoeven.

Het bereden leger van bloed Ikati stormde over de richel heen en een strijdkreet steeg op uit de voorste rangen. Barak Zahn reed met het zwaard hoog boven zijn hoofd geheven te midden van de groen met grijze massa en zijn stem klonk boven die van zijn manschappen uit. De ghauregs deden trage pogingen om een doeltreffende verdediging te vormen, maar ze waren veel te traag. De ruiters denderden op de vijand af en schoten al rijdend een salvo af waardoor de verdedigingslinie van de afwijkenden drastisch werd uitgedund. Toen ze de wezens hadden bereikt, trokken ze hun zwaarden. De twee fronten botsten op elkaar: harige vuisten sloegen ruiters van hun paarden, klingen sneden door dikke huid en de spieren die eronder lagen, paarden vielen op de grond met benen die als twijgjes doormidden waren gebroken, geweren knalden, mannen vielen en werden vertrapt. De ghauregs waren geduchte tegenstanders en de aanval liep uit op een wirwar van een-op-eengevechten toen de reusachtige afwijkenden de ene na de andere ruiter van hun paard trokken.

Zahn liet zijn paard van links naar rechts dansen om buiten het bereik van de beesten te blijven en hij hakte elke hand af die te dicht in de buurt kwam. In zijn ogen brandde een vuur dat daar al jaren niet meer te zien was geweest. Zijn ingevallen wangen met de witte baardharen zaten onder de bloedspatten en zijn kaak stond strak. Er waren drie keer zoveel ruiters als ghauregs, maar de ghauregs hielden stand en beschermden hun in het zwart geklede meesters, die nog steeds naar het noorden keken alsof ze zich niet van de dreiging bewust waren.

Toen kwam het tweede front over de richel in het westen: zevenhonderd mannen die het halvemaanvormige, verzonken stuk grasland overspoelden en de ghauregs in de flank aanvielen. De beesten waren nu ver in de minderheid en ze konden niet voorkomen dat de aanvallers hen omzeilden om bij de nexussen te komen. De ruiters hieuwen de stille gestalten vanaf de rug van hun paarden neer: ze onthoofdden hen of sabelden hen ter hoogte van hun sleutelbeen of borst neer, waarbij de nexussen zwijgend bleven staan en zich lieten afslachten. De mannen van bloed Ikati plaatsten geen vraagtekens bij die meevaller. Ze moordden hun weerloze slachtoffers uit en baadden in het bloed van hun vijanden.

Het effect op de ghauregs was meteen duidelijk merkbaar. Alle samenhang in hun verzet verdween als sneeuw voor de zon. Ze veranderden in woeste beesten die wanhopig zochten naar een uitweg uit het woud van hakkende klingen en oprukkende soldaten en gaven nergens meer om, behalve om hun eigen leven. Dat had echter het tegengestelde effect, want ze werden er kwetsbaar door. In een mum van tijd werd er gehakt van ze gemaakt.

Eindelijk was de laatste ghaureg gesneuveld en kwam er een eind aan het bloedbad. Barak Zahn zat hijgend in zijn zadel en nam het met lijken bezaaide tafereel in zich op. Toen stak hij met een ademloze grijns zijn zwaard in de lucht en slaakte een juichkreet, die door al zijn mannen in een oorverdovend koor van wilde triomf werd beantwoord.

Mishani tu Koli keek vanaf de rug van haar paard op de richel toe. Haar enkellange haar wapperde in de wind en haar gezicht was zoals altijd uitdrukkingsloos.

Zonder de nexussen vervielen de afwijkenden in wanorde. Ze waren begonnen als dieren en eindigden nu ook als dieren. Aan de westkant van de Gemeenschap, waar de palissademuur gevaarlijk ver naar binnen overhelde en waar de looppaden langs de rand waren bezaaid met gesneuvelden van beide kampen, hielden de wezens op met hun roekeloze aanvallen en keerden zich tegen elkaar, opgezweept door de rook en de geur van bloed. Ze lieten hun gespietste mede-aanvallers achter op de scherpe punten van de muur, deinsden terug voor de vlammen en vielen waanzinnig van paniek alles aan wat bewoog. De uitgeputte, haveloze verdedigers keken vol verwondering toe toen de beesten, die op het punt hadden gestaan door de verdediging heen te breken, zich terugtrokken en verwikkeld raakten in de grootste slachtpartij die ze ooit hadden gezien. Iemand bedankte hysterisch gillend keer op keer de goden, en overal werd de kreet overgenomen. Iedereen was er immers van overtuigd dat alleen de goden zelf een dergelijke vijand op het laatste moment hadden kunnen tegenhouden. Ze stonden op de muur met hun zwaarden en geweren in hun slappe armen en deden niets, behalve ademen, leven, en genieten van de pure eenvoud ervan.

Aan de oostelijke rand van het dorp speelde zich ongeveer hetzelfde af, alleen werden de afwijkenden daar aan alle kanten ingesloten door de wanden van de vallei, en vanwege de steile helling konden de losgeslagen beesten geen gemakkelijke uitweg bedenken. Er was geen voor de hand liggende plaats waar ze naartoe konden en ze werden nog steeds bestookt met kanonnen, ballista's en geweren. Zonder de stabiliserende invloed van de nexussen werden ze te midden van de ontploffingen volslagen krankzinnig. Sommige knaagden aan hun eigen ledematen, sommige begroeven zich onder stapels rokende doden, andere gingen als verlamd liggen en lieten zich door de horde vertrappelen of verscheuren. Een paar wisten uit de vallei te ontsnappen, maar de meeste bleven op de bodem, waar ze in de draaikolk van dood en verderf gevangenzaten totdat ze het slachtoffer werden van vuur, een kogel of een klauw.

Tegen zonsondergang was de rust in de Gemeenschap weergekeerd. Rook steeg op naar de rosse hemel en Nuki's oog staarde boos over de bergen ten westen van de Xaranabreuk. De overlevenden van de strijd merkten de smerige stank niet eens meer op, zo lang hadden ze hem al moeten verdragen. Mannen, vrouwen en kinderen zwierven uitgeput en met glazige ogen door het dorp of zetten zich traag en vermoeid aan hun taken, wetend dat er in korte tijd nog veel moest gebeuren. Vrouwen weenden toen ze vernamen dat hun echtgenoten nooit zouden terugkeren, kinderen schreeuwden om ouders die ergens verscheurd in het stof lagen en andere moeders ontfermden zich haastig over hen. Afwijkenden namen tijdelijk niet-afwijkenden op en andersom, niet wetend dat hun verantwoordelijkheid permanent zou worden nadat de doden waren geïdentificeerd.

De roofdieren waren allemaal gedood of verjaagd, en groepen jagers achtervolgden de enkeling die nog in de buurt in de wildernis rondzwierf of zich in de huizen van de Gemeenschap schuilhield. Ondanks de overweldigende overmacht had het dorp standgehouden. Er was echter geen plaats voor triomf, alleen voor vermoeidheid, neerslachtigheid en berusting, want iedereen was verdoofd door de onvoorstelbare verschrikkingen die ze hadden meegemaakt. De vallei was doordrenkt met bloed en bezaaid met lijken. Het verdriet en de ellende eisten een afschuwelijk hoge tol. Bovendien was iedereen zich ervan bewust dat er slechts een gedeeltelijke overwinning was behaald. Ze leefden nog, maar de Gemeenschap was verloren. Niemand kon hier nog blijven. De wevers zouden terugkeren en de volgende keer zouden ze niet zo roekeloos zijn. De volgende keer zou alle geluk van de wereld het dorp niet kunnen redden.

Twaalf soldaten van bloed Ikati reden langzaam het dorp in, met barak Zahn en Mishani tu Koli voorop. Ze waren net zo vermoeid als de dorpelingen, maar om andere redenen. De slopende rit vanuit Zila had vele zware dagreizen in beslag genomen en ze hadden hun paarden tot de grens van hun uithoudingsvermogen gedreven. Toen Xejen tu Imotu de verblijfplaats aan de wever Fahrekh had onthuld, was Zahn er eindelijk van overtuigd dat Mishani de waarheid had gesproken. Hij had duizend mannen te paard verzameld die hij naar Zila had meegenomen en was op aanwijzing van Mishani zo snel mogelijk naar de Breuk gereden. Ze waren Barask in het oosten gepasseerd, hadden het vreselijke Xuwoud ten noorden ervan omzeild en waren ten zuiden van de Gemeenschap de Breuk binnengereden, waar Mishani hen over paden had geleid die voor hun paarden goed begaanbaar waren. Normaal gesproken zouden die paden ontzettend gevaarlijk zijn geweest met alle vijandelijke groeperingen die ze bewaakten. De inwoners van de Breuk hadden hun territoriale geschillen echter opzijgezet nu ze door een groter gevaar werden bedreigd. Daarom hadden ze goed kunnen doorrijden en waren ze, zo leek het, net op tijd aangekomen.

Toch werden ze in het dorp niet als helden onthaald. Er waren er maar weinig die wisten dat zij verantwoordelijk waren voor de val van de vijand. Ze werden nieuwsgierig, beschuldigend en met alles ertussenin bekeken, want waarom waren er nu opeens soldaten te paard? Waar waren ze geweest toen ze echt nodig waren?

Mishani moest alles wat ze had aanwenden om haar zelfbeheersing te bewaren. Bij elk nieuw lijk dat ze tegenkwam verwachtte ze het gezicht van Kaiku of Lucia of iemand anders die ze kende te zien. Ze herkende inderdaad vaag enkele doden en getroffenen, maar ze durfde nog geen medelijden met hen te hebben, omdat ze nog niet wist hoe hard ze zelf was getroffen. De aanblik van haar verwoeste woonplaats was al erg genoeg, maar voor Mishani was een plaats maar een plaats en ze was niet zo sentimenteel. Ze zag er echter als een berg tegenop om iemand te vragen wat er met haar vrienden was gebeurd, want wie weet wat ze te horen zou krijgen. Ze kende Kaiku, en die was ongetwijfeld in het heetst van de strijd verwikkeld geweest. Ze was altijd al koppig geweest en deinsde nergens voor terug. Mishani durfde er niet aan te denken wat ze zou voelen als Kaiku dood zou blijken te zijn.

Ze was zich er nauwelijks van bewust waar ze Zahns mannen naartoe leidde, maar ze wist heel duidelijk waar ze moest zijn. Cailins instructies galmden immers nog door haar hoofd. Het was al een hele tijd geleden dat de zuster in haar hoofd had gesproken, maar ze was nog altijd niet van de schrik bekomen. Ze begreep hoe de gebeurtenissen elkaar hadden opgevolgd – dat Lucia's raven hen vanuit de lucht hadden gezien, dat Cailin haar kana had gebruikt om met Mishani te praten en haar te vertellen waar de nexussen waren en wat ze moesten doen – maar ze werd doodsbang als ze eraan dacht hoe dicht ze bij een totale nederlaag waren geweest. Goden, als de wevers hun leger iets sneller op pad hadden gestuurd, of als Zahn nog meer tijd had verspild aan twijfels en ongeloof... als Fahrekh had vermoed wat Zahn van plan was en Xejens kennis over Lucia geheim had gehouden, als Mishani niet door Bakkara was 'gered' van de mannen van haar vader... als Chien er niet op had gestaan dat ze bij hem in zijn huis in Hanzean zou blijven...

Ze huiverde bij de gedachte aan wat er allemaal had kunnen misgaan.

Toen ze aan Chien dacht, zag ze opeens zijn gezicht weer voor zich, zijn vierkante gelaatstrekken en zijn kaalgeschoren hoofd. Ze vond zijn dood hooguit een beetje spijtig. Hij was een goed mens gebleken, maar ze had geleerd dat goede mensen net zo gemakkelijk sterven als slechte mensen. Ze verdacht haar vader er uiteraard van dat hij er de hand in had gehad. Ze had de huurmoordenaars inmiddels echter ver achter zich gelaten, want ze was in het diepste geheim uit Zila weggesmokkeld. Chien was er uiteindelijk niet in geslaagd de opdracht die ze hem had gegeven te vervullen, dus voelde ze zich ook niet verplicht om zich aan haar belofte te houden: dat ze ervoor zou zorgen dat zijn familie van de banden met bloed Koli zou worden verlost. Als de omstandigheden anders waren geweest, zou ze misschien ruimhartiger zijn geweest, maar ze moest ook aan het welzijn van haar moeder denken, en voorlopig was het maar beter als de overeenkomst samen met Chien stierf. Het was een wrede wereld, maar Mishani kon ook wreed zijn.

Ze reden een stoffig straatje in en daar zag Mishani wat hun op hun eindbestemming wachtte. De soldaten hielden halt, en ze steeg af en liep langzaam verder door het tapijt van rode raven, langs de lijken van wevers en furiën en het lichaam van de dode zuster. Te midden van dat alles stond Cailin als een zwarte pilaar in dat centrum van de dood. En daar was Lucia, die op haar hurken bij het lichaam van Zaelis zat met haar verbrande hals gebogen en haar gezicht in haar handen.

Mishani bleef voor Cailin staan en keek naar haar op. Haar zwarte haar viel weg van haar gezicht toen ze de blik van de lange vrouw beantwoordde. Cailins ogen waren inmiddels weer gewoon groen. 'Mishani tu Koli,' zei de zuster met de gepaste buiging. 'Mijn dank is groot.'

Mishani was te geagiteerd om met de juiste beleefdheden te antwoorden. Ze vroeg meteen: 'Waar is Kaiku?'

Even zei Cailin niets, en Mishani's maag keerde zich op pijnlijke wijze om.

'Dat weet ik niet precies,' zei ze uiteindelijk. 'Ze was aan de andere kant van de Breuk. Ze heeft de heksensteen vernietigd die we daar hebben aangetroffen. Het is net zozeer aan haar als aan jou te danken dat we de strijd hebben gewonnen. Als de wevers nog steeds tegen ons hadden gevochten, zou ik geen tijd hebben gehad om contact met je op te nemen en je naar de nexussen te sturen.'

Welke heksensteen, vroeg Mishani zich stilletjes af, maar ze zei niets. Er was in haar afwezigheid kennelijk veel gebeurd.

'Ik kan haar niet bereiken,' ging Cailin na een tijdje verder. 'Ze reageert niet op mijn oproepen. Ik weet niet wat dat betekent.'

Mishani dacht daarover na en probeerde in te schatten wat het betekende, maar ze bleef alleen maar met twijfels zitten.

Cailin wierp een vluchtige blik op Lucia. 'Ze heeft zich al een hele tijd niet verroerd. Ze wil niet dat we de lichamen weghalen. Ik vrees dat ze een wond heeft opgelopen waar ze misschien nooit van zal herstellen.'

Mishani wilde iets zeggen, maar het geluid van voetstappen achter haar deed haar omkijken, en ze zag Zahn, die voorzichtig over de lichamen heen stapte. Zijn blik was op één punt gericht, en wel op...

'Lucia?'

Ze tilde haar hoofd op toen ze zijn stem hoorde, maar verder reageerde ze niet.

'Lucia?' zei hij opnieuw, en deze keer draaide ze zich naar hem om. Haar gezicht en haar zaten onder de rode vegen. Hij ademde bevend in toen hij haar zag. Ze kwam langzaam overeind en keek hem aan. Ze bleven elkaar een hele tijd staan aanstaren.

Toen hief ze haar armen en stak haar handen, die nog nat waren van Zaelis' bloed, naar Zahn uit. Haar onderlip begon te trillen, haar gezicht vertrok en de tranen begonnen te vloeien. Zahn rende op haar af en omhelsde haar, en ze klampte zich wanhopig snikkend aan hem vast. Daar stonden ze, omringd door rook, verdriet en de dood: vader en dochter, die elkaar vasthielden met een kracht die voortkwam uit een verlangen dat jarenlang verborgen was gebleven. Voorlopig was het voldoende.

◎ 37 ◎

Kaiku verroerde zich en opende haar ogen, maar kneep ze meteen weer dicht tegen het felle middaglicht. Haar lichaam deed overal pijn en haar kleren voelden stijf aan tegen haar huid. Vlakbij klonk het zachte geknetter van een kampvuur en ze rook de geur van gebraden vlees. Ze lag op keiharde grond in een ondiepe kom die aan drie kanten door rotsen werd omringd: een smalle trede in het oneffen landschap. Het was vreemd doods en stil. Er zoemden geen insecten en er vlogen geen vogels. Ze was er in de loop van de weken aan gewend geraakt. Het betekende dat ze nog steeds dicht bij de heksensteen waren, nog binnen de kring van besmet land.

Ze schoot overeind en kromp ineen toen haar spieren protesteerden tegen zoveel geweld. Daar was Tsata, op zijn hurken bij het vuur. Hij keek haar aan.

'Span je niet te veel in,' raadde hij haar aan. 'Je bent nog erg zwak.'

'Waar zijn we?' vroeg ze, en ze merkte dat haar keel zo droog was als perkament, zodat ze alleen maar zachtjes kon krassen. Tsata gaf haar een waterzak en ze dronk er gretig uit totdat ze naar adem moest happen. Ze stelde haar vraag nog eens, deze keer duidelijker.

'Enkele mijlen ten westen van de mijn,' zei Tsata. 'Ik denk dat we hier veilig zijn, voorlopig althans.'

'Hoe zijn we hier gekomen?'

'Ik heb je gedragen,' zei hij.

Ze wreef over haar voorhoofd alsof ze haar hersenen weer tot leven wilde wekken. Het scheen haar nu toe dat ze zich momenten kon herinneren die half droom, half werkelijkheid waren, dromen over water en een zwarte stroming waar ze doorheen werd getrokken, dromen waarin hij haar als een gewond hert op zijn schouders had gedragen.

'Zijn we op dezelfde manier weer naar buiten gegaan?'

Tsata knikte. 'We zijn met de schepbakken zo ver mogelijk naar boven gegaan en de rest van de weg heb ik je gedragen. Boven in de mijn waren geen afwijkenden.' Hij glimlachte warm naar haar, zodat de tatoeages op zijn gezicht vervormden. 'Maar ik geloof niet dat je er iets van hebt gemerkt. Die laatste inspanning was je een beetje te veel geworden.'

Ze lachte gnuivend.

'Heb je trek?' vroeg hij, wijzend op het magere ding dat aan het spit boven het vuur hing.

Met een grijns tilde ze haar kin op. Hij kwam met het spit naar haar toe en ging naast haar zitten. Ze zagen er allebei verfomfaaid uit, maar ze waren die dag natuurlijk meerdere keren nat geworden en weer opgedroogd. Tsata trok met zijn vingers een stuk vlees van het spit. Kaiku veegde een verdwaalde haarlok uit haar gezicht en nam het aangeboden vlees aan. Ze bleven een tijdje in kameraadschappelijke stilte zitten eten, allebei in hun eigen gedachten verzonken. Kaiku was blij dat ze nog leefde, blij met de zon op haar gezicht, en het eten smaakte heerlijk.

Ze ervoer een diep gevoel van tevredenheid, alsof er in haar binnenste een spanning was opgelost waarvan ze niet eens had geweten dat die er was. Ze hadden een heksensteen vernietigd en daarmee de wevers een slag toegebracht zoals niemand in Saramyr ooit eerder had gedaan. Ze had nog lang niet de eed vervuld die ze aan Ocha had gezworen, maar voorlopig was het genoeg. Ze had heel lang gepopeld om iets te doen, in plaats van het eeuwige afwachtende spelletje te spelen dat Cailin en Zaelis voorstonden en voorlopig kon ze niet meer van zichzelf verlangen. Ze had weer het gevoel dat ze iets waard was.

Er was echter nog meer, alsof dat nog niet genoeg was. Ze was niet dezelfde Kaiku die weken geleden met een gebroken hart uit de Gemeenschap was vertrokken. Die Kaiku was ongelooflijk naïef geweest, zich niet bewust van de grote kracht die in haar binnenste huisde. Ze was er tevreden mee geweest om ermee te zwaaien alsof het een knuppel was en hem alleen genoeg te leren beheersen om te voorkomen dat ze zichzelf iets aandeed. De omstandigheden hadden haar er echter keer op keer toe gedwongen om haar grenzen op te zoeken, haar kana te gebruiken op manieren die ze nooit had aangedurfd, en elke keer was ze in haar opzet geslaagd. Zonder gedegen opleiding, zonder ook maar enige ervaring, had ze demonen verslagen en een man verlost van het gif dat hem dreigde te doden, maar het ongelooflijkste was nog wel dat ze van een wever had gewonnen. Toegegeven, het had niet veel gescheeld, maar het was toch een overwinning.

Ze had zich vaak afgevraagd waarom Cailin zo verdomd vasthoudend was geweest, waarom ze zoveel had gepikt van een leerling die zo onbetrouwbaar was dat de meeste leermeesters het allang zouden hebben opgegeven. Nu wist ze het. Cailin had het haar keer op keer gezegd, maar ze was te koppig geweest om te luisteren. Pas na alles wat er was gebeurd, nu ze het zelf had ontdekt, besefte ze dat Cailin al die tijd gelijk had gehad. Haar talent met haar kana was uitzonderlijk en haar mogelijkheden waren grenzeloos. Geesten, als ze erover nadacht wat ze er allemaal mee zou kunnen doen...

Ze was te ongeduldig geweest om zich toe te leggen op de jarenlange studie en toe te treden tot de Rode Orde, dus had ze haar talent verkwanseld aan onbelangrijke missies die ook door anderen konden worden uitgevoerd. De afgelopen weken was ze echter gaan beseffen dat haar kana meer was dan een wapen alleen. En ze besefte ook dat het veel erger was een kracht te hebben waarvan je niet wist hoe je hem moest gebruiken dan om helemaal geen kracht te hebben. Stel dat ze er niet in was geslaagd Yugi het leven te redden? Stel dat ze de heksensteen niet had kunnen vernietigen? Hoe zwaar zou het schuldgevoel dan op haar hebben gedrukt? Ze zou keer op keer in situaties verzeild raken waarin ze gedwongen zou zijn haar kana te gebruiken, en op een dag zou de uitdaging te groot zijn en zouden er levens verloren gaan.

Ze zag nu in dat de snelste weg naar de vervulling van haar eed aan Ocha een andere was dan ze had gedacht. Cailin had altijd gezegd dat ze haar doel sneller zou bereiken als ze zich niet haastte, dat ze meester van zichzelf moest worden om een doeltreffender speler in het spel te worden. Indertijd had ze het maar een kromme redenatie gevonden, maar nu vond ze het volkomen logisch. Ze vond het dwaas van zichzelf dat ze dat niet eerder had ingezien.

En op dat moment nam ze een besluit. Ze zou de lessen van Cailin accepteren. Als ze terugkwam, zou ze haar verontschuldigingen aanbieden en vragen of ze opnieuw mocht beginnen als leerling, en deze keer zou ze daar alles voor opzijzetten. Haar vastberadenheid was des te groter nu haar brandende verlangen naar wraak voorlopig was bevredigd. Ze zou toetreden tot de Rode Orde. Ze zou zuster worden. En via de orde zou ze de wevers bevechten met de vaardigheden die ze ooit als een vloek had beschouwd, die haar ooit tot een verschoppeling hadden gemaakt.

Als er natuurlijk nog een Rode Orde was als ze terugkwam. Vreemd genoeg kon ze zich daar echter geen zorgen over maken, en ook niet over de Gemeenschap, of over Mishani of Lucia. Ze had vreemde, ongrijpbare herinneringen aan de tijd die ze bewusteloos had doorgebracht, aan een stem die haar riep, en wat die stem ook had gezegd, het had haar gerustgesteld. Ze begreep niet precies waarom, maar ze wist dat niet alles verloren was, dat de wevers het laatste sprankje hoop niet hadden weten te doven en dat zowel Mishani als Lucia nog leefde. Daar was ze tevreden mee.

'Wat ga jij nu doen?' vroeg ze aan Tsata.

'Ik ga met je terug naar de Gemeenschap, en daarna keer ik terug naar Okhamba,' zei hij. 'Ik moet mijn volk vertellen wat hier is gebeurd.' Hij aarzelde even, maar keek haar toen aan. 'Je zou met me mee kunnen gaan, als je dat wilde.'

Heel even zag Kaiku hoe eenvoudig het zou zijn, en hoe heerlijk, om de tijd die ze samen hadden doorgebracht te rekken, om niet te hoeven terugkeren naar de wereld die ze kende. Hoe het zou zijn om bij hem te zijn, bij deze man die ze blindelings vertrouwde en van wie ze geloofde dat hij niet tot valsheid, bedrog of verraad in staat was. Heel even aarzelde ze, maar dat duurde niet lang.

'Ik zou niets liever willen,' zei ze met een droeve glimlach. 'Maar we weten allebei dat ik niet kan gaan. En we weten allebei dat jij niet kunt blijven.'

Hij knikte op de wijze van de Saramyriërs. 'Was het maar anders,' zei hij, en Kaiku voelde iets in haar borst pijnlijk samentrekken.

Daarna viel er niets meer te zeggen. Ze aten hun maaltijd op en rustten even, en toen Kaiku genoeg was aangesterkt om te lopen, hielp hij haar overeind. Ze slingerden hun rugtassen en geweren over hun schouders en liepen samen naar het oosten, terug naar de Gemeenschap en wat daarachter lag.

De tempel van Ocha boven op de keizerlijke vesting was het hoogste punt in Axekami, met uitzondering van de punten van de torens die op de hoekpunten van het kolossale, gouden bouwwerk stonden. De tempel was bijna overvloedig rijk bewerkt. Het was een rond gebouw met daarop een prachtige koepel, vol mozaïeken, filigraan, ingelegde patronen van edelmetalen en schitterende stenen, zodat het een oogverblindende rijkdom uitstraalde. Op de punten van het kompas werd de koepel onderbroken door acht schitterende standbeelden van wit marmer, stuk voor stuk afbeeldingen van de belangrijkste goden en godinnen, in hun zelden afgebeelde menselijke vorm met aan hun voeten de dierlijke vorm die ze op aarde aannamen: Assantua, Rieka, Jurani, Omecha, Enyu, Shintu, Isisya en Ocha zelf, die boven de ingang stond met voor zich een steigerend zwijn. De naaf van de koepel was het indrukwekkendst van alles: een verzameling schitterende diamanten die alleen vanaf de punten van de vier torens van de winden te zien waren en die Abinaxis moesten voorstellen, de ene ster waaruit het hele heelal was ontstaan en waaraan de goden en godinnen in het begin waren ontsproten. Als Nuki's oog erop scheen, schitterden de diamanten net zo fel als hun naamgenoot. Die aanblik was bedoeld voor de goden in de hemel, als schadeloosstelling voor de arrogantie die eeuwen geleden tot de val van Gobinda had geleid.

Vanbinnen was de tempel al even luisterrijk, hoewel het interieur in de loop der jaren herhaaldelijk was aangepast, zodat het minder schreeuwerig was dan de buitenkant en beter paste bij de elegante architectuur van Saramyr. Hier stonden grote wachtposten van laxsteen in nissen in de muur en slingerde een bas-reliëf van ivoor zich als een slingerplant met verstrengelde loten over de binnenkant van de koepel. Het was er koel en vochtig, een groot contrast met de warme buitenlucht. Vanaf de ingang liep een verhoogd pad naar het indrukwekkende altaar in het midden, maar verder was er alleen water: een heldere, ondiepe poel met op de bodem mozaïeken en kunstzinnig gerangschikte groepjes gepolijste stenen om het oog te plezieren. Er zwommen geen vissen in de poel, het oppervlak was glad als glas en al even rustgevend.

Avun tu Koli zat geknield op het ronde eiland voor het ivoren altaar met enkele wierookstaafjes in zijn hand en zijn hoofd gebogen. Hij vormde met zijn lippen keer op keer dezelfde mantra. Onbewust was hij op het ritme mee gaan wiegen en zijn lichaam zwaaide nauwelijks merkbaar heen en weer op de cadans van de woorden. Het was een dankritueel aan Ocha, die niet alleen de heerser over het Gouden Rijk was, maar bovendien de god van oorlog, wraak, ontdekking en ondernemingszin. Hij dankte de god die hem en zijn familie veilig door de val van het keizerrijk had geloodst.

Opnieuw had Avun bloed Koli door het grootste gevaar geloodst en was de familie er sterker uit gekomen. Bloed Batik zou zonder medelijden worden uitgeroeid. In Axekami leefde al niemand meer die naar die familienaam luisterde. Nu Batik zijn staande leger kwijt was, zouden hun bezittingen snel in beslag worden genomen en eventuele overgebleven familieleden worden opgespoord. Slechts vijf jaar lang hadden ze de scepter gezwaaid en was bloed Koli de paria geweest. Uiteindelijk was Avun echter degene die op zijn knieën in de tempel van Ocha zat en was Mos verpletterd.

Er zou de komende weken veel veranderen. Kakre had het hem allemaal uitgelegd. De wevers werden te zeer gehaat om te kunnen regeren en de afwijkenden waren zo afschrikwekkend dat ze maar op één manier de orde konden bewaren: met terreur. En aan doodsbange mensen had niemand iets. Daarom hadden ze hem als boegbeeld nodig. Hij zou het bewind van de wevers een menselijk aangezicht geven, en de gedecimeerde keizerlijke garde zou plaatsmaken voor een nieuw korps van ordebewakers bestaande uit zijn eigen mensen. Als in Axekami de orde was hersteld, zou de aanwezigheid van de afwijkenden tot een minimum worden beperkt en zou het merendeel van dat leger worden overgebracht naar een plek waar het harder nodig was. Langzaam maar zeker zouden de mensen leren begrijpen dat dit de nieuwe stand van zaken was, dat hun oude wereldje met zijn hof, tradities en adelstand niet meer bestond en dat familie niets meer betekende. Avun zou in alles behalve in naam keizer zijn en slechts aan de wevers ondergeschikt zijn. Zijn nieuwe titel luidde 'rijksvoogd' en zijn mannen gingen de Zwarte Garde heten.

Het enige wat hij ervoor had moeten opgeven was zijn eer. Eer stelde echter niets voor in vergelijking met zegepraal. Eer had zijn dochter van hem vervreemd.

Hij dacht even aan Mishani. Ze was nu nog slechts een gezicht voor hem. Hij voelde geen enkele vaderlijke liefde meer voor zijn verloren kind. Hij nam aan dat ze zijn pogingen haar te laten ombrengen had weten te ontwijken, want hij had geen bericht gehad dat het was gelukt. Daar moest hij een beetje om glimlachen. In dat opzicht was ze in elk geval een kind van haar vader. Ze was niet gemakkelijk te doden. Ach, nu mocht ze van hem doen en laten wat ze wilde, want ze kon hem niet meer te schande maken. Nu de ingewikkelde politieke spelletjes aan het Saramyrese hof hun betekenis hadden verloren, kon ze hem op geen enkele wijze benadelen. Zolang hij nog barak was, kon het nieuws dat zijn kind hem ongehoorzaam was geweest hem schade berokkenen, maar als rijksvoogd kon het hem niet deren, want hij had geen gelijken meer om het tegen op te nemen. Hij zou zijn tijd niet meer verspillen aan pogingen om zich van haar te ontdoen. Hij zou haar gewoon vergeten.

Zijn vrouw Muraki was helaas niet zo verstandig gebleken om zijn voorbeeld te volgen, maar dat was slechts een kleine ergernis.

Toen hij achter zich voetstappen hoorde die de komst van Weefheer Kakre aankondigden, maakte hij zijn reeks mantra's af, stond op en maakte een diepe buiging naar het altaar. Toen hij klaar was, draaide hij zich om naar zijn nieuwe meester.

'Dankgebeden, rijksvoogd?' kraste Kakre. 'Hoe wonderlijk ouderwets.'

'De goden zijn mij gunstig gezind geweest,' antwoordde Avun. 'Ze verdienen mijn dankbaarheid.'

'De goden hebben dit land verlaten,' zei Kakre. 'Als ze al ooit hebben bestaan.'

Avun trok zijn wenkbrauw op. 'Buigen de wevers dan voor geen enkele god?'

'Vanaf vandaag zijn wíj jullie goden,' zei de weefheer.

Avun keek het gedrocht met het lijkenmasker dat voor hem stond vlak aan en zei niets.

'Kom,' zei Kakre. 'We hebben veel te bespreken.'

Avun knikte. Er was nog meer dan genoeg te doen. Zelfs de wevers konden een groot land als Saramyr niet in één dag, of zelfs in één jaar, veroveren. Ze hadden de kop van het keizerrijk afgehakt en de hoofdstad en enkele andere grote steden in beslag genomen. De adel en de bevolking waren echter te wijdverbreid om zomaar te kunnen onderwerpen, zelfs al hadden de wevers een ongelooflijk grote troepenmacht tot hun beschikking en waren de legers van de meeste hooggeplaatste families vernietigd. Binnen een maand zou het noordwestelijke deel van het continent geheel onder de heerschappij van de wevers zijn gebracht. Daarna hoefden ze alleen de stuurloze restanten van de adel op te vegen, die zonder hun wevers machteloos, verblind en onthand zouden zijn. Zodra de situatie in het bezette gebied stabiel was, zouden ze naar het zuiden oprukken totdat het hele land in hun handen was en er niemand over was die het tegen hen kon opnemen.

Of het inderdaad zo gemakkelijk zou zijn wist Avun niet, maar hij had er een talent voor om de winnaar eruit te pikken, en in dit geval stond hij liever aan de kant van de wevers dan tegenover hen.

Kakres eigen zorgen gingen verder dan alleen legers, oorlog en bezetting. Hij werd in beslag genomen door wat er in de Breuk kon zijn gebeurd dat er zoveel wevers waren gesneuveld. Bovendien was er een heksensteen vernietigd, wat nog veel afschuwelijker was. Hij ervoer de dood ervan als een tastbare wond en hij was er in één klap oud door geworden. Zijn lichaam was nog erger gekromd en werd nog heviger door pijn geplaagd. Wat was er uiteindelijk geworden van de Gemeenschap, en van Lucia?

En hoe zat het met die wezens die het tegen zijn wevers hadden opgenomen, de vrouwen die het hadden gewaagd tegen hen ten strijde te trekken in het rijk dat voorbij de menselijke waarneming lag? Dat was een groter gevaar dan hij ooit had meegemaakt, de ergste dreiging die hij zich nu kon voorstellen. Als hij genoeg mensen had kunnen missen, zou hij hen de Xaranabreuk hebben laten uitkammen. Hij vermoedde evenwel dat hij dan alleen maar tot de ontdekking zou zijn gekomen dat zijn doelwitten weer waren ondergedoken. Hoe lang waren ze er al? Hoe lang hadden ze zich vermenigvuldigd en verspreid? Al die jaren hadden de wevers afwijkende kinderen gedood, juist om dit soort gevaren te voorkomen, en nu was het ondanks hun inspanningen toch gebeurd. Hoe sterk waren ze nu? En met hoeveel?

Als hij aan de zusters dacht, werd hij bang.

Hij liep langzaam over het verhoogde pad over de poel naar de ingang van de tempel, waar het oogverblindende zonlicht door de deuropening naar binnen scheen. Onderweg spraken ze over triomfen en nederlagen, en hun stemmen galmden door de stilte, om vervolgens weg te sterven toen ze het huis van de Godenkeizer leeg en hol achterlieten.

Cailin keek naar de zon, die in het westen onderging als een doffe, rode bol en boos door de rooksluier leek te kijken die nog steeds uit de vallei bij de Gemeenschap opsteeg. Ze stond op een hoge rand in het landschap, een vlak stuk grasland dat uitstak boven een helling van versplinterde, donkere steen. Er moesten nog veel plannen worden gemaakt.

De overgebleven zusters hadden zich over de Gemeenschap verspreid om te helpen bij de uittocht. De Libera Dramach ging uit elkaar en de leden zouden voorlopig ieder hun eigen weg gaan, zodat ze een veel moeilijker doelwit zouden vormen. Over een paar weken zouden ze op een afgesproken plek weer bijeenkomen. De inwoners van de Gemeenschap deden wat ze moesten doen. De meeste waren van plan zich uiteindelijk weer bij de anderen aan te sluiten, want ze hadden hun vertrouwen gesteld in de leiders die hen zowel in goede als in slechte tijden hadden bijgestaan. Anderen kozen ervoor hun eigen weg te gaan: ze sloten zich aan bij andere stammen en groeperingen of verlieten de Breuk. De Gemeenschap, die ooit een eenheid was geweest, was onherstelbaar versplinterd.

Al de hele dag vlogen er berichten door het weefsel heen en weer van andere afdelingen van de Rode Orde, die elders waren gevestigd. Ze verhaalden over de gebeurtenissen in Axekami, over de slachtpartijen in de noordelijke steden, over de gewaagde en onstuitbare staatsgreep van de wevers. Ook kwam het nieuws dat de keizer was gevallen, en met hem het keizerrijk. De zusters wisten dat het nu serieus werd, dat de wevers zich van hun bestaan bewust waren en dat hun langdurige stilte was verbroken.

Ze hoorde zachte voetstappen achter zich. Cailin hoefde zich niet om te draaien om te weten dat het Phaeca was. De roodharige zuster bleef naast haar op de rand van de afgrond stilstaan. Ze was geheel in het zwart gekleed, zoals alle zusters, en ze droeg de intimiderende gelaatsverf van de Orde. Haar jurk had echter een andere snit dan die van Cailin en ze droeg haar haar in een ingewikkeld kapsel van vlechten en knotjes, wat duidelijk aangaf dat ze in het Kanaaldistrict was opgegroeid.

In eerste instantie zwegen ze. Nuki's oog gleed af naar de horizon en schilderde de hemel koraalrood en paars, maar de kleuren werden ontsierd door de rook.

'Zoveel doden,' zei Phaeca. 'Was dat allemaal volgens plan?'

'Niet bepaald,' zei Cailin. 'Dat de wevers de Gemeenschap hebben ontdekt was een ongelukkig toeval, veroorzaakt door een bende dwaze, verblinde fanatiekelingen.'

Phaeca's stilzwijgen was een duidelijk antwoord. Cailin verbrak de stilte niet.

'Hebben wij dit allemaal veroorzaakt?' vroeg Phaeca uiteindelijk. 'Al die jaren hebben we ons verborgen gehouden en geweigerd te handelen, terwijl we van alles hadden kunnen doen... Is dit de tol die we moeten betalen?'

Cailins stem klonk scherp van ergernis. 'Phaeca, houd op. Je weet net zo goed als ik waarom we al die jaren niets hebben gedaan. En het dodental hier is nog niets vergeleken met de grote aantallen mensen die de komende maanden zullen omkomen.'

'We hadden hen kunnen tegenhouden,' zei Phaeca koppig. 'We hadden de wevers ervan kunnen weerhouden de troon op te eisen. Als we het hadden geprobeerd.'

'Misschien wel,' gaf Cailin weifelend toe. Ze draaide haar hoofd een stukje en keek haar metgezel zijdelings aan. Phaeca wilde zalf voor haar wonden, iets waarmee ze haar daden kon verantwoorden. Cailin kon haar niet helpen. 'Maar waarom zouden we? Geen offer is te groot, Phaeca. Laat je nu niet plagen door je geweten, want het is te laat voor spijt. Dit is nog maar het begin. De zusters zijn ontwaakt. De oorlog om Saramyr is begonnen.' Een zwoel briesje streek door de veren van haar kraag. 'We wilden juist dat de wevers de troon zouden veroveren. Daarom hebben we onze bondgenoten tegengehouden, daarom hebben we geheimhouding gepredikt en hun opgedragen zich verborgen te houden, daarom hebben we geweigerd onze vaardigheden te gebruiken om hen te helpen. Dat mogen ze nooit te weten komen. Ze zouden het als verraad beschouwen.'

Phaeca knikte met tegenzin, maar begrijpend. Ze staarde in het niets.

'Als dit nog maar het begin is,' zei ze, 'dan vrees ik wat er nog komen gaat.'

'En daar heb je groot gelijk in, mijn zuster,' zei Cailin. 'Daar heb je groot gelijk in.'

Verder zeiden ze niets meer, maar ze gingen ook niet weg. De zusters bleven een hele tijd naast elkaar in het wegstervende licht van de zonsondergang staan kijken naar de rook die uit de vallei opsteeg, terwijl de kleuren uit de hemel wegtrokken en de duisternis zich als een deken over het landschap vlijde.